FREUD-STUDIENAUSGABE

BAND VI

Conditio
humana

Herausgegeben von

Alexander Mitscherlich · Angela Richards · James Strachey †

Band VI: [Vortrag:] Über den psychischen Mechanismus hysterischer Phänomene (1893) · Über die Berechtigung, von der Neurasthenie einen bestimmten Symptomenkomplex als ›Angstneurose‹ abzutrennen (1895 [1894]) · Zur Ätiologie der Hysterie (1896) · Bruchstück einer Hysterie-Analyse (1905 [1901]) · Hysterische Phantasien und ihre Beziehung zur Bisexualität (1908) · Allgemeines über den hysterischen Anfall (1909 [1908]) · Die psychogene Sehstörung in psychoanalytischer Auffassung (1910) · Über neurotische Erkrankungstypen (1912) · Hemmung, Symptom und Angst (1926 [1925])

SIGMUND FREUD

Studienausgabe

BAND VI

Hysterie und Angst

S. FISCHER VERLAG

Die Freud-Studienausgabe erscheint im Rahmen der Reihe
Conditio humana
Ergebnisse aus den Wissenschaften vom Menschen

Für sämtliche Freud-Texte:
© S. Fischer Verlag GmbH, Frankfurt am Main, 1971
Für das editorische Material:
© The Institute of Psycho-Analysis, London, und Alix Strachey, Marlow, 1971
Alle Rechte, auch die des Abdrucks im Auszug
und der photomechanischen Wiedergabe, vorbehalten.
Satz und Druck: Buchdruckerei Eugen Göbel, Tübingen
Bindearbeiten: G. Lachenmaier, Reutlingen
Printed in Germany 1971
ISBN 3 10 822706 8

INHALT

Inhalt

ZU DIESEM BAND

Eine genauere Darstellung der Gliederung und der Ziele der vorliegenden Ausgabe sowie der editorischen Methode findet sich in den Erläuterungen zur Edition, die dem Band I vorangestellt sind. Diese Gesichtspunkte sollen daher hier nur noch einmal kurz zusammengefaßt werden; zugleich möchten wir gewisse Dankespflichten erfüllen und ferner dem Leser durch einige Erklärungen einen Wegweiser zum vorliegenden Band geben.

Ziel dieser nach Themen gegliederten Ausgabe ist es, vor allem den Studenten aus den an die Psychoanalyse angrenzenden Wissensgebieten – Soziologie, Politische Wissenschaften, Sozialpsychologie, Pädagogik usw. –, aber auch interessierten Laien die Hauptwerke Sigmund Freuds in preiswerter Ausstattung mit einem detaillierten neuen Anmerkungsapparat systematischer und in größerem Umfang zugänglich zu machen, als dies in den Taschenbuchausgaben einiger Einzelwerke möglich ist. Nicht in diese Edition aufgenommen sind vornehmlich die behandlungstechnischen Schriften, die sich nicht an das große Publikum, sondern ausschließlich an den Fachmann wenden. Diese Texte finden sich in den *Gesammelten Werken.*

Die Veröffentlichung der *Studienausgabe* erfolgt nach dem Tode von James Strachey, des Seniors des Herausgebergremiums, der jedoch bis zu seinem Tode im April 1967 an den Vorbereitungen, vor allem am Inhaltsplan und an den Richtlinien für die Kommentierung, mitgearbeitet hat.

Die für diese Ausgabe benutzten Texte sind im allgemeinen die der letzten deutschen Ausgaben, die noch zu Freuds Lebzeiten veröffentlicht wurden, in den meisten Fällen also die der zuerst in London erschienenen *Gesammelten Werke* (die ihrerseits großenteils Photokopien der noch in Wien publizierten *Gesammelten Schriften* sind). Wo dies nicht zutrifft, wird die genaue Quelle in der das betreffende Werk einführenden »Editorischen Vorbemerkung« genannt. Ein paar Seitenhinweise Freuds auf frühere, heute kaum noch erreichbare Ausgaben sind von den Herausgebern weggelassen und statt dessen deskriptive Fußnoten hinzugefügt worden, welche es dem Leser ermöglichen, die entsprechenden

Stellen in heute greifbaren Editionen aufzufinden; dies betrifft vor allem die *Traumdeutung*. Um unnötige Wiederholungen zu vermeiden, sind auch ausführliche bibliographische Angaben Freuds über eigene Werke und Schriften anderer Autoren, die in den älteren Editionen im Text enthalten sind, in der Regel in die Bibliographie am Schluß der Bände der *Studienausgabe* verwiesen worden. Außer diesen unwesentlichen Änderungen und dem einheitlichen Gebrauch der Abkürzung »S.« für Seitenverweise (auch dort, wo Freud, wie vor allem in den frühen Arbeiten, »p.« schrieb) sowie schließlich einigen wenigen Modernisierungen der Orthographie, Interpunktion und Typographie wird jede Änderung, die am Quellentext vorgenommen wurde, in einer Fußnote erklärt.

Das in die *Studienausgabe* aufgenommene editorische Material entstammt der *Standard Edition of the Complete Psychological Works of Sigmund Freud*, der englischen Ausgabe also, die unter der Leitung James Stracheys hergestellt wurde; es wird hier mit Erlaubnis der Inhaber der Veröffentlichungsrechte, des Institute of Psycho-Analysis und des Verlages Hogarth Press (London), in der Übersetzung wiedergegeben. Wo es das Ziel der vorliegenden Ausgabe erforderte, wurde dieses Material gekürzt und adaptiert; zugleich wurden einige wenige Korrekturen vorgenommen und ergänzende Anmerkungen hinzugefügt. Abgesehen von den »Editorischen Vorbemerkungen«, stehen sämtliche von den Herausgebern stammenden Zusätze in eckigen Klammern.

Die Herausgeber sind Frau Ilse Grubrich-Simitis vom S. Fischer Verlag zu großem Dank verbunden. Ohne ihre Initiative wäre diese Studienausgabe nicht begonnen worden; in allen Stadien der Vorbereitung hat sie unschätzbare Hilfen und kenntnisreiche Anregungen gegeben. Großer Dank gebührt auch Fräulein Käte Hügel für die Übertragung des editorischen Materials ins Deutsche sowie Frau Meyer-Palmedo für ihre sorgfältige Hilfe beim Korrekturlesen und beim Bearbeiten des Registers.

Die in diesem Band verwendeten speziellen Abkürzungen sind in der Liste der Abkürzungen auf S. 318 erklärt. Im Text oder in den Fußnoten sind gelegentlich Werke von Freud erwähnt, die nicht in die *Studienausgabe* aufgenommen wurden. Die Bibliographie am Ende jedes Bandes (in welcher die Daten aller erwähnten technischen Arbeiten Freuds und anderer Autoren enthalten sind) informiert den Leser darüber, ob die betreffende Arbeit in die *Studienausgabe* aufgenommen wurde oder nicht. Auf S. 356 ff. findet sich außerdem ein Gesamtinhaltsverzeichnis der *Studienausgabe*.

Die Herausgeber

[Vortrag]
Über den psychischen Mechanismus hysterischer Phänomene

(1893)

EDITORISCHE VORBEMERKUNG

Deutsche Ausgabe:

1893 *Wien. med. Presse,* Bd. 34 (4), 121–26 und (5), 165–67. (22. und 29. Januar.)

Dies ist unseres Wissens der erste deutschsprachige Nachdruck dieser Arbeit seit der Erstveröffentlichung im Jahre 1893.

Das deutsche Original beginnt mit der Zeile: »Von Dr. Josef Breuer und Dr. Sigm. Freud in Wien.« In Wirklichkeit handelt es sich aber um die stenographische, von Freud revidierte Nachschrift eines von ihm gehaltenen Vortrages. Obwohl hier die gleichen Themen erörtert (und häufig in ähnlichen Worten ausgedrückt) werden wie in der berühmten ›Vorläufigen Mitteilung‹ (1893 a) von Breuer und Freud, sprechen alle Anzeichen dafür, daß es sich um eine allein von Freud stammende Arbeit handelt. (Die ›Vorläufige Mitteilung‹ wurde erstmals in zwei Fortsetzungen am 1. und 15. Januar 1893 veröffentlicht. Den Vortrag hielt Freud am 11. Januar 1893 auf einer Sitzung des Wiener Medizinischen Clubs, also vor dem Erscheinen der zweiten Fortsetzung der ›Vorläufigen Mitteilung‹.)

In ihrem gemeinsamen Vorwort zur Erstauflage der *Studien über Hysterie* (1895) schrieben Breuer und Freud: »Wir haben unsere Erfahrungen über eine neue Methode der Erforschung und Behandlung hysterischer Phänomene 1893 in einer ›Vorläufigen Mitteilung‹ veröffentlicht und daran in möglichster Knappheit die theoretischen Anschauungen geknüpft, zu denen wir gekommen waren.« Die Arbeit wurde als Einleitungskapitel zu den *Studien* wieder abgedruckt »als die zu illustrierende und zu erweisende These«. Diese Beschreibung paßt auch auf den Vortrag, obwohl das Material hier in viel weniger strenger Form vorgelegt wird als dort.

Außer der im Titel angekündigten Tatsache, daß es sich hier um eine Untersuchung des »*psychischen* Mechanismus« der Hysterie handelt, besteht das bedeutsamste Moment dieses Vortrags wohl in der Beschreibung der kathartischen Behandlungsmethode. Freud selbst schreibt im ›Kurzen Abriß der Psychoanalyse‹ (1924 f): »Die kathartische Methode ist der unmittelbare Vorläufer der Psychoanalyse und trotz aller Erweiterungen der Erfahrung und aller Modifikationen der Theorie immer noch als Kern in ihr enthalten.« Die Heilwirkung der kathartischen Methode wird durch die Theorie des »Abreagierens« erklärt, der wiederum die höchst wichtige – merkwürdigerweise zwar im Vortrag (S. 21), nicht aber in der ›Vorläufigen Mitteilung‹ erwähnte –

Hypothese des »Konstanzprinzips«, wie es später genannt wurde, zugrunde liegt.

Der Vortrag bringt natürlich die Ansichten sowohl Breuers als auch Freuds zum Ausdruck, und es findet sich hier nirgends ein Hinweis auf die wissenschaftlichen Meinungsverschiedenheiten, die später zur Trennung der beiden Forscher beigetragen haben; auch in den zwei Jahre danach erschienenen *Studien* gibt es nur wenige Andeutungen. Es ist daher vielleicht von Interesse, an dieser Stelle kurz zu streifen, worin diese Meinungsverschiedenheiten bestanden. Es sind hauptsächlich zwei, und beide beziehen sich auf die Ätiologie der Hysterie. Erstens stand Breuers Theorie der »hypnoiden Zustände« Freuds Theorie der »Abwehrneurosen« (die Hysterie entstehe durch die Verdrängung einer unverträglichen Vorstellung aus dem Motiv der Abwehr) gegenüber. Im Vortrag werden beide ätiologischen Erklärungen akzeptiert (s. S. 23 f.), obwohl der Terminus »Abwehr« selbst nicht vorkommt. Freuds Zweifel am Konzept der »hypnoiden Zustände« werden erst in der Arbeit ›Zur Ätiologie der Hysterie‹ (1896 *c*, S. 56 f. unten) offen ausgesprochen. Später, in der Falldarstellung der »Dora« (1905 *e*), verwirft er diese Hypothese gänzlich (s. S. 104, Anm. 2). Die zweite Meinungsverschiedenheit zwischen beiden Autoren betraf die Rolle, die die sexuellen Triebregungen spielten. Freud behauptete später, daß in Fällen von Hysterie die sexuelle Ätiologie niemals fehle – eine Ansicht, der Breuer sich nicht anschließen konnte; in den *Studien* stellt Freud diese Behauptung jedoch noch nicht auf, und im vorliegenden Vortrag wird das Thema überhaupt nicht berührt.

Am meisten fällt im Vortrag vielleicht das Übergewicht des traumatischen Faktors unter den für die Hysterie angegebenen Ursachen auf. Darin erweist sich natürlich der noch immer starke Einfluß Charcots auf Freuds Denken. Der Übergang zur klaren Erkenntnis des Anteils der »Triebregungen« in der Ätiologie lag damals noch in der Zukunft.

Meine Herren![1] Ich trete heute vor Sie hin mit der Absicht, Ihnen das Referat über eine Arbeit zu erstatten, deren erster Teil unter dem Namen Josef Breuers und dem meinigen bereits im *Zentralblatt für Neurologie* publiziert wurde. Wie Sie aus dem Titel der Arbeit ersehen, handelt sie von der Pathogenese der hysterischen Symptome und läßt erraten, daß die nächsten Gründe für die Entstehung hysterischer Symptome auf dem Gebiete des psychischen Lebens zu suchen sind. Ehe ich aber weiter auf den Inhalt dieser gemeinsamen Arbeit eingehe, muß ich Ihnen sagen, an welche Stelle sie gehört, und muß Ihnen den Autor und Fund nennen, an den wir, wenigstens der Sache nach, angeknüpft haben, wenngleich die Entwicklung unseres Beitrages eine durchaus selbständige war.

Sie wissen, meine Herren, alle unsere neuen Fortschritte im Verständnis und in der Erkenntnis der Hysterie knüpfen an die Arbeiten von Charcot an. Charcot hat in der ersten Hälfte der achtziger Jahre angefangen, seine Aufmerksamkeit der »großen Neurose«, wie die Franzosen sagen, der Hysterie zu schenken. In einer Reihe von Forschungen hat er es dahin gebracht, Regelmäßigkeit und Gesetz dort nachzuweisen, wo unzulängliche oder verdrossene klinische Beobachtung anderer nur Simulation oder rätselhafte Willkür gesehen. Man kann sagen, direkt oder indirekt geht auf seine Anregung alles zurück, was wir in der letzten Zeit Neues von der Hysterie erfahren haben. Unter den vielfachen Arbeiten Charcots steht aber meiner Schätzung nach keine höher als jene, in welcher er uns die traumatischen Lähmungen, welche bei Hysterie auftreten, verstehen lehrte, und da es gerade diese Arbeit ist, als deren Fortsetzung die unsere erscheint, bitte ich Sie zu gestatten, daß ich dieses Thema nochmals ausführlicher vor Ihnen behandle. Nehmen Sie den Fall an, ein Individuum, welches vorher nicht krank gewesen, vielleicht nicht einmal hereditär belastet sei, werde von

---

[1] Vortrag, gehalten von Dr. Sigm. Freud in der Sitzung des »Wiener med. Club« am 11. Januar 1893. Vom Vortr. revidiertes Original-Stenogramm der *Wiener Med. Presse*. [Diese Anm. erschien schon in der Erstveröffentlichung.]

einem Trauma betroffen. Dieses Trauma muß gewisse Bedingungen erfüllen; es muß schwer sein, d. h. von der Art, daß die Vorstellung einer Lebensgefahr, der Bedrohung der Existenz damit verbunden ist; es darf aber nicht schwer sein in dem Sinne, daß die psychische Tätigkeit dabei aufhört; sonst entfällt der Effekt, den wir davon erwarten; es darf also z. B. nicht mit einer Gehirnerschütterung, mit einer wirklichen schweren Verletzung einhergehen. Ferner muß dieses Trauma eine besondere Beziehung zu einem Körperteil haben. Nehmen Sie an, ein schweres Scheit Holz trifft einen Arbeiter auf die Schulter. Dieser Stoß wirft ihn nieder, doch überzeugt er sich bald, daß nichts geschehen sei, und er geht mit einer leichten Quetschung nach Hause. Nach einigen Wochen oder nach Monaten erwacht er eines morgens und bemerkt, daß der Arm, den das Trauma getroffen hat, schlaff, gelähmt herabhängt, nachdem er ihn in der Zwischenzeit, gewissermaßen in der Inkubationszeit, vollkommen gut gebraucht hat. Wenn es ein typischer Fall war, so kann es vorkommen, daß sich eigentümliche Anfälle einstellen, daß das Individuum nach einer Aura [1] plötzlich zusammenfällt, tobt, deliriert, und wenn es in diesem Delirium spricht, ist daraus zu entnehmen, daß sich in ihm die Szene des Unfalles, etwa mit verschiedenen Phantasmen ausgeschmückt, wiederholt. Was ist hier vorgegangen, wie ist dieses Phänomen zu erklären?

Charcot erklärt diesen Vorgang, indem er ihn reproduziert, indem er die Lähmung künstlich an einem Kranken erzeugt. Er bedarf dazu eines Kranken, der sich schon in einem hysterischen Zustand befindet, des Zustandes der Hypnose und des Mittels der Suggestion. Einen solchen Kranken versetzt er in tiefe Hypnose, gibt ihm einen leichten Schlag auf den Arm, dieser Arm fällt herab, ist gelähmt und zeigt genau dieselben Symptome wie bei spontaner traumatischer Lähmung. Dieser Schlag kann auch ersetzt werden durch direkte verbale Suggestion: »Du, dein Arm ist gelähmt«; auch da zeigt die Lähmung den nämlichen Charakter.

Versuchen wir, diese beiden Fälle miteinander zu analogisieren. Hier das Trauma, dort die traumatische Suggestion; der Endeffekt, die Lähmung, ist in beiden Fällen ganz der nämliche. Wenn das Trauma des einen Falles im anderen Falle ersetzt werden kann durch die verbale Suggestion, so liegt es nahe anzunehmen, daß auch bei der spontanen traumatischen Lähmung eine solche Vorstellung an der Entste-

---

[1] [Die warnenden Sinnesempfindungen, die einem epileptischen oder hysterischen Anfall vorausgehen.]

hung der Lähmung schuld war, und in der Tat berichtet eine Anzahl von Kranken, daß sie im Moment des Traumas wirklich die Empfindung hatten, daß ihr Arm zerschmettert sei. Dann wäre das Trauma wirklich durchaus gleichzusetzen der verbalen Suggestion. Dann fehlt aber noch ein Drittes, um die Analogie zu vervollständigen. Damit die Vorstellung »der Arm ist gelähmt« bei dem Kranken wirklich eine Lähmung hervorrufen konnte, war notwendig, daß sich der Kranke im Zustand der Hypnose befinde. Der Arbeiter befand sich aber nicht in Hypnose, wir können jedoch annehmen, daß er sich während des Traumas in einem besonderen Geisteszustand befand, und Charcot ist geneigt, diesen Affekt gleichzustellen dem künstlich hervorgerufenen Zustand der Hypnose. Damit ist die traumatische spontane Lähmung vollständig erklärt und in Analogie gebracht mit der durch Suggestion erzeugten Lähmung, und das Entstehen des Symptoms ist durch die Umstände des Traumas eindeutig determiniert.

Dasselbe Experiment hat Charcot aber auch zur Erklärung der Kontrakturen und Schmerzen, welche bei traumatischer Hysterie auftreten, wiederholt, und ich möchte sagen, daß Charcot selbst kaum in irgendeinem anderen Punkte so tief in das Verständnis der Hysterie eingedrungen ist wie gerade in dieser Frage. Aber hier endet seine Analyse, wir erfahren nicht, wie andere Symptome entstehen, und vor allem nicht, wie die hysterischen Symptome bei der gemeinen, nicht traumatischen Hysterie zustande kommen.

Meine Herren! Ungefähr gleichzeitig, als Charcot die hystero-traumatischen Lähmungen auf diese Weise durchleuchtete, hat Dr. Breuer 1880–1882 einer jungen Dame seinen ärztlichen Beistand geschenkt, welche sich – durch nicht traumatische Ätiologie – bei der Pflege ihres kranken Vaters eine schwere und komplizierte Hysterie mit Lähmungen, Kontrakturen, Sprach- und Sehstörungen und allen möglichen psychischen Besonderheiten zugezogen hatte[1]. Dieser Fall wird seine Bedeutung für die Geschichte der Hysterie behalten, denn er war der erste Fall, wo es dem Arzte gelang, alle Symptome des hysterischen Zustandes zu durchleuchten, von jedem Symptom die Herkunft zu erfahren und gleichzeitig den Weg zu finden, dieses Symptom wieder zum Verschwinden zu bringen; es war sozusagen der erste durchsichtig gemachte Fall von Hysterie. Dr. Breuer bewahrte die Schlußfolgerun-

---

[1] [Dies war natürlich Fräulein Anna O., dargestellt in der ersten Krankengeschichte der *Studien über Hysterie* (Breuer und Freud, 1895, Freud, 1895 *d*).]

gen, welche dieser Fall ziehen ließ, bei sich, bis er die Gewißheit erlangt hatte, daß er nicht vereinzelt dastehe. Nachdem ich im Jahre 1886 von einem Studienaufenthalt bei Charcot zurückgekehrt war[1], begann ich, in stetem Einvernehmen mit Breuer, eine größere Reihe von hysterischen Kranken genau zu beobachten und nach dieser Richtung hin zu untersuchen, und fand, daß das Verhalten jener ersten Patientin in der Tat ein typisches war und daß die Schlüsse, zu welchen dieser Fall berechtigte, auf eine größere Reihe, wenn nicht auf die Gesamtzahl der Hysterischen übertragen werden dürfen.

Unser Material bestand aus Fällen von gemeiner, also nicht traumatischer Hysterie; wir gingen so vor, daß wir uns bei jedem einzelnen Symptom nach den Umständen erkundigten, unter denen dieses Symptom zuerst aufgetreten war, und uns auf diese Art auch über die Veranlassung Klarheit zu verschaffen suchten, welche möglicherweise für dieses Symptom maßgebend sein konnte. Nun meinen Sie ja nicht, daß das eine einfache Arbeit ist. Wenn Sie Patienten in dieser Beziehung ausfragen, so bekommen sie meist zunächst gar keine Antwort; in einer kleinen Reihe von Fällen haben die Kranken ihre Gründe, das, was sie wissen, nicht zu sagen, in einer größeren Anzahl haben die Patienten tatsächlich keine Ahnung von dem Zusammenhange der Symptome. Der Weg, auf welchem etwas zu erfahren ist, ist schwierig und folgendermaßen: Man muß die Kranken in Hypnose versetzen und sie dann nach der Herkunft eines gewissen Symptomes ausfragen, wann dasselbe zum ersten Male aufgetreten und an was sie sich dabei erinnern. In diesem Zustande kehrt die Erinnerung, über welche sie im wachen Zustande nicht verfügen, zurück. Auf diese Art haben wir erfahren, daß, um es grob zu sagen, hinter den meisten, wenn nicht hinter allen Phänomenen der Hysterie ein mit Affekt betontes Erlebnis steckt und daß ferner dieses Erlebnis von solcher Art ist, daß es das Symptom, welches sich darauf bezieht, unmittelbar verstehen läßt, daß also dieses Symptom wieder eindeutig determiniert ist. Jetzt kann ich bereits den ersten Satz formulieren, zu welchem wir gelangt sind, wenn Sie mir gestatten, dieses mit Affekt betonte Erlebnis gleichzustellen jenem großen traumatischen Erlebnis, welches der traumatischen Hysterie zugrunde liegt: *Es besteht eine volle Analogie zwischen der traumatischen Lähmung und der gemeinen, nicht traumatischen Hysterie.* Der Unterschied ist nur der, daß dort ein großes Trauma eingewirkt hat, während hier selten ein einziges großes Ereig-

---

[1] [Freud verbrachte den Winter 1885-86 in Paris, wo er an der Salpêtrière arbeitete.]

nis zu konstatieren ist, sondern eine Reihe von affektvollen Eindrükken; eine ganze Leidensgeschichte. Es hat aber nichts Gezwungenes, diese Leidensgeschichte, welche sich bei Hysterischen als veranlassendes Moment ergibt, mit jenem Unfall bei der traumatischen Hysterie gleichzustellen, denn es zweifelt heute niemand mehr, daß auch bei dem großen mechanischen Trauma der traumatischen Hysterie es nicht das mechanische Moment ist, welches zur Wirkung kommt, sondern der Schreckaffekt, das psychische Trauma. Es ergibt sich also daraus als erstes, daß das Schema der traumatischen Hysterie, wie es Charcot für die hysterischen Lähmungen gegeben hat, ganz allgemein für alle hysterischen Phänomene oder wenigstens für die größte Zahl derselben gilt; überall handelt es sich um die Wirkung psychischer Traumen, welche die Natur der so entstehenden Symptome eindeutig bestimmen.

Gestatten Sie mir nun, Ihnen hierfür einige Beispiele vorzuführen. Zunächst ein Beispiel für das Auftreten von Kontrakturen. Die bereits erwähnte Patientin Breuers wies während der ganzen Zeit ihrer Krankheit eine Kontraktur des rechten Armes auf. In der Hypnose stellte sich heraus, daß sie zur Zeit, als sie noch nicht erkrankt war, einmal folgendes Trauma erlitten hatte: Sie saß halbschlummernd am Bette des kranken Vaters und hatte den rechten Arm über die Sessellehne hängen, wobei ihr derselbe einschlief. In diesem Momente hatte sie eine schreckhafte Halluzination, welche sie mit ihrem Arm abwehren wollte, was aber nicht gelang. Darüber erschrak sie heftig, und damit war die Sache vorläufig auch abgetan. Erst mit dem Ausbruch der Hysterie kam es zur Kontraktur dieses Armes. Bei einer anderen Kranken beobachtete ich ein eigenartiges Schnalzen mit der Zunge mitten in der Rede, ähnlich dem Balzen des Auerhahns[1]. Ich kannte dieses Symptom an ihr bereits monatelang und hielt es für einen Tic. Erst als ich zufällig einmal in der Hypnose mich nach dem Ursprung desselben erkundigte, stellte sich heraus, daß das Geräusch bei zwei Gelegenheiten zum ersten Male aufgetreten war, wo sie beide Male den festen Vorsatz hatte, sich absolut ruhig zu verhalten, einmal als sie ihr schwerkrankes Kind pflegte – Krankenpflege kommt oft in der Ätiologie der Hysterie vor – und sich vornahm, dasselbe, das eben eingeschlafen war, durch kein Geräusch zu wecken. Aber die Furcht vor der Tat schlug in die Aktion um (hysterischer Gegenwille!) und, die Lippen aufeinander pressend, machte sie jenes schnalzende Ge-

---

[1] [Es war Frau Emmy von N., Fall II der *Studien*.]

17

räusch mit der Zunge. Dasselbe Symptom entstand viele Jahre später ein zweites Mal, als sie sich gleichfalls vorgenommen hatte, sich absolut ruhig zu verhalten, und verblieb von da an. Oft reicht eine einzige Veranlassung nicht hin, um ein Symptom zu fixieren[1], wenn aber dieses selbe Symptom mehrere Male mit einem gewissen Affekt auftritt, dann fixiert es sich und bleibt.

Eines der häufigsten Symptome der Hysterie ist Anorexie und Erbrechen. Ich kenne eine ganze Reihe von Fällen, welche das Zustandekommen dieses Symptomes in einfacher Weise erklären. So persistierte bei einer Kranken das Erbrechen, nachdem sie einen sie kränkenden Brief unmittelbar vor dem Essen gelesen und nach demselben alles wieder erbrochen hatte. In anderen Fällen läßt sich der Ekel vor dem Essen mit aller Bestimmtheit darauf beziehen, daß Personen durch die Institution des gemeinsamen Tisches genötigt sind, mit Personen zusammen zu essen, die sie verabscheuen. Der Ekel überträgt sich dann von der Person auf das Essen. Besonders interessant in dieser Beziehung war jene erwähnte Frau mit dem Tic; diese Frau aß ungemein wenig und nur gezwungen; in der Hypnose erfuhr ich, daß eine Reihe von psychischen Traumen schließlich dieses Symptom, den Ekel vor dem Essen, hervorgebracht hatte. Schon als Kind wurde sie von der sehr strengen Mutter angehalten, das Fleisch, welches sie zu Mittag nicht gegessen hatte, zwei Stunden nach Tisch kalt und mit dem erstarrten Fett zu essen; sie tat dies mit großem Ekel und behielt die Erinnerung daran, so daß sie, auch als sie später nicht mehr zu dieser Strafe gezwungen war, stets mit Ekel zu Tisch ging. 10 Jahre später teilte sie den Tisch mit einem Verwandten, welcher tuberkulös war und während des Essens stets über den Tisch hinüber in die Spuckschale spuckte; einige Zeit später war sie gezwungen, mit einem Verwandten zu essen, von welchem sie wußte, daß er an einer ansteckenden Krankheit leide. Die Patientin Breuers benahm sich eine Zeitlang wie eine Hydrophobische; in der Hypnose stellte sich als Grund hierfür heraus, daß sie einmal unvermutet einen Hund aus einem ihrer Wassergläser hatte trinken gesehen[2].

Auch das Symptom der Schlaflosigkeit und Schlafstörung findet meist die präziseste Erklärung. Eine Frau konnte z. B. durch Jahre erst um

---

[1] [»Fixieren« bedeutet hier lediglich »festsetzen«. Das Wort hat noch nicht den späteren psychoanalytischen Sinn einer Entwicklungsblockierung.]

[2] [Dieses Symptom war übrigens das erste, das mit der kathartischen Methode behoben wurde, und das Verfahren wurde von der Patientin spontan initiiert.]

6 Uhr früh einschlafen. Sie hatte lange Zeit Tür an Tür mit ihrem kranken Mann geschlafen, welcher morgens um 6 Uhr aufstand. Von dieser Zeit an fand sie Ruhe zu schlafen, und so benahm sie sich auch dann viele Jahre später während einer hysterischen Erkrankung. Ein anderer Fall betraf einen Mann. Ein Hysteriker schläft seit 12 Jahren sehr schlecht; aber seine Schlaflosigkeit ist von ganz eigener Art. Während er im Sommer ausgezeichnet schläft, schläft er im Winter recht schlecht, und ganz besonders schlecht im November. Womit dies zusammenhängt, davon hat er keine Ahnung. Das Examen ergibt, daß er vor 12 Jahren im November bei seinem an Diphtheritis erkrankten Kind viele Nächte hindurch gewacht hatte.

Ein Beispiel von Sprachstörung liefert die wiederholt erwähnte Patientin Breuers. Diese sprach während einer langen Periode ihrer Krankheit nur englisch; weder sprach, noch verstand sie das Deutsche. Dieses Symptom ließ sich auf ein Ereignis noch vor Ausbruch ihrer Krankheit zurückführen. In einem Zustande großer Angst versuchte sie zu beten, fand aber keine Worte. Endlich fielen ihr ein paar Worte eines englischen Kindergebetes ein. Als sie später erkrankte, stand ihr nur das Englische zur Verfügung.

Nicht in allen Fällen ist die Determination des Symptoms durch das psychische Trauma so durchsichtig. Es besteht oft nur eine sozusagen symbolische Beziehung zwischen der Veranlassung und dem hysterischen Symptom. Das bezieht sich besonders auf Schmerzen. So litt eine Kranke an bohrenden Schmerzen zwischen den Augenbrauen[1]. Der Grund dafür lag darin, daß sie einmal als Kind von ihrer Großmutter prüfend, »durchbohrend« angeschaut worden war. Dieselbe Patientin litt eine Zeitlang an ganz unmotivierten, heftigen Schmerzen in der rechten Ferse. Diese Schmerzen hatten, wie sich herausstellte, Beziehung zu einer Vorstellung, welche die Patientin hatte, als sie zuerst in die Welt eingeführt wurde; es überkam sie damals die Angst, daß sie das »richtige« oder »rechte Auftreten« nicht finden könnte. Solche Symbolisierungen werden von vielen Kranken für eine ganze Reihe von sogenannten Neuralgien und Schmerzen in Anspruch genommen. Es besteht gleichsam eine Absicht, den psychischen Zustand durch einen körperlichen auszudrücken, und der Sprachgebrauch bietet hierfür die Brücke. Gerade für die typischen hysterischen Symptome, wie Hemianästhesie, Gesichtsfeldeinengung, epileptiforme Konvul-

---

[1] [Das war Frau Cäcilie M., deren »symbolische« Symptome am Ende der Falldarstellung V in den *Studien* diskutiert werden.]

sionen etc., ist es aber nicht möglich, einen derartigen psychischen Mechanismus nachzuweisen. Für die hysterogenen Zonen[1] hingegen ist es uns oftmals gelungen.

Mit diesen Beispielen, welche ich aus einer Reihe von Beobachtungen herausgegriffen habe, wäre der Beweis geliefert, daß man die Phänomene der gemeinen Hysterie ruhig nach demselben Schema auffassen darf wie die der traumatischen Hysterie, daß somit jede Hysterie als traumatische Hysterie aufgefaßt werden kann im Sinne des psychischen Traumas und daß jedes Phänomen nach der Art des Traumas determiniert ist.

Die weitere Frage, welche zu beantworten wäre, ist nun, welches ist die Art des ursächlichen Zusammenhanges zwischen jenem Anlaß, den wir in der Hypnose erfahren haben, und dem Phänomen, welches später als hysterisches Dauersymptom bleibt? Ein solcher Zusammenhang könnte ein mannigfacher sein. Er könnte etwa von der Art sein, wie wir ihn als Typus der Auslösung anführen. Wenn beispielsweise jemand, der zu Tuberkulose disponiert ist, einen Schlag aufs Knie bekommt, in dessen Gefolge sich eine tuberkulöse Gelenkentzündung entwickelt, so ist das eine einfache Auslösung. Aber so verhält es sich bei der Hysterie nicht. Es gibt noch eine andere Art der Verursachung, und das ist die direkte. Wollen wir uns dieselbe durch das Bild des Fremdkörpers veranschaulichen. Ein solcher wirkt als reizende Krankheitsursache fort und fort, bis er entfernt ist. *Cessante causa cessat effectus*[2]. Die Beobachtung Breuers lehrt, daß zwischen dem psychischen Trauma und dem hysterischen Phänomen ein Zusammenhang der letzten Art besteht. Breuer hat nämlich bei seiner ersten Patientin folgende Erfahrung gemacht: Der Versuch, die Veranlassung eines Symptomes zu erfahren, ist gleichzeitig ein therapeutisches Manöver. Der Moment, in welchem der Arzt erfährt, bei welcher Gelegenheit ein Symptom zum ersten Male aufgetreten ist und wodurch es bedingt war, ist auch derjenige, in dem dieses Symptom verschwindet. Wenn ein Kranker beispielsweise das Symptom der Schmerzen bietet und wir forschen in der Hypnose nach, woher er diese Schmerzen habe, so kommt eine Reihe von Erinnerungen über ihn. Wenn es gelingt, den Kranken zu einer recht lebhaften Erinnerung zu bringen, so sieht

---

[1] [Die »hysterogenen Zonen« (oder »Punkte«) sind in ›Zur Ätiologie der Hysterie‹, S. 78 unten, kurz geschildert.]
[2] [Wenn die Ursache wegfällt, hört die Wirkung auf.]

er die Dinge mit ursprünglicher Wirklichkeit vor sich, man merkt, daß der Kranke unter der vollen Herrschaft eines Affektes steht, und wenn man ihn dann nötigt, diesem Affekte Worte zu leihen, so sieht man, daß unter Erzeugung eines heftigen Affektes diese Erscheinung der Schmerzen noch einmal mit großem Ausdruck auftritt und daß von da an dieses Symptom als Dauersymptom verschwunden ist. So gestaltete sich der Vorgang in all den angeführten Beispielen. Es hat sich dabei die interessante Tatsache ergeben, daß die Erinnerung an dieses Ereignis außerordentlich viel lebhafter war als an andere und daß der damit verbundene Affekt so groß war, als er etwa bei dem wirklichen Erlebnis gewesen war. Man muß annehmen, daß jenes psychische Trauma in der Tat in dem betreffenden Individuum noch fortwirkt und das hysterische Phänomen unterhält und daß es zu Ende ist, sowie sich der Patient darüber ausgesprochen hat.

Ich habe soeben bemerkt, daß, wenn man nach unserem Verfahren durch Ausforschung in der Hypnose auf das psychische Trauma gekommen ist, man dabei findet, daß die Erinnerung, um die es sich handelt, ganz ungewöhnlich stark ist und ihren vollen Affekt bewahrt hat. Es entsteht nun die Frage, woher kommt es, daß ein Ereignis, das vor so langer Zeit, etwa vor 10 oder 20 Jahren, vorgefallen ist, fortwährend seine Gewalt über das Individuum äußert, warum diese Erinnerungen nicht der Abnützung, der Usur, dem Vergessen verfallen.

Zur Beantwortung dieser Frage möchte ich einige Erwägungen über die Bedingungen der Abnützung des Inhalts unseres Vorstellungslebens vorausschicken. Man kann hier von einem Satze ausgehen, welcher folgendermaßen lautet: Wenn ein Mensch einen psychischen Eindruck erfährt, so wird etwas in seinem Nervensystem gesteigert, was wir momentan die Erregungssumme[1] nennen wollen. Nun besteht in jedem Individuum, um seine Gesundheit zu erhalten, das Bestreben, diese Erregungssumme wieder zu verkleinern[2]. Die Steigerung der Erregungssumme geschieht auf sensiblen Bahnen, die Verkleinerung auf motorischen Bahnen. Man kann also sagen, wenn jemandem etwas zustößt, so reagiert er darauf motorisch. Man kann nun ruhig behaupten, daß es von dieser Reaktion abhängt, wieviel von dem anfänglichen psychischen Eindruck zurückbleibt. Erörtern wir das an einem

[1] [Hier erscheint dieser Freudsche Terminus erstmals gedruckt.]
[2] [Eine noch tastende Darstellung des »Konstanzprinzips«; s. die ›Editorische Vorbemerkung‹, S. 11 f. oben.]

besonderen Beispiele. Ein Mensch erfahre eine Beleidigung, einen Schlag oder dergleichen, so ist das psychische Trauma mit einer Steigerung der Erregungssumme des Nervensystemes verbunden. Es entsteht dann instinktiv die Neigung, diese gesteigerte Erregung sofort zu vermindern, er schlägt zurück, und nun ist ihm leichter, er hat vielleicht adäquat reagiert, d. h. er hat so viel abgeführt, als ihm zugeführt wurde. Nun gibt es verschiedene Arten dieser Reaktion. Für ganz leichte Erregungssteigerungen genügen vielleicht Veränderungen des eigenen Körpers, Weinen, Schimpfen, Toben und dergleichen. Je intensiver das psychische Trauma, desto größer ist die adäquate Reaktion. Die adäquateste Reaktion ist aber immer die Tat. Aber, wie ein englischer Autor geistreich bemerkte, derjenige, welcher dem Feinde statt des Pfeiles ein Schimpfwort entgegenschleuderte, war der Begründer der Zivilisation[1], so ist das Wort der Ersatz für die Tat und unter Umständen der einzige Ersatz (Beichte). Es gibt also neben der adäquaten Reaktion eine minder adäquate. Wenn nun die Reaktion auf ein psychisches Trauma gänzlich unterblieben ist, dann behält die Erinnerung daran den Affekt[2], den sie ursprünglich hatte. Wenn also jemand, der beleidigt worden ist, die Beleidigung nicht vergelten kann, weder durch einen Gegenschlag noch durch ein Schimpfwort, dann ist die Möglichkeit gegeben, daß die Erinnerung an diesen Vorgang bei ihm wieder denselben Affekt hervorruft, wie er zu Anfang vorhanden war. Eine Beleidigung, die vergolten ist, wenn auch nur durch Worte, wird anders erinnert als eine, die hingenommen werden mußte, und der Sprachgebrauch bezeichnet auch charakteristischerweise eben das schweigend erduldete Leiden als »Kränkung«. Wenn also die Reaktion auf das psychische Trauma aus irgendeinem Grunde unterbleiben mußte, behält dasselbe seinen ursprünglichen Affekt, und wo sich der Mensch des Reizzuwachses nicht durch »Abreagieren« entledigen kann, ist die Möglichkeit gegeben, daß das betreffende Ereignis für ihn zu einem psychischen Trauma wird. Der gesunde psychische Mechanismus hat allerdings andere Mittel, den Affekt eines psychischen Traumas zu erledigen, auch wenn die motorische Reaktion und die Reaktion durch Worte versagt ist, nämlich die assoziative Verarbeitung, die Erledigung durch kontrastierende Vorstellungen. Wenn

---

[1] [Wie Andersson (1962, S. 109–10) nachgewiesen hat, ist dies eine Anspielung auf einen Satz von Hughlings Jackson.]
[2] [Im Erstdruck steht an dieser Stelle »Effekt«, ebenso 19 Zeilen weiter unten. Das sind höchstwahrscheinlich Druckfehler für »Affekt«.]

der Beleidigte nicht zurückschlägt, auch nicht schimpft, so kann er doch den Affekt der Beleidigung dadurch vermindern, daß er in sich kontrastierende Vorstellungen von der eigenen Würde, von der Würdelosigkeit des Beleidigers u.s.w. wachruft. Ob nun der Gesunde in der einen oder in der anderen Weise eine Beleidigung erledigt, gelangt er immer zu dem Ende, daß der Affekt, welcher ursprünglich stark in der Erinnerung haftete, endlich an Intensität verliert und daß die schließlich affektlose Erinnerung mit der Zeit dem Vergessen, der Usur anheimfällt.

Nun haben wir gefunden, daß sich bei Hysterischen lauter Eindrücke finden, welche nicht affektlos geworden sind und deren Erinnerung eine lebhafte geblieben ist. Wir kommen also darauf, daß diese pathogen gewordenen Erinnerungen bei Hysterischen eine besondere Ausnahmsstellung zur Usur einnehmen, und die Beobachtung zeigt, daß es sich bei allen Anlässen, welche zu Ursachen hysterischer Phänomene geworden sind, um psychische Traumen handelt, die nicht vollständig abreagiert, nicht vollständig erledigt worden sind. Wir können also sagen, *der Hysterische leidet an unvollständig abreagierten psychischen Traumen.*

Man findet zwei Gruppen von Bedingungen, unter welchen Erinnerungen pathogen werden[1]. In der einen Gruppe findet man als Inhalt der Erinnerungen, auf welche hysterische Phänomene zurückgehen, solche Vorstellungen, bei denen das Trauma ein allzu großes war, so daß es dem Nervensystem an Macht gebrach, um sich dessen auf irgendeine Art zu entledigen, ferner Vorstellungen, bei welchen soziale Gründe eine Reaktion unmöglich machen (so häufig im Eheleben), endlich ist es möglich, daß der Betreffende die Reaktion einfach verweigert, auf ein psychisches Trauma überhaupt nicht reagieren *will*. Da findet sich häufig als Inhalt der hysterischen Delirien gerade jener Vorstellungskreis, welchen die Kranken im normalen Zustand mit aller Gewalt von sich gewiesen, gehemmt und unterdrückt haben (z. B. Gotteslästerung und Erotismen in den hysterischen Delirien der Nonnen). In einer anderen Reihe von Fällen liegt aber der Grund, warum die motorische Reaktion ausfiel, nicht an dem Inhalt des psy-

---

[1] [Diese beiden Gruppen führten später zur entscheidenden Meinungsverschiedenheit zwischen Breuer und Freud. Die erste Gruppe bezieht sich auf Freuds »Abwehr«-Konzept, auf das er später sein ganzes Werk aufbaute, während er Breuers Hypothese der »hypnoiden Zustände« schon bald darauf verwarf. S. die ›Editorische Vorbemerkung‹, S. 12 oben.]

chischen Traumas, sondern an anderen Umständen. Man findet sehr
häufig als Inhalt und Ursache hysterischer Phänomene Erlebnisse,
welche an und für sich ganz geringfügig sind, aber dadurch eine hohe
Bedeutung gewonnen haben, daß sie in ganz besonders wichtige Momente krankhaft gesteigerter Disposition gefallen sind. Es hat sich
etwa der Affekt des Schreckens in einem anderen schweren Affekt
ereignet und ist dadurch zu solcher Bedeutung gekommen. Derartige
Zustände sind kurzdauernd und sozusagen außer Verkehr mit dem
sonstigen geistigen Leben des Individuums. In einem solchen Zustand
der Autohypnose kann das Individuum eine Vorstellung, welche in
ihm auftrat, nicht derartig assoziativ erledigen, wie im wachen Zustande. Die längere Beschäftigung mit diesen Phänomenen machte es
uns wahrscheinlich, daß es sich bei jeder Hysterie um ein Rudiment
der sogenannten *double conscience,* des doppelten Bewußtseins han-
dele und daß die Neigung zu dieser Dissoziation und damit zum Auftreten abnormer Bewußtseinszustände, die wir als »hypnoide« bezeichnen wollen, das Grundphänomen der Hysterie sei.

Sehen wir uns nun um, in welcher Weise unsere Therapie wirkt. Dieselbe kommt einem der heißesten Wünsche der Menschheit entgegen,
nämlich dem Wunsche, etwas zweimal tun zu dürfen. Es hat jemand
ein psychisches Trauma erfahren, ohne darauf genügend zu reagieren;
man läßt ihn dasselbe ein zweites Mal erleben, aber in der Hypnose
und nötigt ihn jetzt, die Reaktion zu vervollständigen. Er entledigt
sich nun des Affekts der Vorstellung, der früher sozusagen einge-
klemmt war, und damit ist die Wirkung dieser Vorstellung aufgehoben. Also wir heilen nicht die Hysterie, aber einzelne Symptome
derselben dadurch, daß wir die unerledigte Reaktion vollziehen lassen.
Meinen Sie nun nicht, daß damit für die Therapie der Hysterie sehr
viel gewonnen wäre. So wie die Neurosen[1] hat auch die Hysterie
ihre tieferen Gründe, und diese sind es, welche der Therapie eine gewisse, oft sehr fühlbare Schranke setzen.

---

[1] [In jener Periode verwendete Freud den Terminus »Neurosen« oft zur Bezeichnung
der Neurasthenie und des später von ihm als Angstneurose beschriebenen Zustandes.]

Über die Berechtigung,
von der Neurasthenie einen bestimmten Symptomen-
komplex als »Angstneurose« abzutrennen

(1895 [1894])

EDITORISCHE VORBEMERKUNG

Deutsche Ausgaben:
1895 *Neurol. Zentbl.*, Bd. 14 (2), 50–66. (15. Januar.)
1906 *S. K. S. N.*, Bd. 1, 60–85. (2. Aufl. 1911; 3. Aufl. 1920; 4. Aufl. 1922.)
1925 *G. S.*, Bd. 1, 306–33.
1952 *G. W.*, Bd. 1, 315–42.

Man könnte diesen Artikel als die erste Strecke einer Wegspur bezeichnen, die sich mit mancherlei Gabelung und gelegentlichen scharfen Kehren durch das ganze Werk Freuds zieht. Er ist jedoch, genau genommen, nicht der Anfang dieser Fährte, denn es gingen ihm mehrere Erkundungszüge in Gestalt von Entwürfen voraus, die Freud an Wilhelm Fließ geschickt hatte und die erst posthum veröffentlicht worden sind (Freud, 1950 a). Man sollte sich bei der Lektüre dieser frühen Arbeiten vor Augen halten, daß Freud zu jener Zeit noch mit dem Problem rang, wie man die Befunde der Psychologie in neurologischen Termini ausdrücken könnte. Noch hatte er die Hypothese, daß es unbewußte seelische Vorgänge gäbe, sich nicht ganz zu eigen gemacht. So unterscheidet er in der vorliegenden Arbeit zwischen »somatischer sexueller Erregung« einerseits und »sexueller Libido oder psychischer Lust« andererseits (S. 42). Die »Libido« wird als etwas ausschließlich »Psychisches« betrachtet, obwohl sich wiederum noch keine klare Unterscheidung zwischen »psychisch« und »bewußt« erkennen läßt. Interessant ist aber, daß Freud schon wenige Jahre später, als er eine Zusammenfassung dieser Arbeit schrieb (1897 b), offenbar zu der Auffassung von der Libido als etwas potentiell Unbewußtem gelangt war, denn er schreibt: »Die neurotische Angst ist umgesetzte sexuelle Libido.«
In welchen Termini Freud diese Theorie auch immer ausdrückte, er hielt sie, ungeachtet einiger differenzierender Einschränkungen, bis ins hohe Alter aufrecht. Davor liegt aber eine lange Reihe sich wandelnder Ansichten, die in der ›Editorischen Vorbemerkung‹ zum letzten seiner Hauptwerke über dieses Thema, *Hemmung, Symptom und Angst* (1926 d, S. 229 ff. des vorliegenden Bandes), kurz dargestellt werden.

[EINLEITUNG]

Es ist schwierig, etwas Allgemeingültiges von der Neurasthenie auszusagen, solange man diesen Krankheitsnamen all das bedeuten läßt, wofür Beard[1] ihn gebraucht hat. Die Neuropathologie, meine ich, kann nur dabei gewinnen, wenn man den Versuch macht, von der eigentlichen Neurasthenie alle jene neurotischen Störungen abzusondern, deren Symptome einerseits untereinander fester verknüpft sind als mit den typischen neurasthenischen Symptomen (dem Kopfdruck, der Spinalirritation, der Dyspepsie mit Flatulenz und Obstipation), und die anderseits in ihrer Ätiologie und ihrem Mechanismus wesentliche Verschiedenheiten von der typischen neurasthenischen Neurose erkennen lassen. Nimmt man diese Absicht an, so wird man bald ein ziemlich einförmiges Bild der Neurasthenie gewonnen haben. Man wird es dann dahin bringen, schärfer, als es bisher gelungen ist, verschiedene Pseudoneurasthenien (das Bild der organisch vermittelten nasalen Reflexneurose[2], die nervösen Störungen der Kachexien und der Arteriosklerose, die Vorstadien der progressiven Paralyse und mancher Psychosen) von echter Neurasthenie zu unterscheiden, ferner werden sich – nach Möbius' Vorschlag – manche *status nervosi* der hereditär Degenerierten abseits stellen lassen, und man wird auch Gründe finden, manche Neurosen, die man heute Neurasthenie heißt, besonders intermittierender oder periodischer Natur, vielmehr der Melancholie zuzurechnen. Die einschneidendste Veränderung bahnt man aber an, wenn man sich entschließt, von der Neurasthenie jenen Symptomenkomplex abzutrennen, den ich im folgenden beschreiben werde und der die oben aufgestellten Bedingungen in besonders zureichender Weise erfüllt. Die Symptome dieses Komplexes stehen klinisch einander weit näher als den echt neurasthenischen (d. h. sie kommen häufig zusammen vor, ver-

---

[1] [Der amerikanische Neurologe G. M. Beard (1839–83) galt als der Hauptrepräsentant des Neurastheniekonzepts. Vgl. Beard, 1881 und 1884.]
[2] [Dies war eine von Fließ (1892 und 1893) vorgeschlagene und Freud nahegelegte klinische Einheit.]

treten einander im Krankheitsverlauf), und Ätiologie wie Mechanismus dieser Neurose sind grundverschieden von der Ätiologie und dem Mechanismus der echten Neurasthenie, wie sie uns nach solcher Sonderung erübrigt.

Ich nenne diesen Symptomenkomplex »Angstneurose«[1], weil dessen sämtliche Bestandteile sich um das Hauptsymptom der Angst gruppieren lassen, weil jeder einzelne von ihnen eine bestimmte Beziehung zur Angst besitzt. Ich glaubte, mit dieser Auffassung der Symptome der Angstneurose originell zu sein, bis mir ein interessanter Vortrag von E. Hecker[2] in die Hände fiel, in welchem ich die nämliche Deutung mit aller wünschenswerten Klarheit und Vollständigkeit dargelegt fand. Hecker löst die von ihm als Äquivalente oder Rudimente des Angstanfalles erkannten Symptome allerdings nicht aus dem Zusammenhange der Neurasthenie, wie ich es beabsichtige; allein dies rührt offenbar daher, daß er auf die Verschiedenheit der ätiologischen Bedingungen hier und dort keine Rücksicht genommen hat. Mit der Kenntnis dieser letzteren Differenz entfällt jeder Zwang, die Angstsymptome mit demselben Namen wie die echt neurasthenischen zu bezeichnen, denn die sonst willkürliche Namengebung hat vor allem den Zweck, uns die Aufstellung allgemeiner Behauptungen zu erleichtern.

I

KLINISCHE SYMPTOMATOLOGIE DER ANGSTNEUROSE

Was ich »Angstneurose« nenne, kommt in vollständiger oder rudimentärer Ausbildung, isoliert oder in Kombination mit anderen Neurosen zur Beobachtung. Die einigermaßen vollständigen und dabei isolierten Fälle sind natürlich diejenigen, welche den Eindruck, daß die Angstneurose klinische Selbständigkeit besitze, besonders unterstützen. In anderen Fällen steht man vor der Aufgabe, aus einem Symptomenkomplex, welcher einer »*gemischten* Neurose« entspricht, diejenigen herauszuklauben und zu sondern, die nicht der Neurasthenie, Hysterie u. dgl., sondern der Angstneurose zugehören.

---

[1] [Freud benutzt hier das Wort erstmals in einem publizierten Werk in Deutsch. (Der französischen Version – »névrose d'angoisse« – hatte er sich schon in ›Obsessions et phobies‹ (1895 c) bedient.) Konzept wie Terminus werden Freud zugeschrieben.]

[2] E. Hecker (1893). – Die Angst wird geradezu unter den Hauptsymptomen der Neurasthenie angeführt in der Studie von Kaan (1893).

Das klinische Bild der Angstneurose umfaßt folgende Symptome:
1) *Die allgemeine Reizbarkeit.* Diese ist ein häufiges nervöses Symptom,
als solches vielen *status nervosi* eigen. Ich führe sie hier an, weil sie bei
der Angstneurose konstant vorkommt und theoretisch bedeutsam ist.
Gesteigerte Reizbarkeit deutet ja stets auf Anhäufung von Erregung
oder auf Unfähigkeit, Anhäufung zu ertragen, also auf *absolute* oder
relative Reizanhäufung. Einer besonderen Hervorhebung wert finde
ich den Ausdruck dieser gesteigerten Reizbarkeit durch eine *Gehörs-*
hyperästhesie, eine Überempfindlichkeit gegen Geräusche, welches Symptom sicherlich durch die mitgeborene innige Beziehung zwischen Ge-
hörseindrücken und Erschrecken zu erklären ist. Die Gehörshyperästhesie
findet sich häufig als Ursache der *Schlaflosigkeit,* von welcher mehr als
eine Form zur Angstneurose gehört.

2) *Die ängstliche Erwartung.* Ich kann den Zustand, den ich meine,
nicht besser erläutern als durch diesen Namen und einige beigefügte
Beispiele. Eine Frau z. B., die an ängstlicher Erwartung leidet, denkt
bei jedem Hustenstoße ihres katarrhalisch affizierten Mannes an In-
fluenzapneumonie und sieht im Geiste seinen Leichenzug vorüberziehen.
Wenn sie auf dem Wege nach Hause zwei Personen vor ihrem Haustor beisammenstehend sieht, kann sie sich des Gedankens nicht erwehren, daß eines ihrer Kinder aus dem Fenster gestürzt sei; wenn sie die
Glocke läuten hört, so bringt man ihr eine Trauerbotschaft u. dgl.,
während doch in allen diesen Fällen kein besonderer Anlaß zur Verstärkung einer bloßen Möglichkeit vorliegt.

Die ängstliche Erwartung klingt natürlich stetig ins Normale ab, umfaßt alles, was man gemeinhin als »Ängstlichkeit, Neigung zu pessi-
mistischer Auffassung der Dinge« bezeichnet, geht aber so oft als möglich über solche plausible Ängstlichkeit hinaus und ist häufig selbst für
den Kranken als eine Art von Zwang erkenntlich. Für eine Form der
ängstlichen Erwartung, nämlich für die in bezug auf die eigene Gesundheit, kann man den alten Krankheitsnamen *Hypochondrie* reservieren.
Die Hypochondrie geht nicht immer der Höhe der allgemeinen ängstlichen Erwartung parallel, sie verlangt als Vorbedingung die Existenz
von Parästhesien und peinlichen Körperempfindungen, und so wird die
Hypochondrie die Form, welche die echten Neurastheniker bevorzugen,
sobald sie, was häufig geschieht, der Angstneurose verfallen[1].

---

[1] [Auf dieses Thema, das Verhältnis zwischen Hypochondrie und den anderen Neurosen, kommt Freud viel später wieder zurück, besonders in Teil II seiner Narzißmus-
arbeit (1914c).]

Eine weitere Äußerung der ängstlichen Erwartung dürfte die bei moralisch empfindlicheren Personen so häufige Neigung zur *Gewissensangst*[1], zur Skrupulosität und Pedanterie sein, die gleichfalls vom Normalen bis zur Steigerung als *Zweifelsucht* variiert.

Die ängstliche Erwartung ist das Kernsymptom der Neurose; in ihr liegt auch ein Stück von der Theorie derselben frei zutage. Man kann etwa sagen, daß hier ein *Quantum Angst frei flottierend* vorhanden ist, welches bei der Erwartung die Auswahl der Vorstellungen beherrscht und jederzeit bereit ist, sich mit irgendeinem passenden Vorstellungsinhalt zu verbinden.

3) Es ist dies nicht die einzige Art, wie die fürs Bewußtsein meist latente, aber konstant lauernde Ängstlichkeit sich äußern kann. Diese kann vielmehr auch plötzlich ins Bewußtsein hereinbrechen, ohne vom Vorstellungsablauf geweckt zu werden, und so einen *Angstanfall* hervorrufen. Ein solcher Angstanfall besteht entweder einzig aus dem Angstgefühle ohne jede assoziierte Vorstellung oder mit der naheliegenden Deutung der Lebensvernichtung, des »Schlagtreffens«, des drohenden Wahnsinns, oder aber dem Angstgefühle ist irgendwelche Parästhesie beigemengt (ähnlich der hysterischen Aura[2]), oder endlich mit der Angstempfindung ist eine Störung irgend einer oder mehrerer Körperfunktionen, der Atmung, Herztätigkeit, der vasomotorischen Innervation, der Drüsentätigkeit verbunden. Aus dieser Kombination hebt der Patient bald das eine, bald das andere Moment besonders hervor, er klagt über »Herzkrampf«, »Atemnot«, »Schweißausbrüche«, »Heißhunger« u. dgl., und in seiner Darstellung tritt das Angstgefühl häufig ganz zurück oder wird recht unkenntlich als ein »Schlechtwerden«, »Unbehagen« usw. bezeichnet.

4) Interessant und diagnostisch bedeutsam ist nun, daß das Maß der Mischung dieser Elemente im Angstanfalle ungemein variiert und daß nahezu jedes begleitende Symptom den Anfall ebensowohl allein konstituieren kann wie die Angst selbst. Es gibt demnach *rudimentäre Angstanfälle* und *Äquivalente des Angstanfalles,* wahrscheinlich alle von der gleichen Bedeutung, die einen großen und bis jetzt wenig gewürdigten Reichtum an Formen zeigen. Das genauere Studium dieser larvierten Angstzustände (Hecker [1893]) und ihre diagnostische Tren-

---

[1] [Die Gewissensangst wird in einigen der Spätschriften Freuds zum Hauptthema, so in *Hemmung, Symptom und Angst* (1926 d), s. unten S. 270 f., S. 279 f. und S. 285.]
[2] [S. die Anm. auf S. 14.]

nung von anderen Anfällen dürfte bald zur notwendigen Arbeit für den Neuropathologen werden.

Ich füge hier nur die Liste der mir bekannten Formen des Angstanfalles an:

a) Mit Störungen der *Herztätigkeit,* Herzklopfen, mit kurzer Arrhythmie, mit länger anhaltender Tachykardie bis zu schweren Schwächezuständen des Herzens, deren Unterscheidung von organischer Herzaffektion nicht immer leicht ist; Pseudoangina pectoris, ein diagnostisch heikles Gebiet!

b) Mit Störungen der *Atmung,* mehrere Formen von nervöser Dyspnoe, asthmaartigem Anfalle u. dgl. Ich hebe hervor, daß selbst diese Anfälle nicht immer von kenntlicher Angst begleitet sind.

c) Anfälle von *Schweißausbrüchen,* oft nächtlich.

d) Anfälle von *Zittern* und *Schütteln,* die nur zu leicht mit hysterischen verwechselt werden.

e) Anfälle von *Heißhunger,* oft mit Schwindel verbunden.

f) Anfallsweise auftretende *Diarrhöen.*

g) Anfälle von lokomotorischem *Schwindel.*

h) Anfälle von sogenannten *Kongestionen,* so ziemlich alles, was man vasomotorische Neurasthenie genannt hat.

i) Anfälle von *Parästhesien* (diese aber selten ohne Angst oder ein ähnliches Unbehagen).

5) Nichts als eine Abart des Angstanfalles ist sehr häufig das *nächtliche Aufschrecken (pavor nocturnus* der Erwachsenen), gewöhnlich mit Angst, mit Dyspnoe, Schweiß u. dgl. verbunden. Diese Störung bedingt eine zweite Form von Schlaflosigkeit im Rahmen der Angstneurose. [Vgl. S. 29.] – Es ist mir übrigens unzweifelhaft geworden, daß auch der *pavor nocturnus* der Kinder eine Form zeigt, die zur Angstneurose gehört. Der hysterische Anstrich, die Verknüpfung der Angst mit der Reproduktion eines hiezu geeigneten Erlebnisses oder Traumes, lassen den *pavor nocturnus* der Kinder als etwas Besonderes erscheinen; er kommt aber auch rein vor, ohne Traum oder wiederkehrende Halluzination.

6) Eine hervorragende Stellung in der Symptomengruppe der Angstneurose nimmt der »Schwindel« ein, der in seinen leichtesten Formen besser als »Taumel« zu bezeichnen ist, in schwererer Ausbildung als »Schwindelanfall« mit oder ohne Angst zu den folgenschwersten Sym-

ptomen der Neurose gehört. Der Schwindel der Angstneurose ist weder ein Drehschwindel, noch läßt er, wie der Menièresche Schwindel, einzelne Ebenen und Richtungen hervorheben. Er gehört dem lokomotorischen oder koordinatorischen Schwindel an wie der Schwindel bei Augenmuskellähmung; er besteht in einem spezifischen Mißbehagen, begleitet von den Empfindungen, daß der Boden wogt, die Beine versinken, daß es unmöglich ist, sich weiter aufrecht zu halten, und dabei sind die Beine bleischwer, zittern oder knicken ein. Zum Hinstürzen führt dieser Schwindel nie. Dagegen möchte ich behaupten, daß ein solcher Schwindelanfall auch durch einen Anfall von tiefer *Ohnmacht* vertreten werden kann. Andere ohnmachtartige Zustände bei der Angstneurose scheinen von einem *Herzkollaps* abzuhängen.

Der Schwindelanfall ist nicht selten von der schlimmsten Art von Angst begleitet, häufig mit Herz- und Atemstörungen kombiniert. Höhenschwindel, Berg- und Abgrundschwindel finden sich nach meinen Beobachtungen gleichfalls bei der Angstneurose häufig vor; auch weiß ich nicht, ob man noch berechtigt ist, nebenher einen *vertigo a stomacho laeso* [Schwindel gastrischen Ursprungs] anzuerkennen.

7) Auf Grund der chronischen Ängstlichkeit (ängstliche Erwartung) einerseits, der Neigung zum Schwindelangstanfalle anderseits entwickeln sich zwei Gruppen von typischen Phobien, die erste auf die allgemein physiologischen Bedrohungen, die andere auf die Lokomotion bezüglich. Zur ersten Gruppe gehören die Angst vor Schlangen, Gewitter, Dunkelheit, Ungeziefer u. dgl., sowie die typische moralische Überbedenklichkeit, Formen der Zweifelsucht; hier wird die disponible Angst einfach zur Verstärkung von Abneigungen verwendet, die jedem Menschen instinktiv eingepflanzt sind. Gewöhnlich bildet sich eine zwangsartig wirkende Phobie aber erst dann, wenn eine Reminiszenz an ein Erlebnis hinzukommt, bei welchem diese Angst sich äußern konnte, z. B. nachdem der Kranke ein Gewitter im Freien mitgemacht hat. Man tut unrecht, solche Fälle einfach als *Fortdauer starker Eindrücke* erklären zu wollen; was diese Erlebnisse bedeutsam und ihre Erinnerung dauerhaft macht, ist doch nur die Angst, die damals hervortreten konnte und heute ebenso hervortreten kann. Mit anderen Worten, solche Eindrücke bleiben kräftig nur bei Personen mit »ängstlicher Erwartung«.

Die andere Gruppe enthält die *Agoraphobie* mit allen ihren Nebenarten, sämtliche charakterisiert durch die Beziehung auf die Lokomotion. Ein vorausgegangener Schwindelanfall findet sich hiebei häufig als

Begründung der Phobie; ich glaube nicht, daß man ihn jedesmal postulieren darf. Gelegentlich sieht man, daß nach einem ersten Schwindelanfall ohne Angst die Lokomotion zwar beständig von der Sensation des Schwindels begleitet wird, aber ohne Einschränkung möglich bleibt, daß dieselbe aber unter den Bedingungen des Alleinseins, der engen Straße u. dgl. versagt, wenn einmal sich zum Schwindelanfalle Angst hinzugesellt hat.

Das Verhältnis dieser Phobien zu den Phobien der Zwangsneurose, deren Mechanismus ich in einem früheren Aufsatze[1] in diesem Blatte aufgedeckt habe, ist folgender Art: Die Übereinstimmung liegt darin, daß hier wie dort eine Vorstellung zwangsartig wird durch die Verknüpfung mit einem disponiblen Affekt. Der Mechanismus der *Affektversetzung* gilt also für beide Arten von Phobien. Bei den Phobien der Angstneurose ist aber 1) dieser Affekt ein monotoner, stets der der Angst; 2) stammt er nicht von einer verdrängten Vorstellung her, sondern erweist sich bei psychologischer Analyse als *nicht weiter reduzierbar, wie er auch durch Psychotherapie nicht anfechtbar ist*. Der Mechanismus der *Substitution* gilt also für die Phobien der Angstneurose nicht.

Beiderlei Arten von Phobien (oder Zwangsvorstellungen) kommen häufig nebeneinander vor, obwohl die *atypischen* Phobien, die auf Zwangsvorstellungen beruhen, nicht notwendig auf dem Boden der Angstneurose erwachsen müssen. Ein sehr häufiger, anscheinend komplizierter Mechanismus stellt sich heraus, wenn bei einer ursprünglich einfachen Phobie der Angstneurose der Inhalt der Phobie durch eine andere Vorstellung substituiert wird, die Substitution also nachträglich zur Phobie hinzukommt. Zur Substitution werden am häufigsten die »*Schutzmaßregeln*« benützt, die ursprünglich zur Bekämpfung der Phobie versucht worden sind. So entsteht z. B. die Grübelsucht aus dem Bestreben, sich den Gegenbeweis zu liefern, daß man nicht verrückt ist, wie die hypochondrische Phobie behauptet: das Zaudern und Zweifeln, noch vielmehr das Repetieren der *folie du doute* entspringt dem berechtigten Zweifel in die Sicherheit des eigenen Gedankenablaufes, da man sich doch so hartnäckiger Störung durch die zwangsartige Vorstellung bewußt ist u. dgl. Man kann daher behaupten, daß auch viele Syndrome

---

[1] ›Die Abwehr-Neuropsychosen‹ (1894 *a*). – [Die Bezeichnung »Zwangsneurose« erscheint hier erstmals im Druck. Sowohl das Konzept als auch der Terminus werden auf Freud zurückgeführt.]

der Zwangsneurose, wie die *folie du doute* und Ähnliches, klinisch, wenn auch nicht begrifflich, der Angstneurose zuzurechnen sind[1].

8) Die Verdauungstätigkeit erfährt bei der Angstneurose nur wenige, aber charakteristische Störungen. Sensationen wie Brechneigung und Übligkeiten sind nichts Seltenes, und das Symptom des Heißhungers kann allein oder mit anderen (Kongestionen) einen rudimentären Angstanfall abgeben; als chronische Veränderung, analog der ängstlichen Erwartung, findet man eine Neigung zur Diarrhöe, die zu den seltsamsten diagnostischen Irrtümern Anlaß gegeben hat. Wenn ich nicht irre, ist es diese Diarrhöe, auf welche Möbius (1894) unlängst in einem kleinen Aufsatze die Aufmerksamkeit gelenkt hat. Ich vermute ferner, Peyers reflektorische Diarrhöe, die er von Erkrankungen der Prostata ableitet (Peyer, 1893), ist nichts anderes als diese Diarrhöe der Angstneurose. Eine reflektorische Beziehung wird dadurch vorgetäuscht, daß in der Ätiologie der Angstneurose dieselben Faktoren ins Spiel kommen, die bei der Entstehung von solchen Prostataaffektionen u. dgl. tätig sind.

Das Verhalten der Magendarmtätigkeit bei der Angstneurose zeigt einen scharfen Gegensatz zu der Beeinflussung derselben Funktion bei der Neurasthenie. Mischfälle zeigen oft die bekannte »Abwechslung von Diarrhöe und Verstopfung«. Der Diarrhöe analog ist der *Harndrang* der Angstneurose.

9) Die *Parästhesien,* die den Schwindel- oder Angstanfall begleiten können, werden dadurch interessant, daß sie sich, ähnlich wie die Sensationen der hysterischen Aura, zu einer festen Reihenfolge assoziieren; doch finde ich diese assoziierten Empfindungen im Gegensatze zu den hysterischen atypisch und wechselnd. Eine weitere Ähnlichkeit mit der Hysterie wird dadurch erzeugt, daß bei der Angstneurose eine Art von *Konversion*[2] auf körperliche Sensationen stattfindet, die sonst nach Belieben übersehen werden können, z. B. auf die rheumatischen Muskeln. Eine ganze Anzahl sogenannter Rheumatiker, die übrigens auch als solche nachweisbar sind, leidet eigentlich an – Angstneurose. Neben dieser Steigerung der Schmerzempfindlichkeit habe ich bei einer Anzahl von Fällen der Angstneurose eine Neigung zu *Halluzinationen* beobachtet, welch letztere sich nicht als hysterische deuten ließen.

10) Mehrere der genannten Symptome, welche den Angstanfall beglei-

---

[1] ›Obsessions et phobies‹ (1895 c).

[2] Freud: ›Abwehr-Neuropsychosen‹ (1894 a). – [S. auch unten, die Fallgeschichte der »Dora« (1905 e), S. 127–8, und ›Hysterische Phantasien‹ (1908 a), S. 191 f.]

ten oder vertreten, kommen auch in chronischer Weise vor. Sie sind dann noch weniger leicht kenntlich, da die sie begleitende ängstliche Empfindung undeutlicher ausfällt als beim Angstanfall. Dies gilt besonders für die Diarrhöe, den Schwindel und die Parästhesien. Wie der Schwindelanfall durch einen Ohnmachtsanfall, so kann der chronische Schwindel durch die andauernde Empfindung großer Hinfälligkeit, Mattigkeit u. dgl. vertreten werden.

II

VORKOMMEN UND ÄTIOLOGIE DER ANGSTNEUROSE

In manchen Fällen von Angstneurose läßt sich eine Ätiologie überhaupt nicht erkennen. Es ist bemerkenswert, daß in solchen Fällen der Nachweis einer schweren hereditären Belastung selten auf Schwierigkeiten stößt.

Wo man aber Grund hat, die Neurose für eine *erworbene* zu halten, da findet man bei sorgfältigem, dahin zielendem Examen als ätiologisch wirksame Momente eine Reihe von Schädlichkeiten und Einflüssen aus dem *Sexualleben*. Dieselben scheinen zunächst mannigfaltiger Natur, lassen aber leicht den gemeinsamen Charakter herausfinden, der ihre gleichartige Wirkung auf das Nervensystem erklärt; sie finden sich ferner entweder allein oder neben anderen *banalen* Schädlichkeiten, denen man eine unterstützende Wirkung zuschreiben darf. Diese sexuelle Ätiologie der Angstneurose ist so überwiegend häufig nachzuweisen, daß ich mich getraue, *für die Zwecke dieser kurzen Mitteilung* die Fälle mit zweifelhafter oder andersartiger Ätiologie beiseite zu lassen.

Für die genauere Darstellung der ätiologischen Bedingungen, unter denen die Angstneurose vorkommt, wird es sich empfehlen, Männer und Frauen gesondert zu behandeln. Die Angstneurose stellt sich bei *weiblichen* Individuen – nun abgesehen von deren Disposition – in folgenden Fällen ein:

a) als *virginale Angst* oder *Angst der Adoleszenten*. Eine Anzahl von unzweideutigen Beobachtungen hat mir gezeigt, daß ein erstes Zusammentreffen mit dem sexuellen Problem, eine einigermaßen plötzliche Enthüllung des bisher Verschleierten, z. B. durch den Anblick eines sexuellen Aktes, eine Mitteilung oder Lektüre, bei heranreifenden Mädchen eine Angstneurose hervorrufen kann, die fast in typischer Weise mit Hysterie kombiniert ist[1];

b) als *Angst der Neuvermählten.* Junge Frauen, die bei den ersten Kohabitationen anästhetisch geblieben sind, verfallen nicht selten der Angstneurose, die wieder verschwindet, nachdem die Anästhesie normaler Empfindlichkeit Platz gemacht hat. Da die meisten jungen Frauen bei solcher anfänglicher Anästhesie gesund bleiben, bedarf es für das Zustandekommen dieser Angst Bedingungen, die ich auch angeben werde;

c) als Angst der Frauen, deren Männer *ejaculatio praecox* oder sehr herabgesetzte Potenz zeigen; und

d) deren Männer den *coitus interruptus* oder *reservatus* üben. *Diese* Fälle [*c)* und *d)*] gehören zusammen, denn man kann sich bei der Analyse einer großen Anzahl von Beispielen leicht überzeugen, daß es nur darauf ankommt, ob die Frau beim Koitus zur Befriedigung gelangt oder nicht. Im letzteren Falle ist die Bedingung für die Entstehung der Angstneurose gegeben. Dagegen bleibt die Frau von der Neurose verschont, wenn der mit *ejaculatio praecox* behaftete Mann den *congressus* unmittelbar darauf mit besserem Erfolge wiederholen kann. Der *congressus reservatus* mittels des Kondoms stellt für die Frau keine Schädlichkeit dar, wenn sie sehr rasch erregbar und der Mann sehr potent ist; im andern Falle steht diese Art des Präventivverkehrs den andern an Schädlichkeit nicht nach. Der *coitus interruptus* ist fast regelmäßig eine Schädlichkeit; für die Frau wird er es aber nur dann, wenn der Mann ihn rücksichtslos übt, d. h. den Koitus unterbricht, sobald *er* der Ejakulation nahe ist, ohne sich um den Ablauf der Erregung der Frau zu kümmern. Wartet der Mann im Gegenteile die Befriedigung der *Frau* ab, so hat ein solcher Koitus für letztere die Bedeutung eines normalen; es erkrankt aber dann der Mann an Angstneurose. Ich habe eine große Anzahl von Beobachtungen gesammelt und analysiert, aus denen obige Sätze hervorgehen;

e) als Angst der *Witwen* und *absichtlich Abstinenten,* nicht selten in typischer Kombination mit Zwangsvorstellungen;

---

[1] [In einer Fußnote zur zweiten Arbeit über die Abwehr-Neuropsychosen (1896 *b*) zitiert Freud diesen Satz teilweise und fügt hinzu: »Ich weiß heute, daß die Gelegenheit, bei welcher solche *virginale Angst* ausbricht, eben nicht dem *ersten* Zusammentreffen mit der Sexualität entspricht, sondern daß bei diesen Personen ein Erlebnis sexueller Passivität in den Kinderjahren vorhergegangen ist, dessen Erinnerung bei dem ›ersten Zusammentreffen‹ geweckt wird.«]

f) als Angst im *Klimakterium* während der letzten großen Steigerung der sexuellen Bedürftigkeit.

Die Fälle *c, d* und *e* enthalten die Bedingungen, unter denen die Angstneurose beim weiblichen Geschlecht am häufigsten und am ehesten unabhängig von hereditärer Disposition entsteht. An diesen – heilbaren, erworbenen – Fällen von Angstneurose werde ich den Nachweis zu führen versuchen, daß die aufgefundene sexuelle Schädlichkeit wirklich das ätiologische Moment der Neurose darstellt. Ich will nur vorher auf die sexuellen Bedingungen der Angstneurose bei *Männern* eingehen. Hier möchte ich folgende Gruppen aufstellen, die sämtlich ihre Analogien bei den Frauen finden.

a) Angst der absichtlich *Abstinenten,* häufig mit Symptomen der *Abwehr* (Zwangsvorstellungen, Hysterie) kombiniert. Die Motive, die für absichtliche Abstinenz maßgebend sind, bringen es mit sich, daß eine Anzahl von hereditär Veranlagten, Sonderlingen u. dgl. zu dieser Kategorie zählt.

b) Angst der Männer mit *frustraner* Erregung (während des Brautstandes), Personen, die (aus Furcht vor den Folgen des sexuellen Verkehrs) sich mit Betasten oder Beschauen des Weibes begnügen. Diese Gruppe von Bedingungen (die übrigens unverändert auf das andere Geschlecht zu übertragen ist – Brautschaft, Verhältnisse mit sexueller Schonung) liefert die reinsten Fälle der Neurose.

c) Angst der Männer, die *coitus interruptus* üben. Wie schon bemerkt, schädigt der *coitus interruptus* die Frau, wenn er ohne Rücksicht auf die Befriedigung der Frau geübt wird; er wird aber zur Schädlichkeit für den Mann, wenn dieser, um die Befriedigung der Frau zu erzielen, den Koitus willkürlich dirigiert, die Ejakulation aufschiebt. Auf solche Weise läßt sich verstehen, daß von den Ehepaaren, die im *coitus interruptus* leben, gewöhnlich nur *ein* Teil erkrankt. Bei Männern erzeugt der *coitus interruptus* übrigens nur selten reine Angstneurose, meist eine Vermengung derselben mit Neurasthenie.

d) Angst der Männer im *Senium.* Es gibt Männer, die wie die Frauen ein Klimakterium zeigen und zur Zeit ihrer abnehmenden Potenz und steigenden Libido[1] Angstneurose produzieren.

Endlich muß ich noch zwei Fälle anschließen, die für beide Geschlechter gelten:

α) Die Neurastheniker infolge von Masturbation[2] verfallen in Angst-

---

[1] [Dies scheint Freuds erste gedruckte Erwähnung der Bezeichnung »Libido« zu sein.]
[2] [S. unten, S. 44, Anm. 1.]

neurose, sobald sie von ihrer Art der sexuellen Befriedigung ablassen. Diese Personen haben sich besonders unfähig gemacht, die Abstinenz zu ertragen.

Ich bemerke hier als wichtig für das Verständnis der Angstneurose, daß eine irgend bemerkenswerte Ausbildung derselben nur bei potent gebliebenen Männern und bei nicht anästhetischen Frauen zustande kommt. Bei Neurasthenikern, die durch Masturbation bereits schwere Schädigung ihrer Potenz erworben haben, fällt die Angstneurose im Falle der Abstinenz recht dürftig aus und beschränkt sich meist auf Hypochondrie und leichten chronischen Schwindel. Die Frauen sind ja in ihrer Mehrheit als »potent« zu nehmen; eine wirklich impotente, d. h. wirklich anästhetische Frau ist gleichfalls der Angstneurose wenig zugänglich und erträgt die angeführten Schädlichkeiten auffällig gut.

Wieweit man etwa sonst berechtigt ist, konstante Beziehungen zwischen einzelnen ätiologischen Momenten und einzelnen Symptomen aus dem Komplex der Angstneurose anzunehmen, möchte ich hier noch nicht erörtern.

β) Die letzte der anzuführenden ätiologischen Bedingungen scheint zunächst überhaupt nicht sexueller Natur zu sein. Die Angstneurose entsteht, und zwar bei beiden Geschlechtern, auch durch das Moment der Überarbeitung, erschöpfender Anstrengung, z. B. nach Nachtwachen, Krankenpflegen und selbst nach schweren Krankheiten.

Der Haupteinwand gegen meine Aufstellung einer sexuellen Ätiologie der Angstneurose wird wohl dahin lauten: derartige abnorme Verhältnisse des Sexuallebens fänden sich so überaus häufig, daß sie überall zur Hand sein müssen, wo man nach ihnen sucht. Ihr Vorkommen in den angeführten Fällen von Angstneurose beweise also nicht, daß in ihnen die Ätiologie der Neurose aufgedeckt sei. Übrigens sei die Anzahl der Personen, die *coitus interruptus* u. dgl. treiben, unvergleichlich größer als die Anzahl der mit Angstneurose Behafteten, und die überwiegende Menge der ersteren befände sich bei dieser Schädlichkeit recht wohl.

Ich habe darauf zu erwidern, daß man bei der anerkannt übergroßen Häufigkeit der Neurosen und der Angstneurose speziell ein *selten* vorkommendes ätiologisches Moment gewiß nicht erwarten dürfe; ferner daß damit geradezu ein Postulat der Pathologie erfüllt sei, wenn sich bei einer ätiologischen Untersuchung das ätiologische Moment noch häufiger nachweisen lasse als dessen Wirkung, da ja für letztere noch andere Bedingungen (Disposition, Summation der spezifischen Ätiologie, Unterstützung durch andere, banale Schädlichkeiten) erfordert werden können[1]; ferner, daß die detaillierte Zergliederung geeigneter Fälle von Angstneurose die Bedeutung des sexuellen Moments ganz unzweideutig erweist. Ich will mich hier aber nur auf das ätiologische Moment des *coitus interruptus* und auf die Hervorhebung einzelner beweisender Erfahrungen beschränken.

1) Solange die Angstneurose bei jungen Frauen noch nicht konstituiert ist, sondern in Ansätzen hervortritt, die immer wieder spontan verschwinden, läßt sich nachweisen, daß jeder solche Schub der Neurose auf einen Koitus mit mangelnder Befriedigung zurückgeht. Zwei Tage nach dieser Einwirkung, bei wenig resistenten Personen am Tage nachher, tritt regelmäßig der Angst- oder Schwindelanfall auf, an den sich andere Symptome der Neurose schließen, um – bei seltenerem ehelichen Verkehr – wieder miteinander abzuklingen. Eine zufällige Reise des Mannes, ein Aufenthalt im Gebirge, der mit Trennung des Ehepaares verbunden ist, tun gut; die zumeist in erster Linie eingeleitete gynäkologische Behandlung nützt dadurch, daß während ihrer Dauer der eheliche Verkehr aufgehoben ist. Merkwürdigerweise ist der Erfolg der lokalen Behandlung ein vorübergehender, stellt sich die Neurose noch im Gebirge wieder ein, sobald der Mann seinerseits in die Ferien tritt u. dgl. Läßt man als ein dieser Ätiologie kundiger Arzt bei noch nicht konstituierter Neurose den *coitus interruptus* durch normalen Verkehr ersetzen, so ergibt sich die *therapeutische* Probe auf die hier aufgestellte Behauptung. Die Angst ist behoben und kehrt ohne neuen, ähnlichen Anlaß nicht wieder.

2) In der Anamnese vieler Fälle von Angstneurose findet man bei Männern wie bei Frauen ein auffälliges Schwanken in der Intensität der Erscheinungen, ja im Kommen und Gehen des ganzen Zustandes. Dieses Jahr war fast ganz gut, das nächstfolgende gräßlich u. dgl., einmal fällt die Besserung zugunsten einer bestimmten Kur aus, die aber beim nächsten Anfalle ganz im Stich gelassen hat u. dgl. m. Erkundigt man sich nun nach Anzahl und Reihenfolge der Kinder und stellt diese Ehechronik dem eigentümlichen Verlauf der Neurose gegenüber, so ergibt sich als einfache Lösung, daß die Perioden von Besserung oder Wohlbefinden mit den Graviditäten der Frau zusammenfallen, während welcher natürlich der Anlaß für den Präventivverkehr entfallen war. Dem Manne aber hatte jene Kur, sei es beim Pfarrer Kneipp oder

---

[1] [Dieses Argument wird in einer späteren Arbeit, ›Zur Ätiologie der Hysterie‹ (1896 c, im vorliegenden Band S. 70) noch klarer begründet.]

in der hydrotherapeutischen Anstalt, genützt, nach welcher er seine Frau gravid antraf[1].

3) Aus der Anamnese der Kranken ergibt sich häufig, daß die Symptome der Angstneurose zu einer bestimmten Zeit die einer andern Neurose, etwa der Neurasthenie, abgelöst und sich an deren Stelle gesetzt haben. Es läßt sich dann ganz regelmäßig nachweisen, daß kurz vor diesem Wechsel des Bildes ein entsprechender Wechsel in der Art der sexuellen Schädigung stattgefunden hat.

Während derartige, nach Belieben zu vermehrende Erfahrungen dem Arzte für eine gewisse Kategorie von Fällen die sexuelle Ätiologie geradezu aufdrängen, lassen sich andere Fälle, die sonst unverständlich blieben, mittels des Schlüssels der sexuellen Ätiologie wenigstens widerspruchslos verstehen und einreihen. Es sind dies jene sehr zahlreichen Fälle, in denen zwar alles vorhanden ist, was wir bei der vorigen Kategorie gefunden haben, die Erscheinungen der Angstneurose einerseits, das spezifische Moment des *coitus interruptus* anderseits, wo aber noch etwas anderes sich einschiebt, nämlich ein langes Intervall zwischen der vermeintlichen Ätiologie und deren Wirkung und etwa noch ätiologische Momente nicht sexueller Natur. Da ist z. B. ein Mann, der auf die Nachricht vom Tode seines Vaters einen Herzanfall bekommt und von da an der Angstneurose verfallen ist. Der Fall ist nicht zu verstehen, denn der Mann war bisher nicht nervös; der Tod des hochbejahrten Vaters erfolgte keineswegs unter besonderen Umständen, und man wird zugeben, daß das normale, erwartete Ableben eines alten Vaters nicht zu den Erlebnissen gehört, die einen gesunden Erwachsenen krank zu machen pflegen. Vielleicht wird die ätiologische Analyse durchsichtiger, wenn ich hinzunehme, daß dieser Mann seit elf Jahren den *coitus interruptus* mit Rücksicht auf seine Frau ausübt. Die Erscheinungen sind wenigstens genau die nämlichen, wie sie bei anderen Personen nach kurzer derartiger sexueller Schädigung und ohne Dazwischenkunft eines anderen Traumas auftreten. Ähnlich zu beurteilen ist der Fall einer Frau, deren Angstneurose nach dem Verlust eines Kindes ausbricht, oder des Studenten, der in der Vorbereitung zu seiner letzten Staatsprüfung durch die Angstneurose gestört wird. Ich finde die Wirkung hier wie dort nicht durch die angegebene Ätiologie erklärt. Man muß sich nicht beim Studieren »überarbeiten«[2], und eine gesunde Mut-

---

[1] [Der hier erwähnte Fall wird in der späteren Arbeit ›Die Sexualität in der Ätiologie der Neurosen‹ (1898 *a*, etwa in der Mitte der Schrift) ausführlicher beschrieben.]

[2] [Vgl. auch die Erörterung der »Überarbeitung« in dem späteren Aufsatz ›Die Sexualität in der Ätiologie der Neurosen‹.]

ter pflegt auf den Verlust eines Kindes nur mit normaler Trauer zu reagieren. Vor allem aber würde ich erwarten, daß der Student durch Überarbeitung eine Kephalasthenie, die Mutter in unserem Beispiele eine Hysterie akquirieren sollte. Daß sie beide Angstneurose bekommen, veranlaßt mich, Wert darauf zu legen, daß die Mutter seit acht Jahren im ehelichen *coitus interruptus* lebt, der Student aber seit drei Jahren ein warmes Liebesverhältnis mit einem »anständigen« Mädchen unterhält, das er nicht schwängern darf.

Diese Ausführungen laufen auf die Behauptung hinaus, daß die spezifische sexuelle Schädlichkeit des *coitus interruptus* dort, wo sie nicht imstande ist, für sich allein die Angstneurose hervorzurufen, doch wenigstens zu ihrer Erwerbung disponiert. Die Angstneurose bricht dann aus, sobald zur latenten Wirkung des spezifischen Moments die Wirkung einer anderen, banalen Schädlichkeit hinzutritt. Letztere kann das spezifische Moment quantitativ vertreten, aber nicht qualitativ ersetzen. Das spezifische Moment bleibt stets dasjenige, welches die Form der Neurose bestimmt. Ich hoffe, diesen Satz für die Ätiologie der Neurosen auch in größerem Umfang erweisen zu können.

Ferner ist in den letzten Erörterungen die an sich nicht unwahrscheinliche Annahme enthalten, daß eine sexuelle Schädlichkeit wie der *coitus interruptus* sich durch Summation zur Geltung bringt. Je nach der Disposition des Individuums und der sonstigen Belastung von dessen Nervensystem wird es kürzere oder längere Zeit brauchen, ehe der Effekt dieser Summation sichtbar wird. Die Individuen, welche den *coitus interruptus* scheinbar ohne Nachteil ertragen, werden in Wirklichkeit durch denselben zu Störungen der Angstneurose disponiert, die irgend einmal spontan oder nach einem banalen, sonst unangemessenen Trauma losbrechen können, gerade wie der chronische Alkoholiker auf dem Wege der Summation endlich eine Zirrhose oder andere Erkrankung entwickelt oder unter dem Einfluß eines Fiebers in ein Delirium verfällt.

III

ANSÄTZE ZU EINER THEORIE DER ANGSTNEUROSE

Die nachstehenden Ausführungen beanspruchen nichts als den Wert eines ersten, tastenden Versuches, dessen Beurteilung die Aufnahme der im vorigen enthaltenen *Tatsachen* nicht beeinflussen sollte. Die Würdigung dieser »Theorie der Angstneurose« wird ferner noch dadurch erschwert, daß sie bloß einem Bruchstücke aus einer umfassenderen Darstellung der Neurosen entspricht.

In dem bisher über die Angstneurose Vorgebrachten sind bereits einige Anhaltspunkte für einen Einblick in den Mechanismus dieser Neurose enthalten. Zunächst die Vermutung, es dürfte sich um eine Anhäufung von Erregung handeln, sodann die überaus wichtige Tatsache, daß die *Angst*, die den Erscheinungen der Neurose zugrunde liegt, *keine psychische Ableitung* zuläßt. Eine solche wäre z. B. vorhanden, wenn sich als Grundlage der Angstneurose ein einmaliger oder wiederholter, berechtigter Schreck fände, der seither die Quelle der Bereitschaft zur Angst abgäbe. Allein dies ist nicht der Fall; durch einen einmaligen Schreck kann zwar eine Hysterie oder eine traumatische Neurose erworben werden, *nie aber* eine Angstneurose. Ich habe, da sich unter den Ursachen der Angstneurose der *coitus interruptus* so sehr in den Vordergrund drängt, anfangs gemeint, die Quelle der kontinuierlichen Angst könnte in der beim Akte jedesmal sich wiederholenden Furcht liegen, die Technik könnte mißglücken und demnach Konzeption erfolgen. Ich habe aber gefunden, daß dieser Gemütszustand der Frau oder des Mannes während des *coitus interruptus* für die Entstehung der Angstneurose gleichgültig ist, daß die gegen die Folgen einer möglichen Konzeption im Grunde gleichgültigen Frauen der Neurose ebenso ausgesetzt sind wie die vor dieser Möglichkeit Schaudernden und daß es nur darauf ankam, welcher Teil bei dieser sexuellen Technik seine Befriedigung einbüßte.

Einen weiteren Anhaltspunkt bietet die noch nicht erwähnte Beobachtung, daß in ganzen Reihen von Fällen die Angstneurose mit der deutlichsten Verminderung der sexuellen Libido, der *psychischen Lust* [1] einhergeht, so daß die Kranken auf die Eröffnung, ihr Leiden rühre von »ungenügender Befriedigung«, regelmäßig antworten: Das sei unmöglich, gerade jetzt sei alles Bedürfnis bei ihnen erloschen. Aus all diesen Andeutungen, daß es sich um Anhäufung von Erregung handle, daß die Angst, welche solcher angehäuften Erregung wahrscheinlich entspricht, somatischer Herkunft sei, so daß also somatische Erregung angehäuft werde, ferner daß diese somatische Erregung sexueller Natur sei und daß eine Abnahme der psychischen Beteiligung an den Sexualvorgängen nebenher gehe – alle diese Andeutungen, sage ich, begünstigen die Er-

---

[1] [S. die ›Editorische Vorbemerkung‹, S. 26 oben.]

wartung, *der Mechanismus der Angstneurose sei in der Ablenkung der somatischen Sexualerregung vom Psychischen und einer dadurch verursachten abnormen Verwendung dieser Erregung zu suchen.*

Man kann sich diese Vorstellung vom Mechanismus der Angstneurose klarer machen, wenn man folgende Betrachtung über den Sexualvorgang akzeptiert, die sich zunächst auf den Mann bezieht. Im geschlechtsreifen männlichen Organismus wird – wahrscheinlich kontinuierlich – die somatische Sexualerregung produziert, die periodisch zu einem Reiz für das psychische Leben wird. Schalten wir, um unsere Vorstellungen darüber besser zu fixieren, ein, daß diese somatische Sexualerregung sich als Druck auf die mit Nervenendigungen versehene Wandung der Samenbläschen äußert, so wird diese viszerale Erregung zwar kontinuierlich anwachsen, aber erst von einer gewissen Höhe an imstande sein, den Widerstand der eingeschalteten Leitung bis zur Hirnrinde zu überwinden und sich als psychischer Reiz zu äußern[1]. Dann aber wird die in der Psyche vorhandene sexuelle Vorstellungsgruppe mit Energie ausgestattet, und es entsteht der psychische Zustand libidinöser Spannung, welcher den Drang nach Aufhebung dieser Spannung mit sich bringt. Eine solche psychische Entlastung ist nur auf dem Wege möglich, den ich als *spezifische* oder *adäquate* Aktion bezeichnen will. Diese adäquate Aktion besteht für den männlichen Sexualtrieb in einem komplizierten spinalen Reflexakt, der die Entlastung jener Nervenendigungen zur Folge hat, und in allen psychisch zu leistenden Vorbereitungen für die Auslösung dieses Reflexes. Etwas anderes als die adäquate Aktion würde nichts fruchten, denn die somatische Sexualerregung setzt sich, nachdem sie einmal den Schwellenwert erreicht hat, kontinuierlich in psychische Erregung um; es muß durchaus dasjenige geschehen, was die Nervenendigungen von dem auf ihnen lastenden Druck befreit, somit die ganze derzeit vorhandene somatische Erregung aufhebt und der subkortikalen Leitung gestattet, ihren Widerstand herzustellen.

Ich werde es mir versagen, kompliziertere Fälle des Sexualvorganges in ähnlicher Weise darzustellen. Ich will nur noch die Behauptung aufstellen, daß dieses Schema im wesentlichen auch auf die Frau zu übertragen ist, trotz aller das Problem verwirrenden, artifiziellen Verzögerung und Verkümmerung des weiblichen Geschlechtstriebes. Es ist auch bei der Frau eine somatische Sexualerregung anzunehmen und ein

---

[1] [Diese Theorie über den Ablauf der sexuellen Erregung hat Freud auch in Abschnitt 2 der dritten seiner *Drei Abhandlungen zur Sexualtheorie* (1905 d) dargestellt; er erwähnt dort aber auch einige Einwände.]

Zustand, in dem diese Erregung psychischer Reiz wird, Libido, und den Drang nach der spezifischen Aktion hervorruft, an welche sich das Wollustgefühl knüpft. Nur ist man bei der Frau nicht imstande anzugeben, was etwa der Entspannung der Samenbläschen hier analog wäre.

In den Rahmen dieser Darstellung des Sexualvorganges läßt sich nun sowohl die Ätiologie der echten Neurasthenie als die der Angstneurose eintragen. Neurasthenie entsteht jedesmal, wenn die adäquate (Aktion) Entlastung durch eine minder adäquate ersetzt wird, der normale Koitus unter den günstigsten Bedingungen also durch eine Masturbation oder spontane Pollution [1]; zur Angstneurose aber führen alle Momente, welche die psychische Verarbeitung der somatischen Sexualerregung verhindern [2]. Die Erscheinungen der Angstneurose kommen zustande, indem die von der Psyche abgelenkte somatische Sexualerregung sich subkortikal, in ganz und gar nicht adäquaten Reaktionen ausgibt.

Ich will es nun versuchen, die vorhin [S. 35 ff.] angegebenen ätiologischen Bedingungen der Angstneurose daraufhin zu prüfen, ob sie den von mir aufgestellten gemeinsamen Charakter erkennen lassen. Als erstes ätiologisches Moment habe ich für den Mann die absichtliche Abstinenz angeführt [S. 37]. Abstinenz besteht in der Versagung der spezifischen Aktion, die sonst auf die Libido erfolgt. Eine solche Versagung wird zwei Konsequenzen haben können, nämlich, daß die somatische Erregung sich anhäuft, und dann zunächst, daß sie auf andere Wege abgelenkt wird, auf denen ihr eher Entladung winkt als auf dem Wege über die Psyche. Es wird also die Libido endlich sinken und die Erregung subkortikal als Angst sich äußern. Wo die Libido nicht verringert wird oder die somatische Erregung auf kurzem Wege in Pollutionen verausgabt wird oder infolge der Zurückdrängung wirklich versiegt, da entsteht eben alles andere als Angstneurose. Auf solche Weise führt die Abstinenz zur Angstneurose. Die Abstinenz ist aber auch das Wirksame an der zweiten ätiologischen Gruppe, der frustranen Erregung [S. 37]. Der dritte Fall, der des rücksichtsvollen *coitus reservatus* [ibid.], wirkt dadurch, daß er die psychische Bereitschaft für den Sexualablauf stört, indem er neben der Bewältigung des Sexualaffekts eine andere, ablenkende, psychische Aufgabe einführt. Auch durch

---

[1] [Die Rolle der Masturbation in der Ätiologie der Neurasthenie wird etwas ausführlicher in ›Die Sexualität in der Ätiologie der Neurosen‹ (1898 a) erörtert.]

[2] [Noch in Kapitel VIII der späten Arbeit *Hemmung, Symptom und Angst* (1926 d), S. 281 unten, konnte Freud diese Aussage so wiederholen.]

diese psychische Ablenkung schwindet allmählich die Libido, der weitere Verlauf ist dann derselbe wie im Falle der Abstinenz. Die Angst im Senium (Klimakterium der Männer) [S. 37] erfordert eine andere Erklärung. Hier läßt die Libido nicht nach; es findet aber, wie während des Klimakteriums der Weiber, eine solche Steigerung in der Produktion der somatischen Erregung statt, daß die Psyche für die Bewältigung derselben sich als relativ insuffizient erweist.

Keine größeren Schwierigkeiten bereitet die Subsumierung der ätiologischen Bedingungen bei der Frau unter den angeführten Gesichtspunkt. Der Fall der virginalen Angst [S. 35] ist besonders klar. Hier sind eben die Vorstellungsgruppen noch nicht genug entwickelt, mit denen sich die somatische Sexualerregung verknüpfen soll. Bei der anästhetischen Neuvermählten [S. 36] tritt die Angst nur dann auf, wenn die ersten Kohabitationen ein genügendes Maß von somatischer Erregung wecken. Wo die lokalen Zeichen solcher Erregtheit (wie spontane Reizempfindung, Harndrang u. dgl.) fehlen, da bleibt auch die Angst aus. Der Fall der *ejaculatio praecox,* des *coitus interruptus* [ibid.] erklärt sich ähnlich wie beim Manne dadurch, daß für den psychisch unbefriedigenden Akt allmählich die Libido schwindet, während die dabei wachgerufene Erregung subkortikal ausgegeben wird. Die Herstellung einer *Entfremdung* zwischen dem Somatischen und dem Psychischen im Ablauf der Sexualerregung erfolgt beim Weibe rascher und ist schwerer zu beseitigen als beim Manne. Der Fall der Witwenschaft und der gewollten Abstinenz sowie der Fall des Klimakteriums [S. 36 f.] erledigt sich beim Weibe wohl ebenso wie beim Manne, doch kommt für den Fall der Abstinenz gewiß noch die absichtliche Verdrängung des sexuellen Vorstellungskreises hinzu, zu welcher die mit der Versuchung kämpfende abstinente Frau sich häufig entschließen muß, und ähnlich mag in der Zeit der Menopause der Abscheu wirken, den die alternde Frau gegen die übergroß gewordene Libido empfindet.

Auch die beiden zuletzt angeführten ätiologischen Bedingungen scheinen sich ohne Schwierigkeit einzuordnen.

Die Angstneigung der neurasthenisch gewordenen Masturbanten [S. 37 f.] erklärt sich daraus, daß diese Personen so leicht in den Zustand der »Abstinenz« geraten, nachdem sie sich so lange gewöhnt hatten, jeder kleinen Quantität somatischer Erregung eine allerdings fehlerhafte Abfuhr zu schaffen. Endlich läßt der letzte Fall, die Entstehung der Angstneurose durch schwere Krankheit, Überarbeitung, erschöpfende Krankenpflege u. dgl. [S. 38], in Anlehnung an die Wirkungsweise des *coitus interruptus* die zwanglose Deutung zu, die Psyche werde hier durch Ablenkung insuffizient zur Bewältigung der somatischen Sexualerregung, einer Aufgabe, die ihr ja kontinuierlich obliegt. Man weiß, wie tief unter solchen Bedingungen die Libido sinken kann, und man hat hier ein schönes Beispiel einer Neurose, die zwar *keine sexuelle Ätiologie, aber doch einen sexuellen Mechanismus erkennen läßt.*

Die hier entwickelte Auffassung stellt die Symptome der Angstneurose gewissermaßen als *Surrogate* der unterlassenen spezifischen Aktion auf die Sexualerregung dar. Ich erinnere zur weiteren Unterstützung derselben daran, daß auch beim normalen Koitus die Erregung sich nebstbei als Atembeschleunigung, Herzklopfen, Schweißausbruch, Kongestion u. dgl. ausgibt. Im entsprechenden Angstanfalle unserer Neurose hat man die Dyspnoe, das Herzklopfen u. dgl. des Koitus isoliert und gesteigert vor sich[1].

Es könnte noch gefragt werden: Warum gerät denn das Nervensystem unter solchen Umständen, bei psychischer Unzulänglichkeit zur Bewältigung der Sexualerregung, in den eigentümlichen Affektzustand der *Angst?* Darauf ist andeutungsweise zu erwidern: Die Psyche gerät in den *Affekt* der Angst, wenn sie sich unfähig fühlt, eine von *außen nahende* Aufgabe (Gefahr) durch entsprechende Reaktion zu erledigen; sie gerät in die *Neurose* der Angst, wenn sie sich unfähig merkt, die *endogen* entstandene (Sexual-) Erregung auszugleichen. *Sie benimmt sich also, als projizierte sie diese Erregung nach außen.* Der Affekt und die ihm entsprechende Neurose stehen in fester Beziehung zueinander, der erstere ist die Reaktion auf eine exogene, die letztere die Reaktion auf die analoge endogene Erregung. Der Affekt ist ein rasch vorübergehender Zustand, die Neurose ein chronischer, weil die exogene Erregung wie ein einmaliger Stoß, die endogene wie eine konstante Kraft wirkt[2]. *Das Nervensystem reagiert in der Neurose gegen eine innere Erregungsquelle wie in dem entsprechenden Affekt gegen eine analoge äußere.*

---

[1] [Diese Theorie legt Freud noch einmal im Kapitel II der Krankengeschichte der »Dora« (1905 e) vor, s. S. 149 unten. Später, in Kapitel VIII von *Hemmung, Symptom und Angst* (1926 d) (S. 273–4 unten), bringt er die gleichen Angstsymptome mit den Begleiterscheinungen der Geburt in Verbindung.]

[2] [Zwanzig Jahre später vertrat Freud diese Ansicht in fast identischen Worten, nur sprach er dann statt von »exogener Erregung« und »endogener Erregung« von »Reiz« und »Trieb«. S. ›Triebe und Triebschicksale‹ (1915 c), ziemlich zu Anfang der Arbeit.]

BEZIEHUNG ZU ANDEREN NEUROSEN

Es erübrigen noch einige Bemerkungen über die Beziehungen der Angstneurose zu den anderen Neurosen nach Vorkommen und innerer Verwandtschaft.

Die reinsten Fälle von Angstneurose sind auch meist die ausgeprägtesten. Sie finden sich bei potenten jugendlichen Individuen, bei einheitlicher Ätiologie und nicht zu langem Bestande des Krankseins.

Häufiger ist allerdings das gleichzeitige und gemeinsame Vorkommen von Angstsymptomen mit solchen der Neurasthenie, Hysterie, der Zwangsvorstellungen, der Melancholie. Wollte man sich durch solche klinische Vermengung abhalten lassen, die Angstneurose als eine selbständige Einheit anzuerkennen, so müßte man konsequenterweise auch auf die mühsam erworbene Trennung von Hysterie und Neurasthenie wieder verzichten.

Für die Analyse der »gemischten Neurosen« kann ich den wichtigen Satz vertreten: *Wo sich eine gemischte Neurose vorfindet, da läßt sich eine Vermengung mehrerer spezifischer Ätiologien nachweisen.*

Eine solche Vielheit ätiologischer Momente, die eine gemischte Neurose bedingt, kann bloß zufällig zustande kommen, etwa indem eine neu hinzutretende Schädlichkeit ihre Wirkungen zu denen einer früher vorhandenen addiert; z. B. eine Frau, die von jeher Hysterika war, tritt zu einer gewissen Zeit ihrer Ehe in den *coitus reservatus* ein und erwirbt jetzt zu ihrer Hysterie eine Angstneurose; ein Mann, der bisher masturbiert hatte und neurasthenisch wurde, wird Bräutigam, erregt sich bei seiner Braut, und jetzt gesellt sich zur Neurasthenie eine frische Angstneurose hinzu.

In anderen Fällen ist die Mehrheit ätiologischer Momente keine zufällige, sondern das eine derselben hat das andere mit zur Wirkung gebracht; z. B. eine Frau, mit welcher ihr Mann *coitus reservatus* ohne Rücksicht auf ihre Befriedigung übt, sieht sich genötigt, die peinliche Erregung nach einem solchen Akt durch Masturbation zu beenden; sie zeigt infolgedessen nicht reine Angstneurose, sondern daneben Symptome von Neurasthenie; eine zweite Frau wird unter derselben Schädlichkeit mit lüsternen Bildern zu kämpfen haben, deren sie sich erwehren will, und wird auf solche Weise durch den *coitus interruptus* nebst der Angstneurose Zwangsvorstellungen erwerben; eine dritte Frau endlich wird infolge des *coitus interruptus* die Neigung zu ihrem Manne einbüßen, eine andere Neigung erwerben, welche sie sorgfältig geheimhält, und wird infolgedessen ein Gemenge von Angstneurose und Hysterie zeigen.

In einer dritten Kategorie von gemischten Neurosen ist der Zusammenhang der Symptome ein noch innigerer, indem die nämliche ätiologische Bedingung gesetzmäßig und gleichzeitig beide Neurosen hervorruft. So z. B. erzeugt die plötzliche sexuelle Aufklärung, die wir bei der virginalen Angst gefunden haben, immer auch Hysterie [zusammen mit Angstneurose]; die allermeisten Fälle von absichtlicher Abstinenz verknüpfen sich von Anfang an mit echten Zwangsvorstellungen; der *coitus interruptus* der Männer scheint mir niemals reine Angstneurose provozieren zu können, sondern stets eine Vermengung derselben mit Neurasthenie u. dgl.

Es geht aus diesen Erörterungen hervor, daß man die ätiologischen Bedingungen des Vorkommens noch unterscheiden muß von den spezifischen ätiologischen Momenten der Neurosen. Erstere, z. B. der *coitus interruptus*, die Masturbation, die Abstinenz, sind noch vieldeutig und können ein jedes verschiedene Neurosen produzieren; erst die aus ihnen abstrahierten ätiologischen Momente, wie *inadäquate Entlastung, psychische Unzulänglichkeit, Abwehr mit Substitution,* haben eine unzweideutige und spezifische Beziehung zur Ätiologie der einzelnen großen Neurosen.

Ihrem inneren Wesen nach zeigt die Angstneurose die interessantesten Übereinstimmungen und Verschiedenheiten gegen die anderen großen Neurosen, besonders gegen Neurasthenie und Hysterie. Mit der Neurasthenie teilt sie den einen Hauptcharakter, daß die Erregungsquelle, der Anlaß zur Störung, auf somatischem Gebiete liegt, anstatt wie bei Hysterie und Zwangsneurose auf psychischem. Im übrigen läßt sich eher eine Art von Gegensätzlichkeit zwischen den Symptomen der Neurasthenie und denen der Angstneurose erkennen, die etwa in den Schlagworten: Anhäufung – Verarmung an Erregung ihren Ausdruck fände. Diese Gegensätzlichkeit hindert nicht, daß sich die beiden Neurosen miteinander vermengen, zeigt sich aber doch darin, daß die extremsten Formen in beiden Fällen auch die reinsten sind.

Mit der Hysterie zeigt die Angstneurose zunächst eine Reihe von Übereinstimmungen in der Symptomatologie, deren genauere Würdigung noch aussteht. Das Auftreten der Erscheinungen als Dauersymptome

oder in Anfällen, die auraartig gruppierten Parästhesien, die Hyper-
ästhesien und Druckpunkte, die sich bei gewissen Surrogaten des Angstanfalles, bei der Dyspnoe und dem Herzanfalle finden, die Steigerung
der etwa organisch berechtigten Schmerzen (durch Konversion): – diese
und andere gemeinschaftliche Züge lassen sogar vermuten, daß manches,
was man der Hysterie zurechnet, mit mehr Fug und Recht zur Angstneurose geschlagen werden dürfte. Geht man auf den Mechanismus der
beiden Neurosen ein, soweit er sich bis jetzt hat durchschauen lassen, so
ergeben sich Gesichtspunkte, welche die Angstneurose geradezu als das
somatische Seitenstück zur Hysterie erscheinen lassen. Hier wie dort
Anhäufung von Erregung – worin vielleicht die vorhin geschilderte
Ähnlichkeit der Symptome gegründet ist; – hier wie dort eine *psychische
Unzulänglichkeit, der zufolge abnorme somatische Vorgänge zustande
kommen.* Hier wie dort tritt an Stelle einer psychischen Verarbeitung
eine Ablenkung der Erregung in das Somatische ein; der Unterschied
liegt bloß darin, daß die Erregung, in deren Verschiebung sich die
Neurose äußert, bei der Angstneurose eine rein somatische (die somatische Sexualerregung), bei der Hysterie eine psychische (durch Konflikt
hervorgerufene) ist. Es kann daher nicht wundernehmen, daß Hysterie
und Angstneurose sich gesetzmäßig miteinander kombinieren wie bei
der *»virginalen Angst«* oder der *»sexuellen Hysterie«*, daß die Hysterie
eine Anzahl von Symptomen einfach der Angstneurose entlehnt u. dgl.
Diese innigen Beziehungen der Angstneurose zur Hysterie geben auch
ein neues Argument ab, um die Trennung der Angstneurose von der
Neurasthenie zu fordern; denn verweigert man diese, so kann man
auch die so mühsam erworbene und für die Theorie der Neurosen so
unentbehrliche Unterscheidung von Neurasthenie und Hysterie nicht
mehr aufrechterhalten.

Wien, im Dezember 1894

Zur Ätiologie der Hysterie

(1896)

EDITORISCHE VORBEMERKUNG

Deutsche Ausgaben:

1896 *Wien. klin. Rdsch.*, Bd. 10 (22), 379–81, (23), 395–97, (24), 413–15, (25), 432–33, und (26), 450–52. (31. Mai, 7., 14., 21. und 28. Juni.)
1906 *S. K. S. N.*, Bd. 1, 149–80. (1911, 2. Aufl.; 1920, 3. Aufl.; 1922, 4. Aufl.)
1925 *G. S.*, Bd. 1, 404–38.
1952 *G. W.*, Bd. 1, 425–59.

Diese Abhandlung beruht auf einem Vortrag, den Freud, wahrscheinlich am 21. April 1896, vor dem Wiener »Verein für Psychiatrie und Neurologie« gehalten hat. In einem unveröffentlichten Brief an Fließ berichtet Freud, der Vortrag habe eine eisige Aufnahme gefunden und Krafft-Ebing, der den Vorsitz führte, habe die Bemerkung gemacht: »Es klingt wie ein wissenschaftliches Märchen.«

In der vorliegenden Arbeit gibt Freud eine ziemlich detaillierte Darstellung seiner Entdeckungen über die Ursachen der Hysterie sowie der Schwierigkeiten, die bei ihrer Erhebung zu überwinden waren. Vor allem im letzten Teil der Arbeit liegt der Schwerpunkt auf den sexuellen Erfahrungen in der Kindheit, die seiner Meinung nach die Grundlage der späteren Symptome bildeten. Wie schon in früheren Arbeiten dargelegt, hielt Freud diese Erlebnisse damals noch für ausnahmslos von Erwachsenen initiiert; die Erkenntnis der infantilen Sexualität lag noch in der Zukunft. Immerhin findet sich schon ein Hinweis (S. 74–5) auf das, was in der zweiten der *Drei Abhandlungen zur Sexualtheorie* (1905 *d*) als »polymorph-perverser« Charakter der kindlichen Sexualität beschrieben wird. Bemerkenswert sind ferner u. a. die immer stärker werdende Neigung, psychologischen Erklärungen gegenüber neurologischen den Vorzug zu geben (S. 65), sowie ein früher Versuch, das Problem der »Neurosenwahl« zu lösen (S. 79–80), ein Thema, das später immer wieder aufgegriffen wird.

Meine Herren! Wenn wir daran gehen, uns eine Meinung über die Verursachung eines krankhaften Zustandes wie die Hysterie zu bilden, betreten wir zunächst den Weg der anamnestischen Forschung, indem wir den Kranken oder dessen Umgebung ins Verhör darüber nehmen, auf welche schädlichen Einflüsse sie selbst die Erkrankung an jenen neurotischen Symptomen zurückführen. Was wir so in Erfahrung bringen, ist selbstverständlich durch alle jene Momente verfälscht, die einem Kranken die Erkenntnis des eigenen Zustandes zu verhüllen pflegen, durch seinen Mangel an wissenschaftlichem Verständnis für ätiologische Wirkungen, durch den Fehlschluß des *post hoc, ergo propter hoc,* durch die Unlust, gewisser Noxen und Traumen zu gedenken oder ihrer Erwähnung zu tun. Wir halten darum bei solcher anamnestischer Forschung an dem Vorsatze fest, den Glauben der Kranken nicht ohne eingehende kritische Prüfung zu dem unserigen zu machen, nicht zuzulassen, daß die Patienten uns unsere wissenschaftliche Meinung über die Ätiologie der Neurose zurechtmachen. Wenn wir einerseits gewisse konstant wiederkehrende Angaben anerkennen, wie die, daß der hysterische Zustand eine lang andauernde Nachwirkung einer einmal erfolgten Gemütsbewegung sei, so haben wir anderseits in die Ätiologie der Hysterie ein Moment eingeführt, welches der Kranke selbst niemals vorbringt und nur ungern gelten läßt, die hereditäre Veranlagung von seiten der Erzeuger. Sie wissen, daß nach der Meinung der einflußreichen Schule Charcots die Heredität allein als wirkliche Ursache der Hysterie Anerkennung verdient, während alle anderen Schädlichkeiten verschiedenartigster Natur und Intensität nur die Rolle von Gelegenheitsursachen, von *»agents provocateurs«* spielen sollen.

Sie werden mir ohneweiters zugeben, daß es wünschenswert wäre, es gäbe einen zweiten Weg, zur Ätiologie der Hysterie zu gelangen, auf welchem man sich unabhängiger von den Angaben der Kranken wüßte. Der Dermatologe z. B. weiß ein Geschwür als luetisch zu erkennen nach der Beschaffenheit der Ränder, des Belags, des Umrisses, ohne daß ihn der Einspruch des Patienten, der eine Infektionsquelle leugnet, daran irremachte. Der Gerichtsarzt versteht es, die Verursachung einer Verletzung aufzuklären, selbst wenn er auf die Mitteilungen des Verletzten verzichten muß. Es besteht nun eine solche Möglichkeit, von den Symptomen aus zur Kenntnis der Ursachen vorzudringen, auch für die Hysterie. Das Verhältnis der Methode aber, deren man sich hiefür zu bedienen hat, zur älteren Methode der anamnestischen Erhebung möchte ich Ihnen in einem Gleichnisse darstellen, welches einen auf anderem Arbeitsgebiete tatsächlich erfolgten Fortschritt zum Inhalt hat.

Nehmen Sie an, ein reisender Forscher käme in eine wenig bekannte Gegend, in welcher ein Trümmerfeld mit Mauerresten, Bruchstücken von Säulen, von Tafeln mit verwischten und unlesbaren Schriftzeichen sein Interesse erweckte. Er kann sich damit begnügen zu beschauen, was frei zutage liegt, dann die in der Nähe hausenden, etwa halbbarbarischen Einwohner ausfragen, was ihnen die Tradition über die Geschichte und Bedeutung jener monumentalen Reste kundgegeben hat, ihre Auskünfte aufzeichnen und – weiterreisen. Er kann aber auch anders vorgehen; er kann Hacken, Schaufeln und Spaten mitgebracht haben, die Anwohner für die Arbeit mit diesen Werkzeugen bestimmen, mit ihnen das Trümmerfeld in Angriff nehmen, den Schutt wegschaffen und von den sichtbaren Resten aus das Vergrabene aufdecken. Lohnt der Erfolg seine Arbeit, so erläutern die Funde sich selbst; die Mauerreste gehören zur Umwallung eines Palastes oder Schatzhauses, aus den Säulentrümmern ergänzt sich ein Tempel, die zahlreich gefundenen, im glücklichen Falle bilinguen Inschriften enthüllen ein Alphabet und eine Sprache, und deren Entzifferung und Übersetzung ergibt ungeahnte Aufschlüsse über die Ereignisse der Vorzeit, zu deren Gedächtnis jene Monumente erbaut worden sind. *Saxa loquuntur*[1]!

Will man in annähernd ähnlicher Weise die Symptome einer Hysterie als Zeugen für die Entstehungsgeschichte der Krankheit laut werden lassen, so muß man an die bedeutsame Entdeckung J. Breuers anknüpfen, *daß die Symptome der Hysterie* (die Stigmata[2] beiseite) *ihre Determinierung von gewissen traumatisch wirksamen Erlebnissen des Kranken herleiten, als deren Erinnerungssymbole*[3] *sie im psychischen*

---

[1] [Die Steine reden!]

[2] [Diese, von Charcot (1887, S. 255) als »die permanenten Symptome der Hysterie« definiert, waren von Freud in den *Studien über Hysterie* (1895 d) als nichtpsychogen beschrieben worden; in diesem Werk sind auch die hier angeführten Ansichten Breuers abgedruckt.]

[3] [Diese vergleicht Freud in *Über Psychoanalyse* (1910 a) mit den Denkmälern und

Leben desselben reproduziert werden. Man muß sein Verfahren – oder ein im Wesen gleichartiges – anwenden, um die Aufmerksamkeit des Kranken vom Symptom aus auf die Szene zurückzuleiten, in welcher und durch welche das Symptom entstanden ist, und man beseitigt nach seiner Anweisung dieses Symptom, indem man bei der Reproduktion der traumatischen Szene eine nachträgliche Korrektur des damaligen psychischen Ablaufes durchsetzt.

Es liegt heute meiner Absicht völlig ferne, die schwierige Technik dieses therapeutischen Verfahrens oder die dabei gewonnenen psychologischen Aufklärungen zu behandeln. Ich mußte nur an dieser Stelle anknüpfen, weil die nach Breuer vorgenommenen Analysen gleichzeitig den Zugang zu den Ursachen der Hysterie zu eröffnen scheinen. Wenn wir eine größere Reihe von Symptomen bei zahlreichen Personen dieser Analyse unterziehen, so werden wir ja zur Kenntnis einer entsprechend großen Reihe von traumatisch wirksamen Szenen geleitet werden. In diesen Erlebnissen sind die wirksamen Ursachen der Hysterie zur Geltung gekommen; wir dürfen also hoffen, aus dem Studium der traumatischen Szenen zu erfahren, welche Einflüsse hysterische Symptome erzeugen und auf welche Weise.

Diese Erwartung trifft zu, notwendigerweise, da ja die Sätze von Breuer sich bei der Prüfung an zahlreicheren Fällen als richtig erweisen. Aber der Weg von den Symptomen der Hysterie zu deren Ätiologie ist langwieriger und führt über andere Verbindungen, als man sich vorgestellt hätte.

Wir wollen uns nämlich klarmachen, daß die Zurückführung eines hysterischen Symptoms auf eine traumatische Szene nur dann einen Gewinn für unser Verständnis mit sich bringt, wenn diese Szene zwei Bedingungen genügt, wenn sie die betreffende *determinierende Eignung* besitzt, und wenn ihr die nötige *traumatische Kraft* zuerkannt werden muß. Ein Beispiel anstatt jeder Worterklärung! Es handle sich um das Symptom des hysterischen Erbrechens; dann glauben wir dessen Verursachung (bis auf einen gewissen Rest) durchschauen zu können, wenn die Analyse das Symptom auf ein Erlebnis zurückführt, welches *berechtigterweise ein hohes Maß von Ekel* erzeugt hat, wie etwa der Anblick eines verwesenden menschlichen Leichnams. Ergibt die Analyse anstatt dessen, daß das Erbrechen von einem großen

---

Monumenten der Städte, materialisierten »Erinnerungssymbolen«, die beim Betrachter keine starken Gemütsbewegungen mehr auslösen. Ein hysterischer Patient dagegen reagiert auf schmerzliche Erfahrungen der Vergangenheit, als wären sie eben geschehen.]

Schreck, z. B. bei einem Eisenbahnunfall, herrührt, so wird man sich unbefriedigt fragen müssen, wieso denn der Schreck gerade zum Erbrechen geführt hat. Es fehlt dieser Ableitung an der *Eignung zur Determinierung*. Ein anderer Fall von ungenügender Aufklärung liegt vor, wenn das Erbrechen etwa von dem Genuß einer Frucht herrühren soll, die eine faule Stelle zeigte. Dann ist zwar das Erbrechen durch den Ekel determiniert, aber man versteht nicht, wie der Ekel in diesem Falle so mächtig werden konnte, sich durch ein hysterisches Symptom zu verewigen; es mangelt diesem Erlebnisse an *traumatischer Kraft*.

Sehen wir nun nach, inwieweit die durch die Analyse aufgedeckten traumatischen Szenen der Hysterie bei einer größeren Anzahl von Symptomen und Fällen den beiden erwähnten Ansprüchen genügen. Hier stoßen wir auf die erste große Enttäuschung! Es trifft zwar einige Male zu, daß die traumatische Szene, in welcher das Symptom entstanden ist, wirklich beides, die determinierende Eignung und die traumatische Kraft besitzt, deren wir zum Verständnis des Symptoms bedürfen. Aber weit häufiger, unvergleichlich häufiger, finden wir eine der drei übrigen Möglichkeiten verwirklicht, die dem Verständnisse so ungünstig sind: die Szene, auf welche wir durch die Analyse geleitet werden, in welcher das Symptom zuerst aufgetreten ist, erscheint uns entweder ungeeignet zur Determinierung des Symptoms, indem ihr Inhalt zur Beschaffenheit des Symptoms keine Beziehung zeigt; oder das angeblich traumatische Erlebnis, dem es an inhaltlicher Beziehung nicht fehlt, erweist sich als normalerweise harmloser, für gewöhnlich wirkungsunfähiger Eindruck; oder endlich die »traumatische Szene« macht uns nach beiden Richtungen irre; sie erscheint ebenso harmlos wie ohne Beziehung zur Eigenart des hysterischen Symptoms.

(Ich bemerke hier nebenbei, daß Breuers Auffassung von der Entstehung hysterischer Symptome durch die Auffindung traumatischer Szenen, die an sich bedeutungslosen Erlebnissen entsprechen, nicht gestört worden ist. Breuer nahm nämlich – im Anschlusse an Charcot – an, daß auch ein harmloses Erlebnis zum Trauma erhoben werden und determinierende Kraft entfalten kann, wenn es die Person in einer besonderen psychischen Verfassung, im sogenannten *hypnoiden Zustand*[1], betrifft. Allein ich finde, daß zur Voraussetzung solcher hypnoider Zustände oftmals jeder Anhalt fehlt. Entscheidend bleibt, daß die Lehre von den hypnoiden Zuständen nichts zur Lösung der anderen

---

[1] [Siehe S. 23 und die Anm.]

Schwierigkeiten leistet, daß nämlich den traumatischen Szenen so häufig die determinierende Eignung abgeht.)

Fügen Sie hinzu, meine Herren, daß diese erste Enttäuschung beim Verfolg der Breuerschen Methode unmittelbar durch eine andere eingeholt wird, die man besonders als Arzt schmerzlich empfinden muß. Zurückführungen solcher Art, wie wir sie geschildert haben, die unserem Verständnis betreffs der Determinierung und der traumatischen Wirksamkeit nicht genügen, bringen auch keinen therapeutischen Gewinn; der Kranke hat seine Symptome ungeändert behalten, trotz des ersten Ergebnisses, das uns die Analyse geliefert hat. Sie mögen verstehen, wie groß dann die Versuchung wird, auf eine Fortsetzung der ohnedies mühseligen Arbeit zu verzichten.

Vielleicht aber bedarf es nur eines neuen Einfalles, um uns aus der Klemme zu helfen und zu wertvollen Resultaten zu führen! Der Einfall ist folgender: Wir wissen ja durch Breuer, daß die hysterischen Symptome zu lösen sind, wenn wir von ihnen aus den Weg zur Erinnerung eines traumatischen Erlebnisses finden können. Wenn nun die aufgefundene Erinnerung unseren Erwartungen nicht entspricht, vielleicht ist derselbe Weg ein Stück weiter zu verfolgen, vielleicht verbirgt sich hinter der ersten traumatischen Szene die Erinnerung an eine zweite, die unseren Ansprüchen besser genügt und deren Reproduktion mehr therapeutische Wirkung entfaltet, so daß die erstgefundene Szene nur die Bedeutung eines Bindegliedes in der Assoziationsverkettung hat? Und vielleicht wiederholt sich dieses Verhältnis, die Einschiebung unwirksamer Szenen als notwendiger Übergänge bei der Reproduktion mehrmals, bis man vom hysterischen Symptom aus endlich zur eigentlich traumatisch wirksamen, in jeder Hinsicht, therapeutisch wie analytisch, befriedigenden Szene gelangt? Nun, meine Herren, diese Vermutung ist richtig. Wo die erstaufgefundene Szene unbefriedigend ist, sagen wir dem Kranken, dieses Erlebnis erkläre nichts, es müsse sich aber hinter ihm ein bedeutsameres, früheres Erlebnis verbergen, und lenken seine Aufmerksamkeit nach derselben Technik auf den Assoziationsfaden, welcher beide Erinnerungen, die aufgefundene und die aufzufindende verknüpft[1]. Die Fortsetzung der Analyse führt dann jedesmal zur Reproduktion neuer Szenen von den

---

[1] Es bleibt dabei absichtlich außer Erörterung, von welchem Rang die Assoziation der beiden Erinnerungen ist (ob durch Gleichzeitigkeit, kausaler Art, nach inhaltlicher Ähnlichkeit usw.) und auf welche psychologische Charakteristik die einzelnen »Erinnerungen« (bewußte oder unbewußte) Anspruch haben.

erwarteten Charakteren. Wenn ich z. B. den vorhin ausgewählten Fall von hysterischem Erbrechen wieder aufnehme, den die Analyse zunächst auf einen Schreck bei einem Eisenbahnunfall zurückgeführt hat, welcher der determinierenden Eignung entbehrt, so erfahre ich aus weitergehender Analyse, daß dieser Unfall die Erinnerung an einen andern, früher vorgekommenen, geweckt hat, den der Kranke zwar nicht selbst erlebte, der ihm aber Gelegenheit zu dem Grauen und Ekel erregenden Anblick eines Leichnams bot. Es ist, als ob das Zusammenwirken beider Szenen die Erfüllung unserer Postulate ermöglichte, indem das eine Erlebnis durch den Schreck die traumatische Kraft, das andere durch seinen Inhalt die determinierende Wirkung beistellt. Der andere Fall, daß das Erbrechen auf den Genuß eines Apfels zurückgeführt wird, an dem sich eine faule Stelle befindet, wird durch die Analyse etwa in folgender Weise ergänzt: Der faulende Apfel erinnert an ein früheres Erlebnis, an das Sammeln abgefallener Äpfel in einem Garten, wobei der Kranke zufällig auf einen ekelhaften Tierkadaver stieß.

Ich will auf diese Beispiele nicht mehr zurückkommen, denn ich muß das Geständnis ablegen, daß sie keinem Falle meiner Erfahrung entstammen, daß sie von mir erfunden sind; höchstwahrscheinlich sind sie auch schlecht erfunden; derartige Auflösungen hysterischer Symptome halte ich selbst für unmöglich. Aber der Zwang, Beispiele zu fingieren, erwächst mir aus mehreren Momenten, von denen ich eines unmittelbar anführen kann. Die wirklichen Beispiele sind alle unvergleichlich komplizierter; eine einzige ausführliche Mitteilung würde diese Vortragsstunde ausfüllen. Die Assoziationskette besteht immer aus mehr als zwei Gliedern, die traumatischen Szenen bilden nicht etwa einfache, perlschnurartige Reihen, sondern verzweigte, stammbaumartige Zusammenhänge, indem bei einem neuen Erlebnis zwei und mehr frühere als Erinnerungen zur Wirkung kommen; kurz, die Auflösung eines einzelnen Symptoms mitteilen, fällt eigentlich zusammen mit der Aufgabe, eine Krankengeschichte vollständig darzustellen.

Wir wollen es nun aber nicht versäumen, den einen Satz nachdrücklich hervorzuheben, den die analytische Arbeit längs dieser Erinnerungsketten unerwarteterweise gegeben hat. Wir haben erfahren, *daß kein hysterisches Symptom aus einem realen Erlebnis allein hervorgehen kann, sondern daß alle Male die assoziativ geweckte Erinnerung an frühere Erlebnisse zur Verursachung des Symptoms mitwirkt.*

Wenn dieser Satz – wie ich meine – *ohne Ausnahme* richtig ist, so bezeichnet er uns aber auch das Fundament, auf dem eine psychologische Theorie der Hysterie aufzubauen ist.

Sie könnten meinen, jene seltenen Fälle, in welchen die Analyse das Symptom sofort auf eine traumatische Szene von guter determinierender Eignung und traumatischer Kraft zurückführt und es durch solche Zurückführung gleichzeitig wegschafft, wie dies in Breuers Krankengeschichte der Anna O. geschildert wird[1], seien doch mächtige Einwände gegen die allgemeine Geltung des eben aufgestellten Satzes. Das sieht in der Tat so aus; allein ich muß Sie versichern, ich habe die triftigsten Gründe, anzunehmen, daß selbst in diesen Fällen eine Verkettung wirksamer Erinnerungen vorliegt, die weit hinter die erste traumatische Szene zurückreicht, *wenngleich* die Reproduktion der letzteren allein die Aufhebung des Symptoms zur Folge haben kann.

Ich meine, es ist wirklich überraschend, daß hysterische Symptome nur unter Mitwirkung von Erinnerungen entstehen können, zumal wenn man erwägt, daß diese Erinnerungen nach allen Aussagen der Kranken ihnen im Momente, da das Symptom zuerst auftrat, nicht zum Bewußtsein gekommen waren. Hier ist Stoff für sehr viel Nachdenken gegeben, aber diese Probleme sollen uns für jetzt nicht verlocken, unsere Richtung nach der Ätiologie der Hysterie zu verlassen[2]. Wir müssen uns vielmehr fragen: Wohin gelangen wir, wenn wir den Ketten assoziierter Erinnerungen folgen, welche die Analyse uns aufdeckt? Wie weit reichen sie? Haben sie irgendwo ein natürliches Ende? Führen sie uns etwa zu Erlebnissen, die irgendwie gleichartig sind, dem Inhalte oder der Lebenszeit nach, so daß wir in diesen überall gleichartigen Faktoren die gesuchte Ätiologie der Hysterie erblicken könnten?

Meine bisherige Erfahrung gestattet mir bereits, diese Fragen zu beantworten. Wenn man von einem Falle ausgeht, der mehrere Symptome bietet, so gelangt man mittels der Analyse von jedem Symptom aus zu einer Reihe von Erlebnissen, deren Erinnerungen in der Assoziation miteinander verkettet sind. Die einzelnen Erinnerungsketten verlaufen zunächst distinkt voneinander nach rückwärts, sind aber, wie bereits erwähnt, verzweigt; von einer Szene aus sind gleichzeitig zwei oder mehr Erinnerungen erreicht, von denen nun Seiten-

---

[1] [Siehe S. 15 f. oben.]
[2] [Freud greift dieses zurückgestellte Problem auf S. 72 ff. wieder auf.]

ketten ausgehen, deren einzelne Glieder wieder mit Gliedern der Hauptkette assoziativ verknüpft sein mögen. Der Vergleich mit dem Stammbaum einer Familie, deren Mitglieder auch untereinander geheiratet haben, paßt hier wirklich nicht übel. Andere Komplikationen der Verkettung ergeben sich daraus, daß eine einzelne Szene in derselben Kette mehrmals erweckt werden kann, so daß sie zu einer späteren Szene mehrfache Beziehungen hat, eine direkte Verknüpfung mit ihr aufweist und eine durch Mittelglieder hergestellte. Kurz, der Zusammenhang ist keineswegs ein einfacher, und die Aufdeckung der Szenen in umgekehrter chronologischer Folge (die eben den Vergleich mit der Aufgrabung eines geschichteten Trümmerfeldes rechtfertigt) trägt zum rascheren Verständnis des Herganges gewiß nichts bei.

Neue Verwicklungen ergeben sich, wenn man die Analyse weiter fortsetzt. Die Assoziationsketten für die einzelnen Symptome beginnen dann in Beziehung zueinander zu treten; die Stammbäume verflechten sich. Bei einem gewissen Erlebnis der Erinnerungskette, z. B. für das Erbrechen, ist außer den rückläufigen Gliedern dieser Kette eine Erinnerung aus einer andern Kette erweckt worden, die ein anderes Symptom, etwa Kopfschmerz, begründet. Jenes Erlebnis gehört darum beiden Reihen an, es stellt also einen *Knotenpunkt*[1] dar, wie deren in jeder Analyse mehrere aufzufinden sind. Sein klinisches Korrelat mag etwa sein, daß von einer gewissen Zeit an die beiden Symptome zusammen auftreten, symbiotisch, eigentlich ohne innere Abhängigkeit voneinander. *Knotenpunkte anderer Art* findet man noch weiter rückwärts. Dort konvergieren die einzelnen Assoziationsketten; es finden sich Erlebnisse, von denen zwei oder mehrere Symptome ausgegangen sind. An das eine Detail der Szene hat die eine Kette, an ein anderes Detail die zweite Kette angeknüpft.

Das wichtigste Ergebnis aber, auf welches man bei solcher konsequenten Verfolgung der Analyse stößt, ist dieses: Von welchem Fall und von welchem Symptom immer man seinen Ausgang genommen hat, *endlich gelangt man unfehlbar auf das Gebiet des sexuellen Erlebens.* Hiemit wäre also zuerst eine ätiologische Bedingung hysterischer Symptome aufgedeckt.

Ich kann nach früheren Erfahrungen voraussehen, daß gerade gegen diesen Satz oder gegen die Allgemeingültigkeit dieses Satzes Ihr Wi-

---

[1] [Ein Beispiel für einen solchen »Knotenpunkt« – das Wort »naß« – wird in der Analyse des ersten Traums der »Dora«-Fallgeschichte (1905 *e*), S. 158 f. des vorliegenden Bandes, beschrieben.]

derspruch, meine Herren, gerichtet sein wird. Ich sage vielleicht besser: Ihre Widerspruchsneigung, denn es stehen wohl noch keinem von Ihnen Untersuchungen zu Gebote, die, mit demselben Verfahren angestellt, ein anderes Resultat ergeben hätten. Zur Streitsache selbst will ich nur bemerken, daß die Auszeichnung des sexuellen Moments in der Ätiologie der Hysterie bei mir mindestens keiner vorgefaßten Meinung entstammt. Die beiden Forscher, als deren Zögling ich meine Arbeiten über Hysterie begonnen habe, Charcot wie Breuer, standen einer derartigen Voraussetzung ferne, ja sie brachten ihr eine persönliche Abneigung entgegen, von der ich anfangs meinen Anteil übernahm. Erst die mühseligsten Detailuntersuchungen haben mich, und zwar langsam genug, zu der Meinung bekehrt, die ich heute vertrete. Wenn Sie meine Behauptung, die Ätiologie auch der Hysterie läge im Sexualleben, der strengsten Prüfung unterziehen, so erweist sie sich als vertretbar durch die Angabe, daß ich in etwa achtzehn Fällen von Hysterie diesen Zusammenhang für jedes einzelne Symptom erkennen und, wo es die Verhältnisse gestatteten, durch den therapeutischen Erfolg bekräftigen konnte. Sie können mir dann freilich einwenden, die neunzehnte und die zwanzigste Analyse werden vielleicht eine Ableitung hysterischer Symptome auch aus anderen Quellen kennen lehren und damit die Gültigkeit der sexuellen Ätiologie von der Allgemeinheit auf achtzig Prozent einschränken. Wir wollen es gerne abwarten, aber da jene achtzehn Fälle gleichzeitig alle sind, an denen ich die Arbeit der Analyse unternehmen konnte, und da niemand diese Fälle mir zum Gefallen ausgesucht hat, werden Sie es begreiflich finden, daß ich jene Erwartung nicht teile, sondern bereit bin, mit meinem Glauben über die Beweiskraft meiner bisherigen Erfahrungen hinauszugehen. Dazu bewegt mich übrigens noch ein anderes Motiv von einstweilen bloß subjektiver Geltung. In dem einzigen Erklärungsversuch für den physiologischen und psychischen Mechanismus der Hysterie, den ich mir zur Zusammenfassung meiner Beobachtungen gestalten konnte, ist mir die Einmengung sexueller Triebkräfte zur unentbehrlichen Voraussetzung geworden.

Also man gelangt endlich, nachdem die Erinnerungsketten konvergiert haben, auf sexuelles Gebiet und zu einigen wenigen Erlebnissen, die zumeist in die nämliche Lebensperiode, in das Alter der Pubertät fallen. Aus diesen Erlebnissen soll man die Ätiologie der Hysterie entnehmen und durch sie die Entstehung hysterischer Symptome verstehen lernen. Hier erlebt man aber eine neue und schwerwiegende Enttäuschung! Die mit so viel Mühe aufgefundenen, aus allem Erinnerungsmaterial extrahierten, anscheinend letzten traumatischen Erlebnisse haben zwar die beiden Charaktere: Sexualität und Pubertätszeit gemein, sind aber sonst so *sehr disparat und ungleichwertig*. In einigen Fällen handelt es sich wohl um Erlebnisse, die wir als schwere Traumen anerkennen müssen, um einen Versuch der Vergewaltigung, der dem unreifen Mädchen mit einem Schlage die ganze Brutalität der Geschlechtslust enthüllt, um eine unfreiwillige Zeugenschaft bei sexuellen Akten der Eltern, die in einem ungeahntes Häßliches aufdeckt und das kindliche wie das moralische Gefühl verletzt u. dgl. In anderen Fällen sind diese Erlebnisse von erstaunlicher Geringfügigkeit. Eine meiner Patientinnen zeigte zugrunde ihrer Neurose das Erlebnis, daß ein ihr befreundeter Knabe zärtlich ihre Hand streichelte und ein andermal seinen Unterschenkel an ihr Kleid drängte, während sie nebeneinander bei Tische saßen, wobei noch seine Miene sie erraten ließ, es handle sich um etwas Unerlaubtes. Bei einer andern jungen Dame hatte gar das Anhören einer Scherzfrage, die eine obszöne Beantwortung ahnen ließ, hingereicht, den ersten Angstanfall hervorzurufen und damit die Erkrankung zu eröffnen. Solche Ergebnisse sind offenbar einem Verständnis für die Verursachung hysterischer Symptome nicht günstig. Wenn es ebensowohl schwere wie geringfügige Erlebnisse, ebensowohl Erfahrungen am eigenen Leib wie visuelle Eindrücke und durch das Gehör empfangene Mitteilungen sind, die sich als die letzten Traumen der Hysterie erkennen lassen, so kann man etwa die Deutung versuchen, die Hysterischen seien besonders geartete Menschenkinder – wahrscheinlich infolge erblicher Veranlagung oder degenerativer Verkümmerung – bei denen die Scheu vor der Sexualität, die im Pubertätsalter normalerweise eine gewisse Rolle spielt, ins Pathologische gesteigert und dauernd festgehalten wird; gewissermaßen Personen, die den Anforderungen der Sexualität psychisch nicht Genüge leisten können. Man vernachlässigt bei dieser Aufstellung allerdings die Hysterie der Männer; aber auch, wenn es derartige grobe Einwände nicht gäbe, wäre die Versuchung kaum sehr groß, bei dieser Lösung stehenzubleiben. Man verspürt hier nur zu deutlich die intellektuelle Empfindung des Halbverstandenen, Unklaren und Unzureichenden.

Zum Glück für unsere Aufklärung zeigen einzelne der sexuellen Pubertätserlebnisse eine weitere Unzulänglichkeit, die geeignet ist, zur Fortsetzung der analytischen Arbeit anzuregen. Es kommt nämlich vor, daß auch diese Erlebnisse der determinierenden Eignung entbehren, wenngleich dies hier viel seltener ist als bei den traumatischen Szenen aus späterer Lebenszeit. So z. B. hatten sich bei den beiden Patientinnen, die ich vorhin als Fälle mit eigentlich harmlosen Pubertätserlebnissen angeführt habe, im Gefolge dieser Erlebnisse eigentümliche schmerzhafte Empfindungen in den Genitalien eingestellt, die sich als Hauptsymptome der Neurose festgesetzt hatten, deren Determinierung weder aus den Pubertätsszenen noch aus späteren abzuleiten war, die aber sicherlich nicht zu den normalen Organenempfindungen oder zu den Zeichen sexueller Aufregung gehörten. Wie nahe lag es nun, sich hier zu sagen, man müsse die Determinierung dieser Symptome in noch anderen, noch weiter zurückreichenden Erlebnissen suchen, man müsse hier zum zweiten Male jenem rettenden Einfall folgen, der uns vorhin von den ersten traumatischen Szenen zu den Erinnerungsketten hinter ihnen geleitet? Man kommt damit freilich in die Zeit der ersten Kindheit, die Zeit vor der Entwicklung des sexuellen Lebens, womit ein Verzicht auf die sexuelle Ätiologie verbunden scheint. Aber hat man nicht ein Recht anzunehmen, daß es auch dem Kindesalter an leisen sexuellen Erregungen nicht gebricht, ja, daß vielleicht die spätere sexuelle Entwicklung durch Kindererlebnisse in entscheidender Weise beeinflußt wird? Schädigungen, die das unausgebildete Organ, die in Entwicklung begriffene Funktion treffen, verursachen ja so häufig schwerere und nachhaltigere Wirkungen, als sie im reiferen Alter entfalten könnten. Vielleicht liegen der abnormen Reaktion gegen sexuelle Eindrücke, durch welche uns die Hysterischen in der Pubertätszeit überraschen, ganz allgemein solche sexuelle Erlebnisse der Kindheit zugrunde, die dann von gleichförmiger und bedeutsamer Art sein müßten? Man gewänne so eine Aussicht, als frühzeitig erworben aufzuklären, was man bisher einer durch die Heredität doch nicht verständlichen Prädisposition zur Last legen mußte. Und da infantile Erlebnisse sexuellen Inhalts doch nur durch ihre *Erinnerungsspuren* eine psychische Wirkung äußern könnten, wäre dies nicht eine willkommene Ergänzung zu jenem Ergebnis der Analyse, daß *hysterische Symptome immer nur unter der Mitwirkung von Erinnerungen entstehen?* [Vgl. S. 58.]

II

Sie erraten es wohl, meine Herren, daß ich jenen letzten Gedankengang nicht so weit ausgesponnen hätte, wenn ich Sie nicht darauf vorbereiten wollte, daß er allein es ist, der uns nach so vielen Verzögerungen zum Ziele führen wird. Wir stehen nämlich wirklich am Ende unserer langwierigen und beschwerlichen analytischen Arbeit und finden hier alle bisher festgehaltenen Ansprüche und Erwartungen erfüllt. Wenn wir die Ausdauer haben, mit der Analyse bis in die frühe Kindheit vorzudringen, so weit zurück nur das Erinnerungsvermögen eines Menschen reichen kann, so veranlassen wir in allen Fällen den Kranken zur Reproduktion von Erlebnissen, die infolge ihrer Besonderheiten sowie ihrer Beziehungen zu den späteren Krankheitssymptomen als die gesuchte Ätiologie der Neurose betrachtet werden müssen. Diese *infantilen* Erlebnisse sind wiederum *sexuellen* Inhalts, aber weit gleichförmigerer Art als die letztgefundenen Pubertätsszenen; es handelt sich bei ihnen nicht mehr um die Erweckung des sexuellen Themas durch einen beliebigen Sinneseindruck, sondern um sexuelle Erfahrungen am eigenen Leib, um *geschlechtlichen Verkehr* (im weiteren Sinne). Sie gestehen mir zu, daß die *Bedeutsamkeit* solcher Szenen keiner weiteren Begründung bedarf; fügen Sie nun noch hinzu, daß Sie in den Details derselben jedesmal die *determinierenden* Momente auffinden können, die Sie etwa in den anderen, später erfolgten und früher reproduzierten Szenen noch vermißt hätten. [Vgl. S. 55 f.]

Ich stelle also die Behauptung auf, zugrunde jedes Falles von Hysterie befinden sich – durch die analytische Arbeit reproduzierbar, trotz des Dezennien umfassenden Zeitintervalles – *ein oder mehrere Erlebnisse von vorzeitiger sexueller Erfahrung,* die der frühesten Jugend angehören[1]. Ich halte dies für eine wichtige Enthüllung, für die Auffindung eines *caput Nili*[2] der Neuropathologie, aber ich weiß kaum, wo anzuknüpfen, um die Erörterung dieser Verhältnisse fortzuführen. Soll ich mein aus den Analysen gewonnenes tatsächliches Material vor Ihnen ausbreiten, oder soll ich nicht lieber vorerst der Masse von Einwänden und Zweifeln zu begegnen suchen, die jetzt von Ihrer Aufmerksamkeit Besitz ergriffen haben, wie ich wohl mit Recht vermuten darf? Ich wähle das letztere; vielleicht können wir dann um so ruhiger beim Tatsächlichen verweilen:

---

[1] [*Zusatz 1924:*] Siehe die Bemerkung auf S. 65.   [2] [Quelle des Nils.]

a) Wer der psychologischen Auffassung der Hysterie überhaupt feindlich entgegensteht, die Hoffnung nicht aufgeben möchte, daß es einst gelingen wird, ihre Symptome auf »feinere anatomische Veränderungen« zurückzuführen, und die Einsicht abgewiesen hat, daß die materiellen Grundlagen der hysterischen Veränderungen nicht anders als gleichartig sein können mit jenen unserer normalen Seelenvorgänge, der wird selbstverständlich für die Ergebnisse unserer Analysen kein Vertrauen übrig haben; die prinzipielle Verschiedenheit seiner Voraussetzungen von den unserigen entbindet uns aber auch der Verpflichtung, ihn in einer Einzelfrage zu überzeugen.

Aber auch ein anderer, der sich minder abweisend gegen die psychologischen Theorien der Hysterie verhält, wird angesichts unserer analytischen Ergebnisse die Frage aufzuwerfen versucht sein, welche Sicherheit die Anwendung der Psychoanalyse mit sich bringt, ob es denn nicht sehr wohl möglich sei, daß entweder der Arzt solche Szenen als angebliche Erinnerung dem gefälligen Kranken aufdrängt oder daß der Kranke ihm absichtliche Erfindungen und freie Phantasien vorträgt, die jener für echt annimmt. Nun, ich habe darauf zu erwidern, die allgemeinen Bedenken gegen die Verläßlichkeit der psychoanalytischen Methode können erst gewürdigt und beseitigt werden, wenn eine vollständige Darstellung ihrer Technik und ihrer Resultate vorliegen wird; die Bedenken gegen die Echtheit der infantilen Sexualszenen aber kann man bereits heute durch mehr als ein Argument entkräften. Zunächst ist das Benehmen der Kranken, während sie diese infantilen Erlebnisse reproduzieren, nach allen Richtungen hin unvereinbar mit der Annahme, die Szenen seien etwas anderes als peinlich empfundene und höchst ungern erinnerte Realität. Die Kranken wissen vor Anwendung der Analyse nichts von diesen Szenen, sie pflegen sich zu empören, wenn man ihnen etwa das Auftauchen derselben ankündigt; sie können nur durch den stärksten Zwang der Behandlung bewogen werden, sich in deren Reproduktion einzulassen, sie leiden unter den heftigsten Sensationen, deren sie sich schämen und die sie zu verbergen trachten, während sie sich diese infantilen Erlebnisse ins Bewußtsein rufen, und noch, nachdem sie dieselben in so überzeugender Weise wieder durchgemacht haben, versuchen sie es, ihnen den Glauben zu versagen, indem sie betonen, daß sich hiefür nicht wie bei anderem Vergessenen ein Erinnerungsgefühl eingestellt hat[1].

---

[1] [*Zusatz 1924:*] All dies ist richtig, aber es ist zu bedenken, daß ich mich damals von

Letzteres Verhalten scheint nun absolut beweiskräftig zu sein. Wozu sollten die Kranken mich so entschieden ihres Unglaubens versichern, wenn sie aus irgendeinem Motiv die Dinge, die sie entwerten wollen, selbst erfunden haben?

Daß der Arzt dem Kranken derartige Reminiszenzen aufdränge, ihn zu ihrer Vorstellung und Wiedergabe suggeriere, ist weniger bequem zu widerlegen, erscheint mir aber ebenso unhaltbar. Mir ist es noch nie gelungen, einem Kranken eine Szene, die ich erwartete, derart aufzudrängen, daß er sie mit allen zu ihr gehörigen Empfindungen zu durchleben schien; vielleicht treffen es andere besser.

Es gibt aber noch eine ganze Reihe anderer Bürgschaften für die Realität der infantilen Sexualszenen. Zunächst deren Uniformität in gewissen Einzelheiten, wie sie sich aus den gleichartig wiederkehrenden Voraussetzungen dieser Erlebnisse ergeben muß, während man sonst geheime Verabredungen zwischen den einzelnen Kranken für glaubhaft halten müßte. Sodann, daß die Kranken gelegentlich wie harmlos Vorgänge beschreiben, deren Bedeutung sie offenbar nicht verstehen, weil sie sonst entsetzt sein müßten, oder daß sie, ohne Wert darauf zu legen, Einzelheiten berühren, die nur ein Lebenserfahrener kennt und als feine Charakterzüge des Realen zu schätzen versteht.

Verstärken solche Vorkommnisse den Eindruck, daß die Kranken wirklich erlebt haben müssen, was sie unter dem Zwang der Analyse als Szene aus der Kindheit reproduzieren, so entspringt ein anderer und mächtigerer Beweis hiefür aus der Beziehung der Infantilszenen zum Inhalt der ganzen übrigen Krankengeschichte. Wie bei den Zusammenlegbildern der Kinder sich nach mancherlei Probieren schließlich eine absolute Sicherheit herausstellt, welches Stück in die freigelassene Lücke gehört – weil nur dieses eine gleichzeitig das Bild ergänzt und sich mit seinen unregelmäßigen Zacken zwischen die Zacken der anderen so einpassen läßt, daß kein freier Raum bleibt und kein Übereinanderschieben notwendig wird –, so erweisen sich die Infantilszenen inhaltlich als unabweisbare Ergänzungen für das assoziative und logische Gefüge der Neurose, nach deren Einfügung erst der Hergang verständlich – man möchte oftmals sagen: selbstverständlich – wird.

Daß auch der therapeutische Beweis für die Echtheit der Infantilszenen in einer Reihe von Fällen zu erbringen ist, füge ich hinzu, ohne diesen

---

der Überschätzung der Realität und der Geringschätzung der Phantasie noch nicht frei gemacht hatte.

in den Vordergrund drängen zu wollen. Es gibt Fälle, in denen ein vollständiger oder partieller Heilerfolg zu erreichen ist, ohne daß man bis zu den Infantilerlebnissen herabsteigen muß; andere, in welchen jeder Erfolg ausbleibt, ehe die Analyse ihr natürliches Ende mit der Aufdeckung der frühesten Traumen gefunden hat. Ich meine, im ersteren Falle sei man vor Rezidiven nicht gesichert; ich erwarte, daß eine vollständige Psychoanalyse die radikale Heilung einer Hysterie bedeutet. Indes, greifen wir hier den Lehren der Erfahrung nicht vor!

Es gäbe noch einen, einen wirklich unantastbaren Beweis für die Echtheit der sexuellen Kindorerlebnisse, wenn nämlich die Angaben der einen Person in der Analyse durch die Mitteilung einer anderen Person in oder außerhalb einer Behandlung bestätigt würden. Diese beiden Personen müßten in ihrer Kindheit an demselben Erlebnis Anteil genommen haben, etwa in einem sexuellen Verhältnis zueinander gestanden sein. Solche Kinderverhältnisse sind, wie Sie gleich hören werden [S. 69], gar nicht selten; es kommt auch häufig genug vor, daß beide Beteiligte später an Neurosen erkranken, und doch, meine ich, ist es ein Glücksfall, daß mir eine solche objektive Bestätigung unter achtzehn Fällen zweimal gelungen ist. Einmal war es der gesund gebliebene Bruder, der mir unaufgefordert zwar nicht die frühesten Sexualerlebnisse mit seiner kranken Schwester, aber wenigstens solche Szenen aus ihrer späteren Kindheit und die Tatsache von weiter zurückreichenden sexuellen Beziehungen bekräftigte. Ein andermal traf es sich, daß zwei in Behandlung stehende Frauen als Kinder mit der nämlichen männlichen Person sexuell verkehrt hatten, wobei einzelne Szenen *à trois* zustande gekommen waren. Ein gewisses Symptom, das sich von diesen Kindererlebnissen ableitete, war, als Zeuge dieser Gemeinschaft, in beiden Fällen zur Ausbildung gelangt.

b) Sexuelle Erfahrungen der Kindheit, die in Reizungen der Genitalien, koitusähnlichen Handlungen usw. bestehen, sollen also in letzter Analyse als jene Traumen anerkannt werden, von denen die hysterische Reaktion gegen Pubertätserlebnisse und die Entwicklung hysterischer Symptome ausgeht. Gegen diesen Ausspruch werden sicherlich von verschiedenen Seiten zwei zueinander gegensätzliche Einwendungen erhoben werden. Die einen werden sagen, derartige sexuelle Mißbräuche, an Kindern verübt oder von Kindern untereinander, kämen zu selten vor, als daß man mit ihnen die Bedingtheit einer so häufigen Neurose wie der Hysterie decken könnte; andere werden vielleicht geltend machen, dergleichen Erlebnisse seien im Gegenteil sehr häufig, allzu häufig, als daß man ihrer Feststellung eine ätiologische Bedeutung zusprechen könnte. Sie werden ferner anführen, daß es bei einiger Umfrage leicht fällt, Personen aufzufinden, die sich an Szenen von sexueller Verführung und sexuellem Mißbrauche in ihren Kinderjahren erinnern, und die doch niemals hysterisch gewesen sind. Endlich werden wir als schwerwiegendes Argument zu hören bekommen, daß in den niederen Schichten der Bevölkerung die Hysterie gewiß nicht häufiger vorkommt als in den höchsten, während doch alles dafür spricht, daß das Gebot der sexuellen Schonung des Kindesalters an den Proletarierkindern ungleich häufiger übertreten wird.

Beginnen wir unsere Verteidigung mit dem leichteren Teil der Aufgabe. Es scheint mir sicher, daß unsere Kinder weit häufiger sexuellen Angriffen ausgesetzt sind, als man nach der geringen, von den Eltern hierauf verwendeten Fürsorge erwarten sollte. Bei den ersten Erkundigungen, was über dieses Thema bekannt sei, erfuhr ich von Kollegen, daß mehrere Publikationen von Kinderärzten vorliegen, welche die Häufigkeit sexueller Praktiken selbst an Säuglingen von seiten der Ammen und Kinderfrauen anklagen, und aus den letzten Wochen ist mir eine von Dr. Stekel in Wien herrührende Studie in die Hand geraten, die sich mit dem ›Koitus im Kindesalter‹ beschäftigt (1895[1]). Ich habe nicht Zeit gehabt, andere literarische Zeugnisse zu sammeln, aber selbst, wenn diese sich nur vereinzelt fänden, dürfte man erwarten, daß mit der Steigerung der Aufmerksamkeit für dieses Thema sehr bald die große Häufigkeit von sexuellen Erlebnissen und sexueller Betätigung im Kindesalter bestätigt werden wird.

Schließlich sind die Ergebnisse meiner Analyse imstande, für sich selbst zu sprechen. In sämtlichen achtzehn Fällen (von reiner Hysterie und Hysterie mit Zwangsvorstellungen kombiniert, sechs Männer und zwölf Frauen) bin ich, wie erwähnt, zur Kenntnis solcher sexueller Erlebnisse des Kindesalters gelangt. Ich kann meine Fälle in drei Gruppen bringen, je nach der Herkunft der sexuellen Reizung. In der ersten Gruppe handelt es sich um Attentate, einmaligen oder doch vereinzelten Mißbrauch meist weiblicher Kinder von seiten erwachsener, fremder Individuen (die dabei groben, mechanischen Insult zu vermeiden verstanden), wobei die Einwilligung der Kinder nicht in Frage kam und als nächste Folge des Erlebnisses der Schreck überwog. Eine zweite

---

[1] [Dieses Datum ist in allen früheren deutschen Ausgaben irrtümlich mit »1896« angegeben.]

Gruppe bilden jene weit zahlreicheren Fälle, in denen eine das Kind wartende erwachsene Person – Kindermädchen, Kindsfrau, Gouvernante, Lehrer, leider auch allzuhäufig ein naher Verwandter[1] – das Kind in den sexuellen Verkehr einführte und ein – auch nach der seelischen Richtung ausgebildetes – förmliches Liebesverhältnis, oft durch Jahre, mit ihm unterhielt. In die dritte Gruppe endlich gehören die eigentlichen Kinderverhältnisse, sexuelle Beziehungen zwischen zwei Kindern verschiedenen Geschlechtes, zumeist zwischen Geschwistern, die oft über die Pubertät hinaus fortgesetzt werden und die nachhaltigsten Folgen für das betreffende Paar mit sich bringen. In den meisten meiner Fälle ergab sich kombinierte Wirkung von zwei oder mehreren solcher Ätiologien; in einzelnen war die Häufung der sexuellen Erlebnisse von verschiedenen Seiten her geradezu erstaunlich. Sie verstehen aber diese Eigentümlichkeit meiner Beobachtungen leicht, wenn Sie in Betracht ziehen, daß ich durchweg Fälle von schwerer neurotischer Erkrankung, die mit Existenzunfähigkeit drohte, zu behandeln hatte.

Wo ein Verhältnis zwischen zwei Kindern vorlag, gelang nun einige Male der Nachweis, daß der Knabe – der auch hier die aggressive Rolle spielt – vorher von einer erwachsenen weiblichen Person verführt worden war und daß er dann unter dem Drucke seiner vorzeitig geweckten Libido und infolge des Erinnerungszwanges an dem kleinen Mädchen genau die nämlichen Praktiken zu wiederholen suchte, die er bei den Erwachsenen erlernt hatte, ohne daß er selbständig eine Modifikation in der Art der sexuellen Betätigung vorgenommen hätte.

Ich bin daher geneigt anzunehmen, daß ohne vorherige Verführung Kinder den Weg zu Akten sexueller Aggression nicht zu finden vermögen. Der Grund zur Neurose würde demnach im Kindesalter immer von seiten Erwachsener gelegt, und die Kinder selbst übertragen einander die Disposition, später an Hysterie zu erkranken. Ich bitte, verweilen Sie noch einen Moment bei der besonderen Häufigkeit sexueller Beziehungen im Kindesalter gerade zwischen Geschwistern und Vettern infolge der Gelegenheit zu häufigem Beisammensein, stellen Sie

---

[1] [In einem Brief an Fließ (Freud 1950 a, Brief 69 von 1897) erwähnt Freud, daß bei weiblichen Patienten als Verführer immer der Vater erscheine. Zu jener Zeit war Freud, wie er später bekannte (s. die Anm. auf S. 65–6 oben), noch nicht imstande, zwischen den *Phantasien* der Patienten über ihre Kindheit und ihren wirklichen *Erinnerungen* zu unterscheiden. Er veröffentlichte seine gewandelte Auffassung erstmals in ›Meine Ansichten über die Rolle der Sexualität in der Ätiologie der Neurosen‹ (1906 a).]

sich vor, daß zehn oder fünfzehn Jahre später in dieser Familie mehrere Individuen der jungen Generation krank gefunden werden, und fragen Sie sich, ob dieses familiäre Auftreten der Neurose nicht geeignet ist, zur Annahme einer erblichen Disposition zu verleiten, wo doch nur eine *Pseudoheredität* vorliegt und in Wirklichkeit eine Übertragung, eine Infektion in der Kindheit stattgefunden hat.

Nun wenden wir uns zu dem andern Einwand [S. 67 f.], welcher gerade auf der zugestandenen Häufigkeit infantiler Sexualerlebnisse und auf der Erfahrung fußt, daß viele Personen sich an solche Szenen erinnern, die nicht hysterisch geworden sind. Dagegen sagen wir zunächst, daß die übergroße Häufigkeit eines ätiologischen Moments unmöglich zum Vorwurf gegen dessen ätiologische Bedeutung verwendet werden kann. Ist der Tuberkelbazillus nicht allgegenwärtig und wird von weit mehr Menschen eingeatmet, als sich an Tuberkulose erkrankt zeigen? Und wird seine ätiologische Bedeutung durch die Tatsache geschädigt, daß er offenbar der Mitwirkung anderer Faktoren bedarf, um die Tuberkulose, seinen spezifischen Effekt, hervorzurufen? Es reicht für seine Würdigung als spezifische Ätiologie aus, daß Tuberkulose nicht möglich ist ohne seine Mitwirkung. Das gleiche gilt wohl auch für unser Problem. Es stört nicht, wenn viele Menschen infantile Sexualszenen erleben, ohne hysterisch zu werden; wenn nur alle, die hysterisch werden, solche Szenen erlebt haben. Der Kreis des Vorkommens eines ätiologischen Faktors darf gerne ausgedehnter sein als der seines Effekts, nur nicht enger. Es erkranken nicht alle an Blattern, die einen Blatternkranken berühren oder ihm nahe kommen, und doch ist Übertragung von einem Blatternkranken fast die einzige uns bekannte Ätiologie der Erkrankung.

Freilich, wenn infantile Betätigung der Sexualität ein fast allgemeines Vorkommnis wäre, dann fiele auf deren Nachweis in allen Fällen kein Gewicht. Aber erstens wäre eine derartige Behauptung sicherlich eine arge Übertreibung, und zweitens ruht der ätiologische Anspruch der infantilen Szenen nicht allein auf der Beständigkeit ihres Vorkommens in der Anamnese der Hysterischen, sondern vor allem auf dem Nachweis der assoziativen und logischen Bande zwischen ihnen und den hysterischen Symptomen, der Ihnen aus einer vollständig mitgeteilten Krankengeschichte sonnenklar einleuchten würde.

Welches mögen die anderen Momente sein, deren die »spezifische Ätiologie« der Hysterie noch bedarf, um die Neurose wirklich zu produzieren? Dies, meine Herren, ist eigentlich ein Thema für sich, das ich zu behandeln nicht vorhabe; ich brauche heute bloß die Kontaktstelle aufzuzeigen, an welcher die beiden Teilstücke des Themas – spezifische und Hilfsätiologie – ineinander greifen. Es wird wohl eine ziemliche Anzahl von Faktoren in Betracht kommen, die erbliche und persönliche Konstitution, die innere Bedeutsamkeit der infantilen Sexualerlebnisse, vor allem deren Häufung; ein kurzes Verhältnis mit einem fremden, später gleichgültigen Knaben wird an Wirksamkeit zurückstehen gegen mehrjährige, innige, sexuelle Beziehungen zum eigenen Bruder. Es sind in der Ätiologie der Neurosen quantitative Bedingungen ebensowohl bedeutsam wie qualitative; es sind Schwellenwerte zu überschreiten, wenn die Krankheit manifest werden soll. Ich halte die obige ätiologische Reihe übrigens selbst nicht für vollzählig und das Rätsel, warum die Hysterie in den niederen Ständen nicht häufiger ist [vgl. S. 68], durch sie noch nicht erledigt. (Erinnern Sie sich übrigens, welche überraschend große Verbreitung Charcot für die männliche Hysterie des Arbeiterstandes behauptete.) Ich darf Sie aber auch daran mahnen, daß ich selbst vor wenigen Jahren auf ein bisher wenig gewürdigtes Moment hingewiesen habe, für welches ich die Hauptrolle in der Hervorrufung der Hysterie nach der Pubertät in Anspruch nehme. Ich habe damals [1] ausgeführt, daß sich der Ausbruch der Hysterie fast regelmäßig auf einen *psychischen Konflikt* zurückführen läßt, indem eine unverträgliche Vorstellung die *Abwehr* des Ichs rege mache und zur Verdrängung auffordere. Unter welchen Verhältnissen dieses Abwehrbestreben den pathologischen Effekt hat, die dem Ich peinliche Erinnerung wirklich ins Unbewußte zu drängen und an ihrer Statt ein hysterisches Symptom zu schaffen, das konnte ich damals nicht angeben. Ich ergänze es heute: *Die Abwehr erreicht dann ihre Absicht, die unverträgliche Vorstellung aus dem Bewußtsein zu drängen, wenn bei der betreffenden, bis dahin gesunden Person infantile Sexualszenen als unbewußte Erinnerungen vorhanden sind und wenn die zu verdrängende Vorstellung in logischen oder assoziativen Zusammenhang mit einem solchen infantilen Erlebnis gebracht werden kann.*

Da das Abwehrbestreben des Ichs von der gesamten moralischen und intellektuellen Ausbildung der Person abhängt, sind wir nun nicht mehr ohne jedes Verständnis für die Tatsache, daß die Hysterie beim niederen Volk so viel seltener ist, als ihre spezifische Ätiologie gestatten würde.

---

[1] [In ›Die Abwehr-Neuropsychosen‹ (1894 *a*).]

Meine Herren, kehren wir noch einmal zurück zu jener letzten Gruppe von Einwänden, deren Beantwortung uns so weit geführt hat. Wir haben gehört und anerkannt, daß es zahlreiche Personen gibt, die infantile Sexualerlebnisse sehr deutlich erinnern und die doch nicht hysterisch sind. Dieser Einwand ist ganz ohne Gewicht, er wird uns aber Anlaß zu einer wertvollen Bemerkung bieten. Personen dieser Art *dürfen* nach unserem Verständnis der Neurose gar nicht hysterisch sein oder wenigstens nicht hysterisch infolge der Szenen, die sie bewußt erinnern. Bei unseren Kranken sind diese Erinnerungen niemals bewußt; wir heilen sie aber von ihrer Hysterie, indem wir ihnen die unbewußten Erinnerungen der Infantilszenen in bewußte verwandeln. An der Tatsache, daß sie solche Erlebnisse gehabt haben, konnten und brauchten wir nichts zu ändern. Sie ersehen daraus, daß es auf die Existenz der infantilen Sexualerlebnisse allein nicht ankommt, sondern daß eine psychologische Bedingung noch dabei ist. Diese Szenen müssen als *unbewußte Erinnerungen* vorhanden sein; nur solange und insofern sie unbewußt sind, können sie hysterische Symptome erzeugen und unterhalten. Wovon es aber abhängt, ob diese Erlebnisse bewußte oder unbewußte Erinnerungen ergeben, ob die Bedingung hiefür im Inhalt der Erlebnisse, in der Zeit, zu der sie vorfallen, oder in späteren Einflüssen liegt, dies ist ein neues Problem, dem wir behutsam aus dem Wege gehen wollen. Lassen Sie sich bloß daran mahnen, daß uns die Analyse als erstes Resultat den Satz gebracht hat: *Die hysterischen Symptome sind Abkömmlinge unbewußt wirkender Erinnerungen.*

c) Wenn wir daran festhalten, infantile Sexualerlebnisse seien die Grundbedingung, sozusagen die *Disposition* der Hysterie, sie erzeugen die hysterischen Symptome aber nicht unmittelbar, sondern bleiben zunächst wirkungslos und wirken pathogen erst später, wenn sie im Alter nach der Pubertät als unbewußte Erinnerungen geweckt werden, so haben wir uns mit den zahlreichen Beobachtungen auseinanderzusetzen, welche das Auftreten hysterischer Erkrankung bereits im Kindesalter und vor der Pubertät erweisen. Indes löst sich die Schwierigkeit wieder, wenn wir die aus den Analysen gewonnenen Daten über die zeitlichen Umstände der infantilen Sexualerlebnisse näher betrachten. Man erfährt dann, daß in unseren schweren Fällen die Bildung hysterischer Symptome nicht etwa ausnahmsweise, sondern eher regelmäßig mit dem achten Jahr beginnt und daß die Sexualerlebnisse, die keine unmittelbare Wirkung äußern, jedesmal weiter zurückreichen, ins dritte, vierte, selbst ins zweite Lebensjahr. Da in keinem einzigen Fall die Kette der wirksamen Erlebnisse[1] mit dem achten Jahr abbricht, muß ich annehmen, daß diese Lebensperiode, in welcher der Wachstumsschub der zweiten Dentition erfolgt, für die Hysterie eine Grenze bildet, von welcher an ihre Verursachung unmöglich wird. Wer nicht frühere Sexualerlebnisse hat, kann von da an nicht mehr zur Hysterie disponiert werden; wer solche hat, kann nun bereits hysterische Symptome entwickeln. Das vereinzelte Vorkommen von Hysterie auch jenseits dieser Altersgrenze (vor acht Jahren) ließe sich noch als Erscheinung der Frühreife deuten. Die Existenz dieser Grenze hängt sehr wahrscheinlich mit Entwicklungsvorgängen im Sexualsystem zusammen. Verfrühung der somatischen Sexualentwicklung kommt häufig zur Beobachtung, und es ist selbst denkbar, daß sie durch vorzeitige sexuelle Reizung befördert werden kann.

Man gewinnt so einen Hinweis darauf, daß ein gewisser *infantiler* Zustand der psychischen Funktionen wie des Sexualsystems erforderlich ist, damit eine in diese Periode fallende sexuelle Erfahrung später als Erinnerung pathogene Wirkung entfalte. Ich getraue mich indes noch nicht, über die Natur dieses psychischen Infantilismus und über seine zeitliche Begrenzung Näheres auszusagen.

d) Eine weitere Einwendung könnte etwa daran Anstoß nehmen, daß die *Erinnerung* der infantilen Sexualerlebnisse so großartige pathogene Wirkung äußern soll, während das Erleben derselben selbst wirkungslos geblieben ist. Wir sind ja in der Tat nicht daran gewöhnt, daß von einem Erinnerungsbild Kräfte ausgehen, welche dem realen Eindruck gefehlt haben. Sie bemerken hier übrigens, mit welcher Konsequenz bei der Hysterie der Satz durchgeführt ist, daß Symptome nur aus Erinnerungen hervorgehen können. Alle die späteren Szenen, bei denen die Symptome entstehen, sind nicht die wirksamen, und die eigentlich wirksamen Erlebnisse erzeugen zunächst keinen Effekt. Wir stehen aber hier vor einem Problem, welches wir mit gutem Recht von unserem Thema sondern können. Man fühlt sich freilich zu einer Synthese aufgefordert, wenn man die Reihe von auffälligen Bedingungen überdenkt, zu deren Kenntnis wir gelangt sind: daß, um ein hysterisches Symptom zu bilden, ein Abwehrbestreben gegen eine peinliche Vorstellung vorhanden sein muß; daß diese eine logische oder assoziative

---

[1] [Dem Sinn nach bedeutet dieser verkürzte Ausdruck wohl »Erlebnisse, von denen man eine pathogene Wirkung erwarten könnte«.]

Verknüpfung aufweisen muß mit einer unbewußten Erinnerung durch wenige oder zahlreiche Mittelglieder, die in diesem Moment gleichfalls unbewußt bleiben; daß jene unbewußte Erinnerung nur sexuellen Inhalts sein kann; daß sie ein Erlebnis zum Inhalt hat, welches sich in einer gewissen infantilen Lebensperiode zugetragen hat; und man kann nicht umhin, sich zu fragen, wie es zugeht, daß diese Erinnerung an ein seinerzeit harmloses Erlebnis posthum die abnorme Wirkung äußert, einen psychischen Vorgang wie das Abwehren zu einem pathologischen Resultat zu leiten, während sie selbst dabei unbewußt bleibt?

Man wird sich aber sagen müssen, dies sei ein rein psychologisches Problem, dessen Lösung vielleicht bestimmte Annahmen über die normalen psychischen Vorgänge und über die Rolle des Bewußtseins dabei notwendig macht, das aber einstweilen ungelöst bleiben kann, ohne unsere bisher gewonnene Einsicht in die Ätiologie der hysterischen Phänomene zu entwerten.

III

Meine Herren, das Problem, dessen Ansätze ich soeben formuliert habe, betrifft den *Mechanismus* der hysterischen Symptombildung. Wir sind aber genötigt, die *Verursachung* dieser Symptome darzustellen, ohne diesen Mechanismus in Betracht zu ziehen, was eine unvermeidliche Einbuße an Abrundung und Durchsichtigkeit unserer Erörterung mit sich bringt. Kehren wir zur Rolle der infantilen Sexualszenen zurück. Ich fürchte, ich könnte Sie zur Überschätzung von deren symptombildender Kraft verleitet haben. Ich betone darum nochmals, daß jeder Fall von Hysterie Symptome aufweist, deren Determinierung nicht aus infantilen, sondern aus späteren, oft aus rezenten Erlebnissen herstammt. Ein anderer Anteil der Symptome geht freilich auf die allerfrühesten Erlebnisse zurück, ist gleichsam von ältestem Adel. Dahin gehören vor allem die so zahlreichen und mannigfaltigen Sensationen und Parästhesien an den Genitalien und anderen Körperstellen, die einfach dem Empfindungsinhalt der Infantilszenen in halluzinatorischer Reproduktion, oft auch in schmerzhafter Verstärkung, entsprechen.

Eine andere Reihe überaus gemeiner hysterischer Phänomene, der schmerzhafte Harndrang, die Sensation bei der Defäkation, Störungen der Darmtätigkeit, das Würgen und Erbrechen, Magenbeschwerden und Speiseekel, gab sich in meinen Analysen gleichfalls – und zwar mit überraschender Regelmäßigkeit – als Derivat derselben Kindererlebnisse zu erkennen und erklärte sich mühelos aus konstanten Eigentümlichkeiten derselben. Die infantilen Sexualszenen sind nämlich arge Zumutungen für das Gefühl eines sexuell normalen Menschen; sie enthalten alle Ausschreitungen, die von Wüstlingen und Impotenten bekannt sind, bei denen Mundhöhle und Darmausgang mißbräuchlich zu sexueller Verwendung gelangen. Die Verwunderung hierüber weicht beim Arzte alsbald einem völligen Verständnis. Von Personen, die kein Bedenken tragen, ihre sexuellen Bedürfnisse an Kindern zu befriedigen, kann man nicht erwarten, daß sie an Nuancen in der Weise dieser Befriedigung Anstoß nehmen, und die dem Kindesalter anhaftende sexuelle Impotenz drängt unausbleiblich zu denselben Surrogathandlungen, zu denen sich der Erwachsene im Falle erworbener Impotenz erniedrigt. Alle die seltsamen Bedingungen, unter denen das ungleiche Paar sein Liebesverhältnis fortführt: der Erwachsene, der sich seinem Anteil an der gegenseitigen Abhängigkeit nicht entziehen kann, wie sie aus einer sexuellen Beziehung notwendig hervorgeht, der dabei doch mit aller Autorität und dem Rechte der Züchtigung ausgerüstet ist und zur ungehemmten Befriedigung seiner Launen die eine Rolle mit der anderen vertauscht; das Kind, dieser Willkür in seiner Hilflosigkeit preisgegeben, vorzeitig zu allen Empfindlichkeiten erweckt und allen Enttäuschungen ausgesetzt, häufig in der Ausübung der ihm zugewiesenen sexuellen Leistungen durch seine unvollkommene Beherrschung der natürlichen Bedürfnisse unterbrochen – alle diese grotesken und doch tragischen Mißverhältnisse prägen sich in der ferneren Entwicklung des Individuums und seiner Neurose in einer Unzahl von Dauereffekten aus, die der eingehendsten Verfolgung würdig wären. Wo sich das Verhältnis zwischen zwei Kindern abspielt, bleibt der Charakter der Sexualszenen doch der nämliche abstoßende, da ja jedes Kinderverhältnis eine vorausgegangene Verführung des einen Kindes durch einen Erwachsenen postuliert. Die psychischen Folgen eines solchen Kinderverhältnisses sind ganz außerordentlich tiefgreifende; die beiden Personen bleiben für ihre ganze Lebenszeit durch ein unsichtbares Band miteinander verknüpft.

Gelegentlich sind es Nebenumstände dieser infantilen Sexualszenen, welche in späteren Jahren zu determinierender Macht für die Symptome der Neurose gelangen. So hat in einem meiner Fälle der Umstand, daß das Kind abgerichtet wurde, mit seinem Fuß die Genitalien der Erwachsenen zu erregen, hingereicht, um Jahre hindurch die neurotische Aufmerksamkeit auf die Beine und deren Funktion zu fixieren und schließlich eine hysterische Paraplegie zu erzeugen. In einem andern Falle wäre es rätselhaft geblieben, warum die Kranke in ihren Angstanfällen, die gewisse Tagesstunden bevorzugten, gerade eine einzige von ihren zahlreichen Schwestern zu ihrer Beruhigung nicht von ihrer Seite lassen wollte, wenn die Analyse nicht ergeben hätte, daß der Attentäter sich seinerzeit bei jedem seiner Besuche erkundigt hatte, ob diese Schwester zu Hause sei, von der er eine Störung befürchten mußte.

Es kommt vor, daß die determinierende Kraft der Infantilszenen sich so sehr verbirgt, daß sie bei oberflächlicher Analyse übersehen werden muß. Man vermeint dann, man habe die Erklärung eines gewissen Symptoms im Inhalt einer der späteren Szenen gefunden, und stößt im Verlaufe der Arbeit auf denselben Inhalt in einer der Infantilszenen, so daß man sich schließlich sagen muß, die spätere Szene verdanke ihre Kraft, Symptome zu determinieren, doch nur ihrer Übereinstimmung mit der früheren. Ich will darum die spätere Szene nicht als bedeutungslos hinstellen; wenn ich die Aufgabe hätte, die Regeln der hysterischen Symptombildung vor Ihnen zu erörtern, würde ich als eine dieser Regeln anerkennen müssen, daß zum Symptom jene Vorstellung auserwählt wird, zu deren Hebung mehrere Momente zusammenwirken, die von verschiedenen Seiten her gleichzeitig geweckt wird, was ich an anderer Stelle[1] durch den Satz auszudrücken versucht habe: *Die hysterischen Symptome seien überdeterminiert.*

Noch eines, meine Herren; ich habe zwar vorhin [S. 73 f.] das Verhältnis der rezenten Ätiologie zur infantilen als ein besonderes Thema beiseite gerückt; aber ich kann doch den Gegenstand nicht verlassen, ohne diesen Vorsatz wenigstens durch eine Bemerkung zu übertreten. Sie gestehen mir zu, es ist vor allem *eine* Tatsache, die uns am psychologischen Verständnis der hysterischen Phänomene irre werden läßt, die uns zu warnen scheint, psychische Akte bei Hysterischen und bei Normalen mit gleichem Maß zu messen. Es ist dies das Mißverhältnis zwischen psychisch erregendem Reiz und psychischer Reaktion, das wir bei den Hysterischen antreffen, welches wir durch die Annahme einer allgemeinen abnormen Reizbarkeit zu decken suchen und häufig physiologisch zu erklären bemüht sind, als ob gewisse, der Übertragung dienende Hirnorgane sich bei den Kranken in einem besonderen chemi-

---

[1] [Nämlich in seinem technischen Beitrag zu den *Studien über Hysterie* (1895 d).]

schen Zustand befänden, etwa wie die Spinalzentren des Strychnin-
frosches, oder sich dem Einflusse höherer hemmender Zentren entzogen
hätten, wie im vivisektorischen Tierexperiment. Beide Auffassungen
mögen hie und da zur Erklärung der hysterischen Phänomene vollberechtigt sein; das stelle ich nicht in Abrede. Aber der Hauptanteil des
Phänomens, der abnormen, übergroßen, hysterischen Reaktion auf psychische Reize, läßt eine andere Erklärung zu, die durch zahllose Beispiele aus den Analysen gestützt wird. Und diese Erklärung lautet:
*Die Reaktion der Hysterischen ist eine nur scheinbar übertriebene; sie
muß uns so erscheinen, weil wir nur einen kleinen Teil der Motive kennen, aus denen sie erfolgt.*
In Wirklichkeit ist diese Reaktion proportional dem erregenden Reiz,
also normal und psychologisch verständlich. Wir sehen dies sofort ein,
wenn die Analyse zu den manifesten, dem Kranken bewußten Motiven
jene anderen Motive hinzugefügt hat, die gewirkt haben, ohne daß der
Kranke um sie wußte, die er uns also nicht mitteilen konnte.
Ich könnte Stunden damit ausfüllen, Ihnen diesen wichtigen Satz für
den ganzen Umfang der psychischen Tätigkeit bei Hysterischen zu
erweisen, muß mich aber hier auf wenige Beispiele beschränken. Sie
erinnern sich an die so häufige seelische »Empfindlichkeit« der Hysterischen, die sie auf die leiseste Andeutung einer Geringschätzung reagieren läßt, als seien sie tödlich beleidigt worden. Was würden Sie nun
denken, wenn Sie eine solche hochgradige Verletzbarkeit bei geringfügigen Anlässen zwischen zwei gesunden Menschen, etwa Ehegatten,
beobachten würden? Sie würden gewiß den Schluß ziehen, die eheliche
Szene, der Sie beigewohnt, sei nicht allein das Ergebnis des letzten
kleinlichen Anlasses, sondern da habe sich durch lange Zeit Zündstoff
angehäuft, der nun in seiner ganzen Masse durch den letzten Anstoß
zur Explosion gebracht worden sei.
Bitte, übertragen Sie denselben Gedankengang auf die Hysterischen.
Nicht die letzte, an sich minimale Kränkung ist es, die den Weinkrampf,
den Ausbruch von Verzweiflung, den Selbstmordversuch erzeugt, mit
Mißachtung des Satzes von der Proportionalität des Effekts und der
Ursache, sondern diese kleine aktuelle Kränkung hat die Erinnerungen
so vieler und intensiverer früherer Kränkungen geweckt und zur Wirkung gebracht, hinter denen allen noch die Erinnerung an eine schwere,
nie verwundene Kränkung im Kindesalter steckt. Oder: wenn ein junges Mädchen sich die entsetzlichsten Vorwürfe macht, weil sie geduldet,
daß ein Knabe zärtlich im geheimen über ihre Hand gestrichen, und

von da ab der Neurose verfällt, so können Sie zwar dem Rätsel mit dem Urteil begegnen, das sei eine abnorme, exzentrisch angelegte, hypersensitive Person; aber Sie werden anders denken, wenn Ihnen die Analyse zeigt, daß jene Berührung an eine andere, ähnliche, erinnerte, die in sehr früher Jugend vorfiel und die ein Stück aus einem minder harmlosen Ganzen war, so daß eigentlich die Vorwürfe jenem alten Anlaß gelten. Schließlich ist das Rätsel der hysterogenen Punkte[1] auch kein anderes; wenn Sie die eine ausgezeichnete Stelle berühren, tun Sie etwas, was Sie nicht beabsichtigt haben; Sie wecken eine Erinnerung auf, die einen Krampfanfall auszulösen vermag, und da Sie von diesem psychischen Mittelglied nichts wissen, beziehen Sie den Anfall als Wirkung direkt auf Ihre Berührung als Ursache. Die Kranken befinden sich in derselben Unwissenheit und verfallen darum in ähnliche Irrtümer, sie stellen beständig »falsche Verknüpfungen« her zwischen dem letztbewußten Anlaß und dem von so viel Mittelgliedern abhängigen Effekt. Ist es dem Arzte aber möglich geworden, zur Erklärung einer hysterischen Reaktion die bewußten und die unbewußten Motive zusammenzufassen, so muß er diese scheinbar übermäßige Reaktion fast immer als eine angemessene, nur in der Form abnorme anerkennen.

Sie werden nun gegen diese Rechtfertigung der hysterischen Reaktion auf psychische Reize mit Recht einwenden, sie sei doch keine normale, denn warum benehmen die Gesunden sich anders; warum wirken bei ihnen nicht alle längst verflossenen Erregungen neuerdings mit, wenn eine neue Erregung aktuell ist? Es macht ja den Eindruck, als blieben bei den Hysterischen alle alten Erlebnisse wirkungskräftig, auf die schon so oft, und zwar in stürmischer Weise reagiert wurde, als seien diese Personen unfähig, psychische Reize zu erledigen. Richtig, meine Herren, etwas Derartiges muß man tatsächlich als wahr annehmen. Vergessen Sie nicht, daß die alten Erlebnisse der Hysterischen bei einem aktuellen Anlasse als *unbewußte Erinnerungen* ihre Wirkung äußern. Es scheint, als ob die Schwierigkeit der Erledigung, die Unmöglichkeit, einen aktuellen Eindruck in eine machtlose Erinnerung zu verwandeln, gerade an dem Charakter des psychisch Unbewußten hinge[2]. Sie sehen,

---

[1] [Der von Charcot gebrauchte Ausdruck, z. B. 1887, S. 85 ff., lautet »hysterogene Zonen«, und Freud erwähnt diese als solche in seinem ›Vortrag‹ (1893 *h*), S. 20 oben.]
[2] [Dies ist eine frühe Andeutung von Freuds späterer Auffassung von der »Zeitlosigkeit« des Unbewußten. S. den Anfang von Abschnitt V der metapsychologischen Arbeit ›Das Unbewußte‹ (1915 *e*).]

der Rest des Problems ist wiederum Psychologie, und zwar Psychologie von einer Art, für welche uns die Philosophen wenig Vorarbeit geleistet haben.

Auf diese Psychologie, die für unsere Bedürfnisse erst zu erschaffen ist – auf die zukünftige *Neurosenpsychologie* –, muß ich Sie auch verweisen, wenn ich Ihnen zum Schluß eine Mitteilung mache, von der Sie zunächst eine Störung unseres beginnenden Verständnisses für die Ätiologie der Hysterie besorgen werden. Ich muß es nämlich aussprechen, daß die ätiologische Rolle der infantilen Sexualerlebnisse nicht auf das Gebiet der Hysterie eingeschränkt ist, sondern in gleicher Weise für die merkwürdige Neurose der Zwangsvorstellungen, ja vielleicht auch für die Formen der chronischen Paranoia und andere funktionelle Psychosen Geltung hat. Ich drücke mich hiebei minder bestimmt aus, weil die Anzahl meiner Analysen von Zwangsneurosen noch weit hinter der von Hysterien zurücksteht; von Paranoia habe ich gar nur eine einzige ausreichende und einige fragmentarische Analysen zur Verfügung. Aber was ich da gefunden, schien mir verläßlich und hat mich mit sicheren Erwartungen für andere Fälle erfüllt. Sie erinnern sich vielleicht, daß ich für die Zusammenfassung von Hysterie und Zwangsvorstellungen unter dem Titel *»Abwehrneurosen«* bereits früher eingetreten bin[1], ehe mir noch die Gemeinsamkeit der infantilen Ätiologie bekannt war. Nun muß ich hinzufügen – was man freilich nicht allgemein zu erwarten braucht –, daß meine Fälle von Zwangsvorstellungen sämtlich einen Untergrund von hysterischen Symptomen, meist Sensationen und Schmerzen, erkennen ließen, die sich gerade auf die ältesten Kindererlebnisse zurückleiteten. Worin liegt nun die Entscheidung, ob aus den unbewußt gebliebenen infantilen Sexualszenen später Hysterie oder Zwangsneurose oder gar Paranoia hervorgehen soll, wenn sich die anderen pathogenen Momente hinzugesellt haben? Diese Vermehrung unserer Erkenntnisse scheint ja dem ätiologischen Wert dieser Szenen Eintrag zu tun, indem sie die Spezifität der ätiologischen Relation aufhebt.

Ich bin noch nicht in der Lage, meine Herren, eine verläßliche Antwort auf diese Frage zu geben. Die Anzahl meiner analysierten Fälle, die Mannigfaltigkeit der Bedingungen in ihnen, ist nicht groß genug hiefür. Ich merke bis jetzt, daß die Zwangsvorstellungen bei der Analyse regelmäßig als verkappte und verwandelte *Vorwürfe wegen sexueller*

---

[1] [Nämlich in ›Die Abwehr-Neuropsychosen‹ (1894 *a*).]

Aggressionen im Kindesalter zu entlarven sind, daß sie darum bei Männern häufiger gefunden werden als bei Frauen und häufiger bei ihnen sich entwickeln als Hysterie[1]. Ich könnte daraus schließen, daß der Charakter der Infantilszenen, ob sie mit Lust oder nur passiv erlebt werden, einen bestimmenden Einfluß auf die Auswahl der späteren Neurose hat, aber ich möchte auch den Einfluß des Alters, in dem diese Kinderaktionen vorfallen, und anderer Momente nicht unterschätzen. Hierüber muß erst die Diskussion weiterer Analysen Aufschluß geben; wenn es aber klar sein wird, welche Momente die Entscheidung zwischen den möglichen Formen der Abwehr-Neuropsychosen beherrschen, wird es wiederum ein rein psychologisches Problem sein, kraft welches Mechanismus die einzelne Form gestaltet wird[2].

Ich bin nun zum Ende meiner heutigen Erörterungen gelangt. Auf Widerspruch und Unglauben gefaßt, möchte ich meiner Sache nur noch eine Befürwortung mit auf den Weg geben. Wie immer Sie meine Resultate aufnehmen mögen, ich darf Sie bitten, dieselben nicht für die Frucht wohlfeiler Spekulation zu halten. Sie ruhen auf mühseliger Einzelerforschung der Kranken, die bei den meisten Fällen hundert Arbeitsstunden und darüber verweilt hat. Wichtiger noch als Ihre Würdigung der Ergebnisse ist mir Ihre Aufmerksamkeit für das Verfahren, dessen ich mich bedient habe, das neuartig, schwierig zu handhaben und doch unersetzlich für wissenschaftliche und therapeutische Zwecke ist. Sie sehen wohl ein, man kann den Ergebnissen, zu denen diese modifizierte Breuersche Methode führt, nicht gut widersprechen, wenn man die Methode beiseite läßt und sich nur der gewohnten Methode des Krankenexamens bedient. Es wäre ähnlich, als wollte man die Funde der histologischen Technik mit der Berufung auf die makroskopische Untersuchung widerlegen. Indem die neue Forschungsmethode den Zugang zu einem neuen Element des psychischen Geschehens, zu den unbewußt gebliebenen, nach Breuers Ausdruck *»bewußtseinsunfähigen«*[3] Denkvorgängen breit eröffnet, winkt sie uns mit der Hoff-

---

[1] [In seiner gleichzeitigen Schrift ›L'hérédité et l'étiologie de névroses‹ (1896 *a*) verweist Freud noch ausdrücklicher auf »la connexion plus intime de l'hystérie avec le sexe féminin et . . . la préférence des hommes pour la névrose d'obsessions«. Er erwähnt diese Zusammenhänge noch einmal dreißig Jahre später in *Hemmung, Symptom und Angst*, s. unten, S. 283.]

[2] [In ›Die Disposition zur Zwangsneurose‹ (1913 *i*) erörtert Freud noch einmal die Frage der Neurosenwahl und legt seine geänderte Auffassung des Problems dar.]

[3] [Dieser Ausdruck erscheint in Breuers theoretischem Beitrag zu den *Studien über Hysterie* (Breuer und Freud, 1895, Freud, 1895 *d*).]

nung eines neuen, besseren Verständnisses aller funktionellen psychischen Störungen. Ich kann es nicht glauben, daß die Psychiatrie es noch lange aufschieben wird, sich dieses neuen Weges zur Erkenntnis zu bedienen.

Bruchstück einer Hysterie-Analyse

(1905 [1901])

EDITORISCHE VORBEMERKUNG

Deutsche Ausgaben:

(1901, 24. Januar: Abschluß des ersten Entwurfs unter dem Titel ›Traum und Hysterie‹.)

1905 *Mschr. Psychiat. Neurol.*, Bd. 18 (4 und 5), Oktober und November, 285–310 und 408–467.

1909 *S. K. S. N.*, Bd. 2, 1–110. (1912, 2. Aufl.; 1921, 3. Aufl.)

1924 *G. S.*, Bd. 8, 3–126.

1932 *Vier Krankengeschichten,* 5–141.

1942 *G. W.*, Bd. 5, 163–286.

Obwohl erst im Oktober und November 1905 veröffentlicht, ist diese Fallstudie großenteils schon im Januar 1901 niedergeschrieben worden, als Freud auch mit den Abschlußarbeiten an seinem Buch *Zur Psychopathologie des Alltagslebens* (1901 b) beschäftigt war. Einige aus der gleichen Zeit stammende Hinweise darauf finden sich in seinen Briefen an Wilhelm Fließ (Freud, 1950 a).

Am 14. Oktober 1900 (Brief 139) berichtet Freud Fließ, daß er einen neuen Fall »eines 18jährigen Mädchens« habe. Dieses Mädchen war offensichtlich »Dora«; wie wir aus der Falldarstellung selbst wissen (S. 93, Anm.), endete ihre Behandlung etwa drei Monate später, am 31. Dezember. Im darauffolgenden Monat schrieb Freud die Fallstudie nieder.

Am 25. Januar (Brief 140) schreibt er: »›Traum und Hysterie‹ ist gestern fertig geworden...« (So lautete der Titel ursprünglich, wie wir aus Freuds eigenem Vorwort (S. 90) wissen.) Er fährt fort: »Es ist ein Bruchstück einer Hysterieanalyse, in der sich die Aufklärungen um zwei Träume gruppieren, also eigentlich eine Fortsetzung des Traumbuches.« *(Die Traumdeutung,* 1900 a.) »Außerdem sind Auflösungen hysterischer Symptome und Ausblicke auf das sexuell-organische Fundament des Ganzen. Es ist immerhin das Subtilste, was ich bis jetzt geschrieben und wird noch abschreckender als gewöhnlich wirken. Immerhin man tut seine Pflicht und schreibt ja nicht für den Tag. Die Arbeit ist schon von Ziehen akzeptiert...« Ziehen war einer der Herausgeber der *Monatsschrift für Psychiatrie und Neurologie,* in welcher die Arbeit schließlich erschien. Einige Tage später, am 30. Januar (Brief 141), schreibt Freud weiter: »›Traum und Hysterie‹ soll Dich womöglich nicht enttäuschen. Die Hauptsache darin ist noch immer das Psychologische, die Verwertung des Traumes, einige Besonderheiten der unbewußten Gedanken. Aufs Organische gibt es nur

Durchblicke und zwar auf die erogenen Zonen und die Bisexualität. Aber genannt und anerkannt ist es einmal und vorbereitet für eine ausführliche Darstellung ein anderes Mal. Es ist eine Hysterie mit *tussis nervosa* und Aphonie, die sich auf den Charakter der Lutscherin zurückführen lassen, und in den sich bekämpfenden Gedankenvorgängen spielt der Gegensatz zwischen einer Neigung zum Manne und einer zur Frau die Hauptrolle.« Diese Auszüge zeigen, daß die Arbeit ein Verbindungsglied zwischen der *Traumdeutung* und den *Drei Abhandlungen zur Sexualtheorie* (1905 *d*) bildet. Sie blickt auf jene zurück und auf diese voraus.

Obwohl also Freud die Niederschrift schon Anfang 1901 beendet hatte und zweifellos beabsichtigte, die Arbeit unverzüglich zu veröffentlichen, hielt er sie aus Gründen, die uns nicht völlig bekannt sind, noch für mehr als vier Jahre zurück. Von Ernest Jones (1962, Bd. II, S. 304 f.) erfahren wir, daß das Manuskript zuerst (noch ehe Ziehen es zu sehen bekam) an das *Journal für Psychologie und Neurologie* geschickt wurde, dessen Herausgeber, Brodmann, es jedoch zurücksandte, offenbar mit der Begründung, es verstoße gegen die ärztliche Schweigepflicht. Es ist sehr wohl möglich, daß dieser Gesichtspunkt auf Freud einigen Einfluß hatte, aber mehr als die Rücksicht auf die ärztlichen Konventionen war sein Motiv wohl die Sorge, daß, so entfernt diese Möglichkeit auch war, seine Patientin durch die Veröffentlichung Schaden erleiden könnte. Freuds eigene Einstellung zu diesem Problem geht klar aus seinem Vorwort (S. 87 ff.) hervor.

Wie weit Freud das Manuskript überarbeitete, bevor er es schließlich 1905 in Druck gab, können wir nicht beurteilen. Nach der inneren Logik des Textes zu schließen, dürfte er ihn nur geringfügig verändert haben. Der letzte Abschnitt des ›Nachworts‹ (S. 184–6) ist sicher hinzugefügt worden; das gilt zumindest auch für einige Passagen im ›Vorwort‹ und einzelne Fußnoten. Von diesen kleinen Ergänzungen abgesehen, können wir jedoch mit gutem Recht annehmen, daß die Arbeit Freuds technische Methoden und theoretische Ansichten der Zeit unmittelbar nach Veröffentlichung der *Traumdeutung* widerspiegelt. Es könnte überraschen, daß seine Sexualtheorie so viele Jahre vor dem Erscheinen der *Drei Abhandlungen* (1905 *d*), die allerdings fast gleichzeitig mit der vorliegenden Arbeit veröffentlicht wurden, bereits einen so differenzierten Entwicklungsstand erreicht hatte. Aber die Fußnote 2 auf S. 125 verbürgt diese Tatsache ausdrücklich. Wer die Fließ-Briefe gelesen hat, weiß überdies, daß ein erheblicher Teil dieser Theorie schon viel früher nachzuweisen ist.

Merkwürdigerweise verlegt Freud in seinen späteren Schriften die Behandlung der »Dora« mehrmals in das falsche Jahr – statt 1900 schreibt er 1899. Dieser Irrtum wiederholt sich auch zweimal in der 1923 hinzugefügten Fußnote zur vorliegenden Arbeit (S. 93). Herbst 1900 ist jedoch unbedingt das richtige Datum, da, ganz abgesehen von den oben genannten Beweisen, am Ende der Arbeit selbst (auf S. 185) unzweideutig die Jahreszahl »1902« steht.

Die folgende chronologische Zusammenfassung, die auf den in der Falldarstellung gemachten Angaben beruht, soll es dem Leser erleichtern, den in der Krankengeschichte berichteten Ereignissen zu folgen:

1882	Doras Geburtsjahr.
1888 (6 Jahre alt)	Erkrankung des Vaters an Tb. Die Familie übersiedelt nach B.
1889 (7 Jahre alt)	Bettnässen.
1890 (8 Jahre alt)	Dyspnoe.
1892 (10 Jahre alt)	Der Vater erkrankt an Netzhautablösung.
1894 (12 Jahre alt)	Vater hat einen Anfall von Verworrenheit, konsultiert Freud. Dora leidet an Migräne und *tussis nervosa*.
1896 (14 Jahre alt)	Kußszene.
1898 (16 Jahre alt)	(Frühsommer:) Doras erster Besuch bei Freud. (Ende Juni:) Szene am See. (Winter:) Tod der Tante. Dora in Wien.
1899 (17 Jahre alt)	(März:) Blinddarmentzündung. (Herbst:) Die Familie siedelt von B. an den Fabrikort über.
1900 (18 Jahre alt)	Übersiedlung der Familie nach Wien. Selbstmorddrohung. (Oktober bis Dezember:) Behandlung bei Freud.
1901	(Januar:) Niederschrift der Fallstudie.
1902	(April:) Letzter Besuch Doras bei Freud.
1905	Veröffentlichung der Fallstudie.

Wenn ich nach längerer Pause daran gehe, meine in den Jahren 1895 und 1896[1] aufgestellten Behauptungen über die Pathogenese hysterischer Symptome und die psychischen Vorgänge bei der Hysterie durch ausführliche Mitteilung einer Kranken- und Behandlungsgeschichte zu erhärten, so kann ich mir dieses Vorwort nicht ersparen, welches mein Tun einerseits nach verschiedenen Richtungen rechtfertigen, anderseits die Erwartungen, die es empfangen werden, auf ein billiges Maß zurückführen soll.

Es war sicherlich mißlich, daß ich Forschungsergebnisse, und zwar solche von überraschender und wenig einschmeichelnder Art, veröffentlichen mußte, denen die Nachprüfung von seiten der Fachgenossen notwendigerweise versagt blieb. Es ist aber kaum weniger mißlich, wenn ich jetzt beginne, etwas von dem Material dem allgemeinen Urteil zugänglich zu machen, aus dem ich jene Ergebnisse gewonnen hatte. Ich werde dem Vorwurfe nicht entgehen. Hatte er damals gelautet, daß ich nichts von meinen Kranken mitgeteilt, so wird er nun lauten, daß ich von meinen Kranken mitgeteilt, was man nicht mitteilen soll. Ich hoffe, es werden die nämlichen Personen sein, welche in solcher Art den Vorwand für ihren Vorwurf wechseln werden, und gebe es von vornherein auf, diesen Kritikern jemals ihren Vorwurf zu entreißen.

Die Veröffentlichung meiner Krankengeschichten bleibt für mich eine schwer zu lösende Aufgabe, auch wenn ich mich um jene einsichtslosen Übelwollenden weiter nicht bekümmere. Die Schwierigkeiten sind zum Teil technischer Natur, zum andern Teil gehen sie aus dem Wesen der Verhältnisse selbst hervor. Wenn es richtig ist, daß die Verursachung der hysterischen Erkrankungen in den Intimitäten des psychosexuellen Lebens der Kranken gefunden wird und daß die hysterischen Symptome der Ausdruck ihrer geheimsten verdrängten Wünsche sind, so kann die Klarlegung eines Falles von Hysterie nicht anders, als diese Intimitäten aufdecken und diese Geheimnisse verraten. Es ist gewiß, daß die Kranken nie gesprochen hätten, wenn ihnen die Möglichkeit einer wissen-

---

[1] [Z. B. in *Studien über Hysterie* (Breuer und Freud, 1895) und ›Zur Ätiologie der Hysterie‹ (Freud, 1896 c, im vorliegenden Band S. 53).]

schaftlichen Verwertung ihrer Geständnisse in den Sinn gekommen wäre, und ebenso gewiß, daß es ganz vergeblich bliebe, wollte man die Erlaubnis zur Veröffentlichung von ihnen selbst erbitten. Zartfühlende, wohl auch zaghafte Personen würden unter diesen Umständen die Pflicht der ärztlichen Diskretion in den Vordergrund stellen und bedauern, der Wissenschaft hierin keine Aufklärungsdienste leisten zu können. Allein ich meine, der Arzt hat nicht nur Pflichten gegen den einzelnen Kranken, sondern auch gegen die Wissenschaft auf sich genommen. Gegen die Wissenschaft, das heißt im Grunde nichts anderes als gegen die vielen anderen Kranken, die an dem Gleichen leiden oder noch leiden werden. Die öffentliche Mitteilung dessen, was man über die Verursachung und das Gefüge der Hysterie zu wissen glaubt, wird zur Pflicht, die Unterlassung zur schimpflichen Feigheit, wenn man nur die direkte persönliche Schädigung des einen Kranken vermeiden kann. Ich glaube, ich habe alles getan, um eine solche Schädigung für meine Patientin auszuschließen. Ich habe eine Person ausgesucht, deren Schicksale nicht in Wien, sondern in einer fernab gelegenen Kleinstadt spielten, deren persönliche Verhältnisse in Wien also so gut wie unbekannt sein müssen; ich habe das Geheimnis der Behandlung so sorgfältig von Anfang an gehütet, daß nur ein einziger vollkommen vertrauenswürdiger Kollege[1] darum wissen kann, das Mädchen sei meine Patientin gewesen; ich habe nach Abschluß der Behandlung noch vier Jahre lang mit der Publikation gewartet, bis ich von einer Änderung in dem Leben der Patientin hörte, die mich annehmen ließ, ihr eigenes Interesse an den hier erzählten Begebenheiten und seelischen Vorgängen könnte nun verblaßt sein. Es ist selbstverständlich, daß kein Name stehengeblieben ist, der einen Leser aus Laienkreisen auf die Spur führen könnte; die Publikation in einem streng wissenschaftlichen Fachjournal sollte übrigens ein Schutz gegen solche unbefugte Leser sein. Ich kann es natürlich nicht verhindern, daß die Patientin selbst eine peinliche Empfindung verspüre, wenn ihr die eigene Krankengeschichte durch einen Zufall in die Hände gespielt wird. Sie erfährt aber nichts aus ihr, was sie nicht schon weiß, und mag sich die Frage vorlegen, wer anders daraus erfahren kann, daß es sich um ihre Person handelt.

Ich weiß, daß es – in dieser Stadt wenigstens – viele Ärzte gibt, die – ekelhaft genug – eine solche Krankengeschichte nicht als einen Beitrag zur Psychopathologie der Neurose, sondern als einen zu ihrer Belustigung bestimmten Schlüsselroman lesen wollen. Dieser Gattung von

---

[1] [Zweifellos Fließ. Siehe S. 84.]

Lesern gebe ich die Versicherung, daß alle meine etwa später mitzuteilenden Krankengeschichten durch ähnliche Garantien des Geheimnisses vor ihrem Scharfsinn behütet sein werden, obwohl meine Verfügung über mein Material durch diesen Vorsatz eine ganz außerordentliche Einschränkung erfahren muß.

In dieser einen Krankengeschichte, die ich bisher den Einschränkungen der ärztlichen Diskretion und der Ungunst der Verhältnisse abringen konnte, werden nun sexuelle Beziehungen mit aller Freimütigkeit erörtert, die Organe und Funktionen des Geschlechtslebens bei ihren richtigen Namen genannt, und der keusche Leser kann sich aus meiner Darstellung die Überzeugung holen, daß ich mich nicht gescheut habe, mit einer jugendlichen weiblichen Person über solche Themata in solcher Sprache zu verhandeln. Ich soll mich nun wohl auch gegen diesen Vorwurf verteidigen? Ich nehme einfach die Rechte des Gynäkologen – oder vielmehr sehr viel bescheidenere als diese – für mich in Anspruch und erkläre es als ein Anzeichen einer perversen und fremdartigen Lüsternheit, wenn jemand vermuten sollte, solche Gespräche seien ein gutes Mittel zur Aufreizung oder zur Befriedigung sexueller Gelüste. Im übrigen verspüre ich die Neigung, meinem Urteil hierüber in einigen entlehnten Worten Ausdruck zu geben.

»Es ist jämmerlich, solchen Verwahrungen und Beteuerungen einen Platz in einem wissenschaftlichen Werke einräumen zu müssen, aber man mache mir darob keine Vorwürfe, sondern klage den Zeitgeist an, durch den wir glücklich dahin gekommen sind, daß kein ernstes Buch mehr seines Lebens sicher ist.«[1]

Ich werde nun mitteilen, auf welche Weise ich für diese Krankengeschichte die technischen Schwierigkeiten der Berichterstattung überwunden habe. Diese Schwierigkeiten sind sehr erhebliche für den Arzt, der sechs oder acht solcher psychotherapeutischer Behandlungen täglich durchzuführen hat und während der Sitzung mit dem Kranken selbst Notizen nicht machen darf, weil er das Mißtrauen des Kranken erwecken und sich in der Erfassung des aufzunehmenden Materials stören würde. Es ist auch ein für mich noch ungelöstes Problem, wie ich eine Behandlungsgeschichte von langer Dauer für die Mitteilung fixieren könnte. In dem hier vorliegenden Falle kamen mir zwei Umstände zu Hilfe: erstens, daß die Dauer der Behandlung sich nicht über drei Monate erstreckte, zweitens, daß die Aufklärungen sich um zwei – in der Mitte und am Schlusse der Kur erzählte – Träume gruppierten,

---

[1] Richard Schmidt, 1902. (Im Vorwort.)

deren Wortlaut unmittelbar nach der Sitzung festgelegt wurde und die einen sicheren Anhalt für das anschließende Gespinst von Deutungen und Erinnerungen abgeben konnten. Die Krankengeschichte selbst habe ich erst nach Abschluß der Kur aus meinem Gedächtnisse niedergeschrieben, solange meine Erinnerung noch frisch und durch das Interesse an der Publikation gehoben war [1]. Die Niederschrift ist demnach nicht absolut – phonographisch – getreu, aber sie darf auf einen hohen Grad von Verläßlichkeit Anspruch machen. Es ist nichts anderes, was wesentlich wäre, in ihr verändert, als etwa an manchen Stellen die Reihenfolge der Aufklärungen, was ich dem Zusammenhange zuliebe tat.

Ich gehe daran, hervorzuheben, was man in diesem Berichte finden und was man in ihm vermissen wird. Die Arbeit führte ursprünglich den Namen ›Traum und Hysterie‹, weil sie mir ganz besonders geeignet schien, zu zeigen, wie sich die Traumdeutung in die Behandlungsgeschichte einflicht und wie mit deren Hilfe die Ausfüllung der Amnesien und die Aufklärung der Symptome gewonnen werden kann. Ich habe nicht ohne gute Gründe im Jahre 1900 eine mühselige und tief eindringende Studie über den Traum meinen beabsichtigten Publikationen zur Psychologie der Neurosen vorausgeschickt [2], allerdings auch aus deren Aufnahme ersehen können, ein wie unzureichendes Verständnis derzeit noch die Fachgenossen solchen Bemühungen entgegenbringen. In diesem Falle war auch der Einwand nicht stichhaltig, daß meine Aufstellungen wegen Zurückhaltung des Materials eine auf Nachprüfung gegründete Überzeugung nicht gewinnen lassen, denn seine eigenen Träume kann jedermann zur analytischen Untersuchung heranziehen, und die Technik der Traumdeutung ist nach den von mir gegebenen Anweisungen und Beispielen leicht zu erlernen. Ich muß heute wie damals [3] behaupten, daß die Vertiefung in die Probleme des Traumes eine unerläßliche Vorbedingung für das Verständnis der psychischen Vorgänge bei der Hysterie und den anderen Psychoneurosen ist und daß niemand Aussicht hat, auf diesem Gebiete auch nur einige Schritte weit vorzudringen, der sich jene vorbereitende Arbeit ersparen will. Da also diese Krankengeschichte die Kenntnis der Traumdeutung voraussetzt, wird ihre Lektüre für jedermann höchst unbefriedigend ausfallen, bei dem solche Voraussetzung nicht zutrifft. Er wird nur Befremden anstatt der

---

[1] [Freud hatte die Arbeit ursprünglich gleich nach der Niederschrift veröffentlichen wollen. Vgl. S. 84–5.]

[2] *Die Traumdeutung* (1900 *a*).

[3] [In der Vorbemerkung zur ersten Auflage der *Traumdeutung*.]

gesuchten Aufklärung in ihr finden und gewiß geneigt sein, die Ursache dieses Befremdens auf den für phantastisch erklärten Autor zu projizieren. In Wirklichkeit haftet solches Befremden an den Erscheinungen der Neurose selbst; es wird dort nur durch unsere ärztliche Gewöhnung verdeckt und kommt beim Erklärungsversuch wieder zum Vorschein. Gänzlich zu bannen wäre es ja nur, wenn es gelänge, die Neurose restlos von Momenten, die uns bereits bekannt geworden sind, abzuleiten. Aber alle Wahrscheinlichkeit spricht dafür, daß wir im Gegenteil aus dem Studium der Neurose den Antrieb empfangen werden, sehr vieles Neue anzunehmen, was dann allmählich Gegenstand sicherer Erkenntnis werden kann. Das Neue hat aber immer Befremden und Widerstand erregt.

Irrtümlich wäre es, wenn jemand glauben würde, daß Träume und deren Deutung in allen Psychoanalysen eine so hervorragende Stellung einnehmen wie in diesem Beispiel.

Erscheint die vorliegende Krankengeschichte betreffs der Verwertung der Träume bevorzugt, so ist sie dafür in anderen Punkten armseliger ausgefallen, als ich es gewünscht hätte. Ihre Mängel hängen aber gerade mit jenen Verhältnissen zusammen, denen die Möglichkeit, sie zu publizieren, zu verdanken ist. Ich sagte schon, daß ich das Material einer Behandlungsgeschichte, die sich etwa über ein Jahr erstreckt, nicht zu bewältigen wüßte. Diese bloß dreimonatige Geschichte ließ sich übersehen und erinnern; ihre Ergebnisse sind aber in mehr als einer Hinsicht unvollständig geblieben. Die Behandlung wurde nicht bis zum vorgesetzten Ziele fortgeführt, sondern durch den Willen der Patientin unterbrochen, als ein gewisser Punkt erreicht war. Zu dieser Zeit waren einige Rätsel des Krankheitsfalles noch gar nicht in Angriff genommen, andere erst unvollkommen aufgehellt, während die Fortsetzung der Arbeit gewiß an allen Punkten bis zur letzten möglichen Aufklärung vorgedrungen wäre. Ich kann also hier nur ein Fragment einer Analyse bieten.

Vielleicht wird ein Leser, der mit der in den *Studien über Hysterie* [1895 d] dargelegten Technik der Analyse vertraut ist, sich darüber verwundern, daß sich in drei Monaten nicht die Möglichkeit fand, wenigstens die in Angriff genommenen Symptome zu ihrer letzten Lösung zu bringen. Dies wird aber verständlich, wenn ich mitteile, daß seit den *Studien* die psychoanalytische Technik eine gründliche Umwälzung erfahren hat. Damals ging die Arbeit von den Symptomen aus und setzte sich die Auflösung derselben der Reihe nach zum Ziel. Ich habe diese Technik seither aufgegeben, weil ich sie der feineren Struktur der Neurose völlig unangemessen fand. Ich lasse nun den Kranken selbst das Thema der täglichen Arbeit bestimmen und gehe also von der jeweiligen Oberfläche aus, welche das Unbewußte in ihm seiner Aufmerksamkeit entgegenbringt. Dann erhalte ich aber, was zu einer Symptomlösung zusammengehört, zerstückelt, in verschiedene Zusammenhänge verflochten und auf weit auseinanderliegende Zeiten verteilt. Trotz dieses scheinbaren Nachteils ist die neue Technik der alten weit überlegen, ohne Widerspruch die einzig mögliche.

Angesichts der Unvollständigkeit meiner analytischen Ergebnisse blieb mir nichts übrig, als dem Beispiel jener Forscher zu folgen, welche so glücklich sind, die unschätzbaren wenn auch verstümmelten Reste des Altertums aus langer Begrabenheit an den Tag zu bringen. Ich habe das Unvollständige nach den besten mir von anderen Analysen her bekannten Mustern ergänzt, aber ebensowenig wie ein gewissenhafter Archäologe in jedem Falle anzugeben versäumt, wo meine Konstruktion an das Authentische ansetzt.

Eine andere Art von Unvollständigkeit habe ich selbst mit Absicht herbeigeführt. Ich habe nämlich die Deutungsarbeit, die an den Einfällen und Mitteilungen der Kranken zu vollziehen war, im allgemeinen nicht dargestellt, sondern bloß die Ergebnisse derselben. Die Technik der analytischen Arbeit ist also, abgesehen von den Träumen, nur an einigen wenigen Stellen enthüllt worden. Es lag mir in dieser Krankengeschichte daran, die Determinierung der Symptome und den intimen Aufbau der neurotischen Erkrankung aufzuzeigen; es hätte nur unauflösbare Verwirrung erzeugt, wenn ich gleichzeitig versucht hätte, auch die andere Aufgabe zu erfüllen. Zur Begründung der technischen, zumeist empirisch gefundenen Regeln müßte man wohl das Material aus vielen Behandlungsgeschichten zusammentragen. Indes möge man sich die Verkürzung durch die Zurückhaltung der Technik für diesen Fall nicht besonders groß vorstellen. Gerade das schwierigste Stück der technischen Arbeit ist bei der Kranken nicht in Frage gekommen, da das Moment der »Übertragung«, von dem zu Ende der Krankengeschichte die Rede ist [s. S. 180 ff.], während der kurzen Behandlung nicht zur Sprache kam.

An einer dritten Art von Unvollständigkeit dieses Berichtes tragen weder die Kranke noch der Autor die Schuld. Es ist vielmehr selbstverständlich, daß eine einzige Krankengeschichte, selbst wenn sie vollständig und keiner Anzweiflung ausgesetzt wäre, nicht Antwort auf alle Fragen geben kann, die sich aus dem Hysterieproblem erheben. Sie kann nicht alle Typen der Erkrankung, nicht alle Gestaltungen der inneren Struktur der Neurose, nicht alle bei der Hysterie möglichen Arten des Zusammenhanges zwischen Psychischem und Somatischem kennen lehren. Man darf billigerweise von dem einen Fall nicht mehr fordern, als er zu gewähren vermag. Auch wird, wer bisher nicht an die allgemeine und ausnahmslose Gültigkeit der psychosexuellen Ätiologie für die Hysterie glauben wollte, diese Überzeugung durch die Kenntnisnahme einer Krankengeschichte kaum gewinnen, sondern am besten sein Urteil aufschieben, bis er sich durch eigene Arbeit ein Recht auf eine Überzeugung erworben hat[1].

---

[1] [*Zusatz 1923:*] Die hier mitgeteilte Behandlung wurde am 31. Dezember 1899 unterbrochen [vielmehr 1900 – s. S. 85], der Bericht über sie in den nächstfolgenden zwei Wochen niedergeschrieben, aber erst 1905 publiziert. Es ist nicht zu erwarten, daß mehr als zwei Dezennien fortgesetzter Arbeit nichts an der Auffassung und Darstellung eines solchen Krankheitsfalles geändert haben sollten, aber es wäre offenbar unsinnig, diese Krankengeschichte durch Korrekturen und Erweiterungen *»up to date«* zu bringen, sie dem heutigen Stande unseres Wissens anzupassen. Ich habe sie also im wesentlichen unberührt gelassen und in ihrem Text nur Flüchtigkeiten und Ungenauigkeiten verbessert, auf die meine ausgezeichneten englischen Übersetzer, Mr. und Mrs. James Strachey, meine Aufmerksamkeit gelenkt hatten. Was mir an kritischen Zusätzen zulässig schien, habe ich in diesen Zusätzen zur Krankengeschichte untergebracht, so daß der Leser zur Annahme berechtigt ist, ich hielte noch heute an den im Text vertretenen Meinungen fest, wenn er in den Zusätzen keinen Widerspruch dagegen findet. Das Problem der ärztlichen Diskretion, das mich in dieser Vorrede beschäftigt, fällt für die anderen Krankengeschichten dieses Bandes [s. unten] außer Betracht, denn drei derselben sind mit ausdrücklicher Zustimmung der Behandelten, beim kleinen Hans mit der des Vaters, veröffentlicht worden, und in einem Falle (Schreber) ist das Objekt der Analyse nicht eigentlich eine Person, sondern ein von ihr ausgehendes Buch. Im Falle Dora ist das Geheimnis bis zu diesem Jahr gehütet worden. Ich habe kürzlich gehört, daß die mir längst entschwundene, jetzt neuerlich über andere Anlässe erkrankte Frau ihrem Arzt eröffnet hat, sie sei als Mädchen Objekt meiner Analyse gewesen, und diese Mitteilung machte es dem kundigen Kollegen leicht, in ihr die Dora aus dem Jahre 1899 zu erkennen [die Jahreszahl müßte wiederum richtig 1900 heißen]. Daß die drei Monate der damaligen Behandlung nicht mehr leisteten als die Erledigung des damaligen Konflikts, daß sie nicht auch einen Schutz gegen spätere Erkrankungen hinterlassen konnten, wird kein billig Denkender der analytischen Therapie zum Vorwurf machen.
[Diese Fußnote findet sich erstmals in Band 8 der *Gesammelten Schriften* Freuds, der seine fünf großen Fallstudien enthält, nämlich außer der vorliegenden die in der Fußnote erwähnten des »kleinen Hans« (1909 *b*), des »Rattenmannes« (1909 *d*), den Schreber-Fall (1911 *c*) sowie die Krankengeschichte des »Wolfsmannes« (1918 *b*). – Über Doras spätere Lebensgeschichte s. die Abhandlung von Felix Deutsch (1957).]

I

DER KRANKHEITSZUSTAND

Nachdem ich in meiner 1900 veröffentlichten *Traumdeutung* nachgewiesen habe, daß Träume im allgemeinen deutbar sind und daß sie nach vollendeter Deutungsarbeit sich durch tadellos gebildete, an bekannter Stelle in den seelischen Zusammenhang einfügbare Gedanken ersetzen lassen, möchte ich auf den nachfolgenden Seiten ein Beispiel von jener einzigen praktischen Verwendung geben, welche die Kunst des Traumdeutens zuzulassen scheint. Ich habe schon in meinem Buche[1] erwähnt, auf welche Weise ich an die Traumprobleme geraten bin. Ich fand sie auf meinem Wege, während ich Psychoneurosen durch ein besonderes Verfahren der Psychotherapie zu heilen bemüht war, indem mir die Kranken unter anderen Vorfällen aus ihrem Seelenleben auch Träume berichteten, welche nach Einreihung in den lange ausgesponnenen Zusammenhang zwischen Leidenssymptom und pathogener Idee zu verlangen schienen. Ich erlernte damals, wie man aus der Sprache des Traumes in die ohne weitere Nachhilfe verständliche Ausdrucksweise unserer Denksprache übersetzen muß. Diese Kenntnis, darf ich behaupten, ist für den Psychoanalytiker unentbehrlich, denn der Traum stellt einen der Wege dar, wie dasjenige psychische Material zum Bewußtsein gelangen kann, welches kraft des Widerstrebens, das sein Inhalt rege macht, vom Bewußtsein abgesperrt, verdrängt und somit pathogen geworden ist. Der Traum ist, kürzer gesagt, einer der *Umwege zur Umgehung der Verdrängung*, eines der Hauptmittel der sogenannten indirekten Darstellungsweise im Psychischen. Wie die Traumdeutung in die Arbeit der Analyse eingreift, soll nun das vorliegende Bruchstück aus der Behandlungsgeschichte eines hysterischen Mädchens dartun. Es soll mir gleichzeitig Anlaß bieten, von meinen Ansichten über die psychischen Vorgänge und über die organischen Bedingungen der Hysterie zum ersten Male in nicht mehr mißverständlicher Breite einen Anteil öffentlich zu vertreten. Der Breite wegen brauche ich mich wohl nicht mehr zu entschuldigen, seitdem es zugegeben wird, daß man nur durch liebevollste Vertiefung, aber nicht durch vornehmtuende Geringschät-

---

[1] *Die Traumdeutung* (1900 a), II. Kapitel [einige Seiten nach dem Kapitelanfang].

zung den großen Ansprüchen nachkommen kann, welche die Hysterie an den Arzt und Forscher stellt. Freilich:

>»Nicht Kunst und Wissenschaft allein,
>Geduld will bei dem Werke sein!« [1]

Eine lückenlose und abgerundete Krankengeschichte voranschicken, hieße den Leser von vornherein unter ganz andere Bedingungen versetzen, als die des ärztlichen Beobachters waren. Was die Angehörigen des Kranken – in diesem Falle der Vater des 18jährigen Mädchens – berichten, gibt zumeist ein sehr unkenntliches Bild des Krankheitsverlaufs. Ich beginne dann zwar die Behandlung mit der Aufforderung, mir die ganze Lebens- und Krankheitsgeschichte zu erzählen, aber was ich darauf zu hören bekomme, ist zur Orientierung noch immer nicht genügend. Diese erste Erzählung ist einem nicht schiffbaren Strom vergleichbar, dessen Bett bald durch Felsmassen verlegt, bald durch Sandbänke zerteilt und untief gemacht wird. Ich kann mich nur verwundern, wie die glatten und exakten Krankengeschichten Hysterischer bei den Autoren entstanden sind. In Wirklichkeit sind die Kranken unfähig, derartige Berichte über sich zu geben. Sie können zwar über diese oder jene Lebenszeit den Arzt ausreichend und zusammenhängend informieren, dann folgt aber eine andere Periode, in der ihre Auskünfte seicht werden, Lücken und Rätsel lassen, und ein andermal steht man wieder vor ganz dunkeln, durch keine brauchbare Mitteilung erhellten Zeiten. Die Zusammenhänge, auch die scheinbaren, sind meist zerrissen, die Aufeinanderfolge verschiedener Begebenheiten unsicher; während der Erzählung selbst korrigiert die Kranke wiederholt eine Angabe, ein Datum, um dann nach längerem Schwanken etwa wieder auf die erste Aussage zurückzugreifen. Die Unfähigkeit der Kranken zur geordneten Darstellung ihrer Lebensgeschichte, soweit sie mit der Krankheitsgeschichte zusammenfällt, ist nicht nur charakteristisch für die Neurose [2],

---

[1] [Faust, I. Teil, 6. Szene.]

[2] Einst übergab mir ein Kollege seine Schwester zur psychotherapeutischen Behandlung, die, wie er sagte, seit Jahren erfolglos wegen Hysterie (Schmerzen und Gangstörung) behandelt worden sei. Die kurze Information schien mit der Diagnose gut vereinbar; ich ließ mir in einer ersten Stunde von der Kranken selbst ihre Geschichte erzählen. Als diese Erzählung trotz der merkwürdigen Begebenheiten, auf die sie anspielte, vollkommen klar und ordentlich ausfiel, sagte ich mir, der Fall könne keine Hysterie sein, und stellte unmittelbar darauf eine sorgfältige körperliche Untersuchung an. Das Ergebnis war die Diagnose einer mäßig vorgeschrittenen Tabes, die dann auch durch Hg-Injektionen (Ol. cinereum, von Prof. Lang ausgeführt) eine erhebliche Besserung erfuhr.

sie entbehrt auch nicht einer großen theoretischen Bedeutsamkeit. Dieser Mangel hat nämlich folgende Begründungen: Erstens hält die Kranke einen Teil dessen, was ihr wohlbekannt ist und was sie erzählen sollte, bewußt und absichtlich aus den noch nicht überwundenen Motiven der Scheu und Scham (Diskretion, wenn andere Personen in Betracht kommen) zurück; dies wäre der Anteil der bewußten Unaufrichtigkeit. Zweitens bleibt ein Teil ihres anamnestischen Wissens, über welchen die Kranke sonst verfügt, während dieser Erzählung aus, ohne daß die Kranke einen Vorsatz auf diese Zurückhaltung verwendet: Anteil der unbewußten Unaufrichtigkeit. Drittens fehlt es nie an wirklichen Amnesien, Gedächtnislücken, in welche nicht nur alte, sondern selbst ganz rezente Erinnerungen hineingeraten sind, und an Erinnerungstäuschungen, welche sekundär zur Ausfüllung dieser Lücken gebildet wurden[1]. Wo die Begebenheiten selbst dem Gedächtnis erhalten geblieben, da wird die den Amnesien zugrunde liegende Absicht ebenso sicher durch Aufhebung eines Zusammenhanges erreicht, und der Zusammenhang wird am sichersten zerrissen, wenn die Zeitfolge der Begebenheiten verändert wird. Letztere erweist sich auch stets als der vulnerabelste, der Verdrängung am ehesten unterliegende Bestandteil des Erinnerungsschatzes. Manche Erinnerungen trifft man sozusagen in einem ersten Stadium der Verdrängung, sie zeigen sich mit Zweifel behaftet. Eine gewisse Zeit später wäre dieser Zweifel durch Vergessen oder Fehlerinnern ersetzt[2].

Ein solcher Zustand der auf die Krankheitsgeschichte bezüglichen Erinnerungen ist das notwendige, *theoretisch geforderte Korrelat* der Krankheitssymptome. Im Verlaufe der Behandlung trägt dann der Kranke nach, was er zurückgehalten oder was ihm nicht eingefallen ist, obwohl er es immer gewußt hat. Die Erinnerungstäuschungen erweisen sich als unhaltbar, die Lücken der Erinnerung werden ausgefüllt. Gegen Ende der Behandlung erst kann man eine in sich konsequente, verständ-

---

[1] Amnesien und Erinnerungstäuschungen stehen im komplementären Verhältnis zueinander. Wo sich große Erinnerungslücken ergeben, wird man auf wenig Erinnerungstäuschungen stoßen. Umgekehrt können letztere das Vorhandensein von Amnesien für den ersten Anschein völlig verdecken.

[2] Bei zweifelnder Darstellung, lehrt eine durch Erfahrung gewonnene Regel, sehe man von dieser Urteilsäußerung des Erzählers völlig ab. Bei zwischen zwei Gestaltungen schwankender Darstellung halte man eher die erst geäußerte für richtig, die zweite für ein Produkt der Verdrängung. [Vgl. eine Erörterung über Zweifel im Zusammenhang mit Träumen in *Die Traumdeutung* (VII. Kapitel, ziemlich zu Anfang des Abschnitts A). Über den ganz anderen Mechanismus des Zweifels in der Zwangsneurose s. die Fallstudie des »Rattenmannes« (1909 *d*, Teil II, Abschnitt C).]

liche und lückenlose Krankengeschichte überblicken. Wenn das praktische Ziel der Behandlung dahin geht, alle möglichen Symptome aufzuheben und durch bewußte Gedanken zu ersetzen, so kann man als ein anderes, theoretisches Ziel die Aufgabe aufstellen, alle Gedächtnisschäden des Kranken zu heilen. Die beiden Ziele fallen zusammen; wenn das eine erreicht ist, ist auch das andere gewonnen; der nämliche Weg führt zu beiden.

Aus der Natur der Dinge, welche das Material der Psychoanalyse bilden, folgt, daß wir in unseren Krankengeschichten den rein menschlichen und sozialen Verhältnissen der Kranken ebensoviel Aufmerksamkeit schuldig sind wie den somatischen Daten und den Krankheitssymptomen. Vor allem anderen wird sich unser Interesse den Familienverhältnissen der Kranken zuwenden, und zwar, wie sich ergeben wird, auch anderer Beziehungen wegen als nur mit Rücksicht auf die zu erforschende Heredität.

Der Familienkreis der 18jährigen Patientin umfaßte außer ihrer Person das Elternpaar und einen um 1¹/₂ Jahre älteren Bruder. Die dominierende Person war der Vater, sowohl durch seine Intelligenz und Charaktereigenschaften wie durch seine Lebensumstände, welche das Gerüst für die Kindheits- und Krankengeschichte der Patientin abgeben. Er war zur Zeit, als ich das Mädchen in Behandlung nahm, ein Mann in der zweiten Hälfte der Vierzigerjahre, von nicht ganz gewöhnlicher Rührigkeit und Begabung, Großindustrieller in sehr behäbiger materieller Situation. Die Tochter hing an ihm mit besonderer Zärtlichkeit, und ihre frühzeitig erwachte Kritik nahm um so stärkeren Anstoß an manchen seiner Handlungen und Eigentümlichkeiten.

Diese Zärtlichkeit war überdies durch die vielen und schweren Erkrankungen gesteigert worden, denen der Vater seit ihrem sechsten Lebensjahr unterlegen war. Damals wurde seine Erkrankung an Tuberkulose der Anlaß zur Übersiedlung der Familie in eine kleine, klimatisch begünstigte Stadt unserer südlichen Provinzen; das Lungenleiden besserte sich daselbst rasch, doch blieb der für nötig gehaltenen Schonung zuliebe dieser Ort, den ich mit B. bezeichnen werde, für die nächsten zehn Jahre ungefähr der vorwiegende Aufenthalt sowohl der Eltern wie auch der Kinder. Der Vater war, wenn es ihm gut ging, zeitweilig abwesend, um seine Fabriken zu besuchen; im Hochsommer wurde ein Höhenkurort aufgesucht.

Als das Mädchen etwa zehn Jahre alt war, machte eine Netzhautablösung beim Vater eine Dunkelkur notwendig. Bleibende Einschränkung des Sehvermögens war die Folge dieses Krankheitszufalles. Die ernsteste Erkrankung ereignete sich etwa zwei Jahre später; sie bestand in einem Anfalle von Verworrenheit, an den sich Lähmungserscheinungen und leichte psychische Störungen anschlossen. Ein Freund des Kranken, dessen Rolle uns noch später beschäftigen wird [s. S. 106, Anm. 3], bewog damals den nur wenig Gebesserten, mit seinem Arzte nach Wien zu reisen, um meinen Rat einzuholen. Ich schwankte eine Weile, ob ich nicht bei ihm eine Taboparalyse annehmen sollte, entschloß mich aber dann zur Diagnose diffuser vaskulärer Affektion und ließ, nachdem eine spezifische Infektion vor der Ehe vom Kranken zugestanden war, eine energische antiluetische Kur vornehmen, infolge deren sich alle noch vorhandenen Störungen zurückbildeten. Diesem glücklichen Eingreifen verdankte ich wohl, daß mir der Vater vier Jahre später seine deutlich neurotisch gewordene Tochter vorstellte und nach weiteren zwei Jahren zur psychotherapeutischen Behandlung übergab.

Ich hatte unterdes auch eine wenig ältere Schwester des Patienten in Wien kennengelernt, bei der man eine schwere Form von Psychoneurose ohne charakteristisch-hysterische Symptome anerkennen mußte. Diese Frau starb nach einem von einer unglücklichen Ehe erfüllten Leben unter den eigentlich nicht voll aufgeklärten Erscheinungen eines rapid fortschreitenden Marasmus.

Ein älterer Bruder des Patienten, den ich gelegentlich zu Gesichte bekam, war ein hypochondrischer Junggeselle.

Das Mädchen, das im Alter von 18 Jahren meine Patientin wurde, hatte von jeher mit seinen Sympathien auf Seite der väterlichen Familie gestanden und, seitdem sie erkrankt war, ihr Vorbild in der erwähnten Tante gesehen. Es war auch mir nicht zweifelhaft, daß sie sowohl mit ihrer Begabung und intellektuellen Frühreife als auch mit ihrer Krankheitsveranlagung dieser Familie angehörte. Die Mutter habe ich nicht kennengelernt. Nach den Mitteilungen des Vaters und des Mädchens mußte ich mir die Vorstellung machen, sie sei eine wenig gebildete, vor allem aber unkluge Frau, die besonders seit der Erkrankung und der ihr folgenden Entfremdung ihres Mannes alle ihre Interessen auf die Hauswirtschaft konzentriere und so das Bild dessen biete, was man die »Hausfrauenpsychose« nennen kann. Ohne Verständnis für die regeren Interessen ihrer Kinder, war sie den ganzen Tag mit Reinmachen und Reinhalten der Wohnung, Möbel und Gerätschaften in einem Maße beschäftigt, welches Gebrauch und Genuß derselben fast unmöglich machte.

Man kann nicht umhin, diesen Zustand, von dem sich Andeutungen
häufig genug bei normalen Hausfrauen finden, den Formen von Wasch-
und anderem Reinlichkeitszwang an die Seite zu stellen; doch fehlt es
bei solchen Frauen, wie auch bei der Mutter unserer Patientin, völlig an
der Krankheitserkenntnis und somit an einem wesentlichen Merkmal
der »Zwangsneurose«. Das Verhältnis zwischen Mutter und Tochter
war seit Jahren ein sehr unfreundliches. Die Tochter übersah die Mutter,
kritisierte sie hart und hatte sich ihrem Einfluß völlig entzogen[1].

Der einzige, um 1½ Jahre ältere Bruder des Mädchens war ihr in
früheren Jahren das Vorbild gewesen, dem ihr Ehrgeiz nachgestrebt
hatte. Die Beziehungen der beiden Geschwister hatten sich in den letzten
Jahren gelockert. Der junge Mann suchte sich den Familienwirren möglichst zu entziehen; wo er Partei nehmen mußte, stand er auf seiten der
Mutter. So hatte die gewöhnliche sexuelle Attraktion Vater und Tochter
einerseits, Mutter und Sohn anderseits einander näher gebracht.

Unsere Patientin, der ich fortan ihren Namen Dora geben will, zeigte
schon im Alter von acht Jahren nervöse Symptome. Sie erkrankte damals an permanenter, anfallsweise sehr gesteigerter Atemnot, die zuerst
nach einer kleinen Bergpartie auftrat und darum auf Überanstrengung
bezogen wurde. Der Zustand klang im Laufe eines halben Jahres langsam unter der ihr aufgenötigten Ruhe und Schonung ab. Der Hausarzt

---

[1] Ich stehe zwar nicht auf dem Standpunkte, die einzige Ätiologie der Hysterie sei
die Heredität, möchte aber gerade mit Hinblick auf frühere Publikationen (›L'hérédité
et l'étiologie des névroses‹, 1896 *a*), in denen ich den obigen Satz bekämpfe, nicht den
Anschein erwecken, als unterschätze ich die Heredität in der Ätiologie der Hysterie
oder hielte sie überhaupt für entbehrlich. Für den Fall unserer Patientin ergibt sich eine
genügende Krankheitsbelastung aus dem über den Vater und dessen Geschwister Mitgeteilten; ja, wer der Anschauung ist, daß auch Krankheitszustände wie der der Mutter
ohne hereditäre Disposition unmöglich sind, wird die Heredität dieses Falles für eine
konvergente erklären können. Mir erscheint für die hereditäre oder besser konstitutionelle Disposition des Mädchens ein anderes Moment bedeutsamer. Ich habe erwähnt,
daß der Vater vor der Ehe Syphilis überstanden hatte. Nun stammt ein *auffällig
großer* Prozentsatz meiner psychoanalytisch behandelten Kranken von Vätern ab, die
an Tabes oder an Paralyse gelitten haben. Infolge der Neuheit meines therapeutischen
Verfahrens fallen mir nur die *schwersten* Fälle zu, die bereits jahrelang ohne jeglichen
Erfolg behandelt worden sind. Tabes oder Paralyse des Erzeugers darf man als An-
hänger der Erb-Fournierschen Lehre als Hinweise auf eine stattgehabte luetische Infektion aufnehmen, welche in einer Anzahl von Fällen bei diesen Vätern auch von mir
direkt festgestellt worden ist. In der letzten Diskussion über die Nachkommenschaft
Syphilitischer (XIII. Internat. Medizin. Kongreß zu Paris, 2.–9. August 1900, Referate
von Finger, Tarnowsky, Jullien u. a.) vermisse ich die Erwähnung der Tatsache, zu
deren Anerkennung mich meine Erfahrung als Neuropathologe drängt, daß Syphilis
der Erzeuger als Ätiologie für die neuropathische Konstitution der Kinder sehr wohl in
Betracht kommt.

der Familie scheint bei der Diagnose einer rein nervösen Störung und beim Ausschluß einer organischen Verursachung der Dyspnoe keinen Moment geschwankt zu haben, aber er hielt offenbar solche Diagnose für vereinbar mit der Ätiologie der Überanstrengung[1].

Die Kleine machte die gewöhnlichen Kinderinfektionskrankheiten ohne bleibende Schädigung durch. Wie sie (in symbolisierender Absicht! [vgl. S. 151, Anm.]) erzählte, machte gewöhnlich der Bruder den Anfang mit der Erkrankung, die er im leichten Grade hatte, worauf sie mit schweren Erscheinungen nachfolgte. Gegen das Alter von 12 Jahren traten migräneartige halbseitige Kopfschmerzen und Anfälle von nervösem Husten bei ihr auf, anfangs jedesmal miteinander, bis sich die beiden Symptome voneinander lösten, um eine verschiedene Entwicklung zu erfahren. Die Migräne wurde seltener und war mit 16 Jahren überwunden. Die Anfälle von *tussis nervosa,* zu denen ein gemeiner Katarrh wohl den Anstoß gegeben hatte, hielten die ganze Zeit über an. Als sie mit 18 Jahren in meine Behandlung kam, hustete sie neuerdings in charakteristischer Weise. Die Anzahl dieser Anfälle war nicht festzustellen, die Dauer derselben betrug drei bis fünf Wochen, einmal auch mehrere Monate. In der ersten Hälfte eines solchen Anfalles war wenigstens in den letzten Jahren komplette Stimmlosigkeit das lästigste Symptom gewesen. Die Diagnose, daß es sich wieder um Nervosität handle, stand längst fest; die mannigfachen gebräuchlichen Behandlungen, auch Hydrotherapie und lokale Elektrisierung, blieben ohne Erfolg. Das unter diesen Zuständen zum reifen, im Urteil sehr selbständigen Mädchen herangewachsene Kind gewöhnte sich daran, der Bemühungen der Ärzte zu spotten und zuletzt auf ärztliche Hilfe zu verzichten. Sie hatte sich übrigens von jeher gesträubt, den Arzt zu Rate zu ziehen, obwohl sie gegen die Person ihres Hausarztes keine Abneigung hatte. Jeder Vorschlag, einen neuen Arzt zu konsultieren, erregte ihren Widerstand, und auch zu mir trieb sie erst das Machtwort des Vaters.

Ich sah sie zuerst im Frühsommer ihres 16. Jahres mit Husten und Heiserkeit behaftet und schlug schon damals eine psychische Kur vor, von der dann Abstand genommen wurde, als auch dieser länger dauernde Anfall spontan verging. Im Winter des nächsten Jahres war sie nach dem Tode ihrer geliebten Tante in Wien im Hause des Onkels und seiner Töchter und erkrankte hier fieberhaft an einem Zustand, der damals als Blinddarmentzündung diagnostiziert wurde[2]. In dem darauf-

---

[1] Über den wahrscheinlichen Anlaß dieser ersten Erkrankung s. weiter unten [S. 150].
[2] Vgl. über denselben die Analyse des zweiten Traumes [S. 168].

folgenden Herbst verließ die Familie endgültig den Kurort B., da die Gesundheit des Vaters dies zu gestatten schien, nahm zuerst in dem Orte, wo sich die Fabrik des Vaters befand, und kaum ein Jahr später in Wien dauernden Aufenthalt.

Dora war unterdes zu einem blühenden Mädchen von intelligenten und gefälligen Gesichtszügen herangewachsen, das ihren Eltern aber schwere Sorge bereitete. Das Hauptzeichen ihres Krankseins war Verstimmung und Charakterveränderung geworden. Sie war offenbar weder mit sich noch mit den Ihrigen zufrieden, begegnete ihrem Vater unfreundlich und vertrug sich gar nicht mehr mit ihrer Mutter, die sie durchaus zur Teilnahme an der Wirtschaft heranziehen wollte. Verkehr suchte sie zu vermeiden; soweit die Müdigkeit und Zerstreutheit, über die sie klagte, es zuließen, beschäftigte sie sich mit dem Anhören von Vorträgen für Damen und trieb ernstere Studien. Eines Tages wurden die Eltern in Schreck versetzt durch einen Brief, den sie auf oder in dem Schreibtisch des Mädchens fanden, in dem sie Abschied von ihnen nahm, weil sie das Leben nicht mehr ertragen könne[1]. Die nicht geringe Einsicht des Vaters ließ ihn zwar annehmen, daß kein ernsthafter Selbstmordvorsatz das Mädchen beherrsche, aber er blieb erschüttert, und als sich eines Tages nach einem geringfügigen Wortwechsel zwischen Vater und Tochter bei letzterer ein erster Anfall von Bewußtlosigkeit[2] einstellte, für den dann auch Amnesie bestand, wurde trotz ihres Sträubens bestimmt, daß sie in meine Behandlung treten solle.

Die Krankengeschichte, die ich bisher skizziert, erscheint wohl im ganzen nicht mitteilenswert. »*Petite hystérie*« mit den allergewöhnlichsten somatischen und psychischen Symptomen: Dyspnoe, *tussis nervosa*, Aphonie, etwa noch Migränen, dazu Verstimmung, hysterische Unverträglichkeit und ein wahrscheinlich nicht ernst gemeintes *taedium vitae*. Es sind gewiß interessantere Krankengeschichten von Hysterischen ver-

---

[1] Diese Kur und somit meine Einsicht in die Verkettungen der Krankengeschichte ist, wie ich bereits mitgeteilt habe, ein Bruchstück geblieben. Ich kann darum über manche Punkte keinen Aufschluß geben oder nur Andeutungen und Vermutungen verwerten. Als dieser Brief in einer Sitzung zur Sprache kam [S. 165 f.], fragte das Mädchen wie erstaunt: »Wie haben sie den Brief nur gefunden? Er war doch in meinem Schreibtische eingeschlossen.« Da sie aber wußte, daß die Eltern diesen Entwurf zu einem Abschiedsbrief gelesen hatten, so schließe ich, daß sie ihnen denselben selbst in die Hände gespielt.

[2] Ich glaube, daß in diesem Anfalle auch Krämpfe und Delirien zu beobachten waren. Da aber die Analyse auch zu diesem Ereignis nicht vorgedrungen ist, verfüge ich über keine gesicherte Erinnerung hierüber.

öffentlicht worden und sehr oft sorgfältiger aufgenommene, denn auch von Stigmen der Hautempfindlichkeit, Gesichtsfeldeinschränkung u. dgl. wird man in der Fortsetzung nichts finden. Ich gestatte mir bloß die Bemerkung, daß uns alle Sammlungen von seltsamen und erstaunlichen Phänomenen bei Hysterie in der Erkenntnis dieser noch immer rätselhaften Erkrankung um nicht vieles gefördert haben. Was uns not tut, ist gerade die Aufklärung der allergewöhnlichsten Fälle und der allerhäufigsten, der typischen Symptome bei ihnen. Ich wäre zufrieden, wenn mir die Verhältnisse gestattet hätten, für diesen Fall kleiner Hysterie die Aufklärung vollständig zu geben. Nach meinen Erfahrungen an anderen Kranken zweifle ich nicht daran, daß meine analytischen Mittel dafür ausgereicht hätten.

Im Jahre 1896, kurz nach der Veröffentlichung meiner *Studien über Hysterie* [1895 *d*] mit Dr. J. Breuer bat ich einen hervorragenden Fachgenossen um sein Urteil über die darin vertretene psychologische Theorie der Hysterie. Er antwortete unumwunden, er halte sie für eine unberechtigte Verallgemeinerung von Schlüssen, die für einige wenige Fälle richtig sein mögen. Seither habe ich reichlich Fälle von Hysterie gesehen, habe mich einige Tage, Wochen oder Jahre mit jedem Falle beschäftigt, und in keinem einzigen Falle habe ich jene psychischen Bedingungen vermißt, welche die *Studien* postulieren, das psychische Trauma, den Konflikt der Affekte und, wie ich in späteren Publikationen hinzugefügt habe, die Ergriffenheit der Sexualsphäre. Man darf bei Dingen, welche durch ihr Bestreben, sich zu verbergen, pathogen geworden sind, freilich nicht erwarten, daß die Kranken sie dem Arzt entgegentragen werden, oder darf sich nicht bei dem ersten »Nein«, das sich der Forschung entgegensetzt, bescheiden [1].

Bei meiner Patientin Dora dankte ich es dem schon mehrmals hervorgehobenen Verständnis des Vaters, daß ich nicht selbst nach der Lebens-

---

[1] Hier ein Beispiel fürs letztere. Einer meiner Wiener Kollegen, dessen Überzeugung von der Belanglosigkeit sexueller Momente für die Hysterie durch solche Erfahrungen wahrscheinlich sehr gefestigt worden ist, entschloß sich bei einem 14jährigen Mädchen mit bedrohlichem hysterischen Erbrechen zur peinlichen Frage, ob sie vielleicht gar eine Liebesbeziehung gehabt hätte. Das Kind antwortete: Nein, wahrscheinlich mit gut gespieltem Erstaunen, und erzählte in seiner respektlosen Weise der Mutter: Denk' dir, der dumme Kerl hat mich gar gefragt, ob ich verliebt bin. Es kam dann in meine Behandlung und enthüllte sich – freilich nicht gleich bei der ersten Unterredung – als eine langjährige Masturbantin mit starkem *fluor albus* (der viel Bezug auf das Erbrechen hatte), die sich endlich selbst entwöhnt hatte, in der Abstinenz aber von dem heftigsten Schuldgefühl gepeinigt wurde, so daß sie alle Unfälle, welche die Familie betrafen, als

anknüpfung, wenigstens für die letzte Gestaltung der Krankheit, zu suchen brauchte. Der Vater berichtete mir, daß er wie seine Familie in B. intime Freundschaft mit einem Ehepaar geschlossen hätten, welches seit mehreren Jahren dort ansässig war. Frau K. habe ihn während seiner großen Krankheit gepflegt und sich dadurch einen unvergänglichen Anspruch auf seine Dankbarkeit erworben. Herr K. sei stets sehr liebenswürdig gegen seine Tochter Dora gewesen, habe Spaziergänge mit ihr unternommen, wenn er in B. anwesend war, ihr kleine Geschenke gemacht, doch hätte niemand etwas Arges daran gefunden. Dora habe die zwei kleinen Kinder des Ehepaares K. in der sorgsamsten Weise betreut, gleichsam Mutterstelle an ihnen vertreten. Als Vater und Tochter mich im Sommer vor zwei Jahren aufsuchten, waren sie eben auf der Reise zu Herrn und Frau K. begriffen, die Sommeraufenthalt an einem unserer Alpenseen genommen hatten. Dora sollte mehrere Wochen im Hause K. bleiben, der Vater wollte nach wenigen Tagen zurückreisen. Herr K. war in diesen Tagen auch zugegen. Als der Vater aber zur Abreise rüstete, erklärte das Mädchen plötzlich mit größter Entschiedenheit, sie reise mit, und sie hatte es auch so durchgesetzt. Einige Tage später gab sie erst die Aufklärung für ihr auffälliges Benehmen, indem sie der Mutter zur Weiterbeförderung an den Vater erzählte, Herr K. habe auf einem Spaziergang nach einer Seefahrt gewagt, ihr einen Liebesantrag zu machen. Der Beschuldigte, beim nächsten Zusammentreffen von Vater und Onkel zur Rede gestellt, leugnete aufs Nachdrücklichste jeden Schritt seinerseits, der solche Auslegung verdient hätte, und begann das Mädchen zu verdächtigen, das nach der Mitteilung der Frau K. nur für sexuelle Dinge Interesse zeige und in ihrem Hause am See selbst Mantegazzas *Physiologie der Liebe* und ähnliche Bücher gelesen habe. Wahrscheinlich habe sie, durch solche Lektüre erhitzt, sich die ganze Szene, von der sie erzählt, »eingebildet«.

»Ich bezweifle nicht«, sagte der Vater, »daß dieser Vorfall die Schuld an Doras Verstimmung, Gereiztheit und Selbstmordideen trägt. Sie verlangt von mir, daß ich den Verkehr mit Herrn und besonders mit Frau K., die sie früher geradezu verehrt hat, abbreche. Ich kann das aber nicht, denn erstens halte ich selbst die Erzählung Doras von der unsittlichen Zumutung des Mannes für eine Phantasie, die sich ihr auf-

göttliche Strafe für ihre Versündigung ansah. Außerdem stand sie unter dem Einflusse des Romans ihrer Tante, deren uneheliche Gravidität (mit zweiter Determination für das Erbrechen) ihr angeblich glücklich verheimlicht worden war. Sie galt als ein »ganzes Kind«, erwies sich aber als eingeweiht in alles Wesentliche der sexuellen Beziehungen.

gedrängt hat, zweitens bin ich an Frau K. durch ehrliche Freundschaft gebunden und mag ihr nicht wehe tun. Die arme Frau ist sehr unglücklich mit ihrem Manne, von dem ich übrigens nicht die beste Meinung habe; sie war selbst sehr nervenleidend und hat an mir den einzigen Anhalt. Bei meinem Gesundheitszustand brauche ich Ihnen wohl nicht zu versichern, daß hinter diesem Verhältnis nichts Unerlaubtes steckt. Wir sind zwei arme Menschen, die einander, so gut es geht, durch freundschaftliche Teilnahme trösten. Daß ich nichts an meiner eigenen Frau habe, ist Ihnen bekannt. Dora aber, die meinen harten Kopf hat, ist von ihrem Haß gegen die K. nicht abzubringen. Ihr letzter Anfall war nach einem Gespräch, in dem sie wiederum dieselbe Forderung an mich stellte. Suchen Sie sie jetzt auf bessere Wege zu bringen.«

Nicht ganz im Einklang mit diesen Eröffnungen stand es, daß der Vater in anderen Reden die Hauptschuld an dem unerträglichen Wesen seiner Tochter auf die Mutter zu schieben suchte, deren Eigenheiten allen das Haus verleideten. Ich hatte mir aber längst vorgenommen, mein Urteil über den wirklichen Sachverhalt aufzuschieben, bis ich auch den anderen Teil gehört hätte.

In dem Erlebnis mit Herrn K. – in der Lieberswerbung und der darauffolgenden Ehrenkränkung – wäre also für unsere Patientin Dora das psychische Trauma gegeben, welches seinerzeit Breuer und ich als unerläßliche Vorbedingung für die Entstehung eines hysterischen Krankheitszustandes hingestellt haben[1]. Dieser neue Fall zeigt aber auch alle die Schwierigkeiten, die mich seither veranlaßt haben, über diese Theorie hinauszugehen[2], vermehrt durch eine neue Schwierigkeit besonderer

---

[1] [S. den Vortrag ›Über den psychischen Mechanismus hysterischer Phänomene‹ (1893 *b*), in diesem Band S. 13 ff.]

[2] Ich bin über diese Theorie hinausgegangen, ohne sie aufzugeben, d. h. ich erkläre sie heute nicht für unrichtig, sondern für unvollständig. Aufgegeben habe ich bloß die Betonung des sogenannten hypnoiden Zustandes, der aus Anlaß des Traumas bei dem Kranken auftreten und die Begründung für das weitere psychologisch abnorme Geschehen auf sich nehmen soll. Wenn es bei gemeinsamer Arbeit gestattet ist, nachträglich eine Eigentumsscheidung vorzunehmen, so möchte ich hier doch aussagen, daß die Aufstellung der »hypnoiden Zustände«, in welcher dann manche Referenten den Kern unserer Arbeit erkennen wollten, der ausschließlichen Initiative Breuers entsprungen ist. Ich halte es für überflüssig und irreleitend, die Kontinuität des Problems, worin der psychische Vorgang bei der hysterischen Symptombildung bestehe, durch diese Namengebung zu unterbrechen. [»Hypnoide Zustände« sind im Vortrag (1893 *b*) beschrieben; s. oben S. 15 und S. 23 f. Die theoretischen Meinungsverschiedenheiten zwischen Freud und Breuer sind in der ›Editorischen Vorbemerkung‹ zum ›Vortrag‹ (S. 12 oben) kurz skizziert.]

Art. Das uns bekannte Trauma der Lebensgeschichte ist nämlich, wie so oft in den hysterischen Krankengeschichten, untauglich, um die Eigenart der Symptome zu erklären, sie zu determinieren; wir würden ebensoviel oder ebensowenig vom Zusammenhang erfassen, wenn andere Symptome als *tussis nervosa*, Aphonie, Verstimmung und *taedium vitae* der Erfolg des Traumas gewesen wären. Nun kommt aber hinzu, daß ein Teil dieser Symptome – der Husten und die Stimmlosigkeit – schon Jahre vor dem Trauma von der Kranken produziert worden sind und daß die ersten Erscheinungen überhaupt der Kindheit angehören, da sie in das achte Lebensjahr fallen. Wir müssen also, wenn wir die traumatische Theorie nicht aufgeben wollen, bis auf die Kindheit zurückgreifen, um dort nach Einflüssen oder Eindrücken zu suchen, welche analog einem Trauma wirken können, und dann ist es recht bemerkenswert, daß mich auch die Untersuchung von Fällen, deren erste Symptome nicht bereits in der Kindheit einsetzten, zur Verfolgung der Lebensgeschichte bis in die ersten Kinderjahre angeregt hat[1].

Nachdem die ersten Schwierigkeiten der Kur überwunden waren, machte mir Dora Mitteilung von einem früheren Erlebnisse mit Herrn K., welches sogar besser geeignet war, als sexuelles Trauma zu wirken. Sie war damals 14 Jahre alt. Herr K. hatte mit ihr und seiner Frau verabredet, daß die Damen am Nachmittag in seinen Geschäftsladen auf dem Hauptplatz von B. kommen sollten, um von dort aus eine kirchliche Feierlichkeit mitanzusehen. Er bewog aber seine Frau, zu Hause zu bleiben, entließ die Kommis und war allein, als das Mädchen ins Geschäft trat. Als die Zeit der Prozession herannahte, ersuchte er das Mädchen, ihn bei der Türe, die aus dem Laden zur Treppe ins höhere Stockwerk führte, zu erwarten, während er die Rollbalken herunterließ. Er kam dann zurück, und anstatt durch die offene Türe hinauszugehen, preßte er plötzlich das Mädchen an sich und drückte ihm einen Kuß auf die Lippen. Das war wohl die Situation, um bei einem 14jährigen unberührten Mädchen eine deutliche Empfindung sexueller Erregtheit hervorzurufen. Dora empfand aber in diesem Moment einen heftigen Ekel, riß sich los und eilte an dem Manne vorbei zur Treppe und von dort zum Haustor. Der Verkehr mit Herrn K. dauerte nichtsdestoweniger fort; keiner von ihnen tat dieser kleinen Szene je Erwähnung, auch will sie dieselbe bis zur Beichte in der Kur als Geheimnis bewahrt

---

[1] Vgl. meine Abhandlung: ›Zur Ätiologie der Hysterie‹ (1896 c), [S. 64 ff. und S. 74 ff. des vorliegenden Bandes].

haben. In der nächsten Zeit vermied sie übrigens die Gelegenheit, mit Herrn K. allein zu sein. Das Ehepaar K. hatte damals einen mehrtägigen Ausflug verabredet, an dem auch Dora teilnehmen sollte. Nach dem Kuß im Laden sagte sie ihre Beteiligung ab, ohne Gründe anzugeben.

In dieser, der Reihe nach zweiten, der Zeit nach früheren Szene ist das Benehmen des 14jährigen Kindes bereits ganz und voll hysterisch. Jede Person, bei welcher ein Anlaß zur sexuellen Erregung überwiegend oder ausschließlich Unlustgefühle hervorruft, würde ich unbedenklich für eine Hysterika halten, ob sie nun somatische Symptome zu erzeugen fähig sei oder nicht. Den Mechanismus dieser *Affektverkehrung* aufzuklären, bleibt eine der bedeutsamsten, gleichzeitig eine der schwierigsten Aufgaben der Neurosenpsychologie. Nach meinem eigenen Urteil bin ich noch ein gut Stück Weges von diesem Ziel entfernt; im Rahmen dieser Mitteilung werde ich aber auch von dem, was ich weiß, nur einen Teil vorbringen können[1].

Der Fall unserer Patientin Dora ist durch die Hervorhebung der Affektverkehrung noch nicht genügend charakterisiert; man muß außerdem sagen, hier hat eine *Verschiebung* der Empfindung stattgefunden. Anstatt der Genitalsensation, die bei einem gesunden Mädchen unter solchen Umständen[2] gewiß nicht gefehlt hätte, stellt sich bei ihr die Unlustempfindung ein, welche dem Schleimhauttrakt des Einganges in den Verdauungskanal zugehört, der Ekel. Gewiß hat auf diese Lokalisation die Lippenerregung durch den Kuß Einfluß genommen; ich glaube aber auch noch die Wirkung eines anderen Moments zu erkennen[3].

Der damals verspürte Ekel ist bei Dora nicht zum bleibenden Symptom geworden, auch zur Zeit der Behandlung war er nur gleichsam potentiell vorhanden. Sie aß schlecht und gestand eine gelinde Abneigung gegen Speisen zu. Dagegen hatte jene Szene eine andere Folge zurückgelassen, eine Empfindungshalluzination, die von Zeit zu Zeit auch während ihrer Erzählung wieder auftrat. Sie sagte, sie verspüre jetzt noch den Druck auf den Oberkörper von jener Umarmung. Nach gewissen Regeln der Symptombildung, die mir bekannt geworden sind,

---

[1] [Dies ist eines der Probleme, die ständig in Freuds Schriften wiederkehren. Ein neuer Lösungsvorschlag findet sich in *Hemmung, Symptom und Angst* (1926d); s. S. 237 des vorliegenden Bandes.]

[2] Die Würdigung dieser Umstände wird durch eine spätere Aufklärung erleichtert werden. [Vgl. S. 153 f.]

[3] Akzidentelle Ursachen hatte der Ekel Doras bei diesem Kusse sicherlich nicht, diese wären unfehlbar erinnert und erwähnt worden. Ich kenne zufällig Herrn K.; es ist dieselbe Person, die den Vater der Patientin zu mir begleitet hat [S. 98], ein noch jugendlicher Mann von einnehmendem Äußern.

im Zusammenhalt mit anderen, sonst unerklärlichen Eigentümlichkeiten der Kranken, die z. B. an keinem Manne vorbeigehen wollte, den sie in eifrigem oder zärtlichem Gespräch mit einer Dame stehen sah, habe ich mir von dem Hergang in jener Szene folgende Rekonstruktion geschaffen. Ich denke, sie verspürte in der stürmischen Umarmung nicht bloß den Kuß auf ihren Lippen, sondern auch das Andrängen des erigierten Gliedes gegen ihren Leib. Diese ihr anstößige Wahrnehmung wurde für die Erinnerung beseitigt, verdrängt und durch die harmlose Sensation des Druckes am Thorax ersetzt, die aus der verdrängten Quelle ihre übergroße Intensität bezieht. Eine neuerliche Verschiebung also vom Unterkörper auf den Oberkörper [1]. Der Zwang in ihrem Benehmen ist hingegen so gebildet, als ginge er von der unveränderten Erinnerung aus. Sie mag an keinem Manne, den sie in sexueller Erregung glaubt, vorbeigehen, weil sie das somatische Zeichen derselben nicht wieder sehen will.

Es ist bemerkenswert, wie hier drei Symptome – der Ekel, die Drucksensation am Oberkörper und die Scheu vor Männern in zärtlichem Gespräch – aus einem Erlebnis hervorgehen und wie erst die Aufeinanderbeziehung dieser drei Zeichen das Verständnis für den Hergang der Symptombildung ermöglicht. Der Ekel entspricht dem Verdrängungssymptom von der erogenen (durch infantiles Lutschen, wie wir hören werden [S. 126], verwöhnten) Lippenzone [2]. Das Andrängen des erigierten Gliedes hat wahrscheinlich die analoge Veränderung an dem entsprechenden weiblichen Organ, der Clitoris, zur Folge gehabt, und die Erregung dieser zweiten erogenen Zone ist durch Verschiebung auf die gleichzeitige Drucksensation am Thorax fixiert worden. Die Scheu vor Männern in möglicherweise sexuell erregtem Zustande folgt dem Mechanismus einer Phobie, um sich vor einer neuerlichen Wiederbelebung der verdrängten Wahrnehmung zu sichern.

Um die Möglichkeit dieser Ergänzung darzutun, habe ich in der vorsichtigsten Weise bei der Patientin angefragt, ob ihr von körperlichen Zeichen der Erregtheit am Leibe des Mannes etwas bekannt sei. Die

---

[1] Solche Verschiebungen werden nicht etwa zum Zwecke dieser einen Erklärung angenommen, sondern ergeben sich für eine große Reihe von Symptomen als unabweisbare Forderung. [Vgl. S. 152 Anm.] Ich habe seither von einer früher zärtlich verliebten Braut, die sich wegen plötzlicher Erkaltung gegen ihren Verlobten, die unter schwerer Verstimmung eintrat, an mich wendete, denselben Schreckeffekt einer Umarmung (ohne Kuß) vernommen. Hier gelang die Zurückführung des Schrecks auf die wahrgenommene, aber fürs Bewußtsein beseitigte Erektion des Mannes ohne weitere Schwierigkeit.

[2] [Die orale erogene Zone wird näher auf S. 126 beschrieben.]

Antwort lautete für heute: ja, für damals: sie glaube nicht. Ich habe bei dieser Patientin von Anfang an die größte Sorgfalt aufgewendet, um ihr keinen neuen Wissensstoff aus dem Gebiete des Geschlechtslebens zuzuführen, und dies nicht aus Gründen der Gewissenhaftigkeit, sondern weil ich meine Voraussetzungen an diesem Falle einer harten Probe unterziehen wollte. Ich nannte ein Ding also erst dann beim Namen, wenn ihre allzu deutlichen Anspielungen die Übersetzung ins Direkte als ein sehr geringfügiges Wagstück erscheinen ließen. Ihre prompte und ehrliche Antwort ging auch regelmäßig dahin, das sei ihr bereits bekannt, aber das Rätsel, *woher* sie es denn wisse, war durch ihre Erinnerungen nicht zu lösen. Die Herkunft all dieser Kenntnisse hatte sie vergessen[1].

Wenn ich mir die Szene des Kusses im Laden so vorstellen darf, so gelange ich zu folgender Ableitung für den Ekel[2]. Die Ekelempfindung scheint ja ursprünglich die Reaktion auf den Geruch (später auch auf den Anblick) der Exkremente zu sein. An die exkrementellen Funktionen können die Genitalien und speziell das männliche Glied aber erinnern, weil hier das Organ außer der sexuellen auch der Funktion der Harnentleerung dient. Ja, diese Verrichtung ist die älter bekannte und die in der vorsexuellen Zeit einzig bekannte. So gelangt der Ekel unter die Affektäußerungen des Sexuallebens. Es ist das *inter urinas et faeces nascimur* des Kirchenvaters, welches dem Sexualleben anhaftet und aller idealisierenden Bemühung zum Trotze von ihm nicht abzulösen ist. Ich will es aber ausdrücklich als meinen Standpunkt hervorheben, daß ich das Problem durch den Nachweis dieses Assoziationsweges nicht für gelöst halte. Wenn diese Assoziation wachgerufen werden kann, so ist damit noch nicht erklärt, daß sie auch wachgerufen wird. Sie wird es nicht unter normalen Verhältnissen. Die Kenntnis der Wege macht die Kenntnis der Kräfte nicht überflüssig, welche diese Wege wandeln[3].

Im übrigen fand ich es nicht leicht, die Aufmerksamkeit meiner Patientin auf ihren Verkehr mit Herrn K. zu lenken. Sie behauptete, mit

---

[1] Vgl. den zweiten Traum. [S. 166 f. – S. auch S. 112, Anm., S. 135 und S. 184, Anm.]

[2] Hier wie an allen ähnlichen Stellen mache man sich nicht auf einfache, sondern auf mehrfache Begründung, auf *Überdeterminierung* gefaßt. [Dieses Merkmal hysterischer Symptome wird in ›Zur Ätiologie der Hysterie‹, S. 76 oben, erwähnt.]

[3] An all diesen Erörterungen ist viel Typisches und für Hysterie allgemein Gültiges. Das Thema der Erektion löst einige der interessantesten unter den hysterischen Symptomen. Die weibliche Aufmerksamkeit für die durch die Kleider wahrnehmbaren Umrisse der männlichen Genitalien wird nach ihrer Verdrängung zum Motiv so vieler

dieser Person abgeschlossen zu haben. Die oberste Schicht all ihrer Einfälle in den Sitzungen, alles was ihr leicht bewußt wurde und was sie
als bewußt vom Vortag erinnerte, bezog sich immer auf den Vater. Es
war ganz richtig, daß sie dem Vater die Fortsetzung des Verkehres mit
Herrn und besonders mit Frau K. nicht verzeihen konnte. Ihre Auffassung dieses Verkehrs war allerdings eine andere, als die der Vater selbst
gehegt wissen wollte. Für sie bestand kein Zweifel, daß es ein gewöhnliches Liebesverhältnis sei, das ihren Vater an die junge und schöne Frau
knüpfe. Nichts was dazu beitragen konnte, diesen Satz zu erhärten, war
ihrer hierin unerbittlich scharfen Wahrnehmung entgangen, *hier fand
sich keine Lücke in ihrem Gedächtnisse.* Die Bekanntschaft mit den K.
hatte schon vor der schweren Erkrankung des Vaters begonnen; sie
wurde aber erst intim, als sich während dieser Krankheit die junge Frau
förmlich zur Pflegerin aufwarf, während die Mutter sich vom Bette des
Kranken ferne hielt. In dem ersten Sommeraufenthalte nach der Genesung ereigneten sich Dinge, die jedermann über die wirkliche Natur
dieser »Freundschaft« die Augen öffnen mußten. Die beiden Familien
hatten gemeinsam einen Trakt im Hotel gemietet, und da geschah es
eines Tages, daß Frau K. erklärte, sie könne das Schlafzimmer nicht beibehalten, welches sie bisher mit einem ihrer Kinder geteilt hatte, und
wenige Tage nachher gab ihr Vater sein Schlafzimmer auf, und beide
bezogen neue Zimmer, die Endzimmer, die nur durch den Korridor ge-
trennt waren, während die aufgegebenen Räume solche Garantie gegen
Störung nicht geboten hatten. Wenn sie dem Vater später Vorwürfe
wegen der Frau K. machte, so pflegte er zu sagen, er begreife diese
Feindschaft nicht, die Kinder hätten vielmehr allen Grund, der Frau K.
dankbar zu sein. Die Mama, an welche sie sich dann um Aufklärung
dieser dunkeln Rede wandte, teilte ihr mit, der Papa sei damals so unglücklich gewesen, daß er im Walde einen Selbstmord habe verüben
wollen; Frau K., die es geahnt, sei ihm aber nachgekommen und habe
ihn durch ihr Bitten bestimmt, sich den Seinigen zu erhalten. Sie glaube
natürlich nicht daran, man habe wohl die beiden im Walde mitsammen
gesehen und da habe der Papa dies Märchen vom Selbstmord erfunden,

---

Fälle von Menschenscheu und Gesellschaftsangst. Die breite Verbindung zwischen dem
Sexuellen und dem Exkrementellen, deren pathogene Bedeutung wohl nicht groß genug
veranschlagt werden kann, dient einer überaus reichlichen Anzahl von hysterischen
Phobien zur Grundlage. [Eine späte Erwähnung dieses Themas – das in Freuds Schriften sehr häufig wiederkehrt – findet sich in der langen Fußnote am Ende von Kapitel IV der Arbeit *Das Unbehagen in der Kultur* (1930 a).]

um das Rendezvous zu rechtfertigen [1]. Als sie dann nach B. zurückkehrten, war der Papa täglich zu bestimmten Stunden bei Frau K., während der Mann im Geschäft war. Alle Leute hätten darüber gesprochen und sie in bezeichnender Weise danach gefragt. Herr K. selbst habe oft gegen ihre Mama bitter geklagt, sie selbst aber mit Anspielungen auf den Gegenstand verschont, was sie ihm als Zartgefühl anzurechnen schien. Bei gemeinsamen Spaziergängen wußten Papa und Frau K. es regelmäßig so einzurichten, daß er mit Frau K. allein blieb. Es war kein Zweifel, daß sie Geld von ihm nahm, denn sie machte Ausgaben, die sie unmöglich aus eigenen Mitteln oder aus denen ihres Mannes bestreiten konnte. Der Papa begann auch, ihr große Geschenke zu machen; um diese zu verdecken, wurde er gleichzeitig besonders freigiebig gegen die Mutter und gegen sie (Dora) selbst. Die bis dahin kränkliche Frau, die selbst für Monate eine Nervenheilanstalt aufsuchen mußte, weil sie nicht gehen konnte, war seither gesund und lebensfrisch.

Auch nachdem sie B. verlassen hatten, setzte sich der mehrjährige Verkehr fort, indem der Vater von Zeit zu Zeit erklärte, er vertrage das rauhe Klima nicht, müsse etwas für sich tun, zu husten und zu klagen begann, bis er plötzlich nach B. abgereist war, von wo aus er die heitersten Briefe schrieb. All diese Krankheiten waren nur Vorwände, um seine Freundin wiederzusehen. Dann hieß es eines Tages, sie übersiedelten nach Wien, und sie fing an, einen Zusammenhang zu vermuten. Wirklich waren sie kaum drei Wochen in Wien, als sie hörte, K. seien gleichfalls nach Wien übersiedelt. Sie befänden sich auch gegenwärtig hier und sie träfe den Papa häufig mit Frau K. auf der Straße. Auch Herrn K. begegne sie öfters, er blicke ihr immer nach, und als er sie einmal alleingehend getroffen, sei er ihr ein großes Stück weit nachgegangen, um sich zu überzeugen, wohin sie gehe, ob sie nicht etwa ein Rendezvous habe.

Daß der Papa unaufrichtig sei, einen Zug von Falschheit in seinem Charakter habe, nur an seine eigene Befriedigung denke und die Gabe besitze, sich die Dinge so zurechtzulegen, wie es ihm am besten passe, solche Kritik bekam ich besonders in den Tagen zu hören, als der Vater wieder einmal seinen Zustand verschlimmert fühlte und für mehrere Wochen nach B. abreiste, worauf die scharfsichtige Dora bald ausgekundschaftet hatte, daß auch Frau K. eine Reise nach demselben Ziel zum Besuch ihrer Verwandten unternommen hatte.

---

[1] Dies die Anknüpfung für ihre eigene Selbstmordkomödie [S. 101], die also etwa die Sehnsucht nach einer ähnlichen Liebe ausdrückt.

Ich konnte die Charakteristik des Vaters im allgemeinen nicht bestreiten; es war auch leicht zu sehen, mit welchem besonderen Vorwurf Dora im Rechte war. Wenn sie in erbitterter Stimmung war, drängte sich ihr die Auffassung auf, daß sie Herrn K. ausgeliefert worden sei als Preis für seine Duldung der Beziehungen zwischen Doras Vater und seiner Frau, und man konnte hinter ihrer Zärtlichkeit für den Vater die Wut über solche Verwendung ahnen. Zu anderen Zeiten wußte sie wohl, daß sie sich mit solchen Reden einer Übertreibung schuldig gemacht hatte. Einen förmlichen Pakt, in dem sie als Tauschobjekt behandelt worden, hatten die beiden Männer natürlich niemals geschlossen; der Vater zumal wäre vor einer solchen Zumutung entsetzt zurückgewichen. Aber er gehörte zu jenen Männern, die einem Konflikt dadurch die Spitze abzubrechen verstehen, daß sie ihr Urteil über das eine der zum Gegensatze gekommenen Themata verfälschen. Auf die Möglichkeit aufmerksam gemacht, daß einem heranwachsenden Mädchen aus dem beständigen und unbeaufsichtigten Verkehr mit dem von seiner Frau unbefriedigten Manne Gefahr erwachsen könne, hätte er sicherlich geantwortet: Auf seine Tochter könne er sich verlassen, der könne ein Mann wie K. nie gefährlich werden, und sein Freund selbst sei solcher Absichten unfähig. Oder: Dora sei noch ein Kind und werde von K. als Kind behandelt. Es war aber in Wirklichkeit so gekommen, daß jeder der beiden Männer es vermied, aus dem Benehmen des andern jene Konsequenz zu ziehen, welche für seine eigenen Begehrungen unbequem war. Herr K. durfte Dora alle Tage seiner Anwesenheit ein Jahr hindurch Blumen schicken, jede Gelegenheit zu kostbaren Geschenken benutzen und alle seine freie Zeit in ihrer Gesellschaft zubringen, ohne daß ihre Eltern in diesem Benehmen den Charakter der Liebeswerbung erkannt hätten.

Wenn in der psychoanalytischen Behandlung eine korrekt begründete und einwandfreie Gedankenreihe auftaucht, so gibt es wohl einen Moment der Verlegenheit für den Arzt, den der Kranke zur Frage ausnutzt: »Das ist doch wohl alles wahr und richtig? Was wollen Sie daran ändern, wenn ich's Ihnen erzählt habe?« Man merkt dann bald, daß solche für die Analyse unangreifbare Gedanken vom Kranken dazu benutzt worden sind, um andere zu verdecken, die sich der Kritik und dem Bewußtsein entziehen wollen. Eine Reihe von Vorwürfen gegen andere Personen läßt eine Reihe von Selbstvorwürfen des gleichen Inhalts vermuten. Man braucht nur jeden einzelnen Vorwurf auf die eigene Person des Redners zurückzuwenden. Diese Art, sich gegen einen Selbstvorwurf zu verteidigen, indem man den gleichen Vorwurf gegen eine andere Person erhebt, hat etwas unleugbar Automatisches. Sie findet ihr Vorbild in den »Retourkutschen« der Kinder, die unbedenklich zur Antwort geben: »Du bist ein Lügner«, wenn man sie der Lüge beschuldigt hat. Der Erwachsene würde im Bestreben nach Gegenbeschimpfung nach irgendeiner realen Blöße des Gegners ausschauen und nicht den Hauptwert auf die Wiederholung des nämlichen Inhalts legen. In der Paranoia wird diese Projektion des Vorwurfes auf einen anderen ohne Inhaltsveränderung und somit ohne Anlehnung an die Realität als wahnbildender Vorgang manifest.

Auch die Vorwürfe Doras gegen ihren Vater waren mit Selbstvorwürfen durchwegs des nämlichen Inhalts »unterfüttert«, »doubliert«, wie wir im einzelnen zeigen werden: Sie hatte recht darin, daß der Vater sich Herrn K.s Benehmen gegen seine Tochter nicht klarmachen wollte, um nicht in seinem Verhältnis zu Frau K. gestört zu werden. Aber sie hatte genau das nämliche getan. Sie hatte sich zur Mitschuldigen dieses Verhältnisses gemacht und alle Anzeichen abgewiesen, welche sich für die wahre Natur desselben ergaben. Erst seit dem Abenteuer am See [S. 103] datierte ihre Klarheit darüber und ihre strengen Anforderungen an den Vater. All die Jahre vorher hatte sie dem Verkehr des Vaters mit Frau K. jeden möglichen Vorschub geleistet. Sie ging nie zu Frau K., wenn sie den Vater dort vermutete. Sie wußte, dann würden die Kinder weggeschickt worden sein, richtete ihren Weg so ein, daß sie die Kinder antraf, und ging mit ihnen spazieren. Es hatte eine Person im Hause gegeben, welche ihr frühzeitig die Augen über die Beziehungen des Vaters zur Frau K. öffnen und sie zur Parteinahme gegen diese Frau anreizen wollte. Dies war ihre letzte Gouvernante, ein älteres, sehr belesenes Mädchen von freien Ansichten[1]. Lehrerin und Schülerin standen eine Weile recht gut miteinander, bis Dora sich plötzlich mit ihr verfeindete und auf ihrer Entlassung bestand. Solange das Fräulein Einfluß besaß, benutzte sie ihn dazu, gegen Frau K. zu hetzen. Sie setzte der Mama auseinander, daß es mit ihrer Würde unvereinbar sei, solche Intimität ihres Mannes mit einer Fremden zu dulden; sie

---

[1] Diese Gouvernante, die alle Bücher über Geschlechtsleben u. dgl. las und mit dem Mädchen darüber sprach, sie aber freimütig bat, alles darauf Bezügliche vor den Eltern geheimzuhalten, weil man ja nicht wissen könne, auf welchen Standpunkt die sich stellen würden – in diesem Mädchen suchte ich eine Zeitlang die Quelle für all die geheime Kenntnis Doras, und ich ging vielleicht nicht völlig irre. [S. jedoch die Anmerkung auf S. 184.]

machte auch Dora auf alles aufmerksam, was an diesem Verkehr auffällig war. Ihre Bemühungen waren aber vergebens, Dora blieb Frau K. zärtlich zugetan und wollte von keinem Anlaß wissen, den Verkehr des Vaters mit ihr anstößig zu finden. Sie gab sich anderseits sehr wohl Rechenschaft über die Motive, die ihre Gouvernante bewegten. Blind nach der einen Seite, war sie scharfsichtig genug nach der anderen. Sie merkte, daß das Fräulein in den Papa verliebt sei. Wenn der Papa anwesend war, schien sie eine ganz andere Person, dann konnte sie amüsant und dienstfertig sein. Zur Zeit, als die Familie in der Fabrikstadt weilte und Frau K. außer dem Horizonte war, hetzte sie gegen die Mama als die jetzt in Betracht kommende Nebenbuhlerin. Das alles nahm ihr Dora noch nicht übel. Erbost wurde sie erst, als sie merkte, daß sie selbst der Gouvernante ganz gleichgültig sei und daß die ihr erwiesene Liebe tatsächlich dem Papa gelte. Während der Abwesenheit des Papas von der Fabrikstadt hatte das Fräulein keine Zeit für sie, wollte nicht mit ihr spazierengehen, interessierte sich nicht für ihre Arbeiten. Kaum daß der Papa von B. zurückgekommen war, zeigte sie sich wieder zu allen Dienst- und Hilfeleistungen bereit. Da ließ sie sie fallen.

Die Arme hatte ihr mit unerwünschter Klarheit ein Stück ihres eigenen Benehmens beleuchtet. So wie das Fräulein zeitweise gegen Dora, so war Dora gegen die Kinder des Herrn K. gewesen. Sie vertrat Mutterstelle an ihnen, unterrichtete sie, ging mit ihnen aus, schuf ihnen einen vollen Ersatz für das geringe Interesse, das die eigene Mutter ihnen zeigte. Zwischen Herrn und Frau K. war oft von Scheidung die Rede gewesen; sie kam nicht zustande, weil Herr K., der ein zärtlicher Vater war, auf keines der beiden Kinder verzichten wollte. Das gemeinsame Interesse an den Kindern war von Anfang an ein Bindemittel des Verkehrs zwischen Herrn K. und Dora gewesen. Die Beschäftigung mit den Kindern war für Dora offenbar der Deckmantel, der ihr selbst und Fremden etwas anderes verbergen sollte.

Aus ihrem Benehmen gegen die Kinder, wie es durch das Benehmen des Fräuleins gegen sie selbst erläutert wurde, ergab sich dieselbe Folgerung wie aus ihrer stillschweigenden Einwilligung in den Verkehr des Vaters mit Frau K., nämlich, daß sie all die Jahre über in Herrn K. verliebt gewesen war. Als ich diese Folgerung aussprach, fand ich keine Zustimmung bei ihr. Sie berichtete zwar sofort, daß auch andere Personen, z. B. eine Kusine, die eine Weile in B. auf Besuch war, ihr gesagt hätten: »Du bist ja ganz vernarrt in den Mann«; sie selbst wollte sich aber an diese Gefühle nicht erinnern. Späterhin, als die Fülle des auftauchenden Materials ein Ableugnen erschwerte, gab sie zu, sie könne Herrn K. in B. geliebt haben, aber seit der Szene am See sei das vorüber[1]. Jedenfalls stand es fest, daß der Vorwurf, sich gegen unabweisliche Pflichten taub gemacht und sich die Dinge so zurechtgelegt zu haben, wie es der eigenen verliebten Regung bequem war, der Vorwurf, den sie gegen den Vater erhob, auf ihre eigene Person zurückfiel[2].

Der andere Vorwurf, daß er seine Krankheiten als Vorwände schaffe und als Mittel benütze, deckt wiederum ein ganzes Stück ihrer eigenen geheimen Geschichte. Sie klagte eines Tages über ein angeblich neues Symptom, schneidende Magenschmerzen, und als ich fragte: »Wen kopieren Sie damit?« hatte ich es getroffen. Sie hatte am Tage vorher ihre Kusinen, die Töchter der verstorbenen Tante, besucht. Die jüngere war Braut geworden, die ältere war zu diesem Anlaß an Magenschmerzen erkrankt und sollte auf den Semmering[3] gebracht werden. Sie meinte, das sei bei der Älteren nur Neid, die werde immer krank, wenn sie etwas erreichen wolle, und jetzt wolle sie eben vom Hause weg, um das Glück der Schwester nicht mitanzusehen[4]. Ihre eigenen Magenschmerzen sagten aber aus, daß sie sich mit der für eine Simulantin erklärten Kusine identifiziere, sei es, weil sie gleichfalls die Glücklichere um ihre Liebe beneidete, oder weil sie im Schicksal der älteren Schwester, der kurz vorher eine Liebesaffäre unglücklich ausgegangen war, das eigene gespiegelt sah[5]. Wie nützlich sich Krankheiten verwenden lassen, hatte sie aber auch durch die Beobachtung der Frau K. erfahren. Herr K. war einen Teil des Jahres auf Reisen; sooft er zurückkam, fand er die Frau leidend, die einen Tag vorher noch, wie Dora wußte, wohlauf gewesen war. Dora verstand, daß die Gegenwart des Mannes krankmachend auf die Frau wirkte und daß dieser das Kranksein willkommen war, um sich den verhaßten ehelichen Pflichten zu entziehen. Eine Bemerkung über ihre eigene Abwechslung von Leiden und Gesundheit während der ersten in B. verbrachten Mädchenjahre, die sich an dieser Stelle plötz-

---

[1] Vgl. den zweiten Traum.

[2] Hier erhebt sich die Frage: Wenn Dora Herrn K. geliebt, wie begründet sich ihre Abweisung in der Szene am See oder wenigstens die brutale, auf Erbitterung deutende Form dieser Abweisung? Wie konnte ein verliebtes Mädchen in der – wie wir später hören werden – keineswegs plump oder anstößig vorgebrachten Werbung eine Beleidigung sehen?

[3] [Eleganter Gebirgskurort, etwa achtzig Kilometer südlich von Wien.]

[4] Ein alltägliches Vorkommnis zwischen Schwestern.

[5] Welchen weiteren Schluß ich aus den Magenschmerzen zog, wird später zur Sprache kommen [s. S. 148].

lich einfügte, mußte mich auf die Vermutung bringen, daß ihre eigenen Zustände in einer ähnlichen Abhängigkeit wie die der Frau K. zu betrachten seien. In der Technik der Psychoanalyse gilt es nämlich als Regel, daß sich ein innerer, aber noch verborgener Zusammenhang durch die Kontiguität, die zeitliche Nachbarschaft der Einfälle kundtut, genauso wie in der Schrift *a* und *b* nebeneinander gesetzt bedeutet, daß daraus die Silbe *ab* gebildet werden soll. Dora hatte eine Unzahl von Anfällen von Husten mit Stimmlosigkeit gezeigt; sollte die Anwesenheit oder Abwesenheit des Geliebten auf dieses Kommen und Schwinden der Krankheitserscheinungen Einfluß geübt haben? Wenn dies der Fall war, so mußte sich irgendwo eine verräterische Übereinstimmung nachweisen lassen. Ich fragte, welches die mittlere Zeitdauer dieser Anfälle gewesen war. Etwa drei bis sechs Wochen. Wie lange die Abwesenheiten des Herrn K. gedauert hätten? Sie mußte zugeben, gleichfalls zwischen drei und sechs Wochen. Sie demonstrierte also mit ihrem Kranksein ihre Liebe für K. wie dessen Frau ihre Abneigung. Nur durfte man annehmen, daß sie sich umgekehrt wie die Frau benommen hätte, krank gewesen wäre, wenn er abwesend, und gesund, nachdem er zurückgekehrt. Es schien auch wirklich so zu stimmen, wenigstens für eine erste Periode der Anfälle; in späteren Zeiten ergab sich ja wohl eine Nötigung, das Zusammentreffen von Krankheitsanfall und Abwesenheit des heimlich geliebten Mannes zu verwischen, damit das Geheimnis nicht durch die Konstanz desselben verraten würde. Dann blieb die Zeitdauer des Anfalls als Marke seiner ursprünglichen Bedeutung übrig.

Ich erinnerte mich, seinerzeit [1885–86] auf der Charcotschen Klinik gesehen und gehört zu haben, daß bei den Personen mit hysterischem Mutismus das Schreiben vikariierend für das Sprechen eintrat. Sie schrieben geläufiger, rascher und besser als andere und als vorhin. Dasselbe war bei Dora der Fall gewesen. In den ersten Tagen ihrer Aphonie war ihr »das Schreiben immer besonders leicht von der Hand gegangen«. Diese Eigentümlichkeit erforderte als der Ausdruck einer physiologischen Ersatzfunktion, welche sich das Bedürfnis schafft, ja eigentlich keine psychologische Aufklärung; es war aber bemerkenswert, daß eine solche doch leicht zu haben war. Herr K. schrieb ihr reichlich von der Reise, schickte Ansichtskarten; es kam vor, daß sie allein von dem Termine seiner Rückkehr unterrichtet war, die Frau von ihm überrascht wurde. Daß man mit dem Abwesenden, den man nicht sprechen kann, korrespondiert, ist übrigens kaum weniger naheliegend, als daß man sich beim Versagen der Stimme durch die Schrift zu verständigen sucht. Die Aphonie Doras ließ also folgende symbolische Deutung zu: Wenn der Geliebte ferne war, verzichtete sie auf das Sprechen; es hatte seinen Wert verloren, da sie mit *ihm* nicht sprechen konnte. Dafür bekam das Schreiben Bedeutung als das einzige Mittel, sich mit dem Abwesenden in Verkehr zu setzen.

Werde ich nun etwa die Behauptung aufstellen, daß in allen Fällen von periodisch auftretender Aphonie die Diagnose auf die Existenz eines zeitweilig ortsabwesenden Geliebten zu stellen sei? Gewiß ist das nicht meine Absicht. Die Determination des Symptoms im Falle Doras ist allzu spezifiziert, als daß man an eine häufige Wiederkehr der nämlichen akzidentellen Ätiologie denken könnte. Welchen Wert hat aber dann die Aufklärung der Aphonie in unserem Falle? Haben wir uns nicht vielmehr durch ein Spiel des Witzes täuschen lassen? Ich glaube nicht. Man muß sich hierbei an die so häufig gestellte Frage erinnern, ob die Symptome der Hysterie psychischen oder somatischen Ursprunges seien, oder wenn das erstere zugestanden ist, ob sie notwendig alle psychisch bedingt seien. Diese Frage ist, wie so viele andere, an deren Beantwortung man die Forscher immer wieder sich erfolglos bemühen sieht, eine nicht adäquate. Der wirkliche Sachverhalt ist in ihre Alternative nicht eingeschlossen. Soviel ich sehen kann, bedarf jedes hysterische Symptom des Beitrages von beiden Seiten. Es kann nicht zustande kommen ohne ein gewisses *somatisches Entgegenkommen*[1], welches von einem normalen oder krankhaften Vorgang in oder an einem Organe des Körpers geleistet wird. Es kommt nicht öfter als einmal zustande – und zum Charakter des hysterischen Symptoms gehört die Fähigkeit, sich zu wiederholen –, wenn es nicht eine psychische Bedeutung, einen *Sinn* hat. Diesen Sinn bringt das hysterische Symptom nicht mit, er wird ihm verliehen, gleichsam mit ihm verlötet, und er kann in jedem Falle ein anderer sein, je nach der Beschaffenheit der nach Ausdruck ringenden unterdrückten Gedanken. Allerdings wirkt eine Reihe von Momenten darauf hin, daß die Beziehungen zwischen den unbewußten Gedanken und den ihnen als Ausdrucksmittel zu Gebote stehenden somatischen Vorgängen sich minder willkürlich gestalten und sich mehreren typischen Verknüpfungen annähern. Für die Therapie sind

---

[1] [Freud scheint diesen Terminus hier erstmals zu verwenden. In seinen späteren Werken kehrt er nur selten wieder. S. jedoch die letzten Worte seiner Arbeit ›Die psychogene Sehstörung in psychoanalytischer Auffassung‹ (1910 *i*), in diesem Band S. 213.]

die im akzidentellen psychischen Material gegebenen Bestimmungen die wichtigeren; man löst die Symptome, indem man nach der psychischen Bedeutung derselben forscht. Hat man dann abgeräumt, was durch Psychoanalyse zu beseitigen ist, so kann man sich allerlei, wahrscheinlich zutreffende Gedanken über die somatischen, in der Regel konstitutionell-organischen Grundlagen der Symptome machen. Auch für die Anfälle von Husten und Aphonie bei Dora werden wir uns nicht auf die psychoanalytische Deutung beschränken, sondern hinter derselben das organische Moment nachweisen, von dem das »somatische Entgegenkommen« für den Ausdruck der Neigung zu einem zeitweilig abwesenden Geliebten ausging. Und wenn uns die Verknüpfung zwischen symptomatischem Ausdruck und unbewußtem Gedankeninhalt in diesem Falle als geschickt und kunstvoll gefertigt imponieren sollte, so werden wir gerne hören, daß sie den gleichen Eindruck in jedem anderen Falle, bei jedem anderen Beispiel, zu erzielen vermag.

Ich bin nun darauf vorbereitet zu hören, daß es einen recht mäßigen Gewinn bedeutet, wenn wir also, dank der Psychoanalyse, das Rätsel der Hysterie nicht mehr in der »besonderen Labilität der Nervenmoleküle« oder in der Möglichkeit hypnoider Zustände, sondern im »somatischen Entgegenkommen« suchen sollen.

Gegen diese Bemerkung will ich doch betonen, daß das Rätsel so nicht nur um ein Stück zurückgeschoben, sondern auch um ein Stück verkleinert ist. Es handelt sich nicht mehr um das ganze Rätsel, sondern um jenes Stück desselben, in dem der besondere Charakter der Hysterie *zum Unterschiede* von anderen Psychoneurosen enthalten ist. Die psychischen Vorgänge bei allen Psychoneurosen sind eine ganze Strecke weit die gleichen, dann erst kommt das »somatische Entgegenkommen« in Betracht, welches den unbewußten psychischen Vorgängen einen Ausweg ins Körperliche verschafft. Wo dies Moment nicht zu haben ist, wird aus dem ganzen Zustand etwas anderes als ein hysterisches Symptom, aber doch wieder etwas Verwandtes, eine Phobie etwa oder eine Zwangsidee, kurz ein psychisches Symptom.

Ich kehre zu dem Vorwurf der »Simulation« von Krankheiten zurück, den Dora gegen ihren Vater erhob. Wir merkten bald, daß ihm nicht nur Selbstvorwürfe betreffs früherer Krankheitszustände, sondern auch solche, die die Gegenwart meinten, entsprachen. An dieser Stelle hat der Arzt gewöhnlich die Aufgabe, zu erraten und zu ergänzen, was ihm die Analyse nur in Andeutungen liefert. Ich mußte die Patientin aufmerksam machen, daß ihr jetziges Kranksein gerade so motiviert und tendenziös sei wie das von ihr verstandene der Frau K. Es sei kein Zweifel, daß sie einen Zweck im Auge habe, den sie durch ihre Krankheit zu erreichen hoffe. Dieser aber könne kein anderer sein, als den Vater der Frau K. abwendig zu machen. Durch Bitten und Argumente gelänge ihr dies nicht; vielleicht hoffe sie es zu erreichen, wenn sie den Vater in Schreck versetze (siehe den Abschiedsbrief), sein Mitleid wachrufe (durch die Anfälle von Ohnmacht) [S. 101], und wenn dies alles nichts nütze, so räche sie sich wenigstens an ihm. Sie wisse wohl, wie sehr er an ihr hänge und daß ihm jedesmal die Tränen in die Augen treten, wenn er nach dem Befinden seiner Tochter gefragt werde. Ich sei ganz überzeugt, sie werde sofort gesund sein, wenn ihr der Vater erkläre, er bringe ihrer Gesundheit Frau K. zum Opfer. Ich hoffe, er werde sich dazu nicht bewegen lassen, denn dann habe sie erfahren, welches Machtmittel sie in Händen habe, und werde gewiß nicht versäumen, sich ihrer Krankheitsmöglichkeiten jedes künftige Mal wieder zu bedienen. Wenn aber der Vater ihr nicht nachgebe, sei ich ganz gefaßt darauf, daß sie nicht so leicht auf ihr Kranksein verzichten werde.

Ich übergehe die Einzelheiten, aus denen sich ergab, wie vollkommen richtig dies alles war, und ziehe es vor, einige allgemeine Bemerkungen über die Rolle der *Krankheitsmotive* bei der Hysterie anzuschließen. Die Motive zum Kranksein sind begrifflich scharf zu scheiden von den Krankheitsmöglichkeiten, von dem Material, aus dem die Symptome gefertigt werden. Sie haben keinen Anteil an der Symptombildung, sind auch zu Anfang der Krankheit nicht vorhanden; sie treten erst sekundär hinzu, aber erst mit ihrem Auftreten ist die Krankheit voll konstituiert[1]. Man kann auf ihr Vorhandensein in jedem Falle rechnen,

---

[1] [*Zusatz 1923:*] Hier ist nicht alles richtig. Der Satz, daß die Krankheitsmotive zu Anfang der Krankheit nicht vorhanden sind und erst sekundär hinzutreten, ist nicht aufrechtzuhalten. Auf nächster Seite werden denn auch bereits Motive zum Kranksein erwähnt, die vor dem Ausbruch der Krankheit bestehen und an diesem Ausbruch mitschuldig sind. Ich habe später dem Sachverhalt besser Rechnung getragen, indem ich die Unterscheidung zwischen *primärem und sekundärem Krankheitsgewinn* einführte. Das Motiv zum Kranksein ist ja allemal die Absicht eines Gewinnes. Für den sekundären Krankheitsgewinn trifft zu, was in den weiteren Sätzen dieses Abschnittes gesagt ist. Ein primärer Krankheitsgewinn ist aber für jede neurotische Erkrankung anzuerkennen. Das Krankwerden erspart zunächst eine psychische Leistung, ergibt sich als die ökonomisch bequemste Lösung im Falle eines psychischen Konflikts (*Flucht in die Krankheit*), wenngleich sich in den meisten Fällen später die Unzweckmäßigkeit eines solchen Ausweges unzweideutig erweist. Dieser Anteil des primären Krankheitsgewinnes kann als der *innere*, psychologische bezeichnet werden; er ist sozusagen kon-

der ein wirkliches Leiden bedeutet und von längerem Bestande ist. Das Symptom ist zuerst dem psychischen Leben ein unwillkommener Gast, es hat alles gegen sich und verschwindet darum auch so leicht von selbst, wie es den Anschein hat, durch den Einfluß der Zeit. Es hat anfangs keine nützliche Verwendung im psychischen Haushalt, aber sehr häufig gelangt es sekundär zu einer solchen; irgendeine psychische Strömung findet es bequem, sich des Symptoms zu bedienen, und damit ist dieses zu einer *Sekundärfunktion* gelangt und im Seelenleben wie verankert. Wer den Kranken gesund machen will, stößt dann zu seinem Erstaunen auf einen großen Widerstand, der ihn belehrt, daß es dem Kranken mit der Absicht, das Leiden aufzugeben, nicht so ganz, so voll ernst ist[1]. Man stelle sich einen Arbeiter, etwa einen Dachdecker vor, der sich zum Krüppel gefallen hat und nun an der Straßenecke bettelnd sein Leben fristet. Man komme nun als Wundertäter und verspreche ihm, das krumme Bein gerade und gehfähig herzustellen. Ich meine, man darf sich nicht auf den Ausdruck besonderer Seligkeit in seiner Miene gefaßt machen. Gewiß fühlte er sich äußerst unglücklich, als er die Verletzung erlitt, merkte, er werde nie wieder arbeiten können und müsse verhungern oder von Almosen leben. Aber seither ist, was ihn zunächst erwerblos machte, seine Einnahmsquelle geworden; er lebt von seiner Krüppelhaftigkeit. Nimmt man ihm die, so macht man ihn vielleicht ganz hilflos; er hat sein Handwerk unterdessen vergessen, seine Arbeitsgewohnheiten verloren, hat sich an den Müßiggang, vielleicht auch ans Trinken gewöhnt.

Die Motive zum Kranksein beginnen sich häufig schon in der Kindheit zu regen. Das liebeshungrige Kind, welches die Zärtlichkeit der Eltern ungern mit seinen Geschwistern teilt, bemerkt, daß diese ihm voll wieder zuströmt, wenn die Eltern durch seine Erkrankung in Sorge versetzt werden. Es kennt jetzt ein Mittel, die Liebe der Eltern hervor-

---

stant. Überdies können äußere Momente, wie die als Beispiel [im folgenden Absatz des Textes] angeführte Lage der von ihrem Manne unterdrückten Frau, Motive zum Krankwerden abgeben und so den *äußerlichen* Anteil des primären Krankheitsgewinnes herstellen. [Die Unterscheidung zwischen primärem und sekundärem Krankheitsgewinn wird von Freud in der 24. seiner *Vorlesungen zur Einführung in die Psychoanalyse* (1916–17), *Studienausgabe*, Bd. 1, S. 371–73, ausführlich erörtert, ist jedoch schon vorher in ›Allgemeines über den hysterischen Anfall‹ (1909 a) eingeführt, wo sich auch der Ausdruck »Flucht in die Krankheit« findet – s. unten S. 200 f. Später ist Freud noch einmal auf dieses Thema zurückgekommen: in *Hemmung, Symptom und Angst* (1926 d), speziell auf S. 244 f. unten. Die obige ist jedoch vielleicht seine klarste Darstellung des Problems.]

[1] Ein Dichter, der allerdings auch Arzt ist, Arthur Schnitzler, hat dieser Erkenntnis in seinem *Paracelsus* sehr richtigen Ausdruck gegeben.

zulocken, und wird sich dessen bedienen, sobald ihm das psychische Material zu Gebote steht, um Kranksein zu produzieren. Wenn das Kind dann Frau geworden und ganz im Widerspruche zu den Anforderungen seiner Kinderzeit mit einem wenig rücksichtsvollen Manne verheiratet ist, der ihren Willen unterdrückt, ihre Arbeitskraft schonungslos ausnützt und weder Zärtlichkeit noch Ausgaben an sie wendet, so wird das Kranksein ihre einzige Waffe in der Lebensbehauptung. Es verschafft ihr die ersehnte Schonung, es zwingt den Mann zu Opfern an Geld und Rücksicht, die er der Gesunden nicht gebracht hätte, es nötigt ihn zur vorsichtigen Behandlung im Falle der Genesung, denn sonst ist der Rückfall bereit. Das anscheinend Objektive, Ungewollte des Krankheitszustandes, für das auch der behandelnde Arzt eintreten muß, ermöglicht ihr ohne bewußte Vorwürfe diese zweckmäßige Verwendung eines Mittels, das sie in den Kinderjahren wirksam gefunden hat.

Und doch ist dieses Kranksein Werk der Absicht! Die Krankheitszustände sind in der Regel für eine gewisse Person bestimmt, so daß sie mit deren Entfernung verschwinden. Das roheste und banalste Urteil über das Kranksein der Hysterischen, das man von ungebildeten Angehörigen und von Pflegerinnen hören kann, ist in gewissem Sinne richtig. Es ist wahr, daß die gelähmte Bettlägerige aufspringen würde, wenn im Zimmer Feuer ausbräche, daß die verwöhnte Frau alle Leiden vergessen würde, wenn ein Kind lebensgefährlich erkrankte oder eine Katastrophe die Stellung des Hauses bedrohte. Alle, die so von den Kranken sprechen, haben recht bis auf den einen Punkt, daß sie den psychologischen Unterschied zwischen Bewußtem und Unbewußtem vernachlässigen, was etwa beim Kind noch gestattet ist, beim Erwachsenen aber nicht mehr angeht. Darum können alle diese Versicherungen, daß es nur am Willen liege, und alle Aufmunterungen und Schmähungen der Kranken nichts nützen. Man muß erst versuchen, sie selbst auf dem Umwege der Analyse von der Existenz ihrer Krankheitsabsicht zu überzeugen.

In der Bekämpfung der Krankheitsmotive liegt bei der Hysterie ganz allgemein die Schwäche einer jeden Therapie, auch der psychoanalytischen. Das Schicksal hat es hierin leichter, es braucht weder die Konstitution noch das pathogene Material des Kranken anzugreifen; es nimmt ein Motiv zum Kranksein weg, und der Kranke ist zeitweilig, vielleicht selbst dauernd von der Krankheit befreit. Wieviel weniger Wunderheilungen und spontanes Verschwinden von Symptomen würden wir Ärzte bei der Hysterie gelten lassen, wenn wir häufiger Einsicht in die uns verheimlichten Lebensinteressen der Kranken bekämen! Hier ist ein Termin abgelaufen, die Rücksicht auf eine zweite Person entfallen, eine Situation hat sich durch äußeres Geschehen gründlich verändert, und das bisher hartnäckige Leiden ist mit einem Schlage behoben, anscheinend spontan, in Wahrheit, weil ihm das stärkste Motiv, eine seiner Verwendungen im Leben, entzogen worden ist.

Motive, die das Kranksein stützen, wird man wahrscheinlich in allen vollentwickelten Fällen antreffen. Aber es gibt Fälle mit rein innerlichen Motiven, wie z. B. Selbstbestrafung, also Reue und Buße. Man wird dann die therapeutische Aufgabe leichter lösbar finden, als wo die Krankheit in Beziehung zu der Erreichung eines äußeren Zieles gesetzt ist[1]. Dies Ziel war für Dora offenbar, den Vater zu erweichen und ihn der Frau K. abwendig zu machen.

Keine seiner Handlungen schien sie übrigens so erbittert zu haben wie seine Bereitwilligkeit, die Szene am See für ein Produkt ihrer Phantasie zu halten. Sie geriet außer sich, wenn sie daran dachte, sie sollte sich damals etwas eingebildet haben. Ich war lange Zeit in Verlegenheit zu erraten, welcher Selbstvorwurf sich hinter der leidenschaftlichen Abweisung dieser Erklärung verberge. Man war im Rechte, etwas Verborgenes dahinter zu vermuten, denn ein Vorwurf, der nicht zutrifft, der beleidigt auch nicht nachhaltig. Anderseits kam ich zum Schlusse, daß die Erzählung Doras durchaus der Wahrheit entsprechen müsse. Nachdem sie nur Herrn K.s Absicht verstanden, hatte sie ihn nicht ausreden lassen, hatte ihm einen Schlag ins Gesicht versetzt und war davongeeilt. Ihr Benehmen erschien dem zurückbleibenden Manne damals wohl ebenso unverständlich wie uns, denn er mußte längst aus unzähligen kleinen Anzeichen geschlossen haben, daß er der Neigung des Mädchens sicher sei. In der Diskussion über den zweiten Traum werden wir dann sowohl der Lösung dieses Rätsels als auch dem zunächst vergeblich gesuchten Selbstvorwurf begegnen [S. 172 ff.].

Als die Anklagen gegen den Vater mit ermüdender Monotonie wiederkehrten und der Husten dabei fortbestand, mußte ich daran denken, daß dies Symptom eine Bedeutung haben könne, die sich auf den Vater beziehe. Die Anforderungen, die ich an eine Symptomerklärung zu stel-

---

[1] [Später hatte Freud jedoch eine ganz andere Meinung hinsichtlich der therapeutischen Schwierigkeiten bei *unbewußtem* Strafbedürfnis. S. beispielsweise das V. Kapitel von *Das Ich und das Es* (1923 b).]

len gewohnt bin, waren ohnedies lange nicht erfüllt. Nach einer Regel, die ich immer wieder bestätigt gefunden, aber allgemein aufzustellen noch nicht den Mut hatte, bedeutete ein Symptom die Darstellung – Realisierung – einer Phantasie mit sexuellem Inhalt, also eine sexuelle Situation. Ich würde besser sagen, wenigstens *eine* der Bedeutungen eines Symptoms entspricht der Darstellung einer sexuellen Phantasie, während für die anderen Bedeutungen solche Inhaltsbeschränkung nicht besteht. Daß ein Symptom mehr als eine Bedeutung hat, gleichzeitig mehreren unbewußten Gedankengängen zur Darstellung dient, erfährt man nämlich sehr bald, wenn man sich in die psychoanalytische Arbeit einläßt. Ich möchte noch hinzufügen, daß nach meiner Schätzung ein einziger unbewußter Gedankengang oder Phantasie kaum jemals zur Erzeugung eines Symptoms hinreichen wird.

Die Gelegenheit, dem nervösen Husten eine solche Deutung durch eine phantasierte sexuelle Situation zuzuweisen, ergab sich sehr bald. Als sie wieder einmal betonte, Frau K. liebe den Papa nur, weil er ein *vermögender* Mann sei, merkte ich aus gewissen Nebenumständen ihres Ausdrucks, die ich hier wie das meiste rein Technische der Analysenarbeit übergehe, daß sich hinter dem Satze sein Gegenteil verberge: Der Vater sei ein *unvermögender* Mann. Dies konnte nur sexuell gemeint sein, also: Der Vater sei als Mann unvermögend, impotent. Nachdem sie diese Deutung aus bewußter Kenntnis bestätigt, hielt ich ihr vor, in welchen Widerspruch sie verfalle, wenn sie einerseits daran festhalte, das Verhältnis mit Frau K. sei ein gewöhnliches Liebesverhältnis, und anderseits behaupte, der Vater sei impotent, also unfähig, ein solches Verhältnis auszunützen. Ihre Antwort zeigte, daß sie den Widerspruch nicht anzuerkennen brauchte. Es sei ihr wohl bekannt, sagte sie, daß es mehr als eine Art der sexuellen Befriedigung gebe. Die Quelle dieser Kenntnis war ihr allerdings wieder unauffindbar. Als ich weiter fragte, ob sie die Inanspruchnahme anderer Organe als der Genitalien für den sexuellen Verkehr meine, bejahte sie, und ich konnte fortsetzen: dann denke sie gerade an jene Körperteile, die sich bei ihr in gereiztem Zustande befänden (Hals, Mundhöhle). Soweit wollte sie freilich von ihren Gedanken nichts wissen, aber sie durfte es sich auch gar nicht völlig klargemacht haben, wenn das Symptom ermöglicht sein sollte. Die Ergänzung war doch unabweisbar, daß sie sich mit ihrem stoßweise erfolgenden Husten, der wie gewöhnlich einen Kitzel im Halse als Reizanlaß angab, eine Situation von sexueller Befriedigung *per os* zwischen den zwei Personen vorstellte, deren Liebesbeziehung sie unausgesetzt beschäftigte. Daß die kürzeste Zeit nach dieser stillschweigend hingenommenen Aufklärung der Husten verschwunden war, stimmte natürlich recht gut; wir wollten aber nicht zu viel Wert auf diese Veränderung legen, weil sie ja schon so oft spontan eingetreten war.

Wenn dieses Stückchen der Analyse bei dem ärztlichen Leser, außer dem Unglauben, der ihm ja freisteht, Befremden und Grauen erregt haben sollte, so bin ich bereit, diese beiden Reaktionen an dieser Stelle auf ihre Berechtigung zu prüfen. Das Befremden denke ich mir motiviert durch mein Wagnis, mit einem jungen Mädchen – oder überhaupt einem Weib im Alter der Geschlechtlichkeit – von so heikeln und so abscheulichen Dingen zu reden. Das Grauen gilt wohl der Möglichkeit, daß ein unberührtes Mädchen von derlei Praktiken wissen und seine Phantasie mit ihnen beschäftigen könnte. In beiden Punkten würde ich zur Mäßigung und Besonnenheit raten. Es liegt weder hier noch dort ein Grund zur Entrüstung vor. Man kann mit Mädchen und Frauen von allen sexuellen Dingen sprechen, ohne ihnen zu schaden und ohne sich in Verdacht zu bringen, wenn man erstens eine gewisse Art, es zu tun, annimmt, und zweitens, wenn man bei ihnen die Überzeugung erwecken kann, daß es unvermeidlich ist. Unter denselben Bedingungen erlaubt sich ja auch der Gynäkologe, sie allen möglichen Entblößungen zu unterziehen. Die beste Art, von den Dingen zu reden, ist die trockene und direkte; sie ist gleichzeitig von der Lüsternheit, mit welcher die nämlichen Themata in der »Gesellschaft« behandelt werden und an die Mädchen wie Frauen sehr wohl gewöhnt sind, am weitesten entfernt. Ich gebe Organen wie Vorgängen ihre technischen Namen und teile dieselben mit, wo sie – die Namen – etwa unbekannt sind. *»J'appelle un chat un chat.«* Ich habe wohl von ärztlichen und nichtärztlichen Personen gehört, welche sich über eine Therapie skandalisieren, in der solche Besprechungen vorkommen, und die entweder mich oder die Patienten um den Kitzel zu beneiden scheinen, der sich nach ihrer Erwartung dabei einstellt. Aber ich kenne doch die Wohlanständigkeit dieser Herren zu genau, um mich über sie zu erregen. Ich werde der Versuchung, eine Satire zu schreiben, aus dem Wege gehen. Nur das eine will ich erwähnen, daß ich häufig die Genugtuung erfahre, von einer Patientin, der die Offenheit in sexuellen Dingen anfänglich nicht leicht geworden, späterhin den Ausruf zu hören: »Nein, Ihre Kur ist doch um vieles anständiger als die Gespräche des Herrn X.!«

Von der Unvermeidlichkeit der Berührung sexueller Themata muß man überzeugt sein, ehe man eine Hysteriebehandlung unternimmt, oder muß bereit sein, sich durch Erfahrungen überzeugen zu lassen. Man sagt sich dann: *pour faire une omelette it faut casser des oeufs.* Die Patienten selbst sind leicht zu überzeugen; der Gelegenheiten dazu gibt es im Laufe der Behandlung allzu viele. Man braucht sich keinen Vorwurf daraus zu machen, daß man Tatsachen des normalen oder abnormen Sexuallebens mit ihnen bespricht. Wenn man einigermaßen vorsichtig ist, übersetzt man ihnen bloß ins Bewußte, was sie im Unbewußten schon wissen, und die ganze Wirkung der Kur ruht ja auf der Einsicht, daß die Affektwirkungen einer unbewußten Idee stärker und, weil unhemmbar, schädlicher sind als die einer bewußten. Man läuft niemals Gefahr, ein unerfahrenes Mädchen zu verderben; wo auch im Unbewußten keine Kenntnis sexueller Vorgänge besteht, da kommt auch kein hysterisches Symptom zustande. Wo man Hysterie findet, kann von »Gedankenunschuld« im Sinne der Eltern und Erzieher keine Rede mehr sein. Bei 10-, 12- und 14jährigen Kindern, Knaben wie Mädchen, habe ich mich von der ausnahmslosen Verläßlichkeit dieses Satzes überzeugt.

Was die zweite Gefühlsreaktion betrifft, die sich nicht mehr gegen mich, sondern gegen die Patientin, im Falle, daß ich recht haben sollte, richtet und den perversen Charakter von deren Phantasien grauenhaft findet, so möchte ich betonen, daß solche Leidenschaftlichkeit im Verurteilen dem Arzte nicht ansteht. Ich finde es auch unter anderem überflüssig, daß ein Arzt, der über die Verirrungen der sexuellen Triebe schreibt, jede Gelegenheit benutze, um in den Text den Ausdruck seines persönlichen Abscheus vor so widrigen Dingen einzuschalten. Hier liegt eine Tatsache vor, an die wir uns, mit Unterdrückung unserer Geschmacksrichtungen, hoffentlich gewöhnen werden. Was wir die sexuellen Perversionen heißen, die Überschreitungen der Sexualfunktion nach Körpergebiet und Sexualobjekt, davon muß man ohne Entrüstung reden können. Schon die Unbestimmtheit der Grenzen für das normal zu nennende Sexualleben bei verschiedenen Rassen und in verschiedenen Zeitepochen sollte die Eiferer abkühlen. Wir dürfen doch nicht vergessen, daß die uns widrigste dieser Perversionen, die sinnliche Liebe des Mannes für den Mann, bei einem uns so sehr kulturüberlegenen Volke wie den Griechen nicht nur geduldet, sondern selbst mit wichtigen sozialen Funktionen betraut war. Ein Stückchen weit, bald hier, bald dort, überschreitet jeder von uns die fürs Normale gezogenen engen Grenzen in seinem eigenen Sexualleben. Die Perversionen sind weder Bestialitäten noch Entartungen im pathetischen Sinne des Wortes. Es sind Entwicklungen von Keimen, die sämtlich in der indifferenzierten sexuellen Anlage des Kindes enthalten sind, deren Unterdrückung oder Wendung auf höhere, asexuelle Ziele – deren *Sublimierung*[1] – die Kräfte für eine gute Anzahl unserer Kulturleistungen abzugeben bestimmt ist. Wo also jemand grob und manifest pervers *geworden* ist, da kann man richtiger sagen, er sei es *geblieben*, er stellt ein Stadium einer *Entwicklungshemmung* dar. Die Psychoneurotiker sind sämtlich Personen mit stark ausgebildeten, aber im Laufe der Entwicklung verdrängt und unbewußt gewordenen perversen Neigungen. Ihre unbewußten Phantasien weisen daher genau den nämlichen Inhalt auf wie die aktenmäßig festgestellten Handlungen der Perversen, auch wenn sie die *Psychopathia sexualis* von v. Krafft-Ebing, der naive Menschen soviel Mitschuld an der Entstehung perverser Neigungen zumessen, nicht gelesen haben. Die Psychoneurosen sind sozusagen das *Negativ* der Perversionen. Die sexuelle Konstitution, in welcher der Ausdruck der Heredität mitenthalten ist, wirkt bei den Neurotikern zusammen mit akzidentellen Lebenseinflüssen, welche die Entfaltung der normalen Sexualität stören. Die Gewässer, die in dem einen Strombett ein Hindernis finden, werden in ältere, zum Verlassen bestimmte Stromläufe zurückgestaut. Die Triebkräfte für die Bildung hysterischer Symptome werden nicht nur von der verdrängten normalen Sexualität, sondern auch von den unbewußten perversen Regungen beigestellt[2].

Die minder abstoßenden unter den sogenannten sexuellen Perversionen erfreuen sich der größten Verbreitung unter unserer Bevölkerung, wie jedermann mit Ausnahme des ärztlichen Autors über diese Gegenstände weiß. Oder vielmehr der Autor weiß es auch; er bemüht sich nur, es zu vergessen in dem Moment, da er die Feder zur Hand nimmt, um darüber zu schreiben. Es ist also nicht wunderbar, wenn unsere bald 19-jährige Hysterika, die von dem Vorkommen eines solchen Sexualverkehrs (des Saugens am Gliede) gehört hat, eine solche unbewußte Phantasie entwickelt und durch die Sensation von Reiz im Halse und durch

---

[1] [Vgl. die zweite von Freuds *Drei Abhandlungen zur Sexualtheorie* (1905 d), Abschnitt [1].]

[2] Diese Sätze über sexuelle Perversionen sind mehrere Jahre vor dem ausgezeichneten Buche von I. Bloch (*Beiträge zur Ätiologie der Psychopathia sexualis*, 1902 und 1903) niedergeschrieben worden. Vgl. auch meine in diesem Jahre (1905) erschienenen *Drei Abhandlungen zur Sexualtheorie* [besonders die erste Abhandlung, in welcher die meisten in diesem Absatz erwähnten Themen ausführlich behandelt sind. Bezüglich des folgenden Absatzes s. den dritten Abschnitt der zweiten Abhandlung].

Husten zum Ausdruck bringt. Es wäre auch nicht wunderbar, wenn sie ohne äußere Aufklärung zu solcher Phantasie gekommen wäre, wie ich es bei anderen Patientinnen mit Sicherheit festgestellt habe. Die somatische Vorbedingung für solche selbständige Schöpfung einer Phantasie, die sich dann mit dem Tun der Perversen deckt, war nämlich bei ihr durch eine beachtenswerte Tatsache gegeben. Sie erinnerte sich sehr wohl, daß sie in ihren Kinderjahren eine »*Lutscherin*« gewesen war. Auch der Vater erinnerte sich, daß er es ihr abgewöhnt hatte, als es sich bis ins vierte oder fünfte Lebensjahr fortsetzte. Dora selbst hatte ein Bild aus ihren Kleinkinderjahren in klarem Gedächtnis, wie sie in einem Winkel auf dem Boden saß, an ihrem linken Daumen lutschend, während sie dabei mit der rechten Hand den ruhig dasitzenden Bruder am Ohrläppchen zupfte. Es ist dies die vollständige Art der Selbstbefriedigung durch Lutschen, die mir auch andere – später anästhetische und hysterische – Patienten berichtet haben. Von einer derselben habe ich eine Angabe erhalten, die ein helles Licht auf die Herkunft dieser sonderbaren Gewohnheit wirft. Die junge Frau, die sich das Lutschen überhaupt nie abgewöhnt hatte, sah sich in einer Kindererinnerung, angeblich aus der ersten Hälfte des zweiten Lebensjahres, an der Ammenbrust trinken und dabei die Amme rhythmisch am Ohrläppchen ziehen. Ich meine, es wird niemand bestreiten wollen, daß die Lippen- und Mundschleimhaut für eine primäre *erogene Zone* erklärt werden darf[1], da sie einen Teil dieser Bedeutung noch für den Kuß, der als normal gilt, beibehalten hat. Die frühzeitige ausgiebige Betätigung dieser erogenen Zone ist also die Bedingung für das spätere somatische Entgegenkommen von seiten des mit den Lippen beginnenden Schleimhauttraktes. Wenn dann zu einer Zeit, wo das eigentliche Sexualobjekt, das männliche Glied, schon bekannt ist, sich Verhältnisse ergeben, welche die Erregung der erhalten gebliebenen erogenen Mundzone wieder steigern, so gehört kein großer Aufwand von schöpferischer Kraft dazu, um anstelle der ursprünglichen Brustwarze und des für sie vikariierenden Fingers das aktuelle Sexualobjekt, den Penis, in die Befriedigungssituation einzusetzen. So hat diese überaus anstößige perverse Phantasie vom Saugen am Penis den harmlosesten Ursprung; sie ist die Umarbeitung eines prähistorisch zu nennenden Eindruckes vom Saugen an der Mutter- oder Ammenbrust, der gewöhnlich durch den Umgang mit gesäugten Kindern wieder belebt worden ist. Meist hat dabei das Euter

---

[1] [S. Abschnitt 5 der ersten der *Drei Abhandlungen*.]

der Kuh als passende Mittelvorstellung zwischen Brustwarze und Penis Dienste geleistet[1].

Die eben besprochene Deutung der Halssymptome Doras kann auch noch zu einer anderen Bemerkung Anlaß geben. Man kann fragen, wie sich diese phantasierte sexuelle Situation mit der anderen Erklärung verträgt, daß das Kommen und Gehen der Krankheitserscheinungen die Anwesenheit und Abwesenheit des geliebten Mannes nachahmt, also mit Einbeziehung des Benehmens der Frau den Gedanken ausdrückt: Wenn ich seine Frau wäre, würde ich ihn ganz anders lieben, krank sein (vor Sehnsucht etwa), wenn er verreist, und gesund (vor Seligkeit), wenn er wieder zu Hause ist. Darauf muß ich nach meinen Erfahrungen in der Lösung hysterischer Symptome antworten: es ist nicht notwendig, daß sich die verschiedenen Bedeutungen eines Symptoms miteinander vertragen, d. h. zu einem Zusammenhange ergänzen. Es genügt, wenn der Zusammenhang durch das Thema hergestellt ist, welches all den verschiedenen Phantasien den Ursprung gegeben hat. In unserem Falle ist solche Verträglichkeit übrigens nicht ausgeschlossen; die eine Bedeutung haftet mehr am Husten, die andere an der Aphonie und an dem Verlauf der Zustände; eine feinere Analyse hätte wahrscheinlich eine viel weitergehende Vergeistigung der Krankheitsdetails erkennen lassen. Wir haben bereits erfahren, daß ein Symptom ganz regelmäßig mehreren Bedeutungen *gleichzeitig* entspricht; fügen wir nun hinzu, daß es auch mehreren Bedeutungen *nacheinander* Ausdruck geben kann. Das Symptom kann eine seiner Bedeutungen oder seine Hauptbedeutung im Laufe der Jahre ändern, oder die leitende Rolle kann von einer Bedeutung auf eine andere übergehen. Es ist wie ein konservativer Zug im Charakter der Neurose, daß das einmal gebildete Symptom womöglich erhalten wird, mag auch der unbewußte Gedanke, der in ihm seinen Ausdruck fand, seine Bedeutung eingebüßt haben. Es ist aber auch leicht, diese Tendenz zur Erhaltung des Symptoms mechanisch zu erklären; die Herstellung eines solchen Symptoms ist so schwierig, die Übertragung der rein psychischen Erregung ins Körperliche, was ich *Konversion* genannt habe, an so viel begünstigende Bedingungen gebunden, ein somatisches Entgegenkommen, wie man es zur Konversion bedarf, ist so wenig leicht zu haben, daß der Drang zur Abfuhr der Erregung aus dem Unbewußten dazu führt, sich womöglich mit dem bereits gang-

---

[1] [S. die Bestätigung dieses Details im Falle des »kleinen Hans« (1909 *b*), *Studienausgabe*, Bd. 8, S. 14–15.]

baren Abfuhrweg zu begnügen. Viel leichter als die Schöpfung einer neuen Konversion scheint die Herstellung von Assoziationsbeziehungen zwischen einem neuen abfuhrbedürftigen Gedanken und dem alten, der diese Bedürftigkeit verloren hat. Auf dem so gebahnten Wege strömt die Erregung aus der neuen Erregungsquelle zur früheren Ausfuhrstelle hin, und das Symptom gleicht, wie das Evangelium es ausdrückt, einem alten Schlauch, der mit neuem Wein gefüllt ist. Erscheint nach diesen Erörterungen auch der somatische Anteil des hysterischen Symptoms als das beständigere, schwerer ersetzbare, der psychische als das veränderliche, leichter zu vertretende Element, so möge man doch aus diesem Verhältnis keine Rangordnung zwischen den beiden ableiten wollen. Für die psychische Therapie ist allemal der psychische Anteil der bedeutsamere.

Die unablässige Wiederholung derselben Gedanken über das Verhältnis ihres Vaters zu Frau K. bot der Analyse bei Dora die Gelegenheit zu noch anderer wichtiger Ausbeute.

Ein solcher Gedankenzug darf ein überstarker, besser ein *verstärkter*, *überwertiger* im Sinne Wernickes [1900, 140], genannt werden. Er erweist sich als krankhaft, trotz seines anscheinend korrekten Inhalts, durch die eine Eigentümlichkeit, daß er trotz aller bewußten und willkürlichen Denkbemühungen der Person nicht zersetzt und nicht beseitigt werden kann. Mit einem normalen, noch so intensiven Gedankenzuge wird man endlich fertig. Dora fühlte ganz richtig, daß ihre Gedanken über den Papa eine besondere Beurteilung herausforderten. »Ich kann an nichts anderes denken«, klagte sie wiederholt. »Mein Bruder sagt mir wohl, wir Kinder haben kein Recht, diese Handlungen des Papas zu kritisieren. Wir sollen uns darum nicht kümmern und uns vielleicht sogar freuen, daß er eine Frau gefunden hat, an die er sein Herz hängen kann, da ihn die Mama doch so wenig versteht. Ich sehe das ein und möchte auch so denken wie mein Bruder, aber ich kann nicht. Ich kann es ihm nicht verzeihen.« [1]

Was tut man nun angesichts eines solchen überwertigen Gedankens, nachdem man dessen bewußte Begründung sowie die erfolglosen Einwendungen gegen ihn mitangehört hat? Man sagt sich, *daß dieser überstarke Gedankenzug seine Verstärkung dem Unbewußten verdankt.* Er ist unauflösbar für die Denkarbeit, entweder weil er selbst mit seiner

---

[1] Ein solcher überwertiger Gedanke ist nebst tiefer Verstimmung oft das einzige Symptom eines Krankheitszustandes, der gewöhnlich »Melancholie« genannt wird, sich aber durch Psychoanalyse lösen läßt wie eine Hysterie.

Wurzel bis ins unbewußte, verdrängte Material reicht, oder weil sich ein anderer unbewußter Gedanke hinter ihm verbirgt. Letzterer ist dann meist sein direkter Gegensatz. Gegensätze sind immer eng miteinander verknüpft und häufig so gepaart, *daß der eine Gedanke überstark bewußt, sein Widerpart aber verdrängt und unbewußt ist.* Dieses Verhältnis ist ein Erfolg des Verdrängungsvorganges. Die Verdrängung nämlich ist häufig in der Weise bewerkstelligt worden, daß der Gegensatz des zu verdrängenden Gedankens übermäßig verstärkt wurde. Ich heiße dies *Reaktions*verstärkung, und den einen Gedanken, der sich im Bewußten überstark behauptet und nach Art eines Vorurteils unzersetzbar zeigt, den *Reaktionsgedanken.* Die beiden Gedanken verhalten sich dann zueinander ungefähr wie die beiden Nadeln eines astatischen Nadelpaares. Mit einem gewissen Überschusse an Intensität hält der Reaktionsgedanke den anstößigen in der Verdrängung zurück; er ist aber dadurch selbst »gedämpft« und gegen die bewußte Denkarbeit gefeit. Das Bewußtmachen des verdrängten Gegensatzes ist dann der Weg, um dem überstarken Gedanken seine Verstärkung zu entziehen.

Man darf aus seinen Erwartungen auch den Fall nicht ausschließen, daß nicht eine der beiden Begründungen der Überwertigkeit, sondern eine Konkurrenz von beiden vorliegt. Es können auch noch andere Komplikationen vorkommen, die sich aber leicht einfügen lassen.

Versuchen wir es[1] bei dem Beispiele, das uns Dora bietet, zunächst mit der ersten Annahme, daß die Wurzel ihrer zwangsartigen Bekümmerung um das Verhältnis des Vaters zu Frau K. ihr selbst unbekannt sei, weil sie im Unbewußten liege. Es ist nicht schwierig, diese Wurzel aus den Verhältnissen und Erscheinungen zu erraten. Ihr Benehmen ging offenbar weit über die Anteilsphäre der Tochter hinaus, sie fühlte und handelte vielmehr wie eine eifersüchtige Frau, wie man es bei ihrer Mutter begreiflich gefunden hätte. Mit ihrer Forderung: »Sie oder ich«, den Szenen, die sie aufführte, und der Selbstmorddrohung, die sie durchblicken ließ, setzte sie sich offenbar an die Stelle der Mutter. Wenn die ihrem Husten zugrunde liegende Phantasie einer sexuellen Situation richtig erraten ist, so trat sie in derselben an die Stelle der Frau K. Sie identifizierte sich also mit den beiden, jetzt und früher vom Vater ge-

---

[1] [Von den beiden Möglichkeiten – nämlich daß der überwertige Gedanke (*a*) auf *direkte,* (*b*) auf *Reaktions*verstärkung aus dem Unbewußten zurückzuführen sei – wird (*a*) in diesem und den beiden folgenden Absätzen erörtert; (*b*) dagegen kommt in zwei Formen vor – von denen die erste in den nächsten drei Absätzen und die zweite im restlichen Teil des Abschnitts besprochen wird.]

liebten Frauen. Der Schluß liegt nahe, daß ihre Neigung in höherem Maße dem Vater zugewendet war, als sie wußte oder gern zugegeben hätte, daß sie in den Vater verliebt war.

Solche unbewußte, an ihren abnormen Konsequenzen kenntliche Liebesbeziehungen zwischen Vater und Tochter, Mutter und Sohn habe ich als Auffrischung infantiler Empfindungskeime auffassen gelernt. Ich habe an anderer Stelle[1] ausgeführt, wie frühzeitig die sexuelle Attraktion sich zwischen Eltern und Kindern geltend macht, und gezeigt, daß die Ödipusfabel wahrscheinlich als die dichterische Bearbeitung des Typischen an diesen Beziehungen zu verstehen ist. Diese frühzeitige Neigung der Tochter zum Vater, des Sohnes zur Mutter, von der sich wahrscheinlich bei den meisten Menschen eine deutliche Spur findet, muß bei den konstitutionell zur Neurose bestimmten, frühreifen und nach Liebe hungrigen Kindern schon anfänglich intensiver angenommen werden. Es kommen dann gewisse hier nicht zu besprechende Einflüsse zur Geltung, welche die rudimentäre Liebesregung fixieren oder so verstärken, daß noch in den Kinderjahren oder erst zur Zeit der Pubertät etwas aus ihr wird, was einer sexuellen Neigung gleichzustellen ist und was, wie diese, die Libido für sich in Anspruch nimmt[2]. Die äußeren Verhältnisse bei unserer Patientin sind einer solchen Annahme nicht gerade ungünstig. Ihre Anlage hatte sie immer zum Vater hingezogen, seine vielen Erkrankungen mußten ihre Zärtlichkeit für ihn steigern; in manchen Krankheiten wurde niemand anders als sie von ihm zu den kleinen Leistungen der Krankenpflege zugelassen; stolz auf ihre frühzeitig entwickelte Intelligenz hatte er sie schon als Kind zur Vertrauten herangezogen. Durch das Auftreten von Frau K. war wirklich nicht die Mutter, sondern sie aus mehr als einer Stellung verdrängt worden.

Als ich Dora mitteilte, ich müßte annehmen, daß ihre Neigung zum Vater schon frühzeitig den Charakter voller Verliebtheit besessen habe, gab sie zwar ihre gewöhnliche Antwort: »Ich erinnere mich nicht daran«, berichtete aber sofort etwas Analoges von ihrer 7jährigen Kusine (von Mutterseite), in der sie häufig [so etwas] wie eine Spiegelung ihrer eigenen Kindheit zu sehen meinte. Die Kleine war wieder einmal Zeugin einer erregten Auseinandersetzung zwischen den Eltern gewesen und hatte Dora, die darauf zu Besuch kam, ins Ohr geflüstert: »Du kannst

---

[1] In der *Traumdeutung* (1900 a) [Kapitel V, Abschnitt D (β)] und in der dritten der *Abhandlungen zur Sexualtheorie* [Abschnitt [5]].

[2] Das hierfür entscheidende Moment ist wohl das frühzeitige Auftreten echter Genitalsensationen, sei es spontaner oder durch Verführung und Masturbation hervorgerufener. (S. unten [S. 148 f.].)

dir nicht denken, wie ich diese Person (auf die Mutter deutend) hasse! Und wenn sie einmal stirbt, heirate ich den Papa.« Ich bin gewohnt, in solchen Einfällen, die etwas zum Inhalte meiner Behauptung Stimmendes vorbringen, eine Bestätigung aus dem Unbewußten zu sehen. Ein anderes »Ja« läßt sich aus dem Unbewußten nicht vernehmen; ein unbewußtes »Nein« gibt es überhaupt nicht[1].

Diese Verliebtheit in den Vater hatte sich Jahre hindurch nicht geäußert; vielmehr war sie mit derselben Frau, die sie beim Vater verdrängt hatte, eine lange Zeit im herzlichsten Einvernehmen gestanden und hatte deren Verhältnis mit dem Vater, wie wir aus ihren Selbstvorwürfen wissen, noch begünstigt. Diese Liebe war also neuerdings aufgefrischt worden, und wenn dies der Fall war, dürfen wir fragen, zu welchem Zwecke es geschah. Offenbar als Reaktionssymptom, um etwas anderes zu unterdrücken, was also im Unbewußten noch mächtig war. Wie die Dinge lagen, mußte ich in erster Linie daran denken, daß die Liebe zu Herrn K. dieses Unterdrückte sei. Ich mußte annehmen, ihre Verliebtheit dauere noch fort, habe aber seit der Szene am See – aus unbekannten Motiven – ein heftiges Sträuben gegen sich, und das Mädchen habe die alte Neigung zum Vater hervorgeholt und verstärkt, um von der ihr peinlich gewordenen Liebe ihrer ersten Mädchenjahre in ihrem Bewußtsein nichts mehr merken zu müssen. Dann bekam ich auch Einsicht in einen Konflikt, der geeignet war, das Seelenleben des Mädchens zu zerrütten. Sie war wohl einerseits voll Bedauern, den Antrag des Mannes zurückgewiesen zu haben, voll Sehnsucht nach seiner Person und den kleinen Zeichen seiner Zärtlichkeit; anderseits sträubten sich mächtige Motive, unter denen ihr Stolz leicht zu erraten war, gegen diese zärtlichen und sehnsüchtigen Regungen. So war sie dazu gekommen, sich einzureden, sie sei mit der Person des Herrn K. fertig – dies war ihr Gewinn bei diesem typischen Verdrängungsvorgange –, und doch mußte sie zum Schutze gegen die beständig zum Bewußtsein andrängende Verliebtheit die infantile Neigung zum Vater anrufen und übertreiben. Daß sie dann fast unausgesetzt von eifersüchtiger Erbitterung beherrscht war, schien noch einer weiteren Determinierung fähig[2].

---

[1] [*Zusatz 1923:*] Eine andere, sehr merkwürdige und durchaus zuverlässige Form der Bestätigung aus dem Unbewußten, die ich damals noch nicht kannte, ist der Ausruf des Patienten: »Das habe ich nicht gedacht« oder »daran habe ich nicht gedacht«. Diese Äußerung kann man geradezu übersetzen: Ja, das war mir unbewußt. [S. die ausführlichere Erörterung dieses Themas in ›Die Verneinung‹ (1925 *h*).]

[2] Welcher wir auch [sogleich] begegnen werden.

Es widersprach keineswegs meiner Erwartung, daß ich mit dieser Darlegung bei Dora den entschiedensten Widerspruch hervorrief. Das »Nein«, das man vom Patienten hört, nachdem man seiner bewußten Wahrnehmung zuerst den verdrängten Gedanken vorgelegt hat, konstatiert bloß die Verdrängung und deren Entschiedenheit, mißt gleichsam die Stärke derselben. Wenn man dieses Nein nicht als den Ausdruck eines unparteiischen Urteils, dessen der Kranke ja nicht fähig ist, auffaßt, sondern darüber hinweggeht und die Arbeit fortsetzt, so stellen sich bald die ersten Beweise ein, daß Nein in solchem Falle das gewünschte Ja bedeutet. Sie gab zu, daß sie Herrn K. nicht in dem Maße böse sein könne, wie er es um sie verdient habe. Sie erzählte, daß sie eines Tages auf der Straße Herrn K. begegnet sei, während sie in Begleitung einer Kusine war, die ihn nicht kannte. Die Kusine rief plötzlich: »Dora, was ist dir denn? Du bist ja totenbleich geworden!« Sie hatte nichts von dieser Veränderung an sich gefühlt, mußte aber von mir hören, daß Mienenspiel und Affektausdruck eher dem Unbewußten gehorchen als dem Bewußten und für das erstere verräterisch seien [1]. Ein andermal kam sie nach mehreren Tagen gleichmäßig heiterer Stimmung in der bösesten Laune zu mir, für die sie eine Erklärung nicht wußte. Sie sei heute so zuwider, erklärte sie; es sei der Geburtstag des Onkels und sie bringe es nicht über sich, ihm zu gratulieren; sie wisse nicht, warum. Meine Deutungskunst war an dem Tage stumpf; ich ließ sie weitersprechen, und sie erinnerte sich plötzlich, daß heute ja auch Herr K. Geburtstag habe, was ich nicht versäumte, gegen sie zu verwerten. Es war dann auch nicht schwer zu erklären, warum die reichen Geschenke zu ihrem eigenen Geburtstage einige Tage vorher ihr keine Freude bereitet hatten. Es fehlte das eine Geschenk, das von Herrn K., welches ihr offenbar früher das wertvollste gewesen war.

Indes hielt sie noch längere Zeit an ihrem Widerspruche gegen meine Behauptung fest, bis gegen Ende der Analyse der entscheidende Beweis für deren Richtigkeit geliefert wurde [S. 173 f.].

Ich muß nun einer weiteren Komplikation gedenken, der ich gewiß keinen Raum gönnen würde, sollte ich als Dichter einen derartigen Seelenzustand für eine Novelle erfinden, anstatt ihn als Arzt zu zer-

---

[1] Vgl. »Ruhig mag ich Euch erscheinen,
  Ruhig gehen sehn.«
[Diese Worte, in den bisherigen Ausgaben der »Dora« nicht ganz richtig zitiert, stammen aus Schillers Ballade ›Ritter Toggenburg‹; die äußerlich gleichgültig erscheinende, in Wirklichkeit aber liebende Dame richtet sie an den zum Kreuzzug aufbrechenden Ritter.]

gliedern. Das Element, auf das ich jetzt hinweisen werde, kann den schönen, poesiegerechten Konflikt, den wir bei Dora annehmen dürfen, nur trüben und verwischen; es fiele mit Recht der Zensur des Dichters, der ja auch vereinfacht und abstrahiert, wo er als Psychologe auftritt, zum Opfer. In der Wirklichkeit aber, die ich hier zu schildern bemüht bin, ist die Komplikation der Motive, die Häufung und Zusammensetzung seelischer Regungen, kurz die Überdeterminierung Regel. Hinter dem überwertigen Gedankenzug, der sich mit dem Verhältnis des Vaters zu Frau K. beschäftigte, versteckte sich nämlich auch eine Eifersuchtsregung, deren Objekt diese Frau war – eine Regung also, die nur auf der Neigung zum gleichen Geschlecht beruhen konnte. Es ist längst bekannt und vielfach hervorgehoben, daß sich bei Knaben und Mädchen in den Pubertätsjahren deutliche Anzeichen von der Existenz gleichgeschlechtlicher Neigung auch normalerweise beobachten lassen. Die schwärmerische Freundschaft für eine Schulkollegin mit Schwüren, Küssen, dem Versprechen ewiger Korrespondenz und mit aller Empfindlichkeit der Eifersucht ist der gewöhnliche Vorläufer der ersten intensiveren Verliebtheit in einen Mann. Unter günstigen Verhältnissen versiegt die homosexuelle Strömung dann oft völlig; wo sich das Glück in der Liebe zum Mann nicht einstellt, wird sie oft noch in späteren Jahren von der Libido wieder geweckt und bis zu der oder jener Intensität gesteigert. Ist so viel bei Gesunden mühelos festzustellen, so werden wir im Anschlusse an frühere Bemerkungen [S. 124 f.] über die bessere Ausbildung der normalen Perversionskeime bei den Neurotikern auch eine stärkere homosexuelle Anlage in deren Konstitution zu finden erwarten. Es muß wohl so sein, denn ich bin noch bei keiner Psychoanalyse eines Mannes oder Weibes durchgekommen, ohne eine solche recht bedeutsame homosexuelle Strömung zu berücksichtigen. Wo bei hysterischen Frauen und Mädchen die dem Manne geltende sexuelle Libido eine energische Unterdrückung erfahren hat, da findet man regelmäßig die dem Weibe geltende durch Vikariieren verstärkt und selbst teilweise bewußt.

Ich werde dieses wichtige und besonders für die Hysterie des Mannes zum Verständnis unentbehrliche Thema hier nicht weiter behandeln, weil die Analyse Doras zu Ende kam, ehe sie über diese Verhältnisse bei ihr Licht verbreiten konnte. Ich erinnere aber an jene Gouvernante [s. S. 112 f.], mit der sie anfangs in intimem Gedankenaustausch lebte, bis sie merkte, daß sie von ihr nicht ihrer eigenen Person, sondern des Vaters wegen geschätzt und gut behandelt worden sei. Dann zwang sie dieselbe, das Haus zu verlassen. Sie verweilte auch auffällig häufig und mit besonderer Betonung bei der Erzählung einer anderen Entfremdung, die ihr selbst rätselhaft vorkam. Mit ihrer zweiten Kusine, derselben, die später Braut wurde [S. 114], hatte sie sich immer besonders gut verstanden und allerlei Geheimnisse mit ihr geteilt. Als nun der Vater zum erstenmal nach dem abgebrochenen Besuch am See wieder nach B. fuhr und Dora es natürlich ablehnte, ihn zu begleiten, wurde diese Kusine aufgefordert, mit dem Vater zu reisen, und nahm es an. Dora fühlte sich von da an erkaltet gegen sie und verwunderte sich selbst, wie gleichgültig sie ihr geworden war, obwohl sie ja zugestand, sie könne ihr keinen großen Vorwurf machen. Diese Empfindlichkeiten veranlaßten mich zu fragen, welches ihr Verhältnis zu Frau K. bis zum Zerwürfnis gewesen war. Ich erfuhr dann, daß die junge Frau und das kaum erwachsene Mädchen Jahre hindurch in der größten Vertraulichkeit gelebt hatten. Wenn Dora bei den K. wohnte, teilte sie das Schlafzimmer mit der Frau; der Mann wurde ausquartiert. Sie war die Vertraute und Beraterin der Frau in allen Schwierigkeiten ihres ehelichen Lebens gewesen; es gab nichts, worüber sie nicht gesprochen hatten. Medea war ganz zufrieden damit, daß Kreusa die beiden Kinder an sich zog; sie tat gewiß auch nichts dazu, um den Verkehr des Vaters dieser Kinder mit dem Mädchen zu stören. Wie Dora es zustande brachte, den Mann zu lieben, über den ihre geliebte Freundin so viel Schlechtes zu sagen wußte, ist ein interessantes psychologisches Problem, das wohl lösbar wird durch die Einsicht, daß im Unbewußten die Gedanken besonders bequem nebeneinander wohnen, auch Gegensätze sich ohne Widerstreit vertragen, was ja oft genug auch noch im Bewußten so bleibt.

Wenn Dora von Frau K. erzählte, so lobte sie deren »entzückend weißen Körper« in einem Ton, der eher der Verliebten als der besiegten Rivalin entsprach. Mehr wehmütig als bitter teilte sie mir ein andermal mit, sie sei überzeugt, daß die Geschenke, die der Papa ihr gebracht, von Frau K. besorgt worden seien; sie erkenne deren Geschmack. Ein andermal hob sie hervor, daß ihr offenbar durch die Vermittlung von Frau K. Schmuckgegenstände zum Geschenk gemacht worden seien, ganz ähnlich wie die, welche sie bei Frau K. gesehen und sich damals laut gewünscht habe. Ja, ich muß überhaupt sagen, ich hörte nicht ein hartes oder erbostes Wort von ihr über die Frau, in der sie doch nach dem Standpunkt ihrer überwertigen Gedanken die Urheberin ihres Unglücks hätte sehen müssen. Sie benahm sich wie inkonsequent, aber die

scheinbare Inkonsequenz war eben der Ausdruck einer komplizieren-
den Gefühlsströmung. Denn wie hatte sich die schwärmerisch geliebte
Freundin gegen sie benommen? Nachdem Dora ihre Beschuldigung
gegen Herrn K. vorgebracht und dieser vom Vater schriftlich zur Rede
gestellt wurde, antwortete er zuerst mit Beteuerungen seiner Hochachtung und erbot sich, nach der Fabrikstadt zu kommen, um alle Mißverständnisse aufzuklären. Einige Wochen später, als ihn der Vater in B.
sprach, war von Hochachtung nicht mehr die Rede. Er setzte das Mädchen herunter und spielte als Trumpf aus: Ein Mädchen, das solche Bücher liest und sich für solche Dinge interessiert, das hat keinen Anspruch
auf die Achtung eines Mannes. Frau K. hatte sie also verraten und an-
geschwärzt; nur mit ihr hatte sie über Mantegazza und über verfäng-
liche Themata gesprochen. Es war wieder derselbe Fall wie mit der
Gouvernante; auch Frau K. hatte sie nicht um ihrer eigenen Person
willen geliebt, sondern wegen des Vaters. Frau K. hatte sie unbedenklich geopfert, um in ihrem Verhältnis mit dem Vater nicht gestört zu
werden. Vielleicht, daß diese Kränkung ihr näher ging, pathogen wirksamer war als die andere, mit der sie jene verdecken wollte, daß der
Vater sie geopfert. Wies nicht die eine so hartnäckig festgehaltene
Amnesie in betreff der Quellen ihrer verfänglichen Kenntnis [S. 108]
direkt auf den Gefühlswert der Beschuldigung und demnach auf den
Verrat durch die Freundin hin?

Ich glaube also mit der Annahme nicht irrezugehen, daß der überwertige Gedankenzug Doras, der sich mit dem Verhältnis des Vaters
zur Frau K. beschäftigte, bestimmt war nicht nur zur Unterdrückung
der einst bewußt gewesenen Liebe zu Herrn K., sondern auch die in
tieferem Sinne unbewußte Liebe zu Frau K. zu verdecken hatte. Zu
letzterer Strömung stand er im Verhältnis des direkten Gegensatzes.
Sie sagte sich unablässig vor, daß der Papa sie dieser Frau geopfert habe,
demonstrierte geräuschvoll, daß sie ihr den Besitz des Papas nicht gönne,
und verbarg sich so das Gegenteil, daß sie dem Papa die Liebe dieser
Frau nicht gönnen konnte und der geliebten Frau die Enttäuschung über
ihren Verrat nicht vergeben hatte. Die eifersüchtige Regung des Weibes
war im Unbewußten an eine wie von einem Mann empfundene Eifersucht gekoppelt. Diese männlichen oder, wie man besser sagt, *gynäko-
philen* Gefühlsströmungen sind für das unbewußte Liebesleben der hysterischen Mädchen als typisch zu betrachten [1].

---

[1] [S. die Anmerkung auf S. 184.]

DER ERSTE TRAUM

Als wir gerade Aussicht hatten, einen dunkeln Punkt in dem Kinderleben Doras durch das Material, welches sich zur Analyse drängte, auf-
zuhellen, berichtete Dora, sie habe einen Traum, den sie in genau der
nämlichen Weise schon wiederholt geträumt, in einer der letzten Nächte
neuerlich gehabt. Ein periodisch wiederkehrender Traum war schon
dieses Charakters wegen besonders geeignet, meine Neugierde zu wek-
ken; im Interesse der Behandlung durfte man ja die Einflechtung dieses
Traumes in den Zusammenhang der Analyse ins Auge fassen. Ich be-
schloß also, diesen Traum besonders sorgfältig zu erforschen.

I. Traum: »*In einem Haus brennt es*[1], erzählte Dora, *der Vater steht
vor meinem Bett und weckt mich auf. Ich kleide mich schnell an. Die
Mama will noch ihr Schmuckkästchen retten, der Papa sagt aber: Ich
will nicht, daß ich und meine beiden Kinder wegen deines Schmuckkäst-
chens verbrennen. Wir eilen herunter, und sowie ich draußen bin, wache
ich auf.*«

Da es ein wiederkehrender Traum ist, frage ich natürlich, wann sie ihn
zuerst geträumt. – Das weiß sie nicht. Sie erinnert sich aber, daß sie den
Traum in L. (dem Orte am See, wo die Szene mit Herrn K. vorfiel) in
drei Nächten hintereinander gehabt, dann kam er vor einigen Tagen
hier wieder[2]. – Die so hergestellte Verknüpfung des Traumes mit den
Ereignissen in L. erhöht natürlich meine Erwartungen in betreff der
Traumlösung. Ich möchte aber zunächst den Anlaß für seine letzte Wiederkehr erfahren und fordere darum Dora, die bereits durch einige
kleine, vorher analysierte Beispiele für die Traumdeutung geschult ist,
auf, sich den Traum zu zerlegen und mir mitzuteilen, was ihr zu ihm
einfällt.

Sie sagt: »Etwas, was aber nicht dazu gehören kann, denn es ist ganz
frisch, während ich den Traum gewiß schon früher gehabt habe.«

Das macht nichts, nur zu; es wird eben das letzte dazu Passende sein.

»Also der Papa hat in diesen Tagen mit der Mama einen Streit gehabt,

---

[1] Es hat nie bei uns einen wirklichen Brand gegeben, antwortete sie dann auf meine
Erkundigung.

[2] Es läßt sich aus dem Inhalt nachweisen, daß der Traum in L. *zuerst* geträumt worden ist.

weil sie nachts das Speisezimmer absperrt. Das Zimmer meines Bruders hat nämlich keinen eigenen Ausgang, sondern ist nur durchs Speisezimmer zugänglich. Der Papa will nicht, daß der Bruder bei Nacht so abgesperrt sein soll. Er hat gesagt, das ginge nicht; es könnte doch bei Nacht etwas passieren, daß man hinaus muß.«

Das haben Sie nun auf Feuersgefahr bezogen?

»Ja.«

Ich bitte Sie, merken Sie sich ihre eigenen Ausdrücke wohl. Wir werden sie vielleicht brauchen. Sie haben gesagt: Daß *bei Nacht etwas passieren kann, daß man hinaus muß*[1].

Dora hat nun aber die Verbindung zwischen dem rezenten und den damaligen Anlässen für den Traum gefunden, denn sie fährt fort:

»Als wir damals in L. ankamen, der Papa und ich, hat er die Angst vor einem Brand direkt geäußert. Wir kamen in einem heftigen Gewitter an, sahen das kleine Holzhäuschen, das keinen Blitzableiter hatte. Da war diese Angst ganz natürlich.«

Es liegt mir nun daran, die Beziehung zwischen den Ereignissen in L. und den damaligen gleichlautenden Träumen zu ergründen. Ich frage also: Haben Sie den Traum in den ersten Nächten in L. gehabt oder in den letzten vor Ihrer Abreise, also vor oder nach der bekannten Szene im Walde? (Ich weiß nämlich, daß die Szene nicht gleich am ersten Tage vorfiel und daß sie nach derselben noch einige Tage in L. verblieb, ohne etwas von dem Vorfalle merken zu lassen.)

Sie antwortet zuerst: Ich weiß nicht. Nach einer Weile: Ich glaube doch, nachher.

Nun wußte ich also, daß der Traum eine Reaktion auf jenes Erlebnis war. Warum kehrte er aber dort dreimal wieder? Ich fragte weiter: Wie lange sind Sie noch nach der Szene in L. geblieben?

»Noch vier Tage, am fünften bin ich mit dem Papa abgereist.«

Jetzt bin ich sicher, daß der Traum die unmittelbare Wirkung des Erlebnisses mit Herrn K. war. Sie haben ihn dort zuerst geträumt, nicht früher. Sie haben die Unsicherheit im Erinnern nur hinzugefügt, um sich den Zusammenhang zu verwischen[2]. Es stimmt mir aber noch nicht

---

[1] Ich greife diese Worte heraus, weil sie mich stutzig machen. Sie klingen mir zweideutig. Spricht man nicht mit denselben Worten von gewissen körperlichen Bedürfnissen? Zweideutige Worte sind aber wie »Wechsel« für den Assoziationsverlauf. Stellt man den Wechsel anders, als er im Trauminhalt eingestellt erscheint, so kommt man wohl auf das Geleise, auf dem sich die gesuchten und noch verborgenen Gedanken hinter dem Traum bewegen.

[2] Vgl. das eingangs S. 96 über den Zweifel beim Erinnern Gesagte.

ganz mit den Zahlen. Wenn Sie noch vier Nächte in L. blieben, können Sie den Traum viermal wiederholt haben. Vielleicht war es so?

Sie widerspricht nicht mehr meiner Behauptung, setzt aber, anstatt auf meine Frage zu antworten, fort[1]: »Am Nachmittag nach unserer Seefahrt, von der wir, Herr K. und ich, mittags zurückkamen, hatte ich mich wie gewöhnlich auf das Sofa im Schlafzimmer gelegt, um kurz zu schlafen. Ich erwachte plötzlich und sah Herrn K. vor mir stehen...«

Also wie Sie im Traume den Papa vor Ihrem Bette stehen sehen?

»Ja. Ich stellte ihn zur Rede, was er hier zu suchen habe. Er gab zur Antwort, er lasse sich nicht abhalten, in sein Schlafzimmer zu gehen, wann er wolle; übrigens habe er etwas holen wollen. Dadurch vorsichtig gemacht, habe ich Frau K. gefragt, ob denn kein Schlüssel zum Schlafzimmer existiert, und habe mich am nächsten Morgen (am zweiten Tag) zur Toilette eingeschlossen. Als ich mich dann nachmittags einschließen wollte, um mich wieder aufs Sofa zu legen, fehlte der Schlüssel. Ich bin überzeugt, Herr K. hatte ihn beseitigt.«

Das ist also das Thema vom Verschließen oder Nichtverschließen des Zimmers, das im ersten Einfall zum Traume vorkommt und das zufällig auch im frischen Anlaß zum Traum eine Rolle gespielt hat[2]. Sollte der Satz: *ich kleide mich schnell an,* auch in diesen Zusammenhang gehören?

»Damals nahm ich mir vor, nicht ohne den Papa bei K. zu bleiben. An den nächsten Morgen mußte ich fürchten, daß mich Herr K. bei der Toilette überrasche, und *kleidete mich darum immer sehr schnell an.* Der Papa wohnte ja im Hotel, und Frau K. war immer schon früh weggegangen, um mit dem Papa eine Partie zu machen. Herr K. belästigte mich aber nicht wieder.«

Ich verstehe, Sie faßten am Nachmittag des zweiten Tages den Vorsatz, sich diesen Nachstellungen zu entziehen, und hatten nun in der zweiten, dritten und vierten Nacht nach der Szene im Walde Zeit, sich diesen Vorsatz im Schlafe zu wiederholen. Daß Sie am nächsten – dritten – Morgen den Schlüssel nicht haben würden, um sich beim Ankleiden einzuschließen, wußten Sie ja schon am zweiten Nachmittag, also vor dem

---

[1] Es muß nämlich erst neues Erinnerungsmaterial kommen, ehe die von mir gestellte Frage beantwortet werden kann.

[2] Ich vermute, ohne es noch Dora zu sagen, daß dies Element wegen seiner symbolischen Bedeutung von ihr ergriffen wurde. »*Zimmer*« im Traum wollen recht häufig »Frauenzimmer« vertreten, und ob ein Frauenzimmer »offen« oder »verschlossen« ist, kann natürlich nicht gleichgültig sein. Auch welcher »Schlüssel« in diesem Falle öffnet, ist wohlbekannt.

Traum, und konnten sich vornehmen, die Toilette möglichst zu beeilen. Ihr Traum kam aber jede Nacht wieder, weil er eben einem *Vorsatz* entsprach. Ein Vorsatz bleibt so lange bestehen, bis er ausgeführt ist. Sie sagten sich gleichsam: ich habe keine Ruhe, ich kann keinen ruhigen Schlaf finden, bis ich nicht aus diesem Hause heraus bin. Umgekehrt sagen Sie im Traume: *Sowie ich draußen bin, wache ich auf.*

Ich unterbreche hier die Mitteilung der Analyse, um dieses Stückchen einer Traumdeutung an meinen allgemeinen Sätzen uber den Mechanismus der Traumbildung zu messen. Ich habe in meinem Buche[1] ausgeführt, jeder Traum sei ein als erfüllt dargestellter Wunsch, die Darstellung sei eine verhüllende, wenn der Wunsch ein verdrängter, dem Unbewußten angehöriger sei, und außer bei den Kinderträumen habe nur der unbewußte oder bis ins Unbewußte reichende Wunsch die Kraft, einen Traum zu bilden. Ich glaube, die allgemeine Zustimmung wäre mir sicherer gewesen, wenn ich mich begnügt hätte zu behaupten, daß jeder Traum einen Sinn habe, der durch eine gewisse Deutungsarbeit aufzudecken sei. Nach vollzogener Deutung könne man den Traum durch Gedanken ersetzen, die sich an leicht kenntlicher Stelle in das Seelenleben des Wachens einfügen. Ich hätte dann fortfahren können, dieser Sinn des Traumes erweise sich als ebenso mannigfaltig wie eben die Gedankengänge des Wachens. Es sei das eine Mal ein erfüllter Wunsch, das andere Mal eine verwirklichte Befürchtung, dann etwa eine im Schlafe fortgesetzte Überlegung, ein Vorsatz (wie bei Doras Traum), ein Stück geistigen Produzierens im Schlafe usw. Diese Darstellung hätte gewiß durch ihre Faßlichkeit bestochen und hätte sich auf eine große Anzahl gut gedeuteter Beispiele, wie z. B. auf den hier analysierten Traum, stützen können.

Anstatt dessen habe ich eine allgemeine Behauptung aufgestellt, die den Sinn der Träume auf eine einzige Gedankenform, auf die Darstellung von Wünschen einschränkt, und habe die allgemeinste Neigung zum Widerspruche wachgerufen. Ich muß aber sagen, daß ich weder das Recht noch die Pflicht zu besitzen glaubte, einen Vorgang der Psychologie zur größeren Annehmlichkeit der Leser zu vereinfachen, wenn er meiner Untersuchung eine Komplikation bot, deren Lösung zur Einheitlichkeit erst an anderer Stelle gefunden werden konnte. Es wird mir darum von besonderem Werte sein zu zeigen, daß die scheinbaren Ausnahmen, wie Doras Traum hier, der sich zunächst als ein in den Schlaf

---

[1] *Die Traumdeutung* (1900 *a*).

fortgesetzter Tagesvorsatz enthüllt, doch die bestrittene Regel neuerdings bekräftigen. [Vgl. S. 154 ff.]

Wir haben ja noch ein großes Stück des Traumes zu deuten. Ich fragte weiter: Was ist es mit dem Schmuckkästchen, das die Mama retten will?

»Die Mama liebt Schmuck sehr und hat viel vom Papa bekommen.« Und Sie?

»Ich habe Schmuck früher auch sehr geliebt; seit der Krankheit trage ich keinen mehr. – Da gab es damals vor vier Jahren (ein Jahr vor dem Traum) einen großen Streit zwischen Papa und Mama wegen eines Schmuckes. Die Mama wünschte sich etwas Bestimmtes, Tropfen von Perlen im Ohre zu tragen. Der Papa liebt aber dergleichen nicht und brachte ihr anstatt der Tropfen ein Armband. Sie war wütend und sagte ihm, wenn er schon soviel Geld ausgegeben habe, um etwas zu schenken, was sie nicht möge, so solle er es nur einer anderen schenken.«

Da werden Sie sich gedacht haben, Sie nähmen es gerne?

»Ich weiß nicht[1], weiß überhaupt nicht, wie die Mama in den Traum kommt; sie war doch damals nicht mit in L.«[2]

Ich werde es Ihnen später erklären. Fällt Ihnen denn nichts anderes zum Schmuckkästchen ein? Bis jetzt haben Sie nur von Schmuck und nichts von einem Kästchen gesprochen.

»Ja, Herr K. hatte mir einige Zeit vorher ein kostbares Schmuckkästchen zum Geschenke gemacht.«

Da war das Gegengeschenk also wohl am Platze. Sie wissen vielleicht nicht, daß »Schmuckkästchen« eine beliebte Bezeichnung für dasselbe ist, was Sie unlängst mit dem angehängten Täschchen angedeutet haben[3], für das weibliche Genitale.

»Ich wußte, daß *Sie* das sagen würden.«[4]

Das heißt, *Sie* wußten es. – Der Sinn des Traumes wird nun noch deutlicher. Sie sagten sich: Der Mann stellt mir nach, er will in mein Zimmer dringen, meinem »Schmuckkästchen« droht Gefahr, und wenn da ein

---

[1] Ihre damals gewöhnliche Redensart, etwas Verdrängtes anzuerkennen.

[2] Diese Bemerkung, die von gänzlichem Mißverständnisse der ihr sonst wohlbekannten Regeln der Traumerklärung zeugt, sowie die zögernde Art und die spärliche Ausbeute ihrer Einfälle zum Schmuckkästchen bewiesen mir, daß es sich hier um Material handle, das mit großem Nachdrucke verdrängt worden sei.

[3] Über dieses Täschchen siehe weiter unten [S. 146 f.].

[4] Eine sehr häufige Art, eine aus dem Verdrängten auftauchende Kenntnis von sich wegzuschieben.

Malheur passiert, wird es die Schuld des Papas sein. Darum haben Sie in den Traum eine Situation genommen, die das Gegenteil ausdrückt, eine Gefahr, aus welcher der Papa Sie rettet. In dieser Region des Traumes ist überhaupt alles ins Gegenteil verwandelt; Sie werden bald hören, warum. Das Geheimnis liegt allerdings bei der Mama. Wie die Mama dazu kommt? Sie ist, wie Sie wissen, Ihre frühere Konkurrentin in der Gunst des Papas. Bei der Begebenheit mit dem Armbande wollten Sie gerne annehmen, was die Mama zurückgewiesen hat. Nun lassen Sie uns einmal »annehmen« durch »geben«, »zurückweisen« durch »verweigern« ersetzen. Das heißt dann, Sie waren bereit, dem Papa zu geben, was die Mama ihm verweigert, und das, um was es sich handelt, hätte mit Schmuck zu tun[1]. Nun erinnern Sie sich an das Schmuckkästchen, das Herr K. Ihnen geschenkt hat. Sie haben da den Anfang einer parallelen Gedankenreihe, in der wie in der Situation des vor Ihrem Bette Stehens Herr K. anstatt des Papas einzusetzen ist. Er hat Ihnen ein Schmuckkästchen geschenkt, Sie sollen ihm also Ihr Schmuckkästchen schenken; darum sprach ich vorhin vom »Gegengeschenke«. In dieser Gedankenreihe wird Ihre Mama durch Frau K. zu ersetzen sein, die doch wohl damals anwesend war. Sie sind also bereit, Herrn K. das zu schenken, was ihm seine Frau verweigert. Hier haben Sie den Gedanken, der mit soviel Anstrengung verdrängt werden muß, der die Verwandlung aller Elemente in ihr Gegenteil notwendig macht. Wie ich's Ihnen schon vor diesem Traume gesagt habe, der Traum bestätigt wieder, daß Sie die alte Liebe zum Papa wachrufen, um sich gegen die Liebe zu K. zu schützen. Was beweisen aber alle diese Bemühungen? Nicht nur, daß Sie sich vor Herrn K. fürchten, noch mehr fürchten Sie sich vor sich selber, vor Ihrer Versuchung, ihm nachzugeben. Sie bestätigen also dadurch, wie intensiv die Liebe zu ihm war[2].

Dieses Stück der Deutung wollte sie natürlich nicht mitmachen.

Mir hatte sich aber auch eine Fortsetzung der Traumdeutung ergeben, die ebensowohl für die Anamnese des Falles wie für die Theorie des

---

[1] Auch für die Tropfen werden wir später [S. 158 ff.] eine vom Zusammenhange geforderte Deutung anführen können.

[2] Ich füge noch hinzu: Übrigens muß ich aus dem Wiederauftauchen des Traumes in den letzten Tagen schließen, daß Sie dieselbe Situation für wiedergekommen erachten und daß Sie beschlossen haben, aus der Kur, zu der ja nur der Papa Sie bringt, wegzubleiben. – Die Folge zeigte, wie richtig ich geraten hatte. Meine Deutung streift hier das praktisch wie theoretisch höchst bedeutsame Thema der »Übertragung«, auf welches einzugehen ich in dieser Abhandlung wenig Gelegenheit mehr finden werde. [S. jedoch S. 180 ff.]

Traumes unentbehrlich schien. Ich versprach, dieselbe Dora in der nächsten Sitzung mitzuteilen.

Ich konnte nämlich den Hinweis nicht vergessen, der sich aus den angemerkten zweideutigen Worten zu ergeben schien *(daß man hinaus muß, daß bei Nacht ein Malheur passieren kann)*. Dem reihte sich an, daß mir die Aufklärung des Traumes unvollständig schien, solange nicht eine gewisse Forderung erfüllt war, die ich zwar nicht allgemein aufstellen will, nach deren Erfüllung ich aber mit Vorliebe suche. Ein ordentlicher Traum steht gleichsam auf zwei Beinen, von denen das eine den wesentlichen aktuellen Anlaß, das andere eine folgenschwere Begebenheit der Kinderjahre berührt. Zwischen diesen beiden, dem Kindererlebnisse und dem gegenwärtigen, stellt der Traum eine Verbindung her, er sucht die Gegenwart nach dem Vorbilde der frühesten Vergangenheit umzugestalten. Der Wunsch, der den Traum schafft, kommt ja immer aus der Kindheit, er will die Kindheit immer wieder von neuem zur Realität erwecken, die Gegenwart nach der Kindheit korrigieren. Die Stücke, die sich zu einer Anspielung auf ein Kinderereignis zusammensetzen lassen, glaubte ich in dem Trauminhalte bereits deutlich zu erkennen.

Ich begann die Erörterung hierüber mit einem kleinen Experiment, das wie gewöhnlich gelang. Auf dem Tische stand zufällig ein großer Zündhölzchenbehälter. Ich bat Dora, sich doch umzusehen, ob sie auf dem Tische etwas Besonderes sehen könne, das gewöhnlich nicht darauf stände. Sie sah nichts. Dann fragte ich, ob sie wisse, warum man den Kindern verbiete, mit Zündhölzchen zu spielen.

»Ja, wegen der Feuersgefahr. Die Kinder meines Onkels spielen so gerne mit Zündhölzchen.«

Nicht allein deswegen. Man warnt sie: »Nicht zündeln« und knüpft daran einen gewissen Glauben.

Sie wußte nichts darüber. – Also man fürchtet, daß sie dann das Bett naß machen werden. Dem liegt wohl der Gegensatz von *Wasser* und *Feuer* zugrunde. Etwa, daß sie vom Feuer träumen und dann versuchen werden, mit Wasser zu löschen. Das weiß ich nicht genau zu sagen[1]. Aber ich sehe, daß Ihnen der Gegensatz von Wasser und Feuer im Traume ausgezeichnete Dienste leistet. Die Mama will das Schmuck-

---

[1] [Freud ist auf diese Frage mehrmals zurückgekommen, am ausführlichsten in seinem Artikel ›Zur Gewinnung des Feuers‹ (1932*a*).]

kästchen retten, damit es nicht *verbrennt,* in den Traumgedanken kommt es darauf an, daß das »Schmuckkästchen« nicht *naß* wird. Feuer ist aber nicht nur als Gegensatz zu Wasser verwendet, es dient auch zur direkten Vertretung von Liebe, Verliebt-, Verbranntsein. Von Feuer geht also das eine Geleise über diese symbolische Bedeutung zu den Liebesgedanken, das andere führt über den Gegensatz Wasser, nachdem noch die eine Beziehung zur Liebe, die auch *naß* macht, abgezweigt hat, anderswohin. Wohin nun? Denken Sie an Ihre Ausdrücke; daß *bei Nacht ein Malheur passiert,* daß *man hinaus muß.* Bedeutet das nicht ein körperliches Bedürfnis, und wenn Sie das Malheur in die Kindheit versetzen, kann es ein anderes sein, als daß das Bett naß wird? Was tut man aber, um die Kinder vor dem Bettnässen zu hüten? Nicht wahr, man weckt sie in der Nacht aus dem Schlafe, *ganz so, wie es im Traume der Papa mit Ihnen tut?* Dieses wäre also die wirkliche Begebenheit, aus welcher Sie sich das Recht nehmen, Herrn K., der Sie aus dem Schlafe weckt, durch den Papa zu ersetzen. Ich muß also schließen, daß Sie an Bettnässen länger, als es sich sonst bei Kindern erhält, gelitten haben. Dasselbe muß bei Ihrem Bruder der Fall gewesen sein. Der Papa sagt ja: *Ich will nicht, daß meine beiden Kinder...* zugrunde gehen. Der Bruder hat mit der aktuellen Situation bei K. sonst nichts zu tun, er war auch nicht nach L. mitgekommen. Was sagen nun Ihre Erinnerungen dazu?

»Von mir weiß ich nichts«, antwortete sie, »aber der Bruder hat bis zum sechsten oder siebenten Jahre das Bett naß gemacht, es ist ihm auch manchmal am Tage passiert.«

Ich wollte sie eben aufmerksam machen, wieviel leichter man sich an derartiges von seinem Bruder als von sich erinnert, als sie mit der wiedergewonnenen Erinnerung fortsetzte: »Ja, ich habe es auch gehabt, aber erst im siebenten oder achten Jahre eine Zeitlang. Es muß arg gewesen sein, denn ich weiß jetzt, daß der Doktor um Rat gefragt wurde. Es war bis kurz vor dem nervösen Asthma.« [S. 99 f.]

Was sagte der Doktor dazu?

»Er erklärte es für eine nervöse Schwäche: es werde sich schon verlieren, meinte er, und verschrieb stärkende Mittel.«[1]

---

[1] Dieser Arzt war der einzige, zu dem sie Zutrauen zeigte, weil sie an dieser Erfahrung gemerkt, er wäre nicht hinter ihr Geheimnis gekommen. Vor jedem andern, den sie noch nicht einzuschätzen wußte, empfand sie Angst, die sich jetzt also motiviert, er könne ihr Geheimnis erraten.

Die Traumdeutung schien mir nun vollendet[1]. Einen Nachtrag zum Traume brachte sie noch tags darauf. Sie habe vergessen zu erzählen, daß sie nach dem Erwachen jedesmal Rauch gerochen. Der Rauch paßte ja wohl zum Feuer, er wies auch darauf hin, daß der Traum eine besondere Beziehung zu meiner Person habe, denn ich pflegte ihr, wenn sie behauptet hatte, da oder dort stecke nichts dahinter, oft entgegenzuhalten: »Wo Rauch ist, ist auch Feuer.« Sie wandte aber gegen diese ausschließlich persönliche Deutung ein, daß Herr K. und der Papa leidenschaftliche Raucher seien, wie übrigens auch ich. Sie rauchte selbst am See, und Herr K. hatte ihr, ehe er damals mit seiner unglücklichen Werbung begann, eine Zigarette gedreht. Sie glaubte sich auch sicher zu erinnern, daß der Geruch nach Rauch nicht erst im letzten, sondern schon in dem dreimaligen Träumen in L. aufgetreten war. Da sie weitere Auskünfte verweigerte, blieb es mir überlassen, wie ich mir diesen Nachtrag in das Gefüge der Traumgedanken eintragen wolle. Als Anhaltspunkt konnte mir dienen, daß die Sensation des Rauches als Nachtrag kam, also eine besondere Anstrengung der Verdrängung hatte überwinden müssen[2]. Demnach gehörte sie wahrscheinlich zu dem im Traume am dunkelsten dargestellten und bestverdrängten Gedanken, also dem der Versuchung, sich dem Manne willig zu erweisen. Sie konnte dann kaum etwas anderes bedeuten als die Sehnsucht nach einem Kusse, der beim Raucher notwendigerweise nach Rauch schmeckt; ein Kuß war aber etwa zwei Jahre vorher zwischen den beiden vorgefallen [S. 105] und hätte sich sicherlich mehr als einmal wiederholt, wenn das Mädchen nun der Werbung nachgegeben hätte. Die Versuchungsgedanken scheinen so auf die frühere Szene zurückgegriffen und die Erinnerung an den Kuß aufgeweckt zu haben, gegen dessen Verlockung sich die Lutscherin seinerzeit durch den Ekel schützte. Nehme ich endlich die Anzeichen zusammen, die eine Übertragung auf mich, weil ich auch Raucher bin, wahrscheinlich machen, so komme ich zur Ansicht, daß ihr eines Tages wahrscheinlich während der Sitzung eingefallen, sich einen Kuß von mir zu wünschen. Dies war für sie der Anlaß, sich den Warnungstraum zu wiederholen und den Vorsatz zu fassen, aus der Kur zu gehen. So stimmt es sehr gut zusammen, aber vermöge der Eigentümlichkeiten der »Übertragung« entzieht es sich dem Beweise. [Vgl. S. 182, Anm.]

---

[1] Der Kern des Traumes würde übersetzt etwa so lauten: Die Versuchung ist so stark. Lieber Papa, schütze Du mich wieder wie in den Kinderzeiten, daß mein Bett nicht naß wird!

[2] [Siehe S. 167, Anm. 2.]

Ich könnte nun schwanken, ob ich zuerst die Ausbeute dieses Traumes für die Krankengeschichte des Falles in Angriff nehmen oder lieber den aus ihm gegen die Traumtheorie gewonnenen Einwand erledigen soll. Ich wähle das erstere.

Es verlohnt sich, auf die Bedeutung des Bettnässens in der Vorgeschichte der Neurotiker ausführlich einzugehen. Der Übersichtlichkeit zuliebe beschränke ich mich darauf zu betonen, daß Doras Fall von Bettnässen nicht der gewöhnliche war. Die Störung hatte sich nicht einfach über die fürs Normale zugestandene Zeit fortgesetzt, sondern war nach ihrer bestimmten Angabe zunächst geschwunden und dann verhältnismäßig spat, nach dem sechsten Lebensjahre, wieder aufgetreten [S. 143]. Ein solches Bettnässen hat meines Wissens keine wahrscheinlichere Ursache als Masturbation, die in der Ätiologie des Bettnässens überhaupt eine noch zu gering geschätzte Rolle spielt. Den Kindern selbst ist nach meiner Erfahrung dieser Zusammenhang sehr wohl bekannt gewesen, und alle psychischen Folgen leiten sich so davon ab, als ob sie ihn niemals vergessen hätten. Nun befanden wir uns zur Zeit, als der Traum erzählt wurde, auf einer Linie der Forschung, welche direkt auf ein solches Eingeständnis der Kindermasturbation zulief. Sie hatte eine Weile vorher die Frage aufgeworfen, warum denn gerade sie krank geworden sei, und hatte, ehe ich eine Antwort gab, die Schuld auf den Vater gewälzt. Es waren nicht unbewußte Gedanken, sondern bewußte Kenntnis, welche die Begründung übernahm. Das Mädchen wußte zu meinem Erstaunen, welcher Natur die Krankheit des Vaters gewesen war. Sie hatte nach der Rückkehr des Vaters von meiner Ordination [S. 98] ein Gespräch erlauscht, in dem der Name der Krankheit genannt wurde. In noch früheren Jahren, zur Zeit der Netzhautablösung [S. 97 f.], muß ein zu Rate gezogener Augenarzt auf die luetische Ätiologie hingewiesen haben, denn das neugierige und besorgte Mädchen hörte damals eine alte Tante zur Mutter sagen: »Er war ja schon vor der Ehe krank« und etwas ihr Unverständliches hinzufügen, was sie sich später auf unanständige Dinge deutete.

Der Vater war also durch leichtsinnigen Lebenswandel krank geworden, und sie nahm an, daß er ihr das Kranksein erblich übertragen habe. Ich hütete mich, ihr zu sagen, daß ich, wie erwähnt (S. 99, Anm.), gleichfalls die Ansicht vertrete, die Nachkommenschaft Luetischer sei zu schweren Neuropsychosen ganz besonders prädisponiert. Die Fortsetzung dieses den Vater anklagenden Gedankenganges ging durch unbewußtes Material. Sie identifizierte sich einige Tage lang in kleinen Symptomen und Eigentümlichkeiten mit der Mutter, was ihr Gelegenheit gab, Hervorragendes in Unausstehlichkeit zu leisten, und ließ mich dann erraten, daß sie an einen Aufenthalt in Franzensbad[1] denke, das sie in Begleitung der Mutter – ich weiß nicht mehr, in welchem Jahre – besucht hatte. Die Mutter litt an Schmerzen im Unterleibe und an einem Ausflusse – Katarrh –, der eine Franzensbader Kur notwendig machte. Es war ihre – wahrscheinlich wieder berechtigte – Meinung, daß diese Krankheit vom Papa herrühre, der also seine Geschlechtsaffektion auf die Mutter übertragen hatte. Es war ganz begreiflich, daß sie bei diesem Schlusse, wie ein großer Teil der Laien überhaupt, Gonorrhöe und Syphilis, erbliche und Übertragung durch den Verkehr zusammenwarf. Ihr Verharren in der Identifizierung nötigte mir fast die Frage auf, ob sie denn auch eine Geschlechtskrankheit habe, und nun erfuhr ich, daß sie mit einem Katarrh (*fluor albus*) behaftet sei, an dessen Beginn sie sich nicht erinnern könne.

Ich verstand nun, daß hinter dem Gedankengange, der laut den Vater anklagte, wie gewöhnlich eine Selbstbeschuldigung verborgen sei, und kam ihr entgegen, indem ich ihr versicherte, daß der *fluor* der jungen Mädchen in meinen Augen vorzugsweise auf Masturbation deute und daß ich alle anderen Ursachen, die gewöhnlich für solch ein Leiden angeführt werden, neben der Masturbation in den Hintergrund treten lasse[2]. Sie sei also auf dem Wege, ihre Frage, warum gerade sie erkrankt sei, durch das Eingeständnis der Masturbation, wahrscheinlich in den Kinderjahren, zu beantworten. Sie leugnete entschiedenst, sich an etwas Derartiges erinnern zu können. Aber einige Tage später führte sie etwas auf, was ich als weitere Annäherung an das Geständnis betrachten mußte. Sie hatte an diesem Tage nämlich, was weder früher noch später je der Fall war, ein Portemonnaietäschchen von der Form, die eben modern wurde, umgehängt und spielte damit, während sie im Liegen sprach, indem sie es öffnete, einen Finger hineinsteckte, es wieder schloß, usw. Ich sah ihr eine Weile zu und erklärte ihr dann, was eine *Symptomhandlung*[3] sei. Symptomhandlungen nenne ich jene Verrichtungen, die der Mensch, wie man sagt, automatisch, unbewußt, ohne darauf zu achten, wie spielend, vollzieht, denen er jede Bedeutung absprechen möchte und die er für gleichgültig und zufällig erklärt, wenn er nach ihnen gefragt wird. Sorgfältigere Beobachtung zeigt dann, daß

[1] [Heilkurort in Böhmen.]
[2] [*Zusatz 1923:*] Eine extreme Auffassung, die ich heute nicht mehr vertreten würde.
[3] Vgl. meine Abhandlung über die Psychopathologie des Alltagslebens (1901 *b*) [IX. Kapitel].

solche Handlungen, von denen das Bewußtsein nichts weiß oder nichts wissen will, unbewußten Gedanken und Impulsen Ausdruck geben, somit als zugelassene Äußerungen des Unbewußten wertvoll und lehrreich sind. Es gibt zwei Arten des bewußten Verhaltens gegen die Symptomhandlungen. Kann man sie unauffällig motivieren, so nimmt man auch Kenntnis von ihnen; fehlt ein solcher Vorwand vor dem Bewußten, so merkt man in der Regel gar nicht, daß man sie ausführt. Im Falle Doras war die Motivierung leicht: »Warum soll ich nicht ein solches Täschchen tragen, wie es jetzt modern ist?« Aber eine solche Rechtfertigung hebt die Möglichkeit der unbewußten Herkunft der betreffenden Handlung nicht auf. Anderseits läßt sich diese Herkunft und der Sinn, den man der Handlung beilegt, nicht zwingend erweisen. Man muß sich begnügen zu konstatieren, daß ein solcher Sinn in den Zusammenhang der vorliegenden Situation, in die Tagesordnung des Unbewußten ganz ausgezeichnet hineinpaßt.

Ich werde ein anderes Mal eine Sammlung solcher Symptomhandlungen vorlegen, wie man sie bei Gesunden und Nervösen beobachten kann. Die Deutungen sind manchmal sehr leicht. Das zweiblättrige Täschchen Doras ist nichts anderes als eine Darstellung des Genitales, und ihr Spielen damit, ihr Öffnen und Fingerhineinstecken eine recht ungenierte, aber unverkennbare pantomimische Mitteilung dessen, was sie damit tun möchte, die der Masturbation. Vor kurzem ist mir ein ähnlicher Fall vorgekommen, der sehr erheiternd wirkte. Eine ältere Dame zieht mitten in der Sitzung, angeblich um sich durch ein Bonbon anzufeuchten, eine kleine beinerne Dose hervor, bemüht sich, sie zu öffnen, und reicht sie dann mir, damit ich mich überzeuge, wie schwer sie aufgeht. Ich äußere mein Mißtrauen, daß diese Dose etwas Besonderes bedeuten müsse, ich sehe sie heute doch zum ersten Male, obwohl die Eigentümerin mich schon länger als ein Jahr besucht. Darauf die Dame im Eifer: »Diese Dose trage ich immer bei mir, ich nehme sie überall mit, wohin ich gehe!« Sie beruhigt sich erst, nachdem ich sie lachend aufmerksam gemacht, wie gut ihre Worte auch zu einer anderen Bedeutung passen. Die Dose – *box*, πύξις – ist wie das Täschchen, wie das Schmuckkästchen wieder nur eine Vertreterin der Venusmuschel, des weiblichen Genitales!

Es gibt viel solcher Symbolik im Leben, an der wir gewöhnlich achtlos vorübergehen. Als ich mir die Aufgabe stellte, das, was die Menschen verstecken, nicht durch den Zwang der Hypnose, sondern aus dem, was sie sagen und zeigen, ans Licht zu bringen, hielt ich die Aufgabe für schwerer, als sie wirklich ist. Wer Augen hat zu sehen und Ohren zu hören, überzeugt sich, daß die Sterblichen kein Geheimnis verbergen können. Wessen Lippen schweigen, der schwätzt mit den Fingerspitzen; aus allen Poren dringt ihm der Verrat. Und darum ist die Aufgabe, das verborgenste Seelische bewußtzumachen, sehr wohl lösbar.

Doras Symptomhandlung mit dem Täschchen war nicht der nächste Vorläufer des Traumes. Die Sitzung, die uns die Traumerzählung brachte, leitete sie durch eine andere Symptomhandlung ein. Als ich in das Zimmer trat, in dem sie wartete, versteckte sie rasch einen Brief, in dem sie las. Ich fragte natürlich, von wem der Brief sei, und sie weigerte sich erst, es anzugeben. Dann kam etwas heraus, was höchst gleichgültig und ohne Beziehung zu unserer Kur war. Es war ein Brief der Großmutter, in dem sie aufgefordert wurde, ihr öfter zu schreiben. Ich meine, sie wollte mir nur »Geheimnis« vorspielen und andeuten, daß sie sich jetzt ihr Geheimnis vom Arzt entreißen lasse. Ihre Abneigung gegen jeden neuen Arzt erkläre ich mir nun durch die Angst, er würde bei der Untersuchung (durch den Katarrh) oder beim Examen (durch die Mitteilung des Bettnässens) auf den Grund ihres Leidens kommen, die Masturbation bei ihr erraten. Sie sprach dann immer sehr geringschätzig von den Ärzten, die sie vorher offenbar überschätzt hatte. [Vgl. S. 143, Anm.]

Anklagen gegen den Vater, daß er sie krank gemacht, mit der Selbstanklage dahinter – *fluor albus* – Spielen mit dem Täschchen – Bettnässen nach dem sechsten Jahre – Geheimnis, das sie sich von den Ärzten nicht entreißen lassen will: ich halte den Indizienbeweis für die kindliche Masturbation für lückenlos hergestellt. Ich hatte in diesem Falle die Masturbation zu ahnen begonnen, als sie mir von den Magenkrämpfen der Kusine erzählte (s. S. 114) und sich dann mit dieser identifizierte, indem sie tagelang über die nämlichen schmerzhaften Sensationen klagte. Es ist bekannt, wie häufig Magenkrämpfe gerade bei Masturbanten auftreten. Nach einer persönlichen Mitteilung von W. Fließ sind es gerade solche Gastralgien, die durch Kokainisierung der von ihm gefundenen »Magenstelle« in der Nase unterbrochen und durch deren Ätzung geheilt werden können[1]. Dora bestätigte mir bewußterweise zweierlei, daß sie selbst häufig an Magenkrämpfen gelitten und daß sie die Kusine mit guten Gründen für eine Masturbantin gehalten habe. Es ist bei den Kranken sehr gewöhnlich, daß sie einen Zusammenhang bei

---

[1] [S. Fließ (1892 und 1893). Freud hatte dieses Thema in seiner ersten Arbeit über Angstneurose (1895 *b*, s. S. 27 des vorliegenden Bandes) berührt.]

anderen erkennen, dessen Erkenntnis ihnen bei der eigenen Person durch Gefühlswiderstände unmöglich wird. Sie leugnete auch nicht mehr, obwohl sie noch nichts erinnerte. Auch die Zeitbestimmung des Bettnässens »bis kurz vor dem Auftreten des nervösen Asthmas« [S. 143] halte ich für klinisch verwertbar. Die hysterischen Symptome treten fast niemals auf, solange die Kinder masturbieren, sondern erst in der Abstinenz [1]; sie drücken einen Ersatz für die masturbatorische Befriedigung aus, nach der das Verlangen im Unbewußten erhalten bleibt, solange nicht andersartige normalere Befriedigung eintritt, wo diese noch möglich geblieben ist. Letztere Bedingung ist die Wende für mögliche Heilung der Hysterie durch Ehe und normalen Geschlechtsverkehr. Wird die Befriedigung in der Ehe wieder aufgehoben, etwa durch *coitus interruptus,* psychische Entfremdung u. dgl., so sucht die Libido ihr altes Strombett wieder auf und äußert sich wiederum in hysterischen Symptomen.

Ich möchte gerne noch die sichere Auskunft anfügen, wann und durch welchen besonderen Einfluß die Masturbation bei Dora unterdrückt wurde, aber die Unvollständigkeit der Analyse nötigt mich, hier lückenhaftes Material vorzubringen. Wir haben gehört, daß das Bettnässen bis nahe an die erste Erkrankung an Dyspnoe heranreichte. Nun war das einzige, was sie zur Aufklärung dieses ersten Zustandes anzugeben wußte, daß der Papa damals das erstemal nach seiner Besserung verreist gewesen sei. In diesem erhaltenen Stückchen Erinnerung mußte eine Beziehung zur Ätiologie der Dyspnoe angedeutet sein. Ich bekam nun durch Symptomhandlungen und andere Anzeichen guten Grund zur Annahme, daß das Kind, dessen Schlafzimmer sich neben dem der Eltern befand, einen nächtlichen Besuch des Vaters bei seiner Ehefrau belauscht und das Keuchen des ohnedies kurzatmigen Mannes beim Koitus gehört habe. Die Kinder ahnen in solchen Fällen das Sexuelle in dem unheimlichen Geräusche. Die Ausdrucksbewegungen für die sexuelle Erregung liegen ja als mitgeborene Mechanismen in ihnen bereit. Daß die Dyspnoe und das Herzklopfen der Hysterie und Angstneurose nur losgelöste Stücke aus der Koitusaktion sind, habe ich vor Jahren bereits ausgeführt [2], und in vielen Fällen, wie dem Doras, konnte

---

[1] Bei Erwachsenen gilt prinzipiell dasselbe, doch reicht hier auch relative Abstinenz, Einschränkung der Masturbation aus, so daß bei heftiger Libido Hysterie und Masturbation mitsammen vorkommen können.

[2] [In Freuds erster Arbeit über Angstneurose, S. 46 oben. Viel später, in *Hemmung, Symptom und Angst* (1926 d), legte er eine andere Erklärung der körperlichen Begleitumstände der Angst vor; s. S. 273–4 unten.]

ich das Symptom der Dyspnoe, des nervösen Asthmas, auf die gleiche Veranlassung, auf das Belauschen des sexuellen Verkehres Erwachsener, zurückführen. Unter dem Einflusse der damals gesetzten Miterregung konnte sehr wohl der Umschwung in der Sexualität der Kleinen eintreten, welcher die Masturbationsneigung durch die Neigung zur Angst ersetzte. Eine Weile später, als der Vater abwesend war und das verliebte Kind seiner sehnsüchtig gedachte, wiederholte sie dann den Eindruck als Asthmaanfall. Aus dem in der Erinnerung bewahrten Anlasse zu dieser Erkrankung läßt sich noch der angstvolle Gedankengang erraten, der den Anfall begleitete. Sie bekam ihn zuerst, nachdem sie sich auf einer Bergpartie überanstrengt [S. 99 f.], wahrscheinlich etwas reale Atemnot verspürt hatte. Zu dieser trat die Idee, daß dem Vater Bergsteigen verboten sei, daß er sich nicht überanstrengen dürfe, weil er kurzen Atem habe, dann die Erinnerung, wie sehr er sich in der Nacht bei der Mama angestrengt, ob ihm das nicht geschadet habe, dann die Sorge, ob sie sich nicht überanstrengt habe bei der gleichfalls zum sexuellen Orgasmus mit etwas Dyspnoe führenden Masturbation, und dann die verstärkte Wiederkehr dieser Dyspnoe als Symptom. Einen Teil dieses Materials konnte ich noch der Analyse entnehmen, den andern mußte ich ergänzen. Aus der Konstatierung der Masturbation haben wir ja gesehen, daß das Material für ein Thema erst stückweise zu verschiedenen Zeiten und in verschiedenen Zusammenhängen zusammengebracht wird [1].

---

[1] In ganz ähnlicher Weise wird der Beweis der infantilen Masturbation auch in anderen Fällen hergestellt. Das Material dafür ist meist ähnlicher Natur: Hinweise auf *fluor albus*, Bettnässen, Handzeremoniell (Waschzwang) u. dgl. Ob die Gewöhnung von einer Warteperson entdeckt worden ist oder nicht, ob ein Abgewöhnungskampf oder ein plötzlicher Umschwung diese Sexualbetätigung zum Ende geführt hat, läßt sich aus der Symptomatik des Falles jedesmal mit Sicherheit erraten. Bei Dora war die Masturbation unentdeckt geblieben und hatte mit einem Schlage ein Ende gefunden (Geheimnis, Angst vor Ärzten – Ersatz durch Dyspnoe). Die Kranken bestreiten zwar regelmäßig die Beweiskraft dieser Indizien und dies selbst dann, wenn die Erinnerung an den Katarrh oder an die Verwarnung der Mutter (»das mache dumm; es sei giftig«) in bewußter Erinnerung geblieben ist. Aber einige Zeit nachher stellt sich auch die so lange verdrängte Erinnerung an dieses Stück des kindlichen Sexuallebens mit Sicherheit, und zwar bei allen Fällen, ein. – Bei einer Patientin mit Zwangsvorstellungen, welche direkte Abkömmlinge der infantilen Masturbation waren, erwiesen sich die Züge des sich Verbietens, Bestrafens, wenn sie dies eine getan habe, dürfe sie das andere nicht, das Nicht-gestört-werden-Dürfen, das Pausen-Einschieben zwischen einer Verrichtung (mit den Händen) und einer nächsten, das Händewaschen usw. als unverändert erhaltene Stücke der Abgewöhnungsarbeit ihrer Pflegeperson. Die Warnung: »Pfui, das ist giftig!« war das einzige, was dem Gedächtnisse immer erhalten geblieben war. Vgl. hierzu noch meine *Drei Abhandlungen zur Sexualtheorie*, (1905 d) [der Abschnitt über ›Die masturbatorischen Sexualäußerungen‹ in der zweiten Abhandlung].

Es erheben sich nun eine Reihe der gewichtigsten Fragen zur Ätiologie der Hysterie, ob man den Fall Doras als typisch für die Ätiologie ansehen darf, ob er den einzigen Typus der Verursachung darstellt usw. Allein ich tue gewiß recht daran, die Beantwortung dieser Fragen erst auf die Mitteilung einer größeren Reihe von ähnlich analysierten Fällen warten zu lassen. Ich müßte überdies damit beginnen, die Fragestellung zurechtzurücken. Anstatt mich mit Ja oder Nein darüber zu äußern, ob die Ätiologie dieses Krankheitsfalles in der kindlichen Masturbation zu suchen ist, würde ich zunächst den Begriff der Ätiologie bei den Psychoneurosen zu erörtern haben. Der Standpunkt, von dem aus ich antworten könnte, würde sich als wesentlich verschoben gegen den Standpunkt erweisen, von dem aus die Frage an mich gestellt wird. Genug, wenn wir für diesen Fall zur Überzeugung gelangen, daß hier Kindermasturbation nachweisbar ist, daß sie nichts Zufälliges und nichts für die Gestaltung des Krankheitsbildes Gleichgültiges sein kann [1]. Uns winkt ein weiteres Verständnis der Symptome bei Dora, wenn wir die Bedeutung des von ihr eingestandenen *fluor albus* ins Auge fassen. Das Wort »Katarrh«, mit dem sie ihre Affektion bezeichnen lernte, als ein ähnliches Leiden der Mutter Franzensbad nötig machte [S. 146], ist wiederum ein »Wechsel« [S. 137, Anm. 1], welcher der ganzen Reihe von Gedanken über die Krankheitsverschuldung des Papas den Zugang zur Äußerung in dem Symptom des Hustens öffneten. Dieser Husten, der gewiß ursprünglich von einem geringfügigen realen Katarrh herstammte, war ohnedies Nachahmung des auch mit einem Lungenleiden behafteten Vaters und konnte ihrem Mitleid und ihrer Sorge für ihn Ausdruck geben. Außerdem aber rief er gleichsam in die Welt hinaus, was ihr damals vielleicht noch nicht bewußt geworden war: »Ich bin die Tochter von Papa. Ich habe einen Katarrh wie er. Er hat mich krank gemacht,

---

[1] Mit der Angewöhnung der Masturbation muß der Bruder in irgendwelcher Verbindung sein, denn in diesem Zusammenhang erzählte sie mit dem Nachdrucke, der eine »Deckerinnerung« verrät, daß der Bruder ihr regelmäßig alle Ansteckungen zugetragen, die er selbst leicht, sie aber schwer durchgemacht [S. 100]. Der Bruder wird auch im Traume vor dem »Zugrundegehen« behütet [S. 136]; er hat selbst an Bettnässen gelitten, aber noch vor der Schwester damit aufgehört [S. 143]. In gewissem Sinne war es auch eine »Deckerinnerung«, wenn sie aussprach, bis zu der ersten Krankheit habe sie mit dem Bruder Schritt halten können, von da an sei sie im Lernen gegen ihn zurückgeblieben. Als wäre sie bis dahin ein Bub gewesen, dann erst mädchenhaft geworden. Sie war wirklich ein wildes Ding, vom »Asthma« an wurde sie still und sittig. Diese Erkrankung bildete bei ihr die Grenze zwischen zwei Phasen des Geschlechtslebens, von denen die erste männlichen, die spätere weiblichen Charakter hatte.

wie er die Mama krank gemacht hat. Von ihm habe ich die bösen Leidenschaften, die sich durch Krankheit strafen.«[1]

Wir können nun den Versuch machen, die verschiedenen Determinierungen, die wir für die Anfälle von Husten und Heiserkeit gefunden haben, zusammenzustellen. Zuunterst in der Schichtung ist ein realer, organisch bedingter Hustenreiz anzunehmen, das Sandkorn also, um welches das Muscheltier die Perle bildet. Dieser Reiz ist fixierbar, weil er eine Körperregion betrifft, welche die Bedeutung einer erogenen Zone bei dem Mädchen in hohem Grade bewahrt hat. Er ist also geeignet dazu, der erregten Libido Ausdruck zu geben. Er wird fixiert durch die wahrscheinlich erste psychische Umkleidung, die Mitleidsimitation für den kranken Vater und dann durch die Selbstvorwürfe wegen des »Katarrhs«. Dieselbe Symptomgruppe zeigt sich ferner fähig, die Beziehungen zu Herrn K. darzustellen, seine Abwesenheit zu bedauern und den Wunsch auszudrücken, ihm eine bessere Frau zu sein. Nachdem ein Teil der Libido sich wieder dem Vater zugewendet, gewinnt das Symptom seine vielleicht letzte Bedeutung zur Darstellung des sexuellen Verkehres mit dem Vater in der Identifizierung mit Frau K. Ich möchte dafür bürgen, daß diese Reihe keineswegs vollständig ist. Leider ist die unvollständige Analyse nicht imstande, dem Wechsel der Bedeutung zeitlich zu folgen, die Reihenfolge und die Koexistenz verschiedener Bedeutungen klarzulegen. An eine vollständige darf man diese Forderungen stellen.

Ich darf nun nicht versäumen, auf weitere Beziehungen des Genitalkatarrhs zu den hysterischen Symptomen Doras einzugehen. Zu Zeiten, als eine psychische Aufklärung der Hysterie noch in weiter Ferne lag, hörte ich ältere, erfahrene Kollegen behaupten, daß bei den hysterischen Patientinnen mit *fluor* eine Verschlimmerung des Katarrhs regelmäßig eine Verschärfung der hysterischen Leiden, besonders der Eßunlust und des Erbrechens nach sich ziehe. Über den Zusammenhang

---

[1] Die nämliche Rolle spielte das Wort [»Katarrh«] bei dem 14jährigen Mädchen, dessen Krankengeschichte ich auf S. 102–3, Anm., in einige Zeilen zusammengedrängt habe. Ich hatte das Kind mit einer intelligenten Dame, die mir die Dienste einer Wärterin leistete, in einer Pension installiert. Die Dame berichtete mir, daß die kleine Patientin ihre Gegenwart beim Zubettegehen nicht dulde und daß sie im Bette auffällig huste, wovon tagsüber nichts zu hören war. Der Kleinen fiel, als sie über diese Symptome befragt wurde, nur ein, daß ihre Großmutter so huste, von der man sage, sie habe einen Katarrh. Es war dann klar, daß auch sie einen Katarrh habe und daß sie bei der abends vorgenommenen Reinigung nicht bemerkt werden wolle. Der Katarrh, der mittels dieses Wortes *von unten nach oben* geschoben worden war [s. S. 107], zeigte sogar eine nicht gewöhnliche Intensität.

war niemand recht klar, aber ich glaube, man neigte zur Anschauung der Gynäkologen hin, die bekanntlich einen direkten und organisch störenden Einfluß von Genitalaffektionen auf die nervösen Funktionen im breitesten Ausmaße annehmen, wobei uns die therapeutische Probe auf die Rechnung zu allermeist im Stich läßt. Bei dem heutigen Stande unserer Einsicht kann man einen solchen direkten und organischen Einfluß auch nicht für ausgeschlossen erklären, aber leichter nachweisbar ist jedenfalls dessen psychische Umkleidung. Der Stolz auf die Gestaltung der Genitalien ist bei unseren Frauen ein ganz besonderes Stück ihrer Eitelkeit; Affektionen derselben, welche für geeignet gehalten werden, Abneigung oder selbst Ekel einzuflößen, wirken in ganz unglaublicher Weise kränkend, das Selbstgefühl herabsetzend, machen reizbar, empfindlich und mißtrauisch. Die abnorme Sekretion der Scheidenschleimhaut wird als ekelerregend angesehen.

Erinnern wir uns, daß bei Dora nach dem Kusse des Herrn K. eine lebhafte Ekelempfindung eintrat und daß wir Grund fanden, uns ihre Erzählung dieser Kußszene dahin zu vervollständigen, daß sie den Druck des erigierten Gliedes gegen ihren Leib in der Umarmung verspürte [S. 106 ff.]. Wir erfahren nun ferner, daß dieselbe Gouvernante, welche sie wegen ihrer Untreue von sich gestoßen hatte, ihr aus eigener Lebenserfahrung vorgetragen hatte, alle Männer seien leichtsinnig und unverläßlich. Für Dora mußte das heißen, alle Männer seien wie der Papa. Ihren Vater hielt sie aber für geschlechtskrank, hatte er doch diese Krankheit auf sie und auf die Mutter übertragen. Sie konnte sich also vorstellen, alle Männer seien geschlechtskrank, und ihr Begriff von Geschlechtskrankheit war natürlich nach ihrer einzigen und dazu persönlichen Erfahrung gebildet. Geschlechtskrank hieß ihr also mit einem ekelhaften Ausflusse behaftet – ob dies nicht eine weitere Motivierung des Ekels war, den sie im Moment der Umarmung empfand? Dieser auf die Berührung des Mannes übertragene Ekel wäre dann ein nach dem erwähnten primitiven Mechanismus (s. S. 111 f.) projizierter, der sich in letzter Linie auf ihren eigenen *fluor* bezog.

Ich vermute, daß es sich hiebei um unbewußte Gedankengänge handelt, welche über vorgebildete organische Zusammenhänge gezogen sind, etwa wie Blumenfestons über Drahtgewinde, so daß man ein andermal andere Gedankenwege zwischen den nämlichen Ausgangs- und Endpunkten eingeschaltet finden kann. Doch ist die Kenntnis der im einzelnen wirksam gewesenen Gedankenverbindungen für die Lösung der Symptome von unersetzlichem Werte. Daß wir im Falle Doras zu Vermutungen und Ergänzungen greifen müssen, ist nur durch den vorzeitigen Abbruch der Analyse begründet. Was ich zur Ausfüllung der Lücken vorbringe, lehnt sich durchweg an andere, gründlich analysierte Fälle an.

Der Traum, durch dessen Analyse wir die vorstehenden Aufschlüsse gewonnen haben, entspricht, wie wir fanden, einem Vorsatze, den Dora in den Schlaf mitnimmt. Er wird darum jede Nacht wiederholt, bis der Vorsatz erfüllt ist, und er tritt Jahre später wieder auf, sowie sich ein Anlaß ergibt, einen analogen Vorsatz zu fassen. Der Vorsatz läßt sich bewußt etwa folgendermaßen aussprechen: Fort aus diesem Hause, in dem, wie ich gesehen habe, meiner Jungfräulichkeit Gefahr droht; ich reise mit dem Papa ab, und morgens bei der Toilette will ich meine Vorsichten treffen, nicht überrascht zu werden. Diese Gedanken finden ihren deutlichen Ausdruck im Traume; sie gehören einer Strömung an, die im Wachleben zum Bewußtsein und zur Herrschaft gelangt ist. Hinter ihnen läßt sich ein dunkler vertretener Gedankenzug erraten, welcher der gegenteiligen Strömung entspricht und darum der Unterdrückung verfallen ist. Er gipfelt in der Versuchung, sich dem Manne zum Danke für die ihr in den letzten Jahren bewiesene Liebe und Zärtlichkeit hinzugeben, und ruft vielleicht die Erinnerung an den einzigen Kuß auf, den sie bisher von ihm empfangen hat. Aber nach der in meiner *Traumdeutung* entwickelten Theorie reichen solche Elemente nicht hin, um einen Traum zu bilden. Ein Traum sei kein Vorsatz, der als ausgeführt, sondern ein Wunsch, der als erfüllt dargestellt wird, und zwar womöglich ein Wunsch aus dem Kinderleben. Wir haben die Verpflichtung zu prüfen, ob dieser Satz nicht durch unseren Traum widerlegt wird.

Der Traum enthält in der Tat infantiles Material, welches in keiner auf den ersten Blick ergründbaren Beziehung zum Vorsatze steht, das Haus des Herrn K. und die von ihm ausgehende Versuchung zu fliehen. Wozu taucht wohl die Erinnerung an das Bettnässen als Kind und an die Mühe auf, die sich der Vater damals gab, das Kind rein zu gewöhnen? Man kann darauf die Antwort geben, weil es nur mit Hilfe dieses Gedankenzuges möglich ist, die intensiven Versuchungsgedanken zu unterdrücken und den gegen sie gefaßten Vorsatz zur Herrschaft zu bringen. Das Kind beschließt, *mit* seinem Vater zu flüchten; in Wirklichkeit flüchtet es sich in der Angst vor dem ihm nachstellenden Manne *zu* seinem Vater; es ruft eine infantile Neigung zum Vater wach, die es gegen die rezente zu dem Fremden schützen soll. An der gegenwärtigen Gefahr ist der Vater selbst mitschuldig, der sie wegen eigener Liebesinteressen dem fremden Manne ausgeliefert hat. Wie viel schöner war es doch, als derselbe Vater niemanden anderen lieber hatte als sie und sich bemühte, sie vor den Gefahren, die sie damals bedrohten, zu retten. Der infantile und heute unbewußte Wunsch, den Vater an die Stelle des fremden Mannes zu setzen, ist eine traumbildende Potenz. Wenn es eine Situation gegeben hat, die ähnlich einer der gegenwärtigen sich doch durch diese Personvertretung von ihr unterschied, so wird diese zur Hauptsituation des Trauminhaltes. Es gibt eine solche; geradeso wie am Vortage Herr K., stand einst der Vater vor ihrem Bette und weckte sie etwa mit einem Kusse, wie vielleicht Herr K. beabsichtigt hatte. Der Vorsatz, das Haus zu fliehen, ist also nicht an und für sich traumfähig, er wird es dadurch, daß sich ihm ein anderer, auf infantile Wünsche gestützter Vorsatz beigesellt. Der Wunsch, Herrn K. durch den Vater zu ersetzen, gibt die Triebkraft zum Traume ab. Ich erinnere an die Deutung, zu der mich der verstärkte, auf das Verhältnis des Vaters zu Frau K. bezügliche Gedankenzug nötigte, es sei hier eine infantile Neigung zum Vater wachgerufen worden, um die verdrängte Liebe zu Herrn K. in der Verdrängung erhalten zu können [S. 131]; diesen Umschwung im Seelenleben der Patientin spiegelt der Traum wider.

Über das Verhältnis zwischen den in den Schlaf sich fortsetzenden Wachgedanken – den Tagesresten – und dem unbewußten traumbildenden Wunsche habe ich in der *Traumdeutung*[1] einige Bemerkungen niedergelegt, die ich hier unverändert zitieren werde, denn ich habe ihnen nichts hinzuzufügen, und die Analyse dieses Traumes von Dora beweist von neuem, daß es sich nicht anders verhält.

»Ich will zugeben, daß es eine ganze Klasse von Träumen gibt, zu denen die *Anregung* vorwiegend oder selbst ausschließlich aus den Resten des Tageslebens stammt, und ich meine, selbst mein Wunsch, endlich einmal Professor extraordinarius zu werden[2], hätte mich diese Nacht ruhig schlafen lassen können, wäre nicht die Sorge um die Gesundheit meines Freundes vom Tage her noch rührig gewesen. Aber diese Sorge hätte noch keinen Traum gemacht; die *Triebkraft*, die der Traum bedurfte, mußte von einem Wunsche beigesteuert werden; es war Sache der Besorgnis, sich einen solchen Wunsch als Triebkraft des Traumes zu ver-

---

[1] [Kapitel VII, Abschnitt C.]
[2] Dies bezieht sich auf die Analyse des dort zum Muster genommenen Traumes [des Traumes »Otto schaut schlecht aus«, im V. Kapitel, etwa sechs Seiten vor Ende des Kapitels].

schaffen. Um es in einem Gleichnisse zu sagen: Es ist sehr wohl möglich, daß ein Tagesgedanke die Rolle des *Unternehmers* für den Traum spielt; aber der Unternehmer, der, wie man sagt, die Idee hat und den Drang, sie in Tat umzusetzen, kann doch ohne Kapital nichts machen; er braucht einen Kapitalisten, der den Aufwand bestreitet, und dieser Kapitalist, der den psychischen Aufwand für den Traum beistellt, ist allemal und unweigerlich, was immer auch der Tagesgedanke sein mag, *ein Wunsch aus dem Unbewußten*.«

Wer die Feinheit in der Struktur solcher Gebilde wie der Träume kennengelernt hat, wird nicht überrascht sein zu finden, daß der Wunsch, der Vater möge die Stelle des versuchenden Mannes einnehmen, nicht etwa beliebiges Kindheitsmaterial zur Erinnerung bringt, sondern gerade solches, das auch die intimsten Beziehungen zur Unterdrückung dieser Versuchung unterhält. Denn wenn Dora sich unfähig fühlt, der Liebe zu diesem Manne nachzugeben, wenn es zur Verdrängung dieser Liebe anstatt zur Hingebung kommt, so hängt diese Entscheidung mit keinem anderen Moment inniger zusammen als mit ihrem vorzeitigen Sexualgenusse und mit dessen Folgen, dem Bettnässen, dem Katarrh und dem Ekel. Eine solche Vorgeschichte kann je nach der Summation der konstitutionellen Bedingungen zweierlei Verhalten gegen die Liebesanforderung in reifer Zeit begründen, entweder die volle widerstandslose, ins Perverse greifende Hingebung an die Sexualität oder in der Reaktion die Ablehnung derselben unter neurotischer Erkrankung. Konstitution und die Höhe der intellektuellen und moralischen Erziehung hatten bei unserer Patientin für das letztere den Ausschlag gegeben.

Ich will noch besonders darauf aufmerksam machen, daß wir von der Analyse dieses Traumes aus den Zugang zu Einzelheiten der pathogen wirksamen Erlebnisse gefunden haben, die der Erinnerung oder wenigstens der Reproduktion sonst nicht zugänglich gewesen waren. Die Erinnerung an das Bettnässen der Kindheit war, wie sich ergab, bereits verdrängt. Die Einzelheiten der Nachstellung von seiten des Herrn K. hatte Dora niemals erwähnt, sie waren ihr nicht eingefallen.

Noch einige Bemerkungen zur Synthese dieses Traumes [1]. Die Traumarbeit nimmt ihren Anfang am Nachmittage des zweiten Tages nach

---

[1] [In den Ausgaben vor 1924 waren die folgenden Schlußabsätze dieses Abschnitts als Fußnote gesetzt. Zur Frage der »Synthese« von Träumen s. *Die Traumdeutung*, Kapitel VI, den Anfang von Abschnitt C.]

der Szene im Walde, nachdem sie bemerkt, daß sie ihr Zimmer nicht mehr verschließen kann [S. 138]. Da sagt sie sich: Hier droht mir ernste Gefahr, und bildet den Vorsatz, nicht allein im Hause zu bleiben, sondern mit dem Papa abzureisen. Dieser Vorsatz wird traumbildungsfähig, weil er sich ins Unbewußte fortzusetzen vermag. Dort entspricht ihm, daß sie die infantile Liebe zum Vater als Schutz gegen die aktuelle Versuchung aufruft. Die Wendung, die sich dabei in ihr vollzieht, fixiert sich und führt sie auf den Standpunkt, den ihr *überwortiger* Gedankengang vertritt (Eifersucht gegen Frau K. wegen des Vaters, als ob sie in ihn verliebt wäre). Es kämpfen in ihr die Versuchung, dem werbenden Manne nachzugeben, und das zusammengesetzte Sträuben dagegen. Letzteres ist zusammengesetzt aus Motiven der Wohlanständigkeit und Besonnenheit, aus feindseligen Regungen infolge der Eröffnung der Gouvernante (Eifersucht, gekränkter Stolz, siehe unten [S. 171 f.]) und aus einem neurotischen Elemente, dem in ihr vorbereiteten Stücke Sexualabneigung, welches auf ihrer Kindergeschichte fußt. Die zum Schutze gegen die Versuchung wachgerufene Liebe zum Vater stammt aus dieser Kindergeschichte.

Der Traum verwandelt den im Unbewußten vertieften Vorsatz, sich zum Vater zu flüchten, in eine Situation, die den Wunsch, der Vater möge sie aus der Gefahr retten, erfüllt zeigt. Dabei ist ein im Wege stehender Gedanke beiseite zu schieben, der Vater ist es ja, der sie in diese Gefahr gebracht hat. Die hier unterdrückte feindselige Regung (Racheneigung) gegen den Vater werden wir als einen der Motoren des zweiten Traumes kennenlernen [S. 165 f.].

Nach den Bedingungen der Traumbildung wird die phantasierte Situation so gewählt, daß sie eine infantile Situation wiederholt. Ein besonderer Triumph ist es, wenn es gelingt, eine rezente, etwa gerade die Situation des Traumanlasses, in eine infantile zu verwandeln. Das gelingt hier durch reine Zufälligkeit des Materials. So wie Herr K. vor ihrem Lager gestanden und sie geweckt, so tat es oft in Kinderjahren der Vater. Ihre ganze Wendung läßt sich treffend symbolisieren, indem sie in dieser Situation Herrn K. durch den Vater ersetzt.

Der Vater weckte sie aber seinerzeit, damit sie das Bett nicht naß mache.

Dieses »Naß« wird bestimmend für den weiteren Trauminhalt, in welchem es aber nur durch eine entfernte Anspielung und durch seinen Gegensatz vertreten ist.

Der Gegensatz von »Naß«, »Wasser« kann leicht »Feuer«, »Brennen«

sein. Die Zufälligkeit, daß der Vater bei der Ankunft an dem Orte [L.] Angst vor Feuersgefahr geäußert hatte [S. 137], hilft mit, um zu entscheiden, daß die Gefahr, aus welcher der Vater sie rettet, eine Brandgefahr sei. Auf diesen Zufall und auf den Gegensatz zu »Naß« stützt sich die gewählte Situation des Traumbildes: Es brennt, der Vater steht vor ihrem Bette, um sie zu wecken. Die zufällige Äußerung des Vaters gelangte wohl nicht zu dieser Bedeutung im Trauminhalte, wenn sie nicht so vortrefflich zu der siegreichen Gefühlsströmung stimmen würde, die in dem Vater durchaus den Helfer und Retter finden will. Er hat die Gefahr gleich bei der Ankunft geahnt, er hat recht gehabt! (In Wirklichkeit hatte er das Mädchen in diese Gefahr gebracht.)

In den Traumgedanken fällt dem »Naß« infolge leicht herstellbarer Beziehungen die Rolle eines Knotenpunktes für mehrere Vorstellungskreise zu. »Naß« gehört nicht allein dem Bettnässen an, sondern auch dem Kreise der sexuellen Versuchungsgedanken, die unterdrückt hinter diesem Trauminhalte stehen. Sie weiß, daß es auch ein Naßwerden beim sexuellen Verkehre gibt, daß der Mann dem Weib etwas Flüssiges in *Tropfenform* bei der Begattung schenkt. Sie weiß, daß gerade darin die Gefahr besteht, daß ihr die Aufgabe gestellt wird, das Genitale vor dem Benetztwerden zu hüten.

Mit »Naß« und »Tropfen« erschließt sich gleichzeitig der andere Assoziationskreis, der des ekelhaften Katarrhs, der in ihren reiferen Jahren wohl die nämliche beschämende Bedeutung hat wie in der Kinderzeit das Bettnässen. »Naß« wird hier gleichbedeutend mit »verunreinigt«. Das Genitale, das reingehalten werden soll, ist ja schon durch den Katarrh verunreinigt, übrigens bei der Mama geradeso wie bei ihr (S. 146). Sie scheint zu verstehen, daß die Reinlichkeitssucht der Mama die Reaktion gegen diese Verunreinigung ist.

Beide Kreise treffen in dem einen zusammen: Die Mama hat beides vom Papa bekommen, das sexuelle Naß und den verunreinigenden *fluor*. Die Eifersucht gegen die Mama ist untrennbar von dem Gedankenkreise der hier zum Schutze aufgerufenen infantilen Liebe zum Vater. Aber darstellungsfähig ist dieses Material noch nicht. Läßt sich aber eine Erinnerung finden, die mit beiden Kreisen des »Naß« in ähnlich guter Beziehung steht, aber das Anstößige vermeidet, so wird diese die Vertretung im Trauminhalte übernehmen können.

Eine solche findet sich in der Begebenheit von den »Tropfen«, die sich die Mama als Schmuck gewünscht [S. 140]. Anscheinend ist die Verknüpfung dieser Reminiszenz mit den beiden Kreisen des sexuellen Naß und der Verunreinigung eine äußerliche, oberflächliche, durch die Worte vermittelt, denn »Tropfen« ist als »Wechsel«, als zweideutiges Wort verwendet [S. 137, Anm. 1], und »Schmuck« ist so viel als »rein«, ein etwas gezwungener Gegensatz zu »verunreinigt«. In Wirklichkeit sind die festesten inhaltlichen Verknüpfungen nachweisbar. Die Erinnerung stammt aus dem Material der infantil wurzelnden, aber weit fortgesetzten Eifersucht gegen die Mama. Über die beiden Wortbrücken kann alle Bedeutung, die an den Vorstellungen vom sexuellen Verkehre zwischen den Eltern, von der Fluorerkrankung und von der quälenden Reinmacherei der Mama haftet, auf die eine Reminiszenz von den »Schmucktropfen« übergeführt werden.

Doch muß noch eine weitere Verschiebung für den Trauminhalt Platz greifen. Nicht das dem ursprünglichen »Naß« nähere »Tropfen«, sondern das entferntere »Schmuck« gelangt zur Aufnahme in den Traum. Es hätte also heißen können, wenn dieses Element in die vorher fixierte Traumsituation eingefügt wird: Die Mama will noch ihren Schmuck retten. In der neuen Abänderung »Schmuckkästchen« macht sich nun nachträglich der Einfluß von Elementen aus dem unterliegenden Kreise der Versuchung durch Herrn K. geltend. Schmuck hat ihr Herr K. nicht geschenkt, wohl aber ein »Kästchen« dafür [S. 140], die Vertretung all der Auszeichnungen und Zärtlichkeiten, für die sie jetzt dankbar sein sollte. Und das jetzt entstandene Kompositum »Schmuckkästchen« hat noch einen besonderen vertretenden Wert. Ist »Schmuckkästchen« nicht ein gebräuchliches Bild für das unbefleckte, unversehrte, weibliche Genitale? Und anderseits ein harmloses Wort, also vortrefflich geeignet, die sexuellen Gedanken hinter dem Traum ebensosehr anzudeuten wie zu verstecken?

So heißt es also im Trauminhalte an zwei Stellen: »Schmuckkästchen der Mama«, und dies Element ersetzt die Erwähnung der infantilen Eifersucht, der Tropfen, also des sexuellen Nassen, der Verunreinigung durch den *fluor* und anderseits der jetzt aktuellen Versuchungsgedanken, die auf Gegenliebe dringen und die bevorstehende – ersehnte und drohende – sexuelle Situation ausmalen. Das Element »Schmuckkästchen« ist wie kein anderes ein Verdichtungs- und Verschiebungsergebnis und ein Kompromiß gegensätzlicher Strömungen. Auf seine mehrfache Herkunft – aus infantiler wie aus aktueller Quelle – deutet wohl sein zweimaliges Auftreten im Trauminhalte.

Der Traum ist die Reaktion auf ein frisches, erregend wirkendes Erlebnis, welches notwendigerweise die Erinnerung an das einzige analoge Erlebnis früherer Jahre wecken muß. Dies ist die Szene mit dem Kusse im Laden, bei dem der Ekel auftrat [S. 105]. Dieselbe Szene ist aber assoziativ von anderswoher zugänglich, von dem Gedankenkreise des Katarrhs (vgl. S. 152) und von dem der aktuellen Versuchung aus. Sie liefert also einen eigenen Beitrag zum Trauminhalte, der sich der vorgebildeten Situation anpassen muß. Es brennt ... der Kuß hat wohl nach Rauch geschmeckt, sie riecht also Rauch im Trauminhalte, der sich hier über das Erwachen fortsetzt [S. 144].

In der Analyse dieses Traumes habe ich leider aus Unachtsamkeit eine Lücke gelassen. Dem Vater ist die Rede in den Mund gelegt: Ich will nicht, daß meine beiden Kinder usw. (hier ist wohl aus den Traumgedanken einzufügen: an den Folgen der Masturbation) zugrunde gehen. Solche Traumrede ist regelmäßig aus Stücken realer, gehaltener oder gehörter Rede zusammengesetzt[1]. Ich hätte mich nach der realen Herkunft dieser Rede erkundigen sollen. Das Ergebnis dieser Nachfrage hätte den Aufbau des Traumes zwar verwickelter ergeben, aber dabei gewiß auch durchsichtiger erkennen lassen.

Soll man annehmen, daß dieser Traum damals in L. genau den nämlichen Inhalt gehabt hat wie bei seiner Wiederholung während der Kur? Es scheint nicht notwendig. Die Erfahrung zeigt, daß die Menschen häufig behaupten, sie hätten denselben Traum gehabt, während sich die einzelnen Erscheinungen des wiederkehrenden Traumes durch zahlreiche Details und sonst weitgehende Abänderungen unterscheiden. So berichtet eine meiner Patientinnen, sie habe heute wieder ihren stets in gleicher Weise wiederkehrenden Lieblingstraum gehabt, daß sie im blauen Meere schwimme, mit Genuß die Wogen teile usw. Nähere Nachforschung ergibt, daß auf dem gemeinsamen Untergrunde das eine Mal dies, das andere Mal jenes Detail aufgetragen ist; ja, einmal schwamm sie im Meere, während es gefroren war, mitten zwischen Eisbergen. Andere Träume, die sie selbst nicht mehr für die nämlichen auszugeben versucht, zeigen sich mit diesen wiederkehrenden innig verknüpft. Sie sieht z. B. nach einer Fotografie gleichzeitig das Ober- und das Unterland von Helgoland in realen Dimensionen, auf dem Meere ein Schiff, in dem sich zwei Jugendbekannte von ihr befinden usw.

Sicher ist, daß der während der Kur vorfallende Traum Doras – vielleicht ohne seinen manifesten Inhalt zu ändern – eine neue aktuelle Be-

---

[1] [Vgl. *Die Traumdeutung*, Kapitel VI (F).]

deutung gewonnen hatte. Er schloß unter seinen Traumgedanken eine Beziehung zu meiner Behandlung ein und entsprach einer Erneuerung des damaligen Vorsatzes, sich einer Gefahr zu entziehen. Wenn keine Erinnerungstäuschung von ihrer Seite im Spiele war, als sie behauptete, den Rauch nach dem Erwachen schon in L. verspürt zu haben, so ist anzuerkennen, daß sie meinen Ausspruch: »Wo Rauch ist, da ist Feuer« [S. 144] sehr geschickt unter die fertige Traumform gebracht, wo er zur Überdeterminierung des letzten Elementes verwendet erscheint. Ein unleugbarer Zufall war es, daß ihr der letzte aktuelle Anlaß, das Verschließen des Speisezimmers von seiten der Mutter, wodurch der Bruder in seinem Schlafraume eingeschlossen blieb [S. 136 ff.], eine Anknüpfung an die Nachstellung des Herrn K. in L. brachte, wo ihr Entschluß zur Reife kam, als sie ihr Schlafzimmer nicht verschließen konnte. Vielleicht kam der Bruder in den damaligen Träumen nicht vor, so daß die Rede »meine beiden Kinder« erst nach dem letzten Anlasse in den Trauminhalt gelangte.

DER ZWEITE TRAUM

Wenige Wochen nach dem ersten fiel der zweite Traum vor, mit dessen Erledigung die Analyse abbrach. Er ist nicht so voll durchsichtig zu machen wie der erste, brachte aber eine erwünschte Bestätigung einer notwendig gewordenen Annahme über den Seelenzustand der Patientin [S. 170], füllte eine Gedächtnislücke aus [S. 171] und ließ einen tiefen Einblick in die Entstehung eines anderen ihrer Symptome gewinnen [S. 168].

Dora erzählte: *Ich gehe in einer Stadt, die ich nicht kenne, spazieren, sehe Straßen und Plätze, die mir fremd sind* [1]. *Ich komme dann in ein Haus, wo ich wohne, gehe auf mein Zimmer und finde dort einen Brief der Mama liegen. Sie schreibt: Da ich ohne Wissen der Eltern vom Hause fort bin, wollte sie mir nicht schreiben, daß der Papa erkrankt ist. Jetzt ist er gestorben, und wenn Du willst* [2], *kannst Du kommen. Ich gehe nun zum Bahnhofe und frage etwa 100mal: Wo ist der Bahnhof? Ich bekomme immer die Antwort: Fünf Minuten. Ich sehe dann einen dichten Wald vor mir, in den ich hineingehe, und frage dort einen Mann, dem ich begegne. Er sagt mir: Noch 2½ Stunden* [3]. *Er bietet mir an, mich zu begleiten. Ich lehne ab und gehe allein. Ich sehe den Bahnhof vor mir und kann ihn nicht erreichen. Dabei ist das gewöhnliche Angstgefühl, wenn man im Traume nicht weiter kommt. Dann bin ich zu Hause, dazwischen muß ich gefahren sein, davon weiß ich aber nichts. – Trete in die Portierloge und frage ihn nach unserer Wohnung. Das Dienstmädchen öffnet mir und antwortet: Die Mama und die anderen sind schon auf dem Friedhofe* [4].

Die Deutung dieses Traumes ging nicht ohne Schwierigkeiten vor sich. Infolge der eigentümlichen, mit seinem Inhalte verknüpften Umstände, unter denen wir abbrachen, ist nicht alles geklärt worden, und damit

---

[1] Hierzu der wichtige Nachtrag: *Auf einem der Plätze sehe ich ein Monument.*
[2] Dazu der Nachtrag: *Bei diesem Worte stand ein Fragezeichen: willst?*
[3] Ein zweites Mal wiederholt sie: *2 Stunden.*
[4] Dazu in der nächsten Stunde zwei Nachträge: *Ich sehe mich besonders deutlich die Treppe hinaufgehen,* und: *Nach ihrer Antwort gehe ich, aber gar nicht traurig, auf mein Zimmer und lese in einem großen Buche, das auf meinem Schreibtische liegt.*

hängt wieder zusammen, daß meine Erinnerung die Reihenfolge der Erschließungen nicht überall gleich sicher bewahrt hat. Ich schicke noch voraus, welches Thema der fortlaufenden Analyse unterlag, als sich der Traum einmengte. Dora warf seit einiger Zeit selbst Fragen über den Zusammenhang ihrer Handlungen mit den zu vermutenden Motiven auf. Eine dieser Fragen war: Warum habe ich die ersten Tage nach der Szene am See noch darüber geschwiegen? Die zweite: Warum habe ich dann plötzlich den Eltern davon erzählt? Ich fand es überhaupt noch der Erklärung bedürftig, daß sie sich durch die Werbung K.s so schwer gekränkt fühlte, zumal da mir die Einsicht aufzugehen begann, daß die Werbung um Dora auch für Herrn K. keinen leichtsinnigen Verführungsversuch bedeutet hatte. Daß sie von dem Vorfalle ihre Eltern in Kenntnis gesetzt, legte ich als eine Handlung aus, die bereits unter dem Einflusse krankhafter Rachsucht stand. Ein normales Mädchen wird, so sollte ich meinen, allein mit solchen Angelegenheiten fertig.

Ich werde also das Material, welches sich zur Analyse dieses Traumes einstellte, in der ziemlich bunten Ordnung, die sich in meiner Reproduktion ergibt, vorbringen.

Sie irrt allein in einer fremden Stadt, sieht Straßen und Plätze. Sie versichert, es war gewiß nicht B., worauf ich zuerst geraten hatte, sondern eine Stadt, in der sie nie gewesen war. Es lag nahe, fortzusetzen: Sie können ja Bilder oder Fotografien gesehen haben, denen Sie die Traumbilder entnehmen. Nach dieser Bemerkung stellte sich der Nachtrag von dem Monumente auf einem Platze ein und dann sofort die Kenntnis der Quelle. Sie hatte zu den Weihnachtsfeiertagen[1] ein Album mit Stadtansichten aus einem deutschen Kurorte bekommen und dasselbe gerade gestern hervorgesucht, um es den Verwandten, die bei ihnen zu Gast waren, zu zeigen. Es lag in einer Bilderschachtel, die sich nicht gleich vorfand, und sie fragte die Mama: *Wo ist die Schachtel?*[2] Eines der Bilder zeigte einen Platz mit einem Monumente. Der Spender aber war ein junger Ingenieur, dessen flüchtige Bekanntschaft sie einst in der Fabrikstadt gemacht hatte. Der junge Mann hatte eine Stellung in Deutschland angenommen, um rascher zur Selbständigkeit zu kommen, benützte jede Gelegenheit, um sich in Erinnerung zu bringen, und es war

---

[1] [Der Traum ereignete sich einige Tage nach Weihnachten (s. S. 171.]
[2] Im Traume fragt sie: *Wo ist der Bahnhof?* Aus dieser Annäherung zog ich einen Schluß, den ich später [S. 164] entwickeln werde.

leicht zu erraten, daß er vorhabe, seinerzeit, wenn sich seine Position gebessert, mit einer Werbung um Dora hervorzutreten. Aber das brauchte noch Zeit, da hieß es warten.

Das Umherwandern in einer fremden Stadt war überdeterminiert. Es führte zu einem der Tagesanlässe. Zu den Feiertagen war ein jugendlicher Kusin auf Besuch gekommen, dem sie jetzt die Stadt Wien zeigen mußte. Dieser Tagesanlaß war freilich ein höchst indifferenter. Der Vetter erinnerte sie aber an einen kurzen ersten Aufenthalt in Dresden. Damals wanderte sie als Fremde herum, versäumte natürlich nicht, die berühmte Galerie zu besuchen. Ein anderer Vetter, der mit ihnen war und Dresden kannte, wollte den Führer durch die Galerie machen. *Aber sie wies ihn ab und ging allein,* blieb vor den Bildern stehen, die ihr gefielen. Vor der Sixtina verweilte sie *zwei Stunden* lang in still träumender Bewunderung. Auf die Frage, was ihr an dem Bilde so sehr gefallen, wußte sie nichts Klares zu antworten. Endlich sagte sie: Die Madonna.

Daß diese Einfälle wirklich dem traumbildenden Material angehören, ist doch gewiß. Sie schließen Bestandteile ein, die wir unverändert im Trauminhalte wiederfinden (sie wies ihn ab und ging allein – zwei Stunden). Ich merke bereits, daß »Bilder« einem Knotenpunkte in dem Gewebe der Traumgedanken entsprechen (die Bilder im Album – die Bilder in Dresden). Auch das Thema der *Madonna,* der jungfräulichen Mutter, möchte ich für weitere Verfolgung herausgreifen. Vor allem aber sehe ich, daß sie sich in diesem ersten Teile des Traumes mit einem jungen Manne identifiziert. Er irrt in der Fremde herum, er bestrebt sich, ein Ziel zu erreichen, aber er wird hingehalten, er braucht Geduld, er muß warten. Wenn sie dabei an den Ingenieur dachte, so hätte es gestimmt, daß dieses Ziel der Besitz eines Weibes, ihrer eigenen Person, sein sollte. Anstatt dessen war es ein – Bahnhof, für den wir allerdings nach dem Verhältnisse der Frage im Traume zu der wirklich getanen Frage eine *Schachtel* einsetzen dürfen. Eine Schachtel und ein Weib, das geht schon besser zusammen.

Sie fragt wohl hundertmal... Das führt zu einer anderen, minder indifferenten Veranlassung des Traumes. Gestern abends nach der Gesellschaft bat sie der Vater, ihm den Cognac zu holen; er schlafe nicht, wenn er nicht vorher Cognac getrunken. Sie verlangte den Schlüssel zum Speisekasten von der Mutter, aber die war in ein Gespräch verwickelt und gab ihr keine Antwort, bis sie mit der ungeduldigen Übertreibung herausfuhr: Jetzt habe ich dich schon *hundertmal* gefragt, wo der Schlüssel ist. In Wirklichkeit hatte sie die Frage natürlich nur etwa *fünfmal wiederholt*[1].

Wo ist der Schlüssel? scheint mir das männliche Gegenstück zur Frage: Wo ist die Schachtel? (siehe den ersten Traum, S. 138). Es sind also Fragen – nach den Genitalien.

In derselben Versammlung Verwandter hatte jemand einen Trinkspruch auf den Papa gehalten und die Hoffnung ausgesprochen, daß er noch lange in bester Gesundheit usw. Dabei hatte es so eigentümlich in den müden Mienen des Vaters gezuckt, und sie hatte verstanden, welche Gedanken er zu unterdrücken hatte. Der arme kranke Mann! Wer konnte wissen, wie lange Lebensdauer ihm noch beschieden war.

Damit sind wir beim *Inhalte des Briefes* im Traume angelangt. Der Vater war gestorben, sie hatte sich eigenmächtig vom Haus entfernt. Ich mahnte sie bei dem Briefe im Traume sofort an den Abschiedsbrief, den sie den Eltern geschrieben oder wenigstens für die Eltern aufgesetzt hatte [S. 101]. Dieser Brief war bestimmt, den Vater in Schrecken zu versetzen, damit er von Frau K. ablasse, oder wenigstens an ihm Rache zu nehmen, wenn er dazu nicht zu bewegen sei. Wir stehen beim Thema ihres Todes und beim Tode ihres Vaters (*Friedhof* später im Traume). Gehen wir irre, wenn wir annehmen, daß die Situation, welche die Fassade des Traumes bildet, einer Rachephantasie gegen den Vater entspricht? Die mitleidigen Gedanken vom Tage vorher würden gut dazu stimmen. Die Phantasie aber lautete: Sie ginge von Haus weg in die Fremde, und dem Vater würde aus Kummer darüber, vor Sehnsucht nach ihr das Herz brechen. Dann wäre sie gerächt. Sie verstand ja sehr gut, was dem Vater fehlte, der jetzt nicht ohne Cognac schlafen konnte[2].

Wir wollen uns die *Rachsucht* als ein neues Element für eine spätere Synthese der Traumgedanken merken.

Der Inhalt des Briefes mußte aber weitere Determinierung zulassen. Woher stammte der Zusatz: *Wenn Du willst?*

---

[1] Im Trauminhalte steht die Zahl fünf bei der Zeitangabe: 5 Minuten. In meinem Buche über die Traumdeutung habe ich an mehreren Beispielen gezeigt, wie in den Traumgedanken vorkommende Zahlen vom Traume behandelt werden; man findet sie häufig aus ihren Beziehungen gerissen und in neue Zusammenhänge eingetragen. [*Die Traumdeutung* (1900a), Kapitel VI, zweite Hälfte von Abschnitt F.]
[2] Die sexuelle Befriedigung ist unzweifelhaft das beste Schlafmittel, sowie Schlaflosigkeit zu allermeist die Folge der Unbefriedigung ist. Der Vater schlief nicht, weil ihm der Verkehr mit der geliebten Frau fehlte. Vgl. hierzu das unten Folgende: Ich habe nichts an meiner Frau. [Vgl. auch die auf S. 104 zitierten Worte von Doras Vater.]

Da fiel ihr der Nachtrag ein, daß hinter dem Worte »willst« ein Frage-zeichen gestanden hatte, und damit erkannte sie auch diese Worte als Zitat aus dem Briefe der Frau K., welcher die Einladung nach L. (am See) enthalten hatte. In ganz auffälliger Weise stand in diesem Briefe nach der Einschaltung: »wenn Du kommen willst?« mitten im Gefüge des Satzes ein Fragezeichen.

Da wären wir also wieder bei der Szene am See und bei den Rätseln, die sich an sie knüpften. Ich bat sie, mir diese Szene einmal ausführlich zu erzählen. Sie brachte zuerst nicht viel Neues. Herr K. hatte eine einigermaßen ernsthafte Einleitung vorgebracht; sie ließ ihn aber nicht ausreden. Sobald sie nur verstanden hatte, um was es sich handle, schlug sie ihm ins Gesicht und eilte davon. Ich wollte wissen, welche Worte er gebraucht; sie erinnert sich nur an seine Begründung: »Sie wissen, ich habe nichts an meiner Frau.«[1] Sie wollte dann, um nicht mehr mit ihm zusammenzutreffen, den Weg nach L. zu Fuß um den See machen und *fragte einen Mann, der ihr begegnete, wie weit sie dahin habe.* Auf seine Antwort: *»2¹/₂ Stunden«* gab sie diese Absicht auf und suchte doch wieder das Schiff auf, das bald nachher abfuhr. Herr K. war auch wieder da, näherte sich ihr, bat sie, ihn zu entschuldigen und nichts von dem Vorfalle zu erzählen. Sie gab aber keine Antwort. – Ja, der *Wald* im Traume war ganz ähnlich dem Walde am Seeufer, in dem sich die eben von neuem beschriebene Szene abgespielt hatte. Genau den nämlichen dichten Wald hatte sie aber gestern auf einem Gemälde in der Sezessionsausstellung gesehen. Im Hintergrunde des Bildes sah man *Nymphen*[2].

Jetzt wurde ein Verdacht bei mir zur Gewißheit. *Bahnhof*[3] und *Fried-hof*, an Stelle von weiblichen Genitalien, war auffällig genug, hatte aber meine geschärfte Aufmerksamkeit auf das ähnlich gebildete »*Vor-hof*« gelenkt, einen anatomischen Terminus für eine bestimmte Region der weiblichen Genitalien. Aber das konnte ein witziger Irrtum sein. Nun, da die »Nymphen« dazukamen, die man im Hintergrunde des »dichten Waldes« sieht, war ein Zweifel nicht mehr gestattet. Das war symbolische Sexualgeographie! Nymphen nennt man, wie dem Arzte, aber nicht dem Laien bekannt, wie übrigens auch ersterem nicht sehr

---

[1] Diese Worte werden zur Lösung eines unserer Rätsel führen [S. 172].

[2] Hier zum drittenmal: Bild (Städtebilder, Galerie in Dresden), aber in weit bedeut-samerer Verknüpfung. Durch das, was man an dem Bilde sieht, wird es zum *Weibs-bilde* (Wald, Nymphen).

[3] Der »Bahnhof« dient übrigens dem »Verkehre«. Die psychische Umkleidung man-cher Eisenbahnangst.

gebräuchlich, die kleinen Labien im Hintergrunde des »dichten Waldes« von Schamhaaren. Wer aber solche technische Namen wie »Vorhof« und »Nymphen« gebrauchte, der mußte seine Kenntnis aus Büchern geschöpft haben, und zwar nicht aus populären, sondern aus anatomischen Lehrbüchern oder aus einem Konversationslexikon, der gewöhnlichen Zuflucht der von sexueller Neugierde verzehrten Jugend. Hinter der ersten Situation des Traumes verbarg sich also, wenn diese Deutung richtig war, eine Deflorationsphantasie, wie ein Mann sich bemüht, in weibliche Genitale einzudringen [1].

Ich teilte ihr meine Schlüsse mit. Der Eindruck muß zwingend gewesen sein, denn es kam sofort ein vergessenes Stückchen des Traumes nach: *Daß sie ruhig*[2] *auf ihr Zimmer geht und in einem großen Buch liest, welches auf ihrem Schreibtische liegt.* Der Nachdruck liegt hier auf den beiden Details: ruhig und groß bei Buch. Ich fragte: War es Lexikonformat? Sie bejahte. Nun lesen Kinder über verbotene Materien niemals *ruhig* im Lexikon nach. Sie zittern und bangen dabei und schauen sich ängstlich um, ob wohl jemand kommt. Die Eltern sind bei solcher Lektüre sehr im Wege. Aber die wuncherfüllende Kraft des Traumes hatte die unbehagliche Situation gründlich verbessert. Der Vater war tot und die anderen schon auf den Friedhof gefahren. Sie konnte ruhig lesen, was ihr beliebte. Sollte das nicht heißen, daß einer ihrer Gründe zur Rache auch die Auflehnung gegen den Zwang der Eltern war? Wenn der Vater tot war, dann konnte sie lesen oder lieben, wie sie wollte. Zunächst wollte sie sich nun nicht erinnern, daß sie je im Konversationslexikon gelesen, dann gab sie zu, daß eine solche Erinnerung in ihr auftauchte, freilich harmlosen Inhaltes. Zur Zeit, als die geliebte Tante

---

[1] Die Deflorationsphantasie ist der zweite Bestandteil dieser Situation. Die Hervorhebung der Schwierigkeit im Vorwärtskommen und die im Traume empfundene Angst weisen auf die gerne betonte Jungfräulichkeit, die wir an anderer Stelle durch die »Sixtina« angedeutet finden. Diese sexuellen Gedanken ergeben eine unbewußte Untermalung für die vielleicht nur geheimgehaltenen Wünsche, die sich mit dem wartenden Bewerber in Deutschland beschäftigen. Als ersten Bestandteil derselben Traumsituation haben wir [S. 165] die Rachephantasie kennengelernt, die beiden decken einander nicht völlig, sondern nur partiell; die Spuren eines noch bedeutsameren dritten Gedankenzuges werden wir später finden. [Vgl. S. 174, Anm. 1.]

[2] Ein andermal hatte sie anstatt »ruhig« gesagt »gar nicht traurig« (S. 162, Anm. 4). Ich kann diesen Traum als neuen Beweis für die Richtigkeit einer in der *Traumdeutung* (Kapitel VII, etwa sechs Seiten nach dem Beginn von Abschnitt A) [s. auch S. 144 oben] enthaltenen Behauptung verwerten, daß die zuerst vergessenen und nachträglich erinnerten Traumstücke stets die für das Verständnis des Traumes wichtigsten sind. Ich ziehe dort den Schluß, daß auch das Vergessen der Träume die Erklärung durch den innerpsychischen Widerstand fordert. [Der erste Satz dieser Fußnote wurde 1924 hinzugefügt.]

so schwer krank und ihre Reise nach Wien schon beschlossen war, kam von einem anderen Onkel ein *Brief*, sie könnten nicht nach Wien reisen, ein Kind, also ein Vetter Doras, sei gefährlich an Blinddarmentzündung erkrankt. Damals las sie im Lexikon nach, welches die Symptome einer Blinddarmentzündung seien. Von dem, was sie gelesen, erinnert sie noch den charakteristisch lokalisierten Schmerz im Leibe.

Nun erinnerte ich, daß sie kurz nach dem Tode der Tante eine angebliche Blinddarmentzündung in Wien durchgemacht [S. 100]. Ich hatte mich bisher nicht getraut, diese Erkrankung zu ihren hysterischen Leistungen zu rechnen. Sie erzählte, daß sie die ersten Tage hoch gefiebert und denselben Schmerz im Unterleibe verspürt, von dem sie im Lexikon gelesen. Sie habe kalte Umschläge bekommen, sie aber nicht vertragen; am zweiten Tage sei unter heftigen Schmerzen die seit ihrem Kranksein sehr unregelmäßige Periode eingetreten. An Stuhlverstopfung habe sie damals konstant gelitten.

Es ging nicht recht an, diesen Zustand als einen rein hysterischen aufzufassen. Wenn auch hysterisches Fieber unzweifelhaft vorkommt, so schien es doch willkürlich, das Fieber dieser fraglichen Erkrankung auf Hysterie anstatt auf eine organische, damals wirksame Ursache zu beziehen. Ich wollte die Spur wieder aufgeben, als sie selbst weiterhalf, indem sie den letzten Nachtrag zum Traume brachte: *Sie sehe sich besonders deutlich die Treppe hinaufgehen.*

Dafür verlangte ich natürlich eine besondere Determinierung. Ihren wohl nicht ernsthaft gemeinten Einwand, daß sie ja die Treppe hinaufgehen müsse, wenn sie in ihre im Stocke gelegene Wohnung wolle, konnte ich leicht mit der Bemerkung abweisen, wenn sie im Traume von der fremden Stadt nach Wien reisen und dabei die Eisenbahnfahrt übergehen könne, so dürfe sie sich auch über die Stufen der Treppe im Traume hinwegsetzen. Sie erzählte dann weiter: Nach der Blinddarmentzündung habe sie schlecht gehen können, weil sie den rechten Fuß nachgezogen. Das sei lange so geblieben, und sie hätte darum besonders Treppen gerne vermieden. Noch jetzt bleibe der Fuß manchmal zurück. Die Ärzte, die sie auf Verlangen des Vaters konsultierte, hätten sich über diesen ganz ungewöhnlichen Rest nach einer Blinddarmentzündung sehr verwundert, besonders da der Schmerz im Leibe nicht wieder aufgetreten sei und keineswegs das Nachziehen des Fußes begleitete [1].

---

[1] Zwischen der »Ovarie« benannten Schmerzhaftigkeit im Abdomen und der Gehstörung des gleichseitigen Beines ist ein somatischer Zusammenhang anzunehmen, der hier bei Dora eine besonders spezialisierte Deutung, d. h. psychische Überlagerung und

Das war also ein richtiges hysterisches Symptom. Mochte auch das Fieber damals organisch bedingt gewesen sein – etwa durch eine der so häufigen Influenza-Erkrankungen ohne besondere Lokalisation – so war doch sichergestellt, daß sich die Neurose des Zufalles bemächtigte, um ihn für eine ihrer Äußerungen zu verwerten. Sie hatte sich also eine Krankheit angeschafft, über die sie im Lexikon nachgelesen, sich für diese Lektüre bestraft und mußte sich sagen, die Strafe konnte unmöglich der Lektüre des harmlosen Artikels gelten, sondern war durch eine Verschiebung zustande gekommen, nachdem an diese Lektüre sich eine andere schuldvollere angeschlossen hatte, die sich heute in der Erinnerung hinter der gleichzeitigen harmlosen verbarg[1]. Vielleicht ließ sich noch erforschen, über welche Themata sie damals gelesen hatte.

Was bedeutete denn der Zustand, der eine Perityphlitis nachahmen wollte? Der Rest der Affektion, das Nachziehen eines Beines, der zu einer Perityphlitis so gar nicht stimmte, mußte sich besser zu der geheimen, etwa sexuellen Bedeutung des Krankheitsbildes schicken und konnte seinerseits, wenn man ihn aufklärte, ein Licht auf diese gesuchte Bedeutung werfen. Ich versuchte, einen Zugang zu diesem Rätsel zu finden. Es waren im Traume Zeiten vorgekommen; die Zeit ist wahrlich nichts Gleichgültiges bei allem biologischen Geschehen. Ich fragte also, wann diese Blinddarmentzündung sich ereignete, ob früher oder später als die Szene am See. Die prompte, alle Schwierigkeiten mit einem Schlage lösende Antwort war: neun Monate nachher. Dieser Termin ist wohl charakteristisch. Die angebliche Blinddarmentzündung hatte also die Phantasie einer *Entbindung* realisiert mit den bescheidenen Mitteln, die der Patientin zu Gebote standen, den Schmerzen und der Periodenblutung[2]. Sie kannte natürlich die Bedeutung dieses Termins und konnte die Wahrscheinlichkeit nicht in Abrede stellen, daß sie damals im Lexikon über Schwangerschaft und Geburt gelesen. Was war aber mit dem nachgezogenen Beine? Ich durfte jetzt ein Erraten versuchen. So geht man doch, wenn man sich den Fuß übertreten hat. Sie hatte also einen »Fehltritt« getan, ganz richtig, wenn sie neun Monate nach der Szene

---

Verwertung erfährt. Vgl. die analoge Bemerkung bei der Analyse der Hustensymptome und des Zusammenhanges von Katarrh und Eßunlust [S. 152 f.].

[1] Ein ganz typisches Beispiel für Entstehung von Symptomen aus Anlässen, die anscheinend mit dem Sexuellen nichts zu tun haben.

[2] Ich habe schon [S. 122] angedeutet, daß die meisten hysterischen Symptome, wenn sie ihre volle Ausbildung erlangt haben, eine phantasierte Situation des Sexuallebens darstellen, also eine Szene des sexuellen Verkehres, eine Schwangerschaft, Entbindung, Wochenbett u. dgl.

am See entbinden konnte. Nur mußte ich eine weitere Forderung aufstellen. Man kann – nach meiner Überzeugung – solche Symptome nur
dann bekommen, wenn man ein *infantiles* Vorbild für sie hat. Die Erinnerungen, die man von Eindrücken späterer Zeit hat, besitzen, wie ich
nach meinen bisherigen Erfahrungen strenge festhalten muß, nicht die
Kraft, sich als Symptome durchzusetzen. Ich wagte kaum zu hoffen, daß
sie mir das gewünschte Material aus der Kinderzeit liefern würde, denn
ich kann in Wirklichkeit obigen Satz, an den ich gerne glauben möchte,
noch nicht allgemein aufstellen. Aber hier kam die Bestätigung *sofort*.
Ja, sie hatte sich als Kind einmal denselben Fuß übertreten, sie war in
B. beim *Herunter*gehen auf der *Treppe* über eine Stufe gerutscht; der
Fuß, es war sogar der nämliche, den sie später nachzog, schwoll an,
mußte bandagiert werden, sie lag einige Wochen ruhig. Es war kurze
Zeit vor dem nervösen Asthma im achten Lebensjahre [S. 99].
Nun galt es, den Nachweis dieser Phantasie zu verwerten: Wenn Sie
neun Monate nach der Szene am See eine Entbindung durchmachen und
dann mit den Folgen des Fehltrittes bis zum heutigen Tage herumgehen,
so beweist dies, daß Sie im Unbewußten den Ausgang der Szene bedauert haben. Sie haben ihn also in ihrem unbewußten Denken korrigiert. Die Voraussetzung Ihrer Entbindungsphantasie ist ja, daß damals
etwas vorgegangen ist[1], daß Sie damals all das erlebt und erfahren
haben, was Sie später aus dem Lexikon entnehmen mußten. Sie sehen,
daß Ihre Liebe zu Herrn K. mit jener Szene nicht beendet war, daß sie
sich, wie ich behauptet habe, bis auf den heutigen Tag – allerdings Ihnen
unbewußt – fortsetzt. – Sie widersprach dem auch nicht mehr[2].

---

[1] Die Deflorationsphantasie [S. 166 f.] findet also ihre Anwendung auf Herrn K., und
es wird klar, warum dieselbe Region des Trauminhalts Material aus der Szene am See
enthält. (Ablehnung, 2½ Stunden, der Wald, Einladung nach L.)
[2] Einige Nachträge zu den bisherigen Deutungen: Die »Madonna« ist offenbar sie
selbst, erstens wegen des »Anbeters«, der ihr die Bilder geschickt hat [S. 163 f.], dann
weil sie Herrn K.s Liebe vor allem durch ihre Mütterlichkeit gegen seine Kinder gewonnen hatte [S. 103], und endlich, weil sie als Mädchen doch schon ein Kind gehabt
hat, im direkten Hinweise auf die Entbindungsphantasie. Die »Madonna« ist übrigens
eine beliebte Gegenvorstellung, wenn ein Mädchen unter dem Drucke sexueller Be-
schuldigungen steht, was ja auch bei Dora zutrifft. Ich bekam von diesem Zusammenhange die erste Ahnung als Arzt der psychiatrischen Klinik bei einem Falle von
halluzinatorischer Verworrenheit raschen Ablaufes, der sich als Reaktion auf einen
Vorwurf des Bräutigams herausstellte.
Die mütterliche Sehnsucht nach einem Kinde wäre bei Fortsetzung der Analyse wahrscheinlich als dunkles aber mächtiges Motiv ihres Handelns aufzudecken gewesen. –
Die vielen Fragen, die sie in letzter Zeit aufgeworfen hatte, erscheinen wie Spät-
abkömmlinge der Fragen sexueller Wißbegierde, welche sie aus dem Lexikon zu befriedigen gesucht. Es ist anzunehmen, daß sie über Schwangerschaft, Entbindung, Jung-

Diese Arbeiten zur Aufklärung des zweiten Traumes hatten zwei Stunden in Anspruch genommen. Als ich nach Schluß der zweiten Sitzung meiner Befriedigung über das Erreichte Ausdruck gab, antwortete sie geringschätzig: Was ist denn da viel herausgekommen? und bereitete mich so auf das Herannahen weiterer Enthüllungen vor.

Zur dritten Sitzung trat sie mit den Worten an: »Wissen Sie, Herr Doktor, daß ich heute das letzte Mal hier bin?« – Ich kann es nicht wissen, da Sie mir nichts davon gesagt haben. – »Ja, ich habe mir vorgenommen, bis Neujahr [1] halte ich es noch aus; länger will ich aber auf die Heilung nicht warten.« – Sie wissen, daß Sie die Freiheit auszutreten immer haben. Heute wollen wir aber noch arbeiten. Wann haben Sie den Entschluß gefaßt? – »Vor 14 Tagen, glaube ich.« – Das klingt ja wie von einem Dienstmädchen, einer Gouvernante, 14tägige Kündigung. – »Eine Gouvernante, die gekündigt hat, war auch damals bei K., als ich sie in L. am See besuchte.« – So? von der haben Sie noch nie erzählt. Bitte erzählen Sie.

»Es war also ein junges Mädchen im Hause als Gouvernante der Kinder, die ein ganz merkwürdiges Benehmen gegen den Herrn zeigte. Sie grüßte ihn nicht, gab ihm keine Antwort, reichte ihm nichts bei Tisch, wenn er um etwas bat, kurz, behandelte ihn wie Luft. Er war übrigens auch nicht viel höflicher gegen sie. Einen oder zwei Tage vor der Szene am See nahm mich das Mädchen auf die Seite; sie habe mir etwas mitzuteilen. Sie erzählte mir dann, Herr K. habe sich ihr zu einer Zeit, als

---

fräulichkeit und ähnliche Themata nachgelesen. – Eine der Fragen, die in den Zusammenhang der zweiten Traumsituation einzufügen sind, hatte sie bei der Reproduktion des Traumes vergessen. Es konnte nur die Frage sein: Wohnt hier der Herr ***? oder: Wo wohnt der Herr ***? Es muß seinen Grund haben, daß sie diese scheinbar harmlose Frage vergessen, nachdem sie sie überhaupt in den Traum aufgenommen. Ich finde diesen Grund in dem Familiennamen selbst, der gleichzeitig Gegenstandsbedeutung hat, und zwar mehrfache, also einem *»zweideutigen«* Worte gleichgesetzt werden kann. Ich kann diesen Namen leider nicht mitteilen, um zu zeigen, wie geschickt er verwendet worden ist, um »Zweideutiges« und »Unanständiges« zu bezeichnen. Es stützt diese Deutung, wenn wir in anderer Region des Traumes, wo das Material aus den Erinnerungen an den Tod der Tante stammt, in dem Satze »Sie sind schon auf den Friedhof gefahren« gleichfalls eine Wortanspielung auf den *Namen* der Tante finden. In diesen unanständigen Worten wäre wohl der Hinweis auf eine zweite *mündliche* Quelle gelegen, da für sie das Wörterbuch nicht ausreicht. Ich wäre nicht erstaunt gewesen zu hören, daß Frau K. selbst, die Verleumderin, diese Quelle war. [Vgl. S. 135.] Dora hätte dann gerade sie edelmütig verschont, während sie die anderen Personen mit nahezu tückischer Rache verfolgte; hinter der schier unübersehbaren Reihe von Verschiebungen, die sich so ergeben, könnte man ein einfaches Moment, die tief wurzelnde homosexuelle Liebe zu Frau K., vermuten. [Vgl. S. 133 ff. und S. 184, Anm.]

[1] Es war der 31. Dezember.

die Frau gerade für mehrere Wochen abwesend war, genähert, sie sehr umworben und sie gebeten, ihm gefällig zu sein; er habe nichts von seiner Frau usw.« ... Das sind ja dieselben Worte, die er dann in der Werbung um Sie gebraucht, bei denen Sie ihm den Schlag ins Gesicht gegeben [166]. – »Ja. Sie gab ihm nach, aber nach kurzer Zeit kümmerte er sich nicht mehr um sie, und sie haßte ihn seitdem.« – Und diese Gouvernante hatte gekündigt? – »Nein, sie wollte kündigen. Sie sagte mir, sie habe sofort, wie sie sich verlassen gefühlt, den Vorfall ihren Eltern mitgeteilt, die anständige Leute sind und irgendwo in Deutschland wohnen. Die Eltern verlangten, daß sie das Haus augenblicklich verlasse, und schrieben ihr dann, als sie es nicht tat, sie wollten nichts mehr von ihr wissen, sie dürfe nicht mehr nach Hause zurückkommen.« – Und warum ging sie nicht fort? – »Sie sagte, sie wolle noch eine kurze Zeit abwarten, ob sich nichts bei Herrn K. ändere. So zu leben, halte sie nicht aus. Wenn sie keine Änderung sehe, werde sie kündigen und fortgehen.« – Und was ist aus dem Mädchen geworden? – »Ich weiß nur, daß sie fortgegangen ist.« – Ein Kind hat sie von dem Abenteuer nicht davongetragen? – »Nein.«

Da war also – wie übrigens ganz regelrecht – inmitten der Analyse ein Stück tatsächlichen Materials zum Vorscheine gekommen, das früher aufgeworfene Probleme lösen half. Ich konnte Dora sagen: Jetzt kenne ich das Motiv jenes Schlages, mit dem Sie die Werbung beantwortet haben. Es war nicht Kränkung über die an Sie gestellte Zumutung, sondern eifersüchtige Rache. Als Ihnen das Fräulein seine Geschichte erzählte, machten Sie noch von Ihrer Kunst Gebrauch, alles beiseite zu schieben, was Ihren Gefühlen nicht paßte. In dem Moment, da Herr K. die Worte gebrauchte: Ich habe nichts an meiner Frau, die er auch zu dem Fräulein gesagt, wurden neue Regungen in Ihnen wachgerufen, und die Waagschale kippte um. Sie sagten sich: Er wagt es, mich zu behandeln wie eine Gouvernante, eine dienende Person? Diese Hochmutskränkung zur Eifersucht und zu den bewußten besonnenen Motiven hinzu: das war endlich zu viel[1]. Zum Beweise, wie sehr Sie unter dem Eindrucke der Geschichte des Fräuleins stehen, halte ich Ihnen die wiederholten Identifizierungen mit ihr im Traume und in Ihrem Benehmen vor. Sie sagen es den Eltern, was wir bisher nicht verstanden haben, wie das Fräulein es den Eltern geschrieben hat. Sie kündigen mir wie eine

---

[1] Es war vielleicht nicht gleichgültig, daß sie dieselbe Klage über die Frau, deren Bedeutung sie wohl verstand, auch vom Vater gehört haben konnte, wie ich sie aus seinem Munde gehört habe [S. 104].

Gouvernante mit 14tägiger Kündigung. Der Brief im Traume, der Ihnen erlaubt, nach Hause zu kommen, ist ein Gegenstück zum Briefe der Eltern des Fräuleins, die es ihr verboten hatten.

»Warum habe ich es dann den Eltern nicht gleich erzählt?«

Welche Zeit haben Sie denn verstreichen lassen?

»Am letzten Juni fiel die Szene vor; am 14. Juli habe ich's der Mutter erzählt.«

Also wieder 14 Tage, der für eine dienende Person charakteristische Termin! Ihre Frage kann ich jetzt beantworten. Sie haben ja das arme Mädchen sehr wohl verstanden. Sie wollte nicht gleich fortgehen, weil sie noch hoffte, weil sie erwartete, daß Herr K. seine Zärtlichkeit ihr wieder zuwenden würde. Das muß also auch Ihr Motiv gewesen sein. Sie warteten den Termin ab, um zu sehen, ob er seine Werbung erneuern würde, daraus hätten Sie geschlossen, daß es ihm Ernst war und daß er nicht mit Ihnen spielen wollte wie mit der Gouvernante.

»In den ersten Tagen nach der Abreise schickte er noch eine Ansichtskarte.«[1]

Ja, als aber dann nichts weiter kam, da ließen Sie Ihrer Rache freien Lauf. Ich kann mir sogar vorstellen, daß damals noch Raum für die Nebenabsicht war, ihn durch die Anklage zum Hinreisen nach Ihrem Aufenthalte zu bewegen.

»... Wie er's uns ja auch zuerst angetragen hat«, warf sie ein. – Dann wäre Ihre Sehnsucht nach ihm gestillt worden – hier nickte sie Bestätigung, was ich nicht erwartet hatte – und er hätte Ihnen die Genugtuung geben können, die Sie sich verlangten.

»Welche Genugtuung?«

Ich fange nämlich an zu ahnen, daß Sie die Angelegenheit mit Herrn K. viel ernster aufgefaßt haben, als Sie bisher verraten wollten. War zwischen den K. nicht oft von Scheidung die Rede?

»Gewiß, zuerst wollte sie nicht der Kinder wegen, und jetzt will sie, aber er will nicht mehr.«

Sollten Sie nicht gedacht haben, daß er sich von seiner Frau scheiden lassen will, um Sie zu heiraten? Und daß er jetzt nicht mehr will, weil er keinen Ersatz hat? Sie waren freilich vor zwei Jahren sehr jung, aber Sie haben mir selbst von der Mama erzählt, daß sie mit 17 Jahren verlobt war und dann zwei Jahre auf ihren Mann gewartet hat. Die Liebesgeschichte der Mutter wird gewöhnlich zum Vorbilde für die Toch-

---

[1] Dies die Anlehnung für den Ingenieur [S. 163 f.], der sich hinter dem Ich in der ersten Traumsituation verbirgt.

ter. Sie wollten also auch auf ihn warten und nahmen an, daß er nur warte, bis Sie reif genug seien, seine Frau zu werden[1]. Ich stelle mir vor, daß es ein ganz ernsthafter Lebensplan bei Ihnen war. Sie haben nicht einmal das Recht zu behaupten, daß eine solche Absicht bei Herrn K. ausgeschlossen war, und haben mir genug von ihm erzählt, was direkt auf eine solche Absicht deutet[2]. Auch sein Benehmen in L. widerspricht dem nicht. Sie haben ihn ja nicht ausreden lassen und wissen nicht, was er Ihnen sagen wollte. Nebstbei wäre der Plan gar nicht so unmöglich auszuführen gewesen. Die Beziehungen des Papa zu Frau K., die Sie wahrscheinlich nur darum so lange unterstützt haben, boten Ihnen die Sicherheit, daß die Einwilligung der Frau zur Scheidung zu erreichen wäre, und beim Papa setzen Sie durch, was Sie wollen. Ja, wenn die Versuchung in L. einen anderen Ausgang genommen hätte, wäre dies für alle Teile die einzig mögliche Lösung gewesen. Ich meine auch, darum haben Sie den anderen Ausgang so bedauert und ihn in der Phantasie, die als Blinddarmentzündung auftrat, korrigiert. Es mußte also eine schwere Enttäuschung für Sie sein, als anstatt einer erneuten Werbung das Leugnen und die Schmähungen von seiten des Herrn K. der Erfolg Ihrer Anklage wurden. Sie gestehen zu, daß nichts Sie so sehr in Wut bringen kann, als wenn man glaubt, Sie hätten sich die Szene am See eingebildet. [Vgl. S. 121.] Ich weiß nun, woran Sie nicht erinnert werden wollen, daß Sie sich eingebildet, die Werbung sei ernsthaft und Herr K. werde nicht ablassen, bis Sie ihn geheiratet.

Sie hatte zugehört, ohne wie sonst zu widersprechen. Sie schien ergriffen, nahm auf die liebenswürdigste Weise mit warmen Wünschen zum Jahreswechsel Abschied und – kam nicht wieder. Der Vater, der mich noch einige Male besuchte, versicherte, sie werde wiederkommen; man merke ihr die Sehnsucht nach der Fortsetzung der Behandlung an. Aber er war wohl nie ganz aufrichtig. Er hatte die Kur unterstützt, solange er sich Hoffnung machen konnte, ich würde Dora »ausreden«, daß zwischen ihm und Frau K. etwas anderes als Freundschaft bestehe. Sein Interesse erlosch, als er merkte, daß dieser Erfolg nicht in meiner Absicht liege. Ich wußte, daß sie nicht wiederkommen würde. Es war ein unzweifel-

---

[1] Das Warten, bis man das Ziel erreicht, findet sich im Inhalte der ersten Traumsituation; in dieser Phantasie vom Warten auf die Braut sehe ich ein Stück der dritten, bereits [S. 167, Anm. 1] angekündigten Komponente dieses Traumes.

[2] Besonders eine Rede, mit der er im letzten Jahre des Zusammenlebens in B. das Weihnachtsgeschenk einer Briefschachtel begleitet hatte.

hafter Racheakt, daß sie in so unvermuteter Weise, als meine Erwartungen auf glückliche Beendigung der Kur den höchsten Stand einnahmen, abbrach und diese Hoffnungen vernichtete. Auch ihre Tendenz zur Selbstschädigung fand ihre Rechnung bei diesem Vorgehen. Wer wie ich die bösesten Dämonen, die unvollkommen gebändigt in einer menschlichen Brust wohnen, aufweckt, um sie zu bekämpfen, muß darauf gefaßt sein, daß er in diesem Ringen selbst nicht unbeschädigt bleibe. Ob ich das Mädchen bei der Behandlung erhalten hätte, wenn ich mich selbst in eine Rolle gefunden, den Wert ihres Verbleibens für mich übertrieben und ihr ein warmes Interesse bezeigt hätte, das bei aller Milderung durch meine Stellung als Arzt doch wie ein Ersatz für die von ihr ersehnte Zärtlichkeit ausgefallen wäre? Ich weiß es nicht. Da ein Teil der Faktoren, die sich als Widerstand entgegenstellen, in jedem Falle unbekannt bleibt, habe ich es immer vermieden, Rollen zu spielen, und mich mit anspruchsloserer psychologischer Kunst begnügt. Bei allem theoretischen Interesse und allem ärztlichen Bestreben zu helfen, halte ich mir doch vor, daß der psychischen Beeinflussung notwendig Grenzen gesetzt sind, und respektiere als solche auch den Willen und die Einsicht des Patienten.

Ich weiß auch nicht, ob Herr K. mehr erreicht hätte, wäre ihm verraten worden, daß jener Schlag ins Gesicht keineswegs ein endgültiges »Nein« Doras bedeutete, sondern der zuletzt geweckten Eifersucht entsprach, während noch die stärksten Regungen ihres Seelenlebens für ihn Partei nahmen. Würde er dieses erste »Nein« überhört und seine Werbung mit überzeugender Leidenschaft fortgesetzt haben, so hätte der Erfolg leicht sein können, daß die Neigung des Mädchens sich über alle inneren Schwierigkeiten hinweggesetzt hätte. Aber ich meine, vielleicht ebenso leicht wäre sie nur gereizt worden, ihre Rachsucht um so ausgiebiger an ihm zu befriedigen. Auf welche Seite sich in dem Widerstreite der Motive die Entscheidung neigt, ob zur Aufhebung oder zur Verstärkung der Verdrängung, das ist niemals zu berechnen. Die Unfähigkeit zur Erfüllung der *realen* Liebesforderung ist einer der wesentlichsten Charakterzüge der Neurose; die Kranken sind vom Gegensatze zwischen der Realität und der Phantasie beherrscht. Was sie in ihren Phantasien am intensivsten ersehnen, davor fliehen sie doch, wenn es ihnen in Wirklichkeit entgegentritt, und den Phantasien überlassen sie sich am liebsten, wo sie eine Realisierung nicht mehr zu befürchten brauchen. Die Schranke, welche die Verdrängung aufgerichtet hat, kann allerdings unter dem Ansturme heftiger, real veranlaßter Erregungen fallen, die Neurose kann noch durch die Wirklichkeit überwunden werden. Wir können aber nicht allgemein berechnen, bei wem und wodurch diese Heilung möglich wäre[1].

---

[1] Noch einige Bemerkungen über den Aufbau dieses Traumes, der sich nicht so gründlich verstehen läßt, daß man seine Synthese versuchen könnte. Als ein fassadenartig vorgeschobenes Stück läßt sich die Rachephantasie gegen den Vater herausheben: Sie ist eigenmächtig von Hause weggegangen; der Vater ist erkrankt, dann gestorben... Sie geht jetzt nach Hause, die anderen sind schon alle auf dem Friedhofe. Sie geht gar nicht traurig auf ihr Zimmer und liest ruhig im Lexikon. Darunter zwei Anspielungen auf den anderen Racheakt, den sie wirklich ausgeführt, indem sie die Eltern einen Abschiedsbrief finden ließ: Der Brief (im Traume von der Mama) und die Erwähnung des Leichenbegängnisses der für sie vorbildlichen Tante. – Hinter dieser Phantasie verbergen sich die Rachegedanken gegen Herrn K., denen sie in ihrem Benehmen gegen mich einen Ausweg geschafft hat. Das Dienstmädchen – die Einladung – der Wald – die 2¹/₂ Stunden stammen aus dem Material der Vorgänge in L. Die Erinnerung an die Gouvernante und deren Briefverkehr mit ihren Eltern tritt mit dem Element ihres Abschiedsbriefes zu dem im Trauminhalte vorfindlichen Brief, der ihr nach Hause zu kommen erlaubt, zusammen. Die Ablehnung, sich begleiten zu lassen, der Entschluß, allein zu gehen, läßt sich wohl so übersetzen: Weil du mich wie ein Dienstmädchen behandelt hast, lasse ich dich stehen, gehe allein meiner Wege und heirate nicht. – Durch diese Rachegedanken verdeckt, schimmert an anderen Stellen Material aus zärtlichen Phantasien aus der unbewußt fortgesetzten Liebe zu Herrn K. durch: Ich hätte auf dich gewartet, bis ich deine Frau geworden wäre – die Defloration – die Entbindung. – Endlich gehört es dem vierten, am tiefsten verborgenen Gedankenkreise, dem der Liebe zu Frau K. an, daß die Deflorationsphantasie vom Standpunkte des Mannes dargestellt wird (Identifizierung mit dem Verehrer, der jetzt in der Fremde weilt) und daß an zwei Stellen die deutlichsten Anspielungen auf zweideutige Reden (wohnt hier der Herr ***) und auf die nicht mündliche Quelle ihrer sexuellen Kenntnisse (Lexikon) enthalten sind. Grausame und sadistische Regungen finden in diesem Traume ihre Erfüllung.

IV
NACHWORT

Ich habe diese Mitteilung zwar als Bruchstück einer Analyse angekündigt; man wird aber gefunden haben, daß sie in viel weiterem Umfange unvollständig ist, als sich nach diesem ihrem Titel erwarten ließ. Es geziemt sich wohl, daß ich versuche, diese keinesfalls zufälligen Auslassungen zu motivieren.

Eine Reihe von Ergebnissen der Analyse ist weggeblieben, weil sie beim Abbruch der Arbeit teils nicht genügend sicher erkannt, teils einer Fortführung bis zu einem allgemeinen Resultat bedürftig waren. Andere Male habe ich, wo es mir statthaft schien, auf die wahrscheinliche Fortsetzung einzelner Lösungen hingewiesen. Die keineswegs selbstverständliche Technik, mittels welcher man allein dem Rohmaterial von Einfällen des Kranken seinen Reingehalt an wertvollen unbewußten Gedanken entziehen kann, ist von mir hier durchwegs übergangen worden, womit der Nachteil verbunden bleibt, daß der Leser die Korrektheit meines Vorgehens bei diesem Darstellungsprozeß nicht bestätigen kann. Ich fand es aber ganz undurchführbar, die Technik einer Analyse und die innere Struktur eines Falles von Hysterie in einem zu behandeln; es wäre für mich eine fast unmögliche Leistung und für den Leser eine sicher ungenießbare Lektüre geworden. Die Technik erfordert durchaus eine abgesonderte Darstellung, die durch zahlreiche, den verschiedensten Fällen entnommene Beispiele erläutert wird und von dem jedesmaligen Ergebnis absehen darf. Auch die psychologischen Voraussetzungen, die sich in meinen Beschreibungen psychischer Phänomene verraten, habe ich hier zu begründen nicht versucht. Eine flüchtige Begründung würde nichts leisten; eine ausführliche wäre eine Arbeit für sich. Ich kann nur versichern, daß ich, ohne einem bestimmten psychologischen System verpflichtet zu sein, an das Studium der Phänomene gegangen bin, welche die Beobachtung der Psychoneurotiker enthüllt, und daß ich dann meine Meinungen um so viel zurechtgerückt habe, bis sie mir geeignet erschienen, von dem Zusammenhange des Beobachteten Rechenschaft zu geben. Ich setze keinen Stolz darein, die Spekulation vermieden zu haben; das Material für diese Hypothesen ist aber durch die ausgedehnteste und mühevollste Beobachtung gewonnen worden.

177

Besonders dürfte die Entschiedenheit meines Standpunktes in der Frage des Unbewußten Anstoß erregen, indem ich mit unbewußten Vorstellungen, Gedankenzügen und Regungen so operiere, als ob sie ebenso gute und unzweifelhafte Objekte der Psychologie wären wie alles Bewußte; aber ich bin dessen sicher, wer dasselbe Erscheinungsgebiet mit der nämlichen Methode zu erforschen unternimmt, wird nicht umhin können, sich trotz alles Abmahnens der Philosophen auf denselben Standpunkt zu stellen.

Diejenigen Fachgenossen, welche meine Theorie der Hysterie für eine rein psychologische gehalten und darum von vornherein für unfähig erklärt haben, ein pathologisches Problem zu lösen, werden aus dieser Abhandlung wohl entnehmen, daß ihr Vorwurf einen Charakter der Technik ungerechterweise auf die Theorie überträgt. Nur die therapeutische Technik ist rein psychologisch; die Theorie versäumt es keineswegs, auf die organische Grundlage der Neurose hinzuweisen, wenngleich sie dieselbe nicht in einer pathologisch-anatomischen Veränderung sucht und die zu erwartende chemische Veränderung als derzeit noch unfaßbar durch die Vorläufigkeit der organischen Funktion ersetzt. Der Sexualfunktion, in welcher ich die Begründung der Hysterie wie der Psychoneurosen überhaupt sehe, wird den Charakter eines organischen Faktors wohl niemand absprechen wollen. Eine Theorie des Sexuallebens wird, wie ich vermute, der Annahme bestimmter, erregend wirkender Sexualstoffe nicht entbehren können. Die Intoxikationen und Abstinenzen beim Gebrauch gewisser chronischer Gifte stehen ja unter allen Krankheitsbildern, welche uns die Klinik kennen lehrt, den genuinen Psychoneurosen am nächsten [1].

Was sich aber über das »somatische Entgegenkommen«, über die infantilen Keime zur Perversion, über die erogenen Zonen und die Anlage zur Bisexualität heute aussagen läßt, habe ich in dieser Abhandlung gleichfalls nicht ausgeführt, sondern nur die Stellen hervorgehoben, an denen die Analyse auf diese organischen Fundamente der Symptome stößt. Mehr ließ sich von einem vereinzelten Falle aus nicht tun, auch hatte ich die nämlichen Gründe wie oben, eine beiläufige Erörterung dieser Momente zu vermeiden. Hier ist reichlicher Anlaß zu weiteren, auf eine große Zahl von Analysen gestützten Arbeiten gegeben.

Mit dieser soweit unvollständigen Veröffentlichung wollte ich doch zweierlei erreichen. Erstens als Ergänzung zu meinem Buche über die

---

[1] [Vgl. die dritte der *Drei Abhandlungen zur Sexualtheorie* (1905 *d*), Abschnitt [2].]

Traumdeutung zeigen, wie diese sonst unnütze Kunst zur Aufdeckung des Verborgenen und Verdrängten im Seelenleben verwendet werden kann; bei der Analyse der beiden hier mitgeteilten Träume ist dann auch die Technik des Traumdeutens, welche der psychoanalytischen ähnlich ist, berücksichtigt worden. Zweitens wollte ich Interesse für eine Reihe von Verhältnissen erwecken, welche heute der Wissenschaft noch völlig unbekannt sind, weil sie sich nur bei Anwendung dieses bestimmten Verfahrens entdecken lassen. Von der Komplikation der psychischen Vorgänge bei der Hysterie, dem Nebeneinander der verschiedenartigsten Regungen, der gegenseitigen Bindung der Gegensätze, den Verdrängungen und Verschiebungen u. a. m. hat wohl niemand eine richtige Ahnung haben können. Janets Hervorhebung der *idée fixe* [1894], die sich in das Symptom umsetzt, bedeutet nichts als eine wahrhaft kümmerliche Schematisierung. Man wird sich auch der Vermutung nicht erwehren können, daß Erregungen, deren zugehörige Vorstellungen der Bewußtseinsfähigkeit ermangeln, anders aufeinander einwirken, anders verlaufen und zu anderen Äußerungen führen als die von uns »normal« genannten, deren Vorstellungsinhalt uns bewußt wird. Ist man soweit aufgeklärt, so steht dem Verständnis einer Therapie nichts mehr im Wege, welche neurotische Symptome aufhebt, indem sie Vorstellungen der ersteren Art in normale verwandelt.

Es lag mir auch daran zu zeigen, daß die Sexualität nicht bloß als einmal auftretender *deus ex machina* irgendwo in das Getriebe der für die Hysterie charakteristischen Vorgänge eingreift, sondern daß sie die Triebkraft für jedes einzelne Symptom und für jede einzelne Äußerung eines Symptoms abgibt. Die Krankheitserscheinungen sind, geradezu gesagt, die *Sexualbetätigung der Kranken.* Ein einzelner Fall wird niemals imstande sein, einen so allgemeinen Satz zu erweisen, aber ich kann es nur immer wieder von neuem wiederholen, weil ich es niemals anders finde, daß die Sexualität der Schlüssel zum Problem der Psychoneurosen wie der Neurosen überhaupt ist. Wer ihn verschmäht, wird niemals aufzuschließen imstande sein. Ich warte noch auf die Untersuchungen, welche diesen Satz aufzuheben oder einzuschränken vermögen sollen. Was ich bis jetzt dagegen gehört habe, waren Äußerungen persönlichen Mißfallens oder Unglaubens, denen es genügt, das Wort Charcots entgegenzuhalten: »*Ça n'empêche pas d'exister.*«[1]

---

[1] [Der volle Wortlaut der Bemerkung Charcots – eines von Freuds Lieblingszitaten – lautet: »La théorie c'est bon, mais ça n'empêche pas d'exister.«]

Der Fall, aus dessen Kranken- und Behandlungsgeschichte ich hier ein Bruchstück veröffentlicht habe, ist auch nicht geeignet, den Wert der psychoanalytischen Therapie ins rechte Licht zu setzen. Nicht nur die Kürze der Behandlungsdauer, die kaum drei Monate betrug, sondern noch ein anderes dem Falle innewohnendes Moment haben es verhindert, daß die Kur mit der sonst zu erreichenden, vom Kranken und seinen Angehörigen zugestandenen Besserung abschloß, die mehr oder weniger nahe an vollkommene Heilung heranreicht. Solche erfreuliche Erfolge erzielt man, wo die Krankheitserscheinungen allein durch den inneren Konflikt zwischen den auf die Sexualität bezüglichen Regungen gehalten werden. Man sieht in diesen Fällen das Befinden der Kranken in dem Maße sich bessern, in dem man durch Übersetzung des pathogenen Materials in normales zur Lösung ihrer psychischen Aufgaben beigetragen hat. Anders ist der Verlauf, wo sich die Symptome in den Dienst äußerer Motive des Lebens gestellt haben, wie es auch bei Dora seit den letzten zwei Jahren geschehen war. Man ist überrascht und könnte leicht irre werden, wenn man erfährt, daß das Befinden der Kranken durch die selbst weit vorgeschrittene Arbeit nicht merklich geändert wird. In Wirklichkeit steht es nicht so arg; die Symptome schwinden zwar nicht unter der Arbeit, wohl aber eine Zeitlang nach derselben, wenn die Beziehungen zum Arzte gelöst sind. Der Aufschub der Heilung oder Besserung ist wirklich nur durch die Person des Arztes verursacht.

Ich muß etwas weiter ausholen, um diesen Sachverhalt verständlich zu machen. Während einer psychoanalytischen Kur ist die Neubildung von Symptomen, man darf wohl sagen: regelmäßig, sistiert. Die Produktivität der Neurose ist aber durchaus nicht erloschen, sondern betätigt sich in der Schöpfung einer besonderen Art von meist unbewußten Gedankenbildungen, welchen man den Namen *»Übertragungen«* verleihen kann.

Was sind die Übertragungen? Es sind Neuauflagen, Nachbildungen von den Regungen und Phantasien, die während des Vordringens der Analyse erweckt und bewußt gemacht werden sollen, mit einer für die Gattung charakteristischen Ersetzung einer früheren Person durch die Person des Arztes. Um es anders zu sagen: eine ganze Reihe früherer psychischer Erlebnisse wird nicht als vergangen, sondern als aktuelle Beziehung zur Person des Arztes wieder lebendig. Es gibt solche Übertragungen, die sich im Inhalt von ihrem Vorbilde in gar nichts bis auf die Ersetzung unterscheiden. Das sind also, um in dem Gleichnisse zu bleiben, einfache Neudrucke, unveränderte Neuauflagen. Andere sind kunstvoller gemacht, sie haben eine Milderung ihres Inhaltes, eine *Sublimierung*, wie ich sage, erfahren und vermögen selbst bewußt zu werden, indem sie sich an irgendeine geschickt verwertete reale Besonderheit an der Person oder in den Verhältnissen des Arztes anlehnen. Das sind also Neubearbeitungen, nicht mehr Neudrucke.

Wenn man sich in die Theorie der analytischen Technik einläßt, kommt man zu der Einsicht, daß die Übertragung etwas notwendig Gefordertes ist. Praktisch überzeugt man sich wenigstens, daß man ihr durch keinerlei Mittel ausweichen kann und daß man diese letzte Schöpfung der Krankheit wie alle früheren zu bekämpfen hat. Nun ist dieses Stück der Arbeit das bei weitem schwierigste. Das Deuten der Träume, das Extrahieren der unbewußten Gedanken und Erinnerungen aus den Einfällen des Kranken und ähnliche Übersetzungskünste sind leicht zu erlernen; dabei liefert immer der Kranke selbst den Text. Die Übertragung allein muß man fast selbständig erraten, auf geringfügige Anhaltspunkte hin und ohne sich der Willkür schuldig zu machen. Zu umgehen ist sie aber nicht, da sie zur Herstellung aller Hindernisse verwendet wird, welche das Material der Kur unzugänglich machen, und da die Überzeugungsempfindung für die Richtigkeit der konstruierten Zusammenhänge beim Kranken erst nach Lösung der Übertragung hervorgerufen wird.

Man wird geneigt sein, es für einen schweren Nachteil des ohnehin unbequemen Verfahrens zu halten, daß dasselbe die Arbeit des Arztes durch Schöpfung einer neuen Gattung von krankhaften psychischen Produkten noch vermehrt, ja, wird vielleicht eine Schädigung des Kranken durch die analytische Kur aus der Existenz der Übertragungen ableiten wollen. Beides wäre irrig. Die Arbeit des Arztes wird durch die Übertragung nicht vermehrt; es kann ihm ja gleichgültig sein, ob er die betreffende Regung des Kranken in Verbindung mit seiner Person oder mit einer anderen zu überwinden hat. Die Kur nötigt aber auch dem Kranken mit der Übertragung keine neue Leistung auf, die er nicht auch sonst vollzogen hätte. Wenn Heilungen von Neurosen auch in Anstalten zustande kommen, wo psychoanalytische Behandlung ausgeschlossen ist, wenn man sagen konnte, daß die Hysterie nicht durch die Methode, sondern durch den Arzt geheilt wird, wenn sich eine Art von blinder Abhängigkeit und dauernder Fesselung des Kranken an den Arzt zu ergeben pflegt, der ihn durch hypnotische Suggestion von seinen Symptomen befreit hat, so ist die wissenschaftliche Erklärung für all dies in »Übertragungen« zu sehen, die der Kranke regelmäßig auf die Person des Arztes vornimmt. Die psychoanalytische Kur schafft die Übertragung nicht, sie deckt sie bloß, wie anderes im Seelenleben Verborgene, auf. Der Unterschied äußert sich nur darin, daß der Kranke spontan bloß zärtliche und freundschaftliche Übertragungen zu seiner Heilung wachruft; wo dies nicht der Fall sein kann, reißt er sich so schnell wie möglich, unbeeinflußt vom Arzte, der ihm nicht »sympathisch« ist, los. In der Psychoanalyse werden hingegen, entsprechend einer veränderten Motivenanlage, alle Regungen, auch die feindseligen, geweckt, durch Bewußtmachen für die Analyse verwertet, und dabei wird die Übertragung immer wieder vernichtet. Die Übertragung, die das größte Hindernis für die Psychoanalyse zu werden bestimmt ist, wird zum mächtigsten Hilfsmittel derselben, wenn es gelingt, sie jedesmal zu erraten und dem Kranken zu übersetzen[1].

Ich mußte von der Übertragung sprechen, weil ich die Besonderheiten der Analyse Doras nur durch dieses Moment aufzuklären vermag. Was den Vorzug derselben ausmacht und sie als geeignet für eine erste, einführende Publikation erscheinen läßt, ihre besondere Durchsichtigkeit, das hängt mit ihrem großen Mangel, welcher zu ihrem vorzeitigen Abbruche führte, innig zusammen. Es gelang mir nicht, der Übertragung rechtzeitig Herr zu werden; durch die Bereitwilligkeit, mit welcher sie mir den einen Teil des pathogenen Materials in der Kur zur Verfügung stellte, vergaß ich der Vorsicht, auf die ersten Zeichen der Übertragung zu achten, welche sie mit einem anderen, mir unbekannt gebliebenen Teile desselben Materials vorbereitete. Zu Anfang war es klar, daß ich ihr in der Phantasie den Vater ersetzte, wie auch bei dem Unterschiede unserer Lebensalter nahelag. Sie verglich mich auch immer bewußt mit ihm, suchte sich ängstlich zu vergewissern, ob ich auch ganz aufrichtig gegen sie sei, denn der Vater »bevorzuge immer die Heimlichkeit und einen krummen Umweg«. Als dann der erste Traum kam, in dem sie sich warnte, die Kur zu verlassen wie seinerzeit das Haus des Herrn K., hätte ich selbst gewarnt werden müssen und ihr vorhalten sollen: »Jetzt haben Sie eine Übertragung von Herrn K. auf mich gemacht. Haben Sie etwas bemerkt, was Sie auf böse Absichten schließen läßt, die denen des

---

[1] [*Zusatz 1923:*] Was hier über die Übertragung gesagt wird, findet dann seine Fortsetzung in dem technischen Aufsatz über die »Übertragungsliebe« (1915 a). [In der vorliegenden Passage weist Freud erstmals auf die Bedeutung der Übertragung im Heilprozeß der Psychoanalyse hin.]

Herrn K. (direkt oder in irgendeiner Sublimierung) ähnlich sind, oder ist Ihnen etwas an mir aufgefallen oder von mir bekannt geworden, was Ihre Zuneigung erzwingt, wie ehemals bei Herrn K.?« Dann hätte sich ihre Aufmerksamkeit auf irgendein Detail aus unserem Verkehre, an meiner Person oder an meinen Verhältnissen gerichtet, hinter dem etwas Analoges, aber ungleich Wichtigeres, das Herrn K. betraf, sich verborgen hielt, und durch die Lösung dieser Übertragung hätte die Analyse den Zugang zu neuem, wahrscheinlich tatsächlichem Material der Erinnerung gewonnen. Ich überhörte aber diese erste Warnung, meinte, es sei reichlich Zeit, da sich andere Stufen der Übertragung nicht einstellten und das Material für die Analyse noch nicht versiegte. So wurde ich denn von der Übertragung überrascht, und wegen des X, in dem ich sie an Herrn K. erinnerte, rächte sie sich an mir, wie sie sich an Herrn K. rächen wollte, und verließ mich, wie sie sich von ihm getäuscht und verlassen glaubte. Sie *agierte* so ein wesentliches Stück ihrer Erinnerungen und Phantasien, anstatt es in der Kur zu reproduzieren. Welches dieses X war, kann ich natürlich nicht wissen: ich vermute, es bezog sich auf Geld, oder es war Eifersucht gegen eine andere Patientin, die nach ihrer Heilung im Verkehre mit meiner Familie geblieben war. Wo sich die Übertragungen frühzeitig in die Analyse einbeziehen lassen, da wird deren Verlauf undurchsichtig und verlangsamt, aber ihr Bestand ist gegen plötzliche unwiderstehliche Widerstände besser gesichert.

In dem zweiten Traume Doras ist die Übertragung durch mehrere deutliche Anspielungen vertreten. Als sie ihn mir erzählte, wußte ich noch nicht, erfuhr es erst zwei Tage später, daß wir nur noch *zwei Stunden* Arbeit vor uns hatten, dieselbe Zeit, die sie vor dem Bilde der Sixtinischen Madonna verbracht [S. 164] und die sie auch vermittelst einer Korrektur (zwei Stunden anstatt zweieinhalb Stunden) zum Maße des von ihr nicht zurückgelegten Weges um den See gemacht hatte [S. 166]. Das Streben und Warten im Traume, das sich auf den jungen Mann in Deutschland bezog und von ihrem Warten, bis Herr K. sie heiraten könne, herstammte, hatte sich schon einige Tage vorher in der Übertragung geäußert: Die Kur dauere ihr zu lange, sie werde nicht die Geduld haben, so lange zu warten, während sie in den ersten Wochen Einsicht genug gezeigt hatte, meine Ankündigung, ihre volle Herstellung werde etwa ein Jahr in Anspruch nehmen, ohne solchen Einspruch anzuhören. Die Ablehnung der Begleitung im Traume, sie wolle lieber allein gehen, die gleichfalls aus dem Besuche in der Dresdener Galerie herrührte, sollte ich ja an dem hiefür bestimmten Tage erfahren. Sie hatte wohl den Sinn: Da alle Männer so abscheulich sind, so will ich lieber nicht heiraten. Dies meine Rache[1].

Wo Regungen der Grausamkeit und Motive der Rache, die schon im Leben zur Aufrechthaltung der Symptome verwendet worden sind, sich während der Kur auf den Arzt übertragen, ehe er Zeit gehabt hat, dieselben durch Rückführung auf ihre Quellen von seiner Person abzulösen, da darf es nicht Wunder nehmen, daß das Befinden der Kranken nicht den Einfluß seiner therapeutischen Bemühung zeigt. Denn wodurch könnte die Kranke sich wirksamer rächen, als indem sie an ihrer Person dartut, wie ohnmächtig und unfähig der Arzt ist? Dennoch bin ich geneigt, den therapeutischen Wert auch so fragmentarischer Behandlungen, wie die Doras war, nicht gering zu veranschlagen.

Erst fünf Vierteljahre nach Abschluß der Behandlung und dieser Niederschrift erhielt ich Nachricht von dem Befinden meiner Patientin und somit von dem Ausgange der Kur. An einem nicht ganz gleichgültigen Datum, am 1. April – wir wissen, daß Zeiten bei ihr nie bedeutungslos waren – erschien sie bei mir, um ihre Geschichte zu beenden und um neuerdings Hilfe zu erbitten: ein Blick auf ihre Miene konnte mir aber verraten, daß es ihr mit dieser Bitte nicht ernst war. Sie war noch vier bis fünf Wochen, nachdem sie die Behandlung verlassen, im »Durcheinander«, wie sie sagte. Dann trat eine große Besserung ein, die Anfälle wurden seltener, ihre Stimmung gehoben. Im Mai des jetzt vergangenen Jahres starb das eine Kind des Ehepaares K., das immer gekränkelt hatte. Sie nahm diesen Trauerfall zum Anlasse, um den K.

---

[1] Je weiter ich mich zeitlich von der Beendigung dieser Analyse entferne, desto wahrscheinlicher wird mir, daß mein technischer Fehler in folgender Unterlassung bestand: Ich habe es versäumt, rechtzeitig zu erraten und der Kranken mitzuteilen, daß die homosexuelle (gynäkophile) Liebesregung für Frau K. die stärkste der unbewußten Strömungen ihres Seelenlebens war. Ich hätte erraten müssen, daß keine andere Person als Frau K. die Hauptquelle für ihre Kenntnis sexueller Dinge sein konnte, dieselbe Person, von der sie dann wegen ihres Interesses an solchen Gegenständen verklagt worden war. Es war doch zu auffällig, daß sie alles Anstößige wußte und niemals wissen wollte, woher sie es wußte. [Vgl. S. 108.] An dieses Rätsel hätte ich anknüpfen, für diese sonderbare Verdrängung hätte ich das Motiv suchen müssen. Der zweite Traum hätte es mir dann verraten. Die rücksichtslose Rachsucht, welcher dieser Traum den Ausdruck gab, war wie nichts anderes geeignet, die gegensätzliche Strömung zu verdecken, den Edelmut, mit dem sie den Verrat der geliebten Freundin verzieh und es allen verbarg, daß diese selbst ihr die Eröffnungen gemacht, deren Kenntnis dann zu ihrer Verdächtigung verwendet wurde. Ehe ich die Bedeutung der homosexuellen Strömung bei den Psychoneurotikern erkannt hatte, bin ich oftmals in der Behandlung von Fällen steckengeblieben oder in völlige Verwirrung geraten.

einen Kondolenzbesuch zu machen, und wurde von ihnen empfangen, als ob in diesen letzten drei Jahren nichts vorgefallen wäre. Damals söhnte sie sich mit ihnen aus, nahm ihre Rache an ihnen und brachte ihre Angelegenheit zu einem für sie befriedigenden Abschlusse. Der Frau sagte sie: Ich weiß, du hast ein Verhältnis mit dem Papa, und diese leugnete nicht. Den Mann veranlaßte sie, die von ihm bestrittene Szene am See zuzugestehen, und brachte diese sie rechtfertigende Nachricht ihrem Vater. Sie hat den Verkehr mit der Familie nicht wieder aufgenommen.

Es ging ihr dann ganz gut bis Mitte Oktober, um welche Zeit sich wieder ein Anfall von Stimmlosigkeit einstellte, der sechs Wochen lang anhielt. Über diese Mitteilung überrascht, frage ich, ob dafür ein Anlaß vorhanden war, und höre, daß der Anfall an ein heftiges Erschrekken anschloß. Sie mußte zusehen, wie jemand von einem Wagen überfahren wurde. Endlich rückte sie damit heraus, daß der Unfall keinen anderen als Herrn K. betroffen hatte. Sie traf ihn eines Tages auf der Straße; er kam ihr an einer Stelle lebhaften Verkehres entgegen, blieb wie verworren vor ihr stehen und ließ sich in der Selbstvergessenheit von einem Wagen niederwerfen[1]. Sie überzeugte sich übrigens, daß er ohne erheblichen Schaden davonkam. Es rege sich noch leise in ihr, wenn sie von dem Verhältnisse des Papas zu Frau K. reden höre, in welches sie sich sonst nicht mehr menge. Sie lebe ihren Studien, gedenke nicht zu heiraten.

Meine Hilfe suchte sie wegen einer rechtsseitigen Gesichtsneuralgie, die jetzt Tag und Nacht anhalte. Seit wann? »Seit genau vierzehn Tagen.«[2] – Ich mußte lächeln, da ich ihr nachweisen konnte, daß sie vor genau vierzehn Tagen eine mich betreffende Nachricht in der Zeitung gelesen, was sie auch bestätigte (1902)[3].

Die angebliche Gesichtsneuralgie entsprach also einer Selbstbestrafung, der Reue wegen der Ohrfeige, die sie damals Herrn K. gegeben, und der daraus auf mich bezogenen Racheübertragung. Welche Art Hilfe sie von mir verlangen wollte, weiß ich nicht, aber ich versprach, ihr zu verzeihen, daß sie mich um die Befriedigung gebracht, sie weit gründlicher von ihrem Leiden zu befreien.

---

[1] Ein interessanter Beitrag zu dem in meiner *Psychopathologie des Alltagslebens* behandelten indirekten Selbstmordversuche [1901 *b*, Kapitel VIII].

[2] S. die Bedeutung dieses Termins und dessen Beziehung zum Thema der Rache in der Analyse des zweiten Traumes [S. 171 ff.].

[3] [Diese Nachricht betraf zweifellos Freuds Ernennung zum außerordentlichen Professor im März dieses Jahres.]

Es sind wiederum Jahre seit dem Besuche bei mir vergangen. Das Mädchen hat sich seither verheiratet, und zwar mit jenem jungen Manne, wenn mich nicht alle Anzeichen trügen, den die Einfälle zu Beginn der Analyse des zweiten Traumes erwähnten[1]. Wie der erste Traum die Abwendung vom geliebten Manne zum Vater, also die Flucht aus dem Leben in die Krankheit bezeichnete, so verkündete ja dieser zweite Traum, daß sie sich vom Vater losreißen werde und dem Leben wiedergewonnen sei.

---

[1] [S. 163 f. – In den Ausgaben der Jahre 1909, 1912 und 1921 stand an dieser Stelle folgende Anmerkung: »Wie ich später erfuhr, war diese Vermutung irrig.«]

Hysterische Phantasien
und ihre Beziehung zur Bisexualität

(1908)

EDITORISCHE VORBEMERKUNG

Deutsche Ausgaben:

1908 *Z. Sexualwiss.*, Bd. 1 (1) [Januar], 27–34.
1909 *S. K. S. N.*, Bd. 2, 138–45. (1912, 2. Aufl.; 1921, 3. Aufl.)
1924 *G. S.*, Bd. 5, 246–54.
1941 *G. W.*, Bd. 7, 191–99.

Die Bedeutung der Phantasien als Ausgangsbasis hysterischer Symptome ist
von Freud etwa im Jahre 1897 im Zusammenhang mit seiner Selbstanalyse
erkannt worden. Obwohl er Fließ privat von seinen Funden Kenntnis gab,
veröffentlichte er sie in vollem Umfang erst zwei Jahre vor der Niederschrift
der hier vorliegenden Arbeit, nämlich in ›Meine Ansichten über die Rolle der
Sexualität in der Ätiologie der Neurosen‹ (1906 a). Die vorliegende Arbeit ist
im wesentlichen eine weitere Erörterung der Beziehung zwischen Phantasien
und Symptomen, und das Thema der Bisexualität taucht, trotz des Titels,
eher wie ein nachträglicher Einfall auf. Erwähnt sei, daß das Thema der Phantasien Freud zur Zeit der Abfassung dieser Arbeit offenbar dauernd beschäftigte, denn es wird auch in den Abhandlungen ›Über infantile Sexualtheorien‹
(1908 c), ›Der Dichter und das Phantasieren‹ (1908 e), ›Der Familienroman
der Neurotiker‹ (1909 c) und ›Allgemeines über den hysterischen Anfall‹
(1909 a, im vorliegenden Band S. 199) behandelt, ferner an vielen Stellen der
Gradiva (1907 a – s. z. B. *Studienausgabe*, Bd. 10, S. 48–50). Vieles vom Material der vorliegenden Arbeit hatte natürlich schon Vorläufer: s. insbesondere
die »Dora«-Analyse (1905 e [1901], im vorliegenden Band, S. 122–27).

Allgemein bekannt sind die Wahndichtungen der Paranoiker, welche die Größe und die Leiden des eigenen Ichs zum Inhalt haben und in ganz typischen, fast monotonen Formen auftreten. Durch zahlreiche Mitteilungen sind uns ferner die sonderbaren Veranstaltungen bekannt geworden, unter denen gewisse Perverse ihre sexuelle Befriedigung – in der Idee oder Realität – in Szene setzen. Dagegen dürfte es manchen wie eine Neuheit klingen, zu erfahren, daß ganz analoge psychische Bildungen bei allen Psychoneurosen, speziell bei Hysterie, regelmäßig vorkommen, und daß diese – die sogenannten hysterischen Phantasien – wichtige Beziehungen zur Verursachung der neurotischen Symptome erkennen lassen.

Gemeinsame Quelle und normales Vorbild all dieser phantastischen Schöpfungen sind die sogenannten Tagträume der Jugend, die in der Literatur bereits eine gewisse, obwohl noch nicht zureichende, Beachtung gefunden haben [1]. Bei beiden Geschlechtern vielleicht gleich häufig, scheinen sie bei Mädchen und Frauen durchweg erotischer, bei Männern erotischer oder ehrgeiziger Natur zu sein. Doch darf man die Bedeutung des erotischen Moments auch bei Männern nicht in die zweite Linie rücken wollen; bei näherem Eingehen in den Tagtraum des Mannes ergibt sich gewöhnlich, daß all diese Heldentaten nur verrichtet, alle Erfolge nur errungen werden, um einem Weib zu gefallen und von ihr anderen Männern vorgezogen zu werden [2]. Diese Phantasien sind Wunschbefriedigungen, aus der Entbehrung und der Sehnsucht hervorgegangen; sie führen den Namen »Tagträume« mit Recht, denn sie geben den Schlüssel zum Verständnis der nächtlichen Träume, in denen nichts anderes als solche komplizierte, entstellte und von der bewußten psychischen Instanz mißverstandene Tagesphantasien den Kern der Traumbildung herstellen [3].

---

[1] Vgl. Breuer und Freud (1895), P. Janet (1898, Bd. 1), Havelock Ellis (deutsch von Kötscher, 1900), Freud (1900 a), Pick (1896).
[2] Ähnlich urteilt hierüber H. Ellis, loc. cit., S. 185 f.
[3] Vgl. Freud: *Traumdeutung* (1900 a), Kapitel VI [einige Seiten nach Beginn von Abschnitt (I). – Der Inhalt des obigen Absatzes ist ausführlicher in Freuds fast gleichzeitiger

Diese Tagträume werden mit großem Interesse besetzt, sorgfältig gepflegt und meist sehr schamhaft behütet, als ob sie zu den intimsten
Gütern der Persönlichkeit zählten. Auf der Straße erkennt man aber
leicht den im Tagtraum Begriffenen an einem plötzlichen, wie abwesenden Lächeln, am Selbstgespräch oder an der laufartigen Beschleunigung
des Ganges, womit er den Höhepunkt der erträumten Situation bezeichnet. – Alle hysterischen Anfälle, die ich bisher untersuchen konnte,
erwiesen sich nun als solche unwillkürlich hereinbrechende Tagträume.
Die Beobachtung läßt nämlich keinen Zweifel darüber, daß es solche
Phantasien ebensowohl unbewußt gibt wie bewußt, und sobald dieselben zu unbewußten geworden sind, können sie auch pathogen werden, d. h. sich in Symptomen und Anfällen ausdrücken. Unter günstigen Umständen kann man eine solche unbewußte Phantasie noch mit
dem Bewußtsein erhaschen. Eine meiner Patientinnen, die ich auf ihre
Phantasien aufmerksam gemacht hatte, erzählte mir, sie habe sich einmal auf der Straße plötzlich in Tränen gefunden, und bei raschem Besinnen, worüber sie eigentlich weine, sei sie der Phantasie habhaft
geworden, daß sie mit einem stadtbekannten (ihr aber persönlich unbekannten) Klaviervirtuosen ein zärtliches Verhältnis eingegangen sei,
ein Kind von ihm bekommen habe (sie war kinderlos) und dann mit
dem Kinde von ihm im Elend verlassen worden sei. An dieser Stelle des
Romanes brachen ihre Tränen hervor.

Die unbewußten Phantasien sind entweder von jeher unbewußt gewesen, im Unbewußten gebildet worden oder, was der häufigere Fall ist,
sie waren einmal bewußte Phantasien, Tagträume, und sind dann mit
Absicht vergessen worden, durch die »Verdrängung« ins Unbewußte
geraten. Ihr Inhalt ist dann entweder der nämliche geblieben, oder er
hat Abänderungen erfahren, so daß die jetzt unbewußte Phantasie
einen Abkömmling der einst bewußten darstellt. Die unbewußte Phantasie steht nun in einer sehr wichtigen Beziehung zum Sexualleben der
Person; sie ist nämlich identisch mit der Phantasie, welche derselben
während einer Periode von Masturbation zur sexuellen Befriedigung
gedient hat. Der masturbatorische (im weitesten Sinne: onanistische)
Akt setzte sich damals aus zwei Stücken zusammen, aus der Hervorrufung der Phantasie und aus der aktiven Leistung zur Selbstbefriedigung auf der Höhe derselben. Diese Zusammensetzung ist bekanntlich

---

Arbeit ›Der Dichter und das Phantasieren‹ (1908 e, *Studienausgabe*, Bd. 10, S. 173–74)
dargestellt.]

selbst eine Verlötung[1]. Ursprünglich war die Aktion eine rein auto-erotische Vornahme zur Lustgewinnung von einer bestimmten, erogen zu nennenden Körperstelle. Später verschmolz diese Aktion mit einer Wunschvorstellung aus dem Kreise der Objektliebe und diente zur teilweisen Realisierung der Situation, in welcher diese Phantasie gipfelte. Wenn dann die Person auf diese Art der masturbatorisch-phantastischen Befriedigung verzichtet, so wird die Aktion unterlassen, die Phantasie aber wird aus einer bewußten zu einer unbewußten. Tritt keine andere Weise der sexuellen Befriedigung ein, verbleibt die Person in der Abstinenz und gelingt es ihr nicht, ihre Libido zu sublimieren, das heißt die sexuelle Erregung auf ein höheres Ziel abzulenken, so ist jetzt die Bedingung dafür gegeben, daß die unbewußte Phantasie aufgefrischt werde, wuchere und sich mit der ganzen Macht des Liebesbedürfnisses wenigstens in einem Stück ihres Inhalts als Krankheitssymptom durchsetze.

Für eine ganze Reihe von hysterischen Symptomen sind solcher Art die unbewußten Phantasien die nächsten psychischen Vorstufen. Die hysterischen Symptome sind nichts anderes als die durch »Konversion« zur Darstellung gebrachten unbewußten Phantasien, und insofern es somatische Symptome sind, werden sie häufig genug aus dem Kreise der nämlichen Sexualempfindungen und motorischen Innervationen entnommen, welche ursprünglich die damals noch bewußte Phantasie begleitet hatten. Auf diese Weise wird die Onanieentwöhnung eigentlich rückgängig gemacht und das Endziel des ganzen pathologischen Vorganges, die Herstellung der seinerzeitigen primären Sexualbefriedigung, wird dabei zwar niemals vollkommen, aber immer in einer Art von Annäherung erreicht.

Das Interesse desjenigen, der die Hysterie studiert, wendet sich alsbald von den Symptomen derselben ab und den Phantasien zu, aus welchen erstere hervorgehen. Die Technik der Psychoanalyse gestattet es, von den Symptomen aus diese unbewußten Phantasien zunächst zu erraten und dann im Kranken bewußt werden zu lassen. Auf diesem Wege ist nun gefunden worden, daß die unbewußten Phantasien der Hysteriker den bewußt durchgeführten Befriedigungssituationen der Perversen inhaltlich völlig entsprechen, und wenn man um Beispiele solcher Art verlegen ist, braucht man sich nur an die welthistorischen Veranstaltungen der römischen Cäsaren zu erinnern, deren Tollheit natürlich nur

---

[1] Vgl. Freud: *Drei Abhandlungen zur Sexualtheorie* (1905 *d*) [Abhandlung I, Ende des Abschnitts (1, A)].

durch die uneingeschränkte Machtfülle der Phantasiebildner bedingt ist. Die Wahnbildungen der Paranoiker sind ebensolche, aber unmittelbar bewußt gewordene Phantasien, die von der masochistisch-sadistischen Komponente des Sexualtriebes getragen werden und gleichfalls in gewissen unbewußten Phantasien der Hysterischen ihre vollen Gegenstücke finden können. Bekannt ist übrigens der auch praktisch bedeutsame Fall, daß Hysteriker ihre Phantasien nicht als Symptome, sondern in bewußter Realisierung zum Ausdrucke bringen und somit Attentate, Mißhandlungen, sexuelle Aggressionen fingieren und in Szene setzen.

Alles, was man über die Sexualität der Psychoneurotiker erfahren kann, wird auf diesem Wege der psychoanalytischen Untersuchung, der von den aufdringlichen Symptomen zu den verborgenen unbewußten Phantasien führt, ermittelt, darunter also auch das Faktum, dessen Mitteilung in den Vordergrund dieser kleinen vorläufigen Veröffentlichung gerückt werden soll.

Wahrscheinlich infolge der Schwierigkeiten, die dem Bestreben der unbewußten Phantasien, sich Ausdruck zu verschaffen, im Wege stehen, ist das Verhältnis der Phantasien zu den Symptomen kein einfaches, sondern ein mehrfach kompliziertes[1]. In der Regel, das heißt bei voller Entwicklung und nach längerem Bestande der Neurose, entspricht ein Symptom nicht einer einzigen unbewußten Phantasie, sondern einer Mehrzahl von solchen, und zwar nicht in willkürlicher Weise, sondern in gesetzmäßiger Zusammensetzung. Zu Beginn des Krankheitsfalles werden wohl nicht alle diese Komplikationen entwickelt sein.

Dem allgemeinen Interesse zuliebe überschreite ich hier den Zusammenhang dieser Mitteilung und füge eine Reihe von Formeln ein, die sich bemühen, das Wesen der hysterischen Symptome fortschreitend zu erschöpfen. Sie widersprechen einander nicht, sondern entsprechen teils vollständigeren und schärferen Fassungen, teils der Anwendung verschiedener Gesichtspunkte.

1) Das hysterische Symptom ist das Erinnerungssymbol[2] gewisser wirksamer (traumatischer) Eindrücke und Erlebnisse.

2) Das hysterische Symptom ist der durch »Konversion« erzeugte Ersatz für die assoziative Wiederkehr dieser traumatischen Erlebnisse.

3) Das hysterische Symptom ist – wie auch andere psychische Bildungen – Ausdruck einer Wunscherfüllung.

---

[1] Das nämliche gilt für die Beziehung zwischen den »latenten« Traumgedanken und den Elementen des »manifesten« Trauminhaltes. Siehe den Abschnitt über die »Traumarbeit« [Kapitel VI] in des Verfassers *Traumdeutung*.

[2] [S. oben S. 54, Anm. 3.]

4) Das hysterische Symptom ist die Realisierung einer der Wunscherfüllung dienenden, unbewußten Phantasie.

5) Das hysterische Symptom dient der sexuellen Befriedigung und stellt einen Teil des Sexuallebens der Person dar (entsprechend einer der Komponenten ihres Sexualtriebs).

6) Das hysterische Symptom entspricht der Wiederkehr einer Weise der Sexualbefriedigung, die im infantilen Leben real gewesen und seither verdrängt worden ist.

7) Das hysterische Symptom entsteht als Kompromiß aus zwei gegensätzlichen Affekt- oder Triebregungen, von denen die eine einen Partialtrieb oder eine Komponente der Sexualkonstitution zum Ausdrucke zu bringen, die andere dieselbe zu unterdrücken bemüht ist.

8) Das hysterische Symptom kann die Vertretung verschiedener unbewußter, nicht sexueller Regungen übernehmen, einer sexuellen Bedeutung aber nicht entbehren.

Unter diesen verschiedenen Bestimmungen ist es die siebente, welche das Wesen des hysterischen Symptoms als Realisierung einer unbewußten Phantasie am erschöpfendsten zum Ausdrucke bringt und mit der achten die Bedeutung des sexuellen Moments in richtiger Weise würdigt. Manche der vorhergehenden Formeln sind als Vorstufen in dieser Formel enthalten.

Infolge dieses Verhältnisses zwischen Symptomen und Phantasien gelingt es unschwer, von der Psychoanalyse der Symptome zur Kenntnis der das Individuum beherrschenden Komponenten des Sexualtriebes zu gelangen, wie ich es in den *Drei Abhandlungen zur Sexualtheorie* [1905 *d*] ausgeführt habe. Diese Untersuchung ergibt aber für manche Fälle ein unerwartetes Resultat. Sie zeigt, daß für viele Symptome die Auflösung durch eine unbewußte sexuelle Phantasie oder durch eine Reihe von Phantasien, von denen eine, die bedeutsamste und ursprünglichste, sexueller Natur ist, nicht genügt, sondern daß man zur Lösung des Symptoms zweier sexueller Phantasien bedarf, von denen die eine männlichen, die andere weiblichen Charakter hat, so daß eine dieser Phantasien einer homosexuellen Regung entspringt. Der in Formel 7 ausgesprochene Satz wird durch diese Neuheit nicht berührt, so daß ein hysterisches Symptom notwendigerweise einem Kompromiß zwischen einer libidinösen und einer Verdrängungsregung entspricht, nebstbei aber einer Vereinigung zweier libidinöser Phantasien von entgegengesetztem Geschlechtscharakter entsprechen kann.

Ich enthalte mich, Beispiele für diesen Satz zu geben. Die Erfahrung hat mich gelehrt, daß kurze, zu einem Extrakt zusammengedrängte Analysen niemals den beweisenden Eindruck machen können, wegen dessen man sie herangezogen hat. Die Mitteilung voll analysierter Krankheitsfälle muß aber für einen anderen Ort aufgespart werden.

Ich begnüge mich also damit, den Satz aufzustellen und seine Bedeutung zu erläutern:

9) Ein hysterisches Symptom ist der Ausdruck einerseits einer männlichen, anderseits einer weiblichen unbewußten sexuellen Phantasie.

Ich bemerke ausdrücklich, daß ich diesem Satze eine ähnliche Allgemeingültigkeit nicht zusprechen kann, wie ich sie für die anderen Formeln in Anspruch genommen habe. Er trifft, soviel ich sehen kann, weder für alle Symptome eines Falles, noch für alle Fälle zu. Es ist im Gegenteile nicht schwer, Fälle aufzuzeigen, bei denen die entgegengesetztgeschlechtlichen Regungen gesonderten symptomatischen Ausdruck gefunden haben, so daß sich die Symptome der Hetero- und der Homosexualität so scharf voneinander scheiden lassen, wie die hinter ihnen verborgenen Phantasien. Doch ist das in der neunten Formel behauptete Verhältnis häufig genug, und wo es sich findet, bedeutsam genug, um eine besondere Hervorhebung zu verdienen. Es scheint mir die höchste Stufe der Kompliziertheit, zu der sich die Determinierung eines hysterischen Symptoms erheben kann, zu bedeuten, und ist also nur bei langem Bestande einer Neurose und bei großer Organisationsarbeit innerhalb derselben zu erwarten[1].

Die in immerhin zahlreichen Fällen nachweisbare bisexuelle Bedeutung hysterischer Symptome ist gewiß ein interessanter Beleg für die von mir aufgestellte Behauptung[2], daß die supponierte bisexuelle Anlage des Menschen sich bei den Psychoneurotikern durch Psychoanalyse besonders deutlich erkennen läßt. Ein durchaus analoger Vorgang aus dem nämlichen Gebiete ist es, wenn der Masturbant in seinen bewußten Phantasien sich sowohl in den Mann als auch in das Weib der vorgestellten Situation einzufühlen versucht, und weitere Gegenstücke zeigen gewisse hysterische Anfälle, in denen die Kranke gleichzeitig beide Rollen der zugrunde liegenden sexuellen Phantasie spielt, also zum Beispiel wie in einem Falle meiner Beobachtung, mit der einen Hand das Gewand an den Leib preßt (als Weib), mit der anderen es abzu-

---

[1] I. Sadger, der kürzlich den in Rede stehenden Satz durch eigene Psychoanalysen selbständig aufgefunden hat (1907), tritt allerdings für dessen allgemeine Gültigkeit ein.

[2] *Drei Abhandlungen zur Sexualtheorie* [Abhandlung I, kurz vor Ende des Abschnitts (4), und Abhandlung III [4] ›Differenzierung von Mann und Weib‹].

reißen sucht (als Mann)[1]. Diese widerspruchsvolle Gleichzeitigkeit bedingt zum guten Teile die Unverständlichkeit der doch sonst im Anfalle so plastisch dargestellten Situation und eignet sich also vortrefflich zur Verhüllung der wirksamen unbewußten Phantasie.

Bei der psychoanalytischen Behandlung ist es sehr wichtig, daß man auf die bisexuelle Bedeutung eines Symptomes vorbereitet sei. Man braucht sich dann nicht zu verwundern und nicht irre zu werden, wenn ein Symptom anscheinend ungemindert fortbesteht, obwohl man die eine seiner sexuellen Bedeutungen bereits gelöst hat. Es stützt sich dann noch auf die vielleicht nicht vermutete entgegengesetztgeschlechtliche. Auch kann man bei der Behandlung solcher Fälle beobachten, wie der Kranke sich der Bequemlichkeit bedient, während der Analyse der einen sexuellen Bedeutung mit seinen Einfällen fortwährend in das Gebiet der konträren Bedeutung, wie auf ein benachbartes Geleise, auszuweichen.

---

[1] [Dieser Fall wird auch in der nächsten Arbeit, S. 200 unten, erwähnt.]

Allgemeines über den hysterischen Anfall

(1909 [1908])

EDITORISCHE VORBEMERKUNG

Deutsche Ausgaben:
(1908 Vermutliches Jahr der Niederschrift.)
1909 Z. *Psychother. med. Psychol.*, Bd. 1 (1) [Januar], 10–14.
1909 S. *K. S. N.*, Bd. 2, 146–50. (1912, 2. Aufl.; 1921, 3. Aufl.)
1924 *G. S.*, Bd. 5, 255–60.
1941 *G. W.*, Bd. 7, 235–40.

Vor dem Erscheinen der vorliegenden Arbeit hat Freud über dieses Thema zuletzt in Abschnitt IV der zusammen mit Breuer verfaßten ›Vorläufigen Mitteilung‹ (1893 *a*) zu den *Studien über Hysterie* veröffentlicht. Er erwähnte das Phänomen auch im ›Vortrag‹ (1893 *b*, s. S. 14 oben). Der vorliegende Artikel ist eine jener sehr dichten, fast schematischen Arbeiten, in denen wir die Keime späterer Entwicklungen entdecken können. (S. insbesondere Abschnitt B.) Zum eigentlichen Thema der hysterischen Anfälle kommt Freud jedoch erst zwanzig Jahre danach, in seiner Abhandlung über Dostojewskis »epileptische« Anfälle (1928 *b*), zurück.

A

Wenn man eine Hysterika, deren Leiden sich in Anfällen äußert, der Psychoanalyse unterzieht, so überzeugt man sich leicht, daß diese Anfälle nichts anderes sind als ins Motorische übersetzte, auf die Motilität projizierte, pantomimisch dargestellte Phantasien. Unbewußte Phantasien zwar, aber sonst von derselben Art, wie man sie in den Tagträumen unmittelbar erfassen, aus den nächtlichen Träumen durch Deutung entwickeln kann. Häufig ersetzt ein Traum einen Anfall, noch häufiger erläutert er ihn, indem die nämliche Phantasie zu verschiedenartigem Ausdruck im Traume wie im Anfalle gelangt. Man sollte nun erwarten, durch die Anschauung des Anfalles zur Kenntnis der in ihm dargestellten Phantasie zu kommen; allein dies gelingt nur selten. In der Regel hat die pantomimische Darstellung der Phantasie unter dem Einflusse der Zensur ganz analoge Entstellungen wie die halluzinatorische des Traumes erfahren, so daß die eine wie die andere zunächst für das eigene Bewußtsein wie für das Verständnis des Zuschauers undurchsichtig geworden ist. Der hysterische Anfall bedarf also der gleichen deutenden Bearbeitung wie wir sie mit den nächtlichen Träumen vornehmen. Aber nicht nur die Mächte, von denen die Entstellung ausgeht, und die Absicht dieser Entstellung, auch die Technik derselben ist die nämliche, die uns durch die Traumdeutung bekannt geworden ist.

1) Der Anfall wird dadurch unverständlich, daß er in demselben Material gleichzeitig mehrere Phantasien zur Darstellung bringt, also durch *Verdichtung.* Die Gemeinsamen der beiden (oder mehreren) Phantasien bilden wie im Traume den Kern der Darstellung. Die so zur Deckung gebrachten Phantasien sind oft ganz verschiedener Art, z. B. ein rezenter Wunsch und die Wiederbelebung eines infantilen Eindrucks; dieselben Innervationen dienen dann beiden Absichten, oft in der geschicktesten Weise. Hysteriker, die sich der Verdichtung im großen Ausmaße bedienen, finden etwa mit einer einzigen Anfallsform ihr Auslangen; andere drücken eine Mehrheit von pathogenen Phantasien auch durch Vervielfältigung der Anfallsformen aus.

2) Der Anfall wird dadurch undurchsichtig, daß die Kranke die Tätigkeiten beider in der Phantasie auftretenden Personen auszuführen un-

ternimmt, also durch *mehrfache Identifizierung*. Vergleiche etwa das Beispiel, welches ich in dem Aufsatze ›Hysterische Phantasien und ihre Beziehung zur Bisexualität‹ [1908 a] in Hirschfelds *Zeitschrift für Sexualwissenschaft*, Bd. I, Nr. 1, erwähnt habe, in dem die Kranke mit der einen Hand (als Mann) das Kleid herunterreißt, während sie es mit der anderen (als Weib) an den Leib preßt[1].

3) Ganz außerordentlich entstellend wirkt die *antagonistische Verkehrung der Innervationen*, welche der in der Traumarbeit üblichen Verwandlung eines Elementes in sein Gegenteil analog ist[2], z. B. wenn im Anfall eine Umarmung dadurch dargestellt wird, daß die Arme krampfhaft nach rückwärts gezogen werden, bis sich die Hände über der Wirbelsäule begegnen. – Möglicherweise ist der bekannte *arc de cercle* der großen hysterischen Attacke nichts anderes als eine solche energische Verleugnung einer für den sexuellen Verkehr geeigneten Körperstellung durch antagonistische Innervation.

4) Kaum minder verwirrend und irreführend wirkt dann die *Umkehrung in der Zeitfolge* innerhalb der dargestellten Phantasie, was wiederum sein volles Gegenstück in manchen Träumen findet, die mit dem Ende der Handlung beginnen, um dann mit deren Anfang zu schließen. So z. B. wenn die Verführungsphantasie einer Hysterika zum Inhalte hat, wie sie lesend in einem Park sitzt, das Kleid ein wenig gehoben, so daß der Fuß sichtbar wird, ein Herr sich ihr nähert, der sie anspricht, sie dann mit ihm an einen anderen Ort geht und dort zärtlich mit ihm verkehrt, und sie diese Phantasie im Anfalle derart spielt, daß sie mit dem Krampfstadium beginnt, welches dem Koitus entspricht, dann aufsteht, in ein anderes Zimmer geht, sich dort hinsetzt, um zu lesen, und dann auf eine imaginäre Anrede Antwort gibt[3].

Die beiden letztangeführten Entstellungen können uns die Intensität der Widerstände ahnen lassen, denen das Verdrängte noch bei seinem Durchbruche im hysterischen Anfalle Rechnung tragen muß.

---

[1] [S. 194 f. dieses Bandes.]

[2] [Vgl. eine der *Traumdeutung* (1900 a) in Kapitel VI, etwa Ende des zweiten Drittels von Abschnitt (C), im Jahre 1909 hinzugefügte Passage.]

[3] [Eine ausführlichere, aber etwas andere Darstellung dieses Beispiels wurde 1909 als Anm. zur *Traumdeutung*, loc. cit., hinzugefügt.]

B

Das Auftreten der hysterischen Anfälle folgt leichtverständlichen Gesetzen. Da der verdrängte Komplex aus Libidobesetzung und Vorstellungsinhalt (Phantasie) besteht[1], kann der Anfall wachgerufen werden: 1) *assoziativ,* wenn der (genügend besetzte) Komplexinhalt durch eine Anknüpfung des bewußten Lebens angespielt wird, 2) *organisch,* wenn aus inneren somatischen Gründen und durch psychische Beeinflussung von außen die Libidobesetzung über ein gewisses Maß steigt, 3) im Dienste der *primären Tendenz,* als Ausdruck der »Flucht in die Krankheit«, wenn die Wirklichkeit peinlich oder schreckhaft wird, also zur *Tröstung,* 4) im Dienste der *sekundären Tendenzen,* mit denen sich das Kranksein verbündet hat, sobald durch die Produktion des Anfalles ein dem Kranken nützlicher Zweck erreicht werden kann[2]. Im letzteren Falle ist der Anfall für gewisse Personen berechnet, kann für sie zeitlich verschoben werden und macht den Eindruck bewußter Simulation.

C

Die Erforschung der Kindergeschichte Hysterischer lehrt, daß der hysterische Anfall zum Ersatze einer ehemals geübten und seither aufgegebenen *autoerotischen* Befriedigung bestimmt ist. In einer großen Zahl von Fällen kehrt diese Befriedigung (die Masturbation durch Berührung oder Schenkeldruck, die Zungenbewegung u. dgl.) auch im Anfalle selbst unter Abwendung des Bewußtseins wieder. Das Auftreten des Anfalles durch Libidosteigerung und im Dienste der primären Tendenz als Tröstung wiederholt auch genau die Bedingungen, unter denen diese autoerotische Befriedigung seinerzeit vom Kranken mit Absicht aufge-

---

[1] [Die hier angedeutete Unterscheidung zwischen Vorstellungsinhalt und affektiver Energie sollte in Freuds metapsychologischen Darstellungen der Verdrängung (1915 *d* und Abschnitt IV in 1915 *e*) eine wichtige Rolle spielen.]

[2] [Dies scheint die erste gedruckte Erwähnung des eigentlichen Terminus der »Flucht in die Krankheit« zu sein, wenn auch der Gedanke weiter zurückreicht. Die Idee des »Krankheitsgewinns« als eines ätiologischen Faktors ist gleichfalls schon früher entstanden. Dagegen wird die Unterscheidung zwischen primärem und sekundärem Krankheitsgewinn erst im vorliegenden Absatz getroffen. Der ganze Fragenkomplex wird ausführlich in einer 1923 zur Krankengeschichte der »Dora« (1905 *e*) hinzugefügten Anm. (S. 118 f. oben) erörtert, in der Freud seine älteren Auffassungen korrigiert und klarstellt. (S. für weitere Hinweise auch die editorische Ergänzung zu jener Anm.)]

sucht wurde[1]. Die Anamnese des Kranken ergibt folgende Stadien: *a*) autoerotische Befriedigung ohne Vorstellungsinhalt, *b*) die nämliche im Anschlusse an eine Phantasie, welche in die Befriedigungsaktion ausläuft, *c*) Verzicht auf die Aktion mit Beibehaltung der Phantasie, *d*) Verdrängung dieser Phantasie, die sich dann, entweder unverändert oder modifiziert und neuen Lebenseindrücken angepaßt, im hysterischen Anfalle durchsetzt und *e*) eventuell selbst die ihr zugehörige, angeblich abgewöhnte Befriedigungsaktion wiederbringt. Ein typischer Zyklus von infantiler Sexualbetätigung – Verdrängung – Mißglücken der Verdrängung und Wiederkehr des Verdrängten.

Der unwillkürliche Harnabgang darf gewiß nicht für unvereinbar mit der Diagnose des hysterischen Anfalls gehalten werden; er wiederholt bloß die infantile Form der stürmischen Pollution. Übrigens kann man auch den Zungenbiß bei unzweifelhafter Hysterie antreffen; er widerspricht der Hysterie so wenig wie dem Liebesspiele; sein Auftreten im Anfalle wird erleichtert, wenn die Kranke durch ärztliche Erkundigung auf die differentialdiagnostischen Schwierigkeiten aufmerksam gemacht worden ist. Selbstbeschädigung im hysterischen Anfalle kann (häufiger bei Männern) vorkommen, wo sie einen Unfall des kindlichen Lebens (z. B. den Erfolg einer Rauferei) wiederholt.

Der Bewußtseinsverlust, die Absence des hysterischen Anfalles geht aus jenem flüchtigen, aber unverkennbaren Bewußtseinsentgang hervor, der auf der Höhe einer jeden intensiven Sexualbefriedigung (auch der autoerotischen) zu verspüren ist. Bei der Entstehung hysterischer Absencen aus den Pollutionsanwandlungen junger weiblicher Individuen ist diese Entwicklung am sichersten zu verfolgen. Die sogenannten hypnoiden Zustände[2], die Absencen während der Träumerei, die bei Hysterischen so häufig sind, lassen die gleiche Herkunft erkennen. Der Mechanismus dieser Absencen ist ein relativ einfacher. Zunächst wird alle Aufmerksamkeit auf den Ablauf des Befriedigungsvorganges eingestellt, und mit dem Eintritte der Befriedigung wird diese ganze Aufmerksamkeitsbesetzung plötzlich aufgehoben, so daß eine momentane Bewußtseinsleere entsteht. Diese sozusagen physiologische Bewußtseinslücke wird dann im Dienste der Verdrängung erweitert, bis sie all das aufnehmen kann, was die verdrängende Instanz von sich weist.

---

[1] [S. dazu die ›Editorische Vorbemerkung‹ zu *Hemmung, Symptom und Angst,* S. 232 unten; dort werden weitere Hinweise gegeben.]
[2] [S. oben S. 23–4 und Anm. S. 23.]

D

Die Einrichtung, welche der verdrängten Libido den Weg zur motorischen Abfuhr im Anfalle weist, ist der bei jedermann, auch beim Weibe, bereitgehaltene Reflexmechanismus der Koitusaktion, den wir bei schrankenloser Hingabe an die Sexualtätigkeit manifest werden sehen. Schon die Alten sagten, der Koitus sei eine »kleine Epilepsie«. Wir dürfen abändern! Der hysterische Krampfanfall ist ein Koitusäquivalent. Die Analogie mit dem epileptischen Anfalle hilft uns wenig, da dessen Genese noch unverstandener ist als die des hysterischen [1].

Im ganzen setzt der hysterische Anfall, wie die Hysterie überhaupt, beim Weibe ein Stück Sexualbetätigung wieder ein, das in den Kinderjahren bestanden hatte und damals exquisit männlichen Charakter erkennen ließ. Man kann es häufig beobachten, daß gerade Mädchen, die bis in die Jahre der Vorpubertät bubenhaftes Wesen und Neigungen zeigten, von der Pubertät an hysterisch werden. In einer ganzen Reihe von Fällen entspricht die hysterische Neurose nur einer exzessiven Ausprägung jenes typischen Verdrängungsschubes, welcher durch Wegschaffung der männlichen Sexualität das Weib entstehen läßt. (Vgl.: *Drei Abhandlungen zur Sexualtherorie*, 1905 d.[2])

---

[1] [Vgl. Freuds ausführlichere Erörterung der »epileptischen Reaktion« und der Beziehung zwischen Epilepsie und hysterischen Anfällen in seiner Dostojewski-Arbeit (1928 b).]

[2] [Abhandlung III [4]: ›Differenzierung von Mann und Weib‹.]

Die psychogene Sehstörung
in psychoanalytischer Auffassung

(1910)

EDITORISCHE VORBEMERKUNG

Deutsche Ausgaben:

1910 *Ärztliche Fortbildung*, Beiheft zu *Ärztliche Standeszeitung*, Bd. 9 (9),
    42–4 (1. Mai).

1913 *S. K. S. N.*, Bd. 3, 314–21. (1921, 2. Aufl.)

1924 *G. S.*, Bd. 5, 301–9.

1943 *G. W.*, Bd. 8, 94–102.

Es handelt sich um einen Beitrag zur *Festschrift* für einen bekannten Wiener Ophthalmologen, Leopold Königstein, einen der ältesten Freunde Freuds. In einem Brief an Ferenczi vom 12. April 1910 bezeichnet Freud den Artikel als eine bloße Gelegenheitsarbeit, die nichts tauge (Jones, 1962, S. 291). Immerhin enthält er zumindest einen Absatz von besonderem Interesse. Hier spricht Freud nämlich zum erstenmal von »Ichtrieben«, setzt sie ausdrücklich den Selbsterhaltungstrieben gleich und schreibt ihnen bei der Funktion der Verdrängung eine Hauptrolle zu. Ferner ist bemerkenswert, daß Freud in den letzten Absätzen der Arbeit (S. 212 f.) mit ganz besonderer Bestimmtheit seine Auffassung ausspricht, daß seelische Erscheinungen letztlich auf organischen Substraten beruhen.

Meine Herren Kollegen! Ich möchte Ihnen an dem Beispiel der psychogenen Sehstörung zeigen, welche Veränderungen unsere Auffassung
von der Genese solcher Leiden unter dem Einflusse der psychoanalyti
schen Untersuchungsmethode erfahren hat. Sie wissen, man nimmt die
hysterische Blindheit als den Typus einer psychogenen Sehstörung an.
Die Genese einer solchen glaubt man nach den Untersuchungen der
französischen Schule eines Charcot, Janet, Binet zu kennen. Man ist
ja imstande, eine solche Blindheit experimentell zu erzeugen, wenn
man eine des Somnambulismus fähige Person zur Verfügung hat. Versetzt man diese in tiefe Hypnose und suggeriert ihr die Vorstellung, sie
sehe mit dem einen Auge nichts, so benimmt sie sich tatsächlich wie eine
auf diesem Auge Erblindete, wie eine Hysterika mit spontan entwickelter Sehstörung. Man darf also den Mechanismus der spontanen hysterischen Sehstörung nach dem Vorbild der suggerierten hypnotischen konstruieren. Bei der Hysterika entsteht die Vorstellung, blind zu sein,
nicht aus der Eingebung des Hypnotiseurs, sondern spontan, wie man
sagt, durch Autosuggestion, und diese Vorstellung ist in beiden Fällen
so stark, daß sie sich in Wirklichkeit umsetzt, ganz ähnlich wie eine
suggerierte Halluzination, Lähmung und dergleichen.
Das klingt ja vollkommen verläßlich und muß jeden befriedigen, der
sich über die vielen, hinter den Begriffen Hypnose, Suggestion und
Autosuggestion versteckten Rätselhaftigkeiten hinwegsetzen kann. Insbesondere die Autosuggestion gibt Anlaß zu weiteren Fragen. Wann,
unter welchen Bedingungen wird eine Vorstellung so stark, daß sie sich
wie eine Suggestion benehmen und ohne weiteres in Wirklichkeit um-
setzen kann? Eingehendere Untersuchungen haben da gelehrt, daß man
diese Frage nicht beantworten kann, ohne den Begriff des »Unbewußten« zu Hilfe zu nehmen. Viele Philosophen sträuben sich gegen die
Annahme eines solchen seelischen Unbewußten, weil sie sich um die
Phänomene nicht gekümmert haben, die zu seiner Aufstellung nötigen.
Den Psychopathologen ist es unvermeidlich geworden, mit unbewußten
seelischen Vorgängen, unbewußten Vorstellungen und dergleichen zu
arbeiten.

Sinnreiche Versuche haben gezeigt, daß die hysterisch Blinden doch in gewissem Sinne sehen, wenn auch nicht im vollen Sinne. Die Erregungen des blinden Auges können doch gewisse psychische Folgen haben, z. B. Affekte hervorrufen, obgleich sie nicht bewußt werden. Die hysterisch Blinden sind also nur fürs Bewußtsein blind, im Unbewußten sind sie sehend. Es sind gerade Erfahrungen dieser Art, die uns zur Sonderung von bewußten und unbewußten seelischen Vorgängen nötigen. Wie kommt es, daß sie die unbewußte »Autosuggestion«, blind zu sein, entwickeln, während sie doch im Unbewußten sehen?

Auf diese weitere Frage antwortet die Forschung der Franzosen mit der Erklärung, daß bei den zur Hysterie disponierten Kranken von vornherein eine Neigung zur Dissoziation – zur Auflösung des Zusammenhanges im seelischen Geschehen – bestehe, in deren Folge manche unbewußte Vorgänge sich nicht zum Bewußten fortsetzen. Lassen wir nun den Wert dieses Erklärungsversuches für das Verständnis der behandelten Erscheinungen ganz außer Betracht und wenden wir uns einem anderen Gesichtspunkte zu. Sie sehen doch ein, meine Herren, daß die anfänglich betonte Identität der hysterischen Blindheit mit der durch Suggestion hervorgerufenen wieder aufgegeben ist. Die Hysterischen sind nicht infolge der autosuggestiven Vorstellung, daß sie nicht sehen, blind, sondern infolge der Dissoziation zwischen unbewußten und bewußten Prozessen im Sehakt; ihre Vorstellung, nicht zu sehen, ist der berechtigte Ausdruck des psychischen Sachverhalts und nicht die Ursache desselben.

Meine Herren! Wenn Sie der vorstehenden Darstellung Unklarheit zum Vorwurf machen, so wird es mir nicht leicht werden, sie zu verteidigen. Ich habe versucht, Ihnen eine Synthese aus den Ansichten verschiedener Forscher zu geben, und dabei wahrscheinlich die Zusammenhänge zu straff angezogen. Ich wollte die Begriffe, denen man das Verständnis der psychogenen Störungen unterworfen hat: die Entstehung aus übermächtigen Ideen, die Unterscheidung bewußter von unbewußten seelischen Vorgängen und die Annahme der seelischen Dissoziation, zu einer einheitlichen Komposition verdichten, und dies konnte mir ebensowenig gelingen, wie es den französischen Autoren, an ihrer Spitze P. Janet, gelungen ist. Verzeihen Sie mir also nebst der Unklarheit auch die Untreue meiner Darstellung und lassen Sie sich erzählen, wie uns die Psychoanalyse zu einer in sich besser gefestigten und wahrscheinlich lebenswahreren Auffassung der psychogenen Sehstörungen geführt hat.

Die Psychoanalyse akzeptiert ebenfalls die Annahmen der Dissoziation und des Unbewußten, setzt sie aber in eine andere Beziehung zueinander. Sie ist eine dynamische Auffassung, die das seelische Leben auf ein Spiel von einander fördernden und hemmenden Kräften zurückführt. Wenn in einem Falle eine Gruppe von Vorstellungen im Unbewußten verbleibt, so schließt sie nicht auf eine konstitutionelle Unfähigkeit zur Synthese, die sich gerade in dieser Dissoziation kundgibt, sondern behauptet, daß ein aktives Sträuben anderer Vorstellungsgruppen die Isolierung und Unbewußtheit der einen Gruppe verursacht hat. Den Prozeß, der ein solches Schicksal für die eine Gruppe herbeiführt, heißt sie »Verdrängung« und erkennt in ihm etwas Analoges, wie es auf logischem Gebiete die Urteilsverwerfung ist. Sie weist nach, daß solche Verdrängungen eine außerordentlich wichtige Rolle in unserem Seelenleben spielen, daß sie dem Individuum auch häufig mißlingen können und daß das Mißlingen der Verdrängung die Vorbedingung der Symptombildung ist.

Wenn also die psychogene Sehstörung, wie wir gelernt haben, darauf beruht, daß gewisse, an das Sehen geknüpfte Vorstellungen vom Bewußtsein abgetrennt bleiben, so muß die psychoanalytische Denkweise annehmen, diese Vorstellungen seien in einem Gegensatz zu anderen, stärkeren getreten, für die wir den jeweilig anders zusammengesetzten Sammelbegriff des »Ichs« verwenden, und seien darum in die Verdrängung geraten. Woher soll aber ein solcher, zur Verdrängung auffordernder Gegensatz zwischen dem Ich und einzelnen Vorstellungsgruppen rühren? Sie merken wohl, daß diese Fragestellung vor der Psychoanalyse nicht möglich war, denn vorher wußte man nichts vom psychischen Konflikt und von der Verdrängung. Unsere Untersuchungen haben uns nun in den Stand gesetzt, die verlangte Antwort zu geben. Wir sind auf die Bedeutung der Triebe für das Vorstellungsleben aufmerksam geworden; wir haben erfahren, daß sich jeder Trieb durch die Belebung der zu seinen Zielen passenden Vorstellungen zur Geltung zu bringen sucht. Diese Triebe vertragen sich nicht immer miteinander; sie geraten häufig in einen Konflikt der Interessen; die Gegensätze der Vorstellungen sind nur der Ausdruck der Kämpfe zwischen den einzelnen Trieben. Von ganz besonderer Bedeutung für unseren Erklärungsversuch ist der unleugbare Gegensatz zwischen den Trieben, welche der Sexualität, der Gewinnung sexueller Lust, dienen, und den anderen, welche die Selbsterhaltung des Individuums zum

Ziele haben, den Ichtrieben[1]. Als »Hunger« oder als »Liebe« können wir nach den Worten des Dichters alle in unserer Seele wirkenden organischen Triebe klassifizieren[2]. Wir haben den »Sexualtrieb« von seinen ersten Äußerungen beim Kinde bis zur Erreichung der als »normal« bezeichneten Endgestaltung verfolgt und gefunden, daß er aus zahlreichen »Partialtrieben« zusammengesetzt ist, die an den Erregungen von Körperregionen haften; wir haben eingesehen, daß diese Einzeltriebe eine komplizierte Entwicklung durchmachen müssen, ehe sie sich in zweckmäßiger Weise den Zielen der Fortpflanzung einordnen können[3]. Die psychologische Beleuchtung unserer Kulturentwicklung hat uns gelehrt, daß die Kultur wesentlich auf Kosten der sexuellen Partialtriebe entsteht, daß diese unterdrückt, eingeschränkt, umgebildet, auf höhere Ziele gelenkt werden müssen, um die kulturellen seelischen Konstruktionen herzustellen. Als wertvolles Ergebnis dieser Untersuchungen konnten wir erkennen, was uns die Kollegen noch nicht glauben wollen, daß die als »Neurosen« bezeichneten Leiden der Menschen auf die mannigfachen Weisen des Mißglückens dieser Umbildungsvorgänge an den sexuellen Partialtrieben zurückzuführen sind. Das »Ich« fühlt sich durch die Ansprüche der sexuellen Triebe bedroht und erwehrt sich ihrer durch Verdrängungen, die aber nicht immer den erwünschten Erfolg haben, sondern bedrohliche Ersatzbildungen des Verdrängten und lästige Reaktionsbildungen des Ichs zur Folge haben. Aus diesen beiden Klassen von Phänomenen setzt sich zusammen, was wir die Symptome der Neurosen heißen.

Wir sind von unserer Aufgabe anscheinend weit abgeschweift, haben aber dabei die Verknüpfung der neurotischen Krankheitszustände mit unserem gesamten Geistesleben gestreift. Gehen wir jetzt zu unserem engeren Problem zurück. Den sexuellen wie den Ichtrieben stehen im allgemeinen die nämlichen Organe und Organsysteme zur Verfügung. Die sexuelle Lust ist nicht bloß an die Funktion der Genitalien geknüpft; der Mund dient dem Küssen ebensowohl wie dem Essen und der sprachlichen Mitteilung, die Augen nehmen nicht nur die für die Lebenserhaltung wichtigen Veränderungen der Außenwelt wahr, sondern auch die Eigenschaften der Objekte, durch welche diese zu Ob-

---

[1] [Dies scheint die erste Erwähnung dieses Terminus zu sein. (S. die ›Editorische Vorbemerkung‹, S. 206.) Für eine späte Zusammenfassung von Freuds Trieblehre s. die zweite Hälfte der 32. Vorlesung in der *Neuen Folge der Vorlesungen* (1933 a), *Studienausgabe*, Bd. 1, S. 529 ff.]

[2] [Schiller, ›Die Weltweisen‹.]

[3] [S. *Drei Abhandlungen zur Sexualtheorie* (1905 d).]

jekten der Liebeswahl erhoben werden, ihre »Reize«. Es bewahrheitet sich nun, daß es für niemand leicht wird, zweien Herren zugleich zu dienen. In je innigere Beziehung ein Organ mit solch doppelseitiger Funktion zu dem einen der großen Triebe tritt, desto mehr verweigert es sich dem anderen. Dies Prinzip muß zu pathologischen Konsequenzen führen, wenn sich die beiden Grundtriebe entzweit haben, wenn von seiten des Ichs eine Verdrängung gegen den betreffenden sexuellen Partialtrieb unterhalten wird. Die Anwendung auf das Auge und das Sehen ergibt sich leicht. Wenn der sexuelle Partialtrieb, der sich des Schauens bedient, die sexuelle Schaulust, wegen seiner übergroßen Ansprüche die Gegenwehr der Ichtriebe auf sich gezogen hat, so daß die Vorstellungen, in denen sich sein Streben ausdrückt, der Verdrängung verfallen und vom Bewußtwerden abgehalten werden, so ist damit die Beziehung des Auges und des Sehens zum Ich und zum Bewußtsein überhaupt gestört. Das Ich hat seine Herrschaft über das Organ verloren, welches sich nun ganz dem verdrängten sexuellen Trieb zur Verfügung stellt. Es macht den Eindruck, als ginge die Verdrängung von seiten des Ichs zu weit, als schüttete sie das Kind mit dem Bade aus, indem das Ich jetzt überhaupt nichts mehr sehen will, seitdem sich die sexuellen Interessen im Sehen so sehr vorgedrängt haben. Zutreffender ist aber wohl die andere Darstellung, welche die Aktivität nach der Seite der verdrängten Schaulust verlegt. Es ist die Rache, die Entschädigung des verdrängten Triebes, daß er, von weiterer psychischer Entfaltung abgehalten, seine Herrschaft über das ihm dienende Organ nun zu steigern vermag. Der Verlust der bewußten Herrschaft über das Organ ist die schädliche Ersatzbildung für die mißglückte Verdrängung, die nur um diesen Preis ermöglicht war.

Deutlicher noch als am Auge ist diese Beziehung des zweifach in Anspruch genommenen Organs zum bewußten Ich und zur verdrängten Sexualität an den motorischen Organen ersichtlich, wenn z. B. die Hand hysterisch gelähmt wird, die eine sexuelle Aggression ausführen wollte und nach deren Hemmung nichts anders mehr tun kann, gleichsam als bestünde sie eigensinnig auf der Ausführung der einen verdrängten Innervation, oder wenn die Finger von Personen, welche der Masturbation entsagt haben, sich weigern, das feine Bewegungsspiel, welches am Klavier oder an der Violine erfordert wird, zu erlernen. Für das Auge pflegen wir die dunkeln psychischen Vorgänge bei der Verdrängung der sexuellen Schaulust und bei der Entstehung der psychogenen Sehstörung so zu übersetzen, als erhöbe sich in dem Individuum eine strafende Stimme, welche sagte: »Weil du dein Sehorgan zu böser Sinneslust mißbrauchen wolltest, geschieht es dir ganz recht, wenn du überhaupt nichts mehr siehst«, und die so den Ausgang des Prozesses billigte. Es liegt dann die Idee der Talion darin, und unsere Erklärung der psychogenen Sehstörung ist eigentlich mit jener zusammengefallen, die von der Sage, dem Mythus, der Legende dargeboten wird. In der schönen Sage von der Lady Godiva verbergen sich alle Einwohner des Städtchens hinter ihren verschlossenen Fenstern, um der Dame die Aufgabe, bei hellem Tageslichte nackt durch die Straßen zu reiten, zu erleichtern. Der einzige, der durch die Fensterläden nach der entblößten Schönheit späht, wird gestraft, indem er erblindet. Es ist dies übrigens nicht das einzige Beispiel, welches uns ahnen läßt, daß die Neurotik auch den Schlüssel zur Mythologie in sich birgt.

Meine Herren, man macht der Psychoanalyse mit Unrecht den Vorwurf, daß sie zu rein psychologischen Theorien der krankhaften Vorgänge führe. Schon die Betonung der pathogenen Rolle der Sexualität, die doch gewiß kein ausschließlich psychischer Faktor ist, sollte sie gegen diesen Vorwurf schützen. Die Psychoanalyse vergißt niemals, daß das Seelische auf dem Organischen ruht, wenngleich ihre Arbeit es nur bis zu dieser Grundlage und nicht darüber hinaus verfolgen kann. So ist die Psychoanalyse auch bereit zuzugeben, ja zu postulieren, daß nicht alle funktionellen Sehstörungen psychogen sein können wie die durch Verdrängung der erotischen Schaulust hervorgerufenen. Wenn ein Organ, welches beiderlei Trieben dient, seine erogene Rolle steigert, so ist ganz allgemein zu erwarten, daß dies nicht ohne Veränderungen der Erregbarkeit und der Innervation abgehen wird, die sich bei der Funktion des Organs im Dienste des Ichs als Störungen kundgeben werden. Ja, wenn wir sehen, daß ein Organ, welches sonst der Sinneswahrnehmung dient, sich bei Erhöhung seiner erogenen Rolle geradezu wie ein Genitale gebärdet, werden wir auch toxische Veränderungen in demselben nicht für unwahrscheinlich halten. Für beide Arten von Funktionsstörungen infolge der gesteigerten erogenen Bedeutung, die physiologischen wie die toxischen Ursprunges, wird man, in Ermangelung eines besseren, den alten, unpassenden Namen »neurotische« Störungen beibehalten müssen. Die neurotischen Störungen des Sehens verhalten sich zu den psychogenen wie ganz allgemein die Aktualneurosen zu den Psychoneurosen; psychogene Sehstörungen werden wohl kaum jemals ohne neurotische vorkommen können, wohl aber letztere ohne jene. Leider sind diese »neurotischen« Symptome heute noch sehr wenig gewürdigt und verstanden, denn der Psychoanalyse sind sie nicht unmittelbar zugänglich, und die anderen Untersuchungsweisen haben den Gesichtspunkt der Sexualität außer acht gelassen.

Von der Psychoanalyse zweigt noch ein anderer, in die organische Forschung reichender Gedankengang ab. Man kann sich die Frage vorlegen, ob die durch die Lebenseinflüsse erzeugte Unterdrückung sexueller Partialtriebe für sich allein hinreicht, die Funktionsstörungen der Organe hervorzurufen, oder ob nicht besondere konstitutionelle Verhältnisse vorliegen müssen, welche erst die Organe zur Übertreibung ihrer erogenen Rolle veranlassen und dadurch die Verdrängung der Triebe provozieren. In diesen Verhältnissen müßte man den konstitutionellen Anteil der Disposition zur Erkrankung an psychogenen und neurotischen Störungen erblicken. Es ist dies jenes Moment, welches ich bei der Hysterie vorläufig als »somatisches Entgegenkommen« der Organe bezeichnet habe [1].

---

[1] [Vgl. die Falldarstellung der »Dora« (1905 e, S. 116–17 und S. 126–28 oben). – In der Ausgabe von 1910 schließt die Arbeit mit folgenden Worten: »Die bekannten Arbeiten von Alfred Adler bemühen sich, es in biologischer Bestimmtheit zu erfassen.«]

Über neurotische Erkrankungstypen

(1912)

EDITORISCHE VORBEMERKUNG

Deutsche Ausgaben:

1912 *Zbl. Psychoan.*, Bd. 2, (6) (März), 297–302.
1913 *S. K. S. N.*, Bd. 3, 306–13. (1921, 2. Aufl.)
1924 *G. S.*, Bd. 5, 400–8.
1943 *G. W.*, Bd. 8, 322–30.

Das Thema dieser Arbeit ist die Klassifizierung der Erkrankungsanlässe für Neurosen. Natürlich hatte sich Freud schon vorher oftmals mit dieser Frage beschäftigt, aber in seinen früheren Schriften standen die traumatischen Ereignisse zu sehr im Vordergrund, so daß die übrigen Ursachen verdunkelt wurden. Nachdem Freud die Traumatheorie fast gänzlich aufgegeben hatte, konzentrierte sich sein Interesse weitgehend auf die verschiedenen *disponierenden* Ursachen der Neurose. Die Erkrankungsanlässe werden noch in ein oder zwei Arbeiten aus der gleichen Periode (ca. 1905–06), freilich sehr allgemein und eher geringschätzig, erwähnt; so kommt z. B. der Begriff der *»Entbehrung«* zwar gelegentlich vor, jedoch nur im Sinne eines durch irgendwelche äußeren Umstände bewirkten Mangels. Die Möglichkeit, daß die Neurose auf Grund *innerer* Hindernisse für die Befriedigung entstehen könnte, wird erst etwas später erwähnt, so z. B. in der Arbeit über die Wirkungen der »kulturellen« Moral (1908 *d*) – und zwar wohl unter dem Eindruck der Arbeiten C. G. Jungs, wie Freud unten auf S. 221 andeutet. In der zuletzt genannten Arbeit wird der Terminus *»Versagung«* gebraucht, um ein inneres Hemmnis zu beschreiben. Er taucht noch einmal in der etwas späteren Schreber-Analyse (1911 *c*) auf, diesmal jedoch zur Beschreibung *äußerer* Hindernisse. In der vorliegenden Arbeit gebraucht Freud das Wort allerdings zum erstenmal, um ein umfassenderes, beide Arten von Hindernissen betreffendes Konzept einzuführen.
Von da an wurde »Versagung« als ein Hauptanlaß neurotischer Erkrankung eine der meistgebrauchten Waffen im klinischen Arsenal Freuds und kehrt in vielen seiner späteren Arbeiten wieder. Die ausführlichste dieser späteren Diskussionen findet sich in der 22. der *Vorlesungen zur Einführung in die Psychoanalyse* (1916–17, *Studienausgabe*, Bd. 1, S. 338–43, 345). Der scheinbar widersprüchliche Fall eines Menschen, der im Augenblick des Erfolges – also dem genauen Gegenteil der Versagung – erkrankt, wird in der Arbeit über ›Einige Charaktertypen aus der psycho-analytischen Arbeit‹ (1916 *d*, *Studienausgabe*, Bd. 10, S. 236 ff.) dargestellt und erklärt. Auf diesen Punkt kommt

Freud in seinem offenen Brief an Romain Rolland (1936*a*, *Studienausgabe*, Bd. 4, S. 288), in welchem er einen Besuch auf der Akropolis schildert, nochmals zurück. In der Falldarstellung des »Wolfsmannes« (1918*b*) weist Freud an einer Stelle auf eine Lücke in der Reihe der in der vorliegenden Arbeit mitgeteilten Auslösungsursachen für neurotische Erkrankungen hin – den Fall der *narzißtischen* Versagung *(Studienausgabe,* Bd. 8, S. 228).

In den nachstehenden Sätzen soll auf Grund empirisch gewonnener Eindrücke dargestellt werden, welche Veränderungen der Bedingungen dafür maßgebend sind, daß bei den hiezu Disponierten eine neurotische Erkrankung zum Ausbruch komme. Es handelt sich also um die Frage der Krankheitsveranlassungen; von den Krankheitsformen wird wenig die Rede sein. Von anderen Zusammenstellungen der Erkrankungsanlässe wird sich diese durch den einen Charakter unterscheiden, daß sie die aufzuzählenden Veränderungen sämtlich auf die Libido des Individuums bezieht. Die Schicksale der Libido erkannten wir ja durch die Psychoanalyse als entscheidend für nervöse Gesundheit oder Krankheit. Auch über den Begriff der Disposition ist in diesem Zusammenhange kein Wort zu verlieren. Gerade die psychoanalytische Forschung hat uns ermöglicht, die neurotische Disposition in der Entwicklungsgeschichte der Libido nachzuweisen und die in ihr wirksamen Faktoren auf mitgeborene Varietäten der sexuellen Konstitution und in der frühen Kindheit erlebte Einwirkungen der Außenwelt zurückzuführen.

a) Der nächstliegende, am leichtesten auffindbare und am besten verständliche Anlaß zur neurotischen Erkrankung liegt in jenem äußeren Moment vor, welches allgemein als die *Versagung* beschrieben werden kann. Das Individuum war gesund, solange seine Liebesbedürftigkeit durch ein reales Objekt der Außenwelt befriedigt wurde; es wird neurotisch, sobald ihm dieses Objekt entzogen wird, ohne daß sich ein Ersatz dafür findet. Glück fällt hier mit Gesundheit, Unglück mit Neurose zusammen. Die Heilung fällt dem Schicksal, welches für die verlorene Befriedigungsmöglichkeit einen Ersatz schenken kann, leichter als dem Arzte.

Für diesen Typus, an dem wohl die Mehrzahl der Menschen Anteil hat, beginnt die Erkrankungsmöglichkeit also erst mit der Abstinenz, woraus man ermessen kann, wie bedeutungsvoll die kulturellen Einschränkungen der zugänglichen Befriedigung für die Veranlassung der Neurosen sein mögen. Die Versagung wirkt dadurch pathogen, daß sie die Libido aufstaut und nun das Individuum auf die Probe stellt, wie lange es diese Steigerung der psychischen Spannung ertragen und welche Wege es einschlagen wird, sich ihrer zu entledigen. Es gibt nur zwei Möglichkeiten, sich bei anhaltender realer Versagung der Befriedigung gesund zu erhalten, erstens, indem man die psychische Spannung in tatkräftige Energie umsetzt, welche der Außenwelt zugewendet bleibt und endlich eine reale Befriedigung der Libido von ihr erzwingt, und zweitens, indem man auf die libidinöse Befriedigung verzichtet, die aufgestaute Libido sublimiert und zur Erreichung von Zielen verwendet, die nicht mehr erotische sind und der Versagung entgehen. Daß beide Möglichkeiten in den Schicksalen der Menschen zur Verwirklichung kommen, beweist uns, daß Unglück nicht mit Neurose zusammenfällt und daß die Versagung nicht allein über Gesundheit oder Erkrankung der Betroffenen entscheidet. Die Wirkung der Versagung liegt zunächst darin, daß sie die bis dahin unwirksamen dispositionellen Momente zur Geltung bringt.

Wo diese in genügend starker Ausbildung vorhanden sind, besteht die Gefahr, daß die Libido *introvertiert* werde[1]. Sie wendet sich von der Realität ab, welche durch die hartnäckige Versagung an Wert für das Individuum verloren hat, wendet sich dem Phantasieleben zu, in welchem sie neue Wunschbildungen schafft und die Spuren früherer, vergessener Wunschbildungen wiederbelebt. Infolge des innigen Zusammenhanges der Phantasietätigkeit mit dem in jedem Individuum vorhandenen infantilen, verdrängten und unbewußt gewordenen Material und dank der Ausnahmsstellung gegen die Realitätsprüfung, die dem Phantasieleben eingeräumt ist[2], kann die Libido nun weiter rückläufig werden, auf dem Wege der *Regression* infantile Bahnen auffinden und ihnen entsprechende Ziele anstreben. Wenn diese Strebungen, die mit dem aktuellen Zustand der Individualität unverträglich sind, genug Intensität erworben haben, muß es zum Konflikt zwischen ihnen und dem andern Anteil der Persönlichkeit kommen, welcher in Relation zur Realität geblieben ist. Dieser Konflikt wird durch Symptombildungen gelöst und geht in manifeste Erkrankung aus. Daß der ganze Prozeß von der realen Versagung ausgegangen ist, spiegelt sich in dem Ergeb-

---

[1] Nach einem von C. G. Jung eingeführten Terminus. [S. Jung, 1910. Weitere Bemerkungen zu Jungs Verwendung des Wortes finden sich in der 23. der *Vorlesungen* (1916–17), *Studienausgabe,* Bd. 1, S. 364.]

[2] Vgl. meine ›Formulierungen über die zwei Prinzipien des psychischen Geschehens‹ [1911 *b*].

nis wider, daß die Symptome, mit denen der Boden der Realität wieder erreicht wird, Ersatzbefriedigungen darstellen.

b) Der zweite Typus der Erkrankungsveranlassung ist keineswegs so augenfällig wie der erste und konnte wirklich erst durch eindringende analytische Studien im Anschluß an die Komplexlehre der Züricher Schule aufgedeckt werden [1]. Das Individuum erkrankt hier nicht infolge einer Veränderung in der Außenwelt, welche an die Stelle der Befriedigung die Versagung gesetzt hat, sondern infolge einer inneren Bemühung, um sich die in der Realität zugängliche Befriedigung zu holen. Es erkrankt an dem Versuch, sich der Realität anzupassen und die *Realforderung* zu erfüllen, wobei es auf unüberwindliche innere Schwierigkeiten stößt.

Es empfiehlt sich, die beiden Erkrankungstypen scharf gegeneinander abzusetzen, schärfer, als es die Beobachtung zumeist gestattet. Beim ersten Typus drängt sich eine Veränderung in der Außenwelt vor, beim zweiten fällt der Akzent auf eine innere Veränderung. Nach dem ersten Typus erkrankt man an einem Erlebnis, nach dem zweiten an einem Entwicklungsvorgang. Im ersten Falle wird die Aufgabe gestellt, auf Befriedigung zu verzichten, und das Individuum erkrankt an seiner Widerstandsunfähigkeit; im zweiten Falle lautet die Aufgabe, eine Art der Befriedigung gegen eine andere zu vertauschen, und die Person scheitert an ihrer Starrheit. Im zweiten Falle ist der Konflikt zwischen dem Bestreben, so zu verharren, wie man ist, und dem anderen, sich nach neuen Absichten und neuen Realforderungen zu verändern, von vornherein gegeben; im früheren Falle stellt er sich erst her, nachdem die gestaute Libido andere, und zwar unverträgliche Befriedigungsmöglichkeiten erwählt hat. Die Rolle des Konflikts und der vorherigen Fixierung der Libido sind beim zweiten Typus ungleich augenfälliger als beim ersten, bei dem sich solche unbrauchbare Fixierungen eventuell erst infolge der äußeren Versagung herstellen mögen.

Ein junger Mann, der seine Libido bisher durch Phantasien mit Ausgang in Masturbation befriedigt hatte und nun dieses dem Autoerotismus nahestehende Regime mit der realen Objektwahl vertauschen will, ein Mädchen, das seine ganze Zärtlichkeit dem Vater oder Bruder geschenkt hatte und nun für einen um sie werbenden Mann die bisher unbewußten, inzestuösen, Libidowünsche bewußt werden lassen soll,

---

[1] Vgl. Jung (1909).

eine Frau, die auf ihre polygamen Neigungen und Prostitutionsphantasien verzichten möchte, um ihrem Mann eine treue Gefährtin und ihrem Kind eine tadellose Mutter zu werden: diese alle erkranken an den lobenswertesten Bestrebungen, wenn die früheren Fixierungen ihrer Libido stark genug sind, um sich einer Verschiebung zu widersetzen, wofür wiederum die Faktoren der Disposition, konstitutionelle Anlage und infantiles Erleben, entscheidend werden. Sie erleben alle sozusagen das Schicksal des Bäumleins im Grimmschen Märchen, das andere Blätter hat gewollt[1]; vom hygienischen Standpunkt, der hier freilich nicht allein in Betracht kommt, könnte man ihnen nur wünschen, daß sie weiterhin so unentwickelt, so minderwertig und nichtsnutzig geblieben wären, wie sie es vor ihrer Erkrankung waren. Die Veränderung, welche die Kranken anstreben, aber nur unvollkommen oder gar nicht zustande bringen, hat regelmäßig den Wert eines Fortschrittes im Sinne des realen Lebens. Anders, wenn man mit ethischem Maßstabe mißt; man sieht die Menschen ebensooft erkranken, wenn sie ein Ideal abstreifen, als wenn sie es erreichen wollen.

Ungeachtet der sehr deutlichen Verschiedenheiten der beiden beschriebenen Erkrankungstypen, treffen sie doch im wesentlichen zusammen und lassen sich unschwer zu einer Einheit zusammenfassen. Die Erkrankung an Versagung fällt auch unter den Gesichtspunkt der Unfähigkeit zur Anpassung an die Realität, nämlich an den einen Fall, daß die Realität die Befriedigung der Libido versagt. Die Erkrankung unter den Bedingungen des zweiten Typus führt ohne weiteres zu einem Sonderfall der Versagung. Es ist hiebei zwar nicht jede Art der Befriedigung von der Realität versagt, wohl aber gerade die eine, welche das Individuum für die ihm einzig mögliche erklärt, und die Versagung geht nicht direkt von der Außenwelt, sondern primär von gewissen Strebungen des Ichs aus, aber die Versagung bleibt das Gemeinsame und Übergeordnete. Infolge des Konflikts, der beim zweiten Typus sofort einsetzt, werden beide Arten der Befriedigung, die gewohnte wie die angestrebte, gleichmäßig gehemmt; es kommt zur Libidostauung mit den von ihr ablaufenden Folgen wie im ersten Falle. Die psychischen Vorgänge auf dem Wege zur Symptombildung sind beim zweiten Typus eher übersichtlicher als beim ersten, da die pathogenen Fixierungen der Libido hier nicht erst herzustellen waren, sondern während der Gesundheit in Kraft bestanden hatten. Ein gewisses Maß

---

[1] [Diese Anspielung bezieht sich in Wirklichkeit nicht auf Grimm, sondern auf ein Kindergedicht von Friedrich Rückert (1788–1866).]

von Introversion der Libido war meist schon vorhanden; ein Stück der Regression zum Infantilen wird dadurch erspart, daß die Entwicklung noch nicht den ganzen Weg zurückgelegt hatte.

c) Wie eine Übertreibung des zweiten Typus, der Erkrankung an der *Realforderung*, erscheint der nächste Typus, den ich als Erkrankung durch *Entwicklungshemmung* beschreiben will. Ein theoretischer Anspruch, ihn abzusondern, läge nicht vor, wohl aber ein praktischer, da es sich um Personen handelt, die erkranken, sobald sie das unverantwortliche Kindesalter überschreiten, und somit niemals eine Phase von Gesundheit, das heißt von im ganzen uneingeschränkter Leistungs- und Genußfähigkeit erreicht haben. Das Wesentliche des disponierenden Prozesses liegt in diesen Fällen klar zutage. Die Libido hat die infantilen Fixierungen niemals verlassen, die Realforderung tritt nicht plötzlich einmal an das ganz oder zum Teil gereifte Individuum heran, sondern wird durch den Tatbestand des Älterwerdens selbst gegeben, indem sie sich selbstverständlicherweise mit dem Alter des Individuums kontinuierlich ändert. Der Konflikt tritt gegen die Unzulänglichkeit zurück, doch müssen wir nach allen unseren sonstigen Einsichten ein Bestreben, die Kindheitsfixierungen zu überwinden, auch hier statuieren, sonst könnte niemals Neurose, sondern nur stationärer Infantilismus der Ausgang des Prozesses sein.

d) Wie der dritte Typus uns die disponierende Bedingung fast isoliert vorgeführt hatte, so macht uns der nun folgende vierte auf ein anderes Moment aufmerksam, dessen Wirksamkeit in allen Fällen in Betracht kommt und gerade darum leicht in einer theoretischen Erörterung übersehen werden könnte. Wir sehen nämlich Individuen erkranken, die bisher gesund gewesen waren, an die kein neues Erlebnis herangetreten ist, deren Relation zur Außenwelt keine Änderung erfahren hat, so daß ihre Erkrankung den Eindruck des Spontanen machen muß. Nähere Betrachtung solcher Fälle zeigt uns indes, daß sich in ihnen doch eine Veränderung vollzogen hat, die wir als höchst bedeutsam für die Krankheitsverursachung einschätzen müssen. Infolge des Erreichens eines gewissen Lebensabschnittes und im Anschlusse an gesetzmäßige biologische Vorgänge hat die *Quantität* der Libido in ihrem seelischen Haushalt eine Steigerung erfahren, welche für sich allein hinreicht, das Gleichgewicht der Gesundheit umzuwerfen und die Bedingungen der Neurose herzustellen. Wie bekannt, sind solche eher plötzliche Libidosteigerungen mit der Pubertät und der Menopause, mit dem Erreichen gewisser Jahreszahlen bei Frauen, regelmäßig verbunden; bei manchen Menschen mögen sie sich überdies in noch unbekannten Periodizitäten äußern. Die Libidostauung ist hier das primäre Moment, sie wird pathogen infolge der *relativen* Versagung von seiten der Außenwelt, die einem geringeren Libidoanspruch die Befriedigung noch gestattet hätte. Die unbefriedigte und gestaute Libido kann wieder die Wege zur Regression eröffnen und dieselben Konflikte anfachen, die wir für den Fall der absoluten äußeren Versagung festgestellt haben. Wir werden auf solche Weise daran gemahnt, daß wir das quantitative Moment bei keiner Überlegung über Krankheitsveranlassung außer acht lassen dürfen. Alle anderen Faktoren, die Versagung, Fixierung, Entwicklungshemmung, bleiben wirkungslos, insofern sie nicht ein gewisses Maß der Libido betreffen und eine Libidostauung von bestimmter Höhe hervorrufen. Dieses Maß von Libido, das uns für eine pathogene Wirkung unentbehrlich dünkt, ist für uns freilich nicht meßbar; wir können es nur postulieren, nachdem der Krankheitserfolg eingetreten ist. Nur nach einer Richtung dürfen wir es enger bestimmen; wir dürfen annehmen, daß es sich nicht um eine *absolute* Quantität handelt, sondern um das Verhältnis des wirksamen Libidobetrages zu jener Quantität von Libido, welche das einzelne Ich bewältigen, das heißt in Spannung erhalten, sublimieren oder direkt verwenden kann. Daher wird eine relative Steigerung der Libidoquantität dieselben Wirkungen haben können wie eine absolute. Eine Schwächung des Ichs durch organische Krankheit oder durch besondere Inanspruchnahme seiner Energie wird imstande sein, Neurosen zum Vorschein kommen zu lassen, die sonst trotz aller Disposition latent geblieben wären.

Die Bedeutung, welche wir der Libidoquantität für die Krankheitsverursachung zugestehen müssen, stimmt in wünschenswerter Weise zu zwei Hauptsätzen der Neurosenlehre, die sich aus der Psychoanalyse ergeben haben. Erstens zu dem Satze, daß die Neurosen aus dem Konflikt zwischen dem Ich und der Libido entspringen, zweitens zu der Einsicht, daß keine qualitative Verschiedenheit zwischen den Bedingungen der Gesundheit und denen der Neurose bestehe, daß die Gesunden vielmehr mit denselben Aufgaben der Bewältigung der Libido zu kämpfen haben, nur daß es ihnen besser gelungen ist.

Es erübrigt noch, einige Worte über das Verhältnis dieser Typen zur Erfahrung zu sagen. Wenn ich die Anzahl von Kranken überblicke, mit deren Analyse ich gerade jetzt beschäftigt bin, so muß ich feststellen, daß keiner von ihnen einen der vier Erkrankungstypen rein realisiert. Ich finde vielmehr bei jedem ein Stück der Versagung wirksam neben einem Anteil von Unfähigkeit, sich der Realforderung anzupassen; der Gesichtspunkt der Entwicklungshemmung, die ja mit der Starrheit der Fixierungen zusammenfällt, kommt bei allen in Betracht, und die Bedeutung der Libidoquantität dürfen wir, wie oben ausgeführt, niemals vernachlässigen. Ja, ich erfahre, daß bei mehreren unter diesen Kranken die Krankheit in Schüben zum Vorschein gekommen ist, zwischen welchen Intervalle von Gesundheit lagen, und daß jeder dieser Schübe sich auf einen anderen Typus von Veranlassung zurückführen läßt. Die Aufstellung dieser vier Typen hat also keinen hohen theoretischen Wert; es sind bloß verschiedene Wege zur Herstellung einer gewissen pathogenen Konstellation im seelischen Haushalt, nämlich der Libidostauung, welcher sich das Ich mit seinen Mitteln nicht ohne Schaden erwehren kann. Die Situation selbst wird aber nur pathogen infolge eines quantitativen Momentes; sie ist nicht etwa eine Neuheit für das Seelenleben und durch das Eindringen einer sogenannten »Krankheitsursache« geschaffen.

Eine gewisse praktische Bedeutung werden wir den Erkrankungstypen gerne zugestehen. Sie sind in einzelnen Fällen auch rein zu beobachten; auf den dritten und vierten Typus wären wir nicht aufmerksam geworden, wenn sie nicht die einzigen Veranlassungen der Erkrankung für manche Individuen enthielten. Der erste Typus hält uns den außerordentlich mächtigen Einfluß der Außenwelt vor Augen, der zweite den nicht minder bedeutsamen der Eigenart des Individuums, welche sich diesem Einflusse widersetzt. Die Pathologie konnte dem Problem der Krankheitsveranlassung bei den Neurosen nicht gerecht werden, solange sie sich bloß um die Entscheidung bemühte, ob diese Affektionen *endogener* oder *exogener* Natur seien. Allen Erfahrungen, welche auf die Bedeutung der Abstinenz (im weitesten Sinne) als Veranlassung hinweisen, mußte sie immer den Einwand entgegensetzen, andere Personen vertrügen dieselben Schicksale, ohne zu erkranken. Wollte sie aber die Eigenart des Individuums als das für Krankheit und Gesundheit Wesentliche betonen, so mußte sie sich die Vorhaltung gefallen lassen, daß Personen mit solcher Eigenart die längste Zeit über gesund bleiben können, solange ihnen nur gestattet ist, diese Eigenart zu bewahren. Die Psychoanalyse hat uns gemahnt, den unfruchtbaren Gegensatz von äußeren und inneren Momenten, von Schicksal und Konstitution, aufzugeben, und hat uns gelehrt, die Verursachung der neurotischen Erkrankung regelmäßig in einer bestimmten psychischen Situation zu finden, welche auf verschiedenen Wegen hergestellt werden kann.

Hemmung, Symptom und Angst

(1926 [1925])

EDITORISCHE VORBEMERKUNG

Deutsche Ausgaben:

1926 Leipzig, Wien und Zürich, Internationaler Psychoanalytischer Verlag. 136 Seiten.

1928 G. S., Bd. 11, 23–115.

1931 *Neurosenlehre und Technik,* 205–99.

1948 G. W., Bd. 14, 113–205.

Dieses Buch wurde im Juli 1925 verfaßt, im Dezember desselben Jahres noch einmal überarbeitet und im darauffolgenden Februar veröffentlicht. Die darin behandelten Themen stecken ein weites Feld ab, und es gibt Anzeichen dafür, daß es Freud ungewöhnliche Mühe kostete, sie zu einem Ganzen zusammenzubringen. So wird z. B. häufig ein und derselbe Gegenstand an verschiedenen Stellen in sehr ähnlichen Worten erörtert. Trotz bedeutsamer Nebenthemen steht ohne Frage das Angstproblem im Zentrum. Dieses Problem hat Freud seit dem Beginn seiner psychologischen Forschungen ständig bewegt, und seine Auffassungen über gewisse Aspekte der Angst haben sich im Laufe der Zeit ganz erheblich gewandelt. Es ist daher vielleicht nicht uninteressant, die Geschichte einiger der wichtigeren unter diesen Veränderungen in großen Zügen nachzuzeichnen.

(a) Angst als umgewandelte Libido

Freud begegnete dem Angstproblem erstmals bei seinen Untersuchungen der »Aktualneurosen«; die früheste veröffentlichte Erwägung findet sich in seiner ersten Arbeit über die Angstneurose (1895 *b*), im vorliegenden Band S. 27 ff. Noch stark unter dem Einfluß seiner neurologischen Studien, setzte Freud damals alle Mühe daran, auch psychologische Fakten in physiologischen Termini auszudrücken. In Anlehnung an Fechner postulierte er insbesondere das »Konstanzprinzip«, wonach das Nervensystem in sich die Tendenz hat, den jeweils vorhandenen Erregungsbetrag zu reduzieren oder zumindest konstant zu halten. Als er die klinische Beobachtung machte, daß in Fällen von Angstneurose immer auch Störungen in der Abfuhr der Sexualspannung zu konstatieren waren, erschien es ihm daher selbstverständlich, daraus zu folgern, daß die angehäufte Erregung sich ihren Weg nach außen mittels Umwandlung in Angst zu bahnen suchte. Er betrachtete dies als einen rein physischen Vorgang ohne jegliche psychische Determinanten.

Von Anfang an stellte jedoch die bei Phobien und Zwangsneurosen vorkommende Angst ein besonderes Problem, denn in diesen Fällen ließ sich die Beteiligung psychischer Faktoren nicht ausschließen. Für das Auftreten der Angst gab Freud aber auch hier die gleiche Erklärung. Bei den Psychoneurosen sei zwar die *Ursache* für die Anhäufung unabgeführter Erregung eine psychische: die Verdrängung. Was freilich daraus folge, sei das gleiche wie bei den Aktualneurosen: die angehäufte Erregung (oder Libido) verwandele sich unmittelbar in Angst.

An dieser Ansicht hielt Freud etwa dreißig Jahre lang fest und sprach sie mehrfach aus. So konnte er z. B. im Jahre 1920 in einer Fußnote zur vierten Auflage der *Drei Abhandlungen zur Sexualtheorie* (1905 d) (›Die Objektfindung‹ in der III. Abhandlung) noch immer schreiben: »Daß die neurotische Angst aus der Libido entsteht, ein Umwandlungsprodukt derselben darstellt, sich also etwa so zu ihr verhält wie der Essig zum Wein, ist eines der bedeutsamsten Resultate der psychoanalytischen Forschung.« Erst in der hier vorliegenden Arbeit gab Freud die so lange aufrechterhaltene Theorie auf. Er betrachtete nun die Angst nicht länger als umgewandelte Libido, sondern als eine nach einem bestimmten Modell ablaufende Reaktion auf Gefahrsituationen. Aber selbst hier behauptete er noch (s. S. 281), es sei durchaus möglich, daß im Falle der Angstneurose »gerade der Überschuß an unverwendeter Libido seine Abfuhr in der Angstentwicklung findet«. Wenige Jahre später wurde dann auch dieser letzte Überrest der alten Theorie preisgeben. In der *Neuen Folge der Vorlesungen zur Einführung in die Psychoanalyse* (1933 a), 32. Vorlesung (*Studienausgabe*, Bd. 1, S. 528) schrieb er, daß auch bei der Angstneurose die auftretende Angst eine Reaktion auf eine traumatische Situation sei: »Daß es die Libido selbst ist, die dabei in Angst verwandelt wird, werden wir nicht mehr behaupten.«

(b) Realangst und neurotische Angst

Ungeachtet seiner Theorie, daß neurotische Angst lediglich umgewandelte Libido sei, hielt Freud von Anfang an beharrlich daran fest, daß zwischen Angst als Reaktion auf äußere Gefahren und Angst auf Grund von Triebgefahr eine enge Beziehung bestehe. Dies ist in der ersten Arbeit zur Angstneurose (1895 b), S. 46 oben, klar zum Ausdruck gebracht. Freud baute diese Position, vor allem im Zusammenhang mit den Phobien, in vielen späteren Arbeiten noch weiter aus – z. B. in der 25. der *Vorlesungen* (1916–17). Aber es war doch schwierig, die Gleichheit der Angst in diesen beiden Falltypen zu behaupten, solange Freud daran festhielt, daß bei den Aktualneurosen die Angst unmittelbar aus der Libido entstehe. Als er diese Auffassung fallenließ und die Unterscheidung zwischen automatischer Angst und Angst als Signal einführte, klärte sich die Situation, und es bestand nun kein Grund mehr, zwischen neurotischer und Realangst einen generischen Unterschied zu sehen.

(c) Die traumatische Situation und die Gefahrsituation

Die eigentliche Determinante für die automatische Angst ist das Eintreten einer traumatischen Situation mit dem Kernerlebnis der Hilflosigkeit, die das Ich angesichts einer Erregungsanhäufung äußeren oder inneren Ursprungs, die es nicht verarbeiten kann, empfindet (s. S. 277 f. und S. 292 unten). Angst »als Signal« ist die Antwort des Ichs auf eine drohende traumatische Situation. Eine solche Drohung schafft eine Gefahrsituation. Die Gefahren von innen wandeln sich mit den Entwicklungsphasen des Lebens (S. 286–7), haben aber einen Zug gemeinsam, nämlich Trennung von einem Liebesobjekt, Verlust des Liebesobjekts oder Verlust seiner Liebe (S. 290), wodurch es zur Aufstauung von ungestillten Wünschen und damit zum Erlebnis der Hilflosigkeit kommen kann. Die spezifischen Gefahren, die in den verschiedenen Lebensaltern eine traumatische Situation auslösen können, sind, kurz gesagt: Geburt, Verlust des Mutterobjekts, Penisverlust, Verlust der Liebe des Objekts, Verlust der Liebe des Über-Ichs.

(d) Angst als Signal

Angewandt auf Unlust im allgemeinen, läßt sich diese Vorstellung schon sehr früh in Freuds Denken nachweisen; sie datiert aus der Zeit seiner Freundschaft mit Fließ und steht in enger Verbindung mit der Auffassung Freuds, daß das Denken die Affektentwicklung durch die Denktätigkeit auf jenes Minimum reduzieren müsse, welches für die Signalauslösung unerläßlich ist. In ›Das Unbewußte‹ (1915 e) wird diese Vorstellung bereits auf die Angst angewandt; ähnlich wird in der 25. der *Vorlesungen* vom Zustand der »Angstbereitschaft« festgestellt, daß er ein »Signal« liefere, um dem Ausbruch schwerer Angst zuvorzukommen (*Studienausgabe*, Bd. 1, S. 382). Von hier aus war es kein großer Schritt zu der äußerst klaren Darlegung der vorliegenden Arbeit (in welcher das Konzept übrigens zunächst auch als Signal von »Unlust« S. 238) und erst danach als Signal von »Angst« eingeführt wird).

(e) Angst und Geburt

Wodurch ist nun die *Form* determiniert, in welcher die Angst auftritt? Auch diese Frage wird schon in den frühen Schriften Freuds erörtert. Zunächst betrachtete Freud (entsprechend seiner Auffassung von der Angst als umgewandelter Libido) die auffallendsten Angstsymptome – Atemlosigkeit und Herzklopfen – als Elemente des Koitus, die, da die normalen Abfuhrwege der Erregung versperrt seien, in isolierter, gesteigerter Form aufträten. Vgl. die erste Arbeit über Angstneurose (S. 46 oben) und die Krankengeschichte der »Dora« (1905 *d* [1901], S. 149 oben). Es ist unklar, wie sich all dies mit Freuds allgemeinen Ansichten über den Affektausdruck verträgt, die letztlich zweifellos auf Darwin zurückgehen. In den *Studien über Hysterie* (1895 *d*) bringt er die Lehre Darwins in Erinnerung, daß der Ausdruck der Gemütsbewegungen »aus ursprünglich sinnvollen und regelmäßigen Leistungen besteht«. Viel später, in der 25. der *Vorlesungen (Studienausgabe,* Bd. 1, S. 383), greift er diese Frage wieder auf und betont, er glaube, daß »der Kern« eines Affekts »die Wiederholung eines bestimmten bedeutungsvollen Erlebnisses« sei. Er kommt auf die Erklärung zurück, die er für hysterische Anfälle gefunden hatte (1909 *a,* S. 201–2 des vorliegenden Bandes), sie seien Wiederbelebungen von Kindheitserlebnissen. Ergänzend fügt er die Schlußfolgerung hinzu: »Der hysterische Anfall ist also vergleichbar einem neugebildeten individuellen Affekt, der normale Affekt dem Ausdruck einer generellen, zur Erbschaft gewordenen Hysterie.« In der vorliegenden Arbeit wiederholt er diese Theorie mit fast den gleichen Worten (S. 239 und S. 274).

Welche Rolle auch immer diese Affekttheorie für Freuds *frühere* Erklärungen der Formen der Angst gespielt haben mag, für seine neue Erklärung, die er erstmals in einer der zweiten Auflage (1909) der *Traumdeutung* (1900 *a,* gegen Schluß des VI. Kapitels (E)) hinzugefügten Fußnote gab, war sie jedenfalls wesentlich. Er erwähnt die Phantasien über das Leben im Mutterleib und fährt (in Sperrdruck) fort: »*Der Geburtsakt ist übrigens das erste Angsterlebnis und somit Quelle und Vorbild des Angstaffekts.*« Diese Hypothese gab er nie auf. Er räumte ihr einen hervorragenden Platz in der ersten seiner Arbeiten über die Psychologie der Liebe ein (1910 *b*). Auch in der 25. der *Vorlesungen* (loc. cit.) taucht der Zusammenhang zwischen Angst und Geburt auf, ebenso in *Das Ich und das Es* (1923 *b*), wo Freud ziemlich am Schluß vom »ersten großen Angstzustand der Geburt« spricht. Damit sind wir beim Zeitpunkt der Veröffentlichung von Otto Ranks Buch *Das Trauma der Geburt* (1924) angelangt.

Dieses Buch ist sehr viel mehr als nur eine einfache Übernahme der Erklärung, die Freud für die *Formen* der Angst gefunden hatte. Rank behauptet vielmehr, daß alle späteren Angstanfälle Versuche seien, das ursprüngliche Geburtstrauma »abzureagieren«. Ähnlich erklärt er sämtliche Neurosen, wobei er beiläufig den Ödipuskomplex entthront und eine Reform der therapeutischen Technik mit dem Ziel der Überwindung des Geburtstraumas vorschlägt. Freuds publizierte Hinweise auf das Buch von Rank klingen zunächst positiv. In der hier vorliegenden Arbeit zeigt sich jedoch ein radikaler und endgültiger Meinungsumschwung. Seine Ablehnung der Ansichten Ranks regte Freud aber zur Revision seiner eigenen Überlegungen an, und so entstand die Schrift *Hemmung, Symptom und Angst.*

Unser Sprachgebrauch läßt uns in der Beschreibung pathologischer Phänomene Symptome und Hemmungen unterscheiden, aber er legt diesem Unterschied nicht viel Wert bei. Kämen uns nicht Krankheitsfälle vor, von denen wir aussagen mussen, daß sie nur Hemmungen und keine Symptome zeigen, und wollten wir nicht wissen, was dafür die Bedingung ist, so brächten wir kaum das Interesse auf, die Begriffe Hemmung und Symptom gegeneinander abzugrenzen.

Die beiden sind nicht auf dem nämlichen Boden erwachsen. Hemmung hat eine besondere Beziehung zur Funktion und bedeutet nicht notwendig etwas Pathologisches, man kann auch eine normale Einschränkung einer Funktion eine Hemmung derselben nennen. Symptom hingegen heißt soviel wie Anzeichen eines krankhaften Vorganges. Es kann also auch eine Hemmung ein Symptom sein. Der Sprachgebrauch verfährt dann so, daß er von Hemmung spricht, wo eine einfache Herabsetzung der Funktion vorliegt, von Symptom, wo es sich um eine ungewöhnliche Abänderung derselben oder um eine neue Leistung handelt. In vielen Fällen scheint es der Willkür überlassen, ob man die positive oder die negative Seite des pathologischen Vorgangs betonen, seinen Erfolg als Symptom oder als Hemmung bezeichnen will. Das alles ist wirklich nicht interessant, und die Fragestellung, von der wir ausgingen, erweist sich als wenig fruchtbar.

Da die Hemmung begrifflich so innig an die Funktion geknüpft ist, kann man auf die Idee kommen, die verschiedenen Ichfunktionen daraufhin zu untersuchen, in welchen Formen sich deren Störung bei den einzelnen neurotischen Affektionen äußert. Wir wählen für diese vergleichende Studie: die Sexualfunktion, das Essen, die Lokomotion und die Berufsarbeit.

a) Die Sexualfunktion unterliegt sehr mannigfaltigen Störungen, von denen die meisten den Charakter einfacher Hemmungen zeigen. Diese werden als psychische Impotenz zusammengefaßt. Das Zustandekommen der normalen Sexualleistung setzt einen sehr komplizierten Ablauf voraus, die Störung kann an jeder Stelle desselben eingreifen. Die

Hauptstationen der Hemmung sind beim Manne: die Abwendung der Libido zur Einleitung des Vorgangs (psychische Unlust), das Ausbleiben der physischen Vorbereitung (Erektionslosigkeit), die Abkürzung des Aktes *(ejaculatio praecox)*, die ebensowohl als positives Symptom beschrieben werden kann, die Aufhaltung desselben vor dem natürlichen Ausgang (Ejakulationsmangel), das Nichtzustandekommen des psychischen Effekts (der Lustempfindung des Orgasmus). Andere Störungen erfolgen durch die Verknüpfung der Funktion mit besonderen Bedingungen, perverser oder fetischistischer Natur.

Eine Beziehung der Hemmung zur Angst kann uns nicht lange entgehen. Manche Hemmungen sind offenbar Verzichte auf Funktion, weil bei deren Ausübung Angst entwickelt werden würde. Direkte Angst vor der Sexualfunktion ist beim Weibe häufig; wir ordnen sie der Hysterie zu, ebenso das Abwehrsymptom des Ekels, das sich ursprünglich als nachträgliche Reaktion auf den passiv erlebten Sexualakt einstellt, später bei der Vorstellung desselben auftritt. Auch eine große Anzahl von Zwangshandlungen erweisen sich als Vorsichten und Versicherungen gegen sexuelles Erleben, sind also phobischer Natur.

Man kommt da im Verständnis nicht sehr weit; man merkt nur, daß sehr verschiedene Verfahren verwendet werden, um die Funktion zu stören: 1) die bloße Abwendung der Libido, die am ehesten zu ergeben scheint, was wir eine reine Hemmung heißen, 2) die Verschlechterung in der Ausführung der Funktion, 3) die Erschwerung derselben durch besondere Bedingungen und ihre Modifikation durch Ablenkung auf andere Ziele, 4) ihre Vorbeugung durch Sicherungsmaßregeln, 5) ihre Unterbrechung durch Angstentwicklung, sowie sich ihr Ansatz nicht mehr verhindern läßt, endlich 6) eine nachträgliche Reaktion, die dagegen protestiert und das Geschehene rückgängig machen will, wenn die Funktion doch durchgeführt wurde.

b) Die häufigste Störung der Nahrungsfunktion ist die Eßunlust durch Abziehung der Libido. Auch Steigerungen der Eßlust sind nicht selten; ein Eßzwang motiviert sich durch Angst vor dem Verhungern, ist wenig untersucht. Als hysterische Abwehr des Essens kennen wir das Symptom des Erbrechens. Die Nahrungsverweigerung infolge von Angst gehört psychotischen Zuständen an (Vergiftungswahn).

c) Die Lokomotion wird bei manchen neurotischen Zuständen durch Gehunlust und Gehschwäche gehemmt, die hysterische Behinderung bedient sich der motorischen Lähmung des Bewegungsapparates oder schafft eine spezialisierte Aufhebung dieser einen Funktion desselben

(Abasie). Besonders charakteristisch sind die Erschwerungen der Lokomotion durch Einschaltung bestimmter Bedingungen, bei deren Nicht-
erfüllung Angst auftritt (Phobie).

d) Die Arbeitshemmung, die so oft als isoliertes Symptom Gegenstand
der Behandlung wird, zeigt uns verminderte Lust oder schlechtere
Ausführung oder Reaktionserscheinungen wie Müdigkeit (Schwindel,
Erbrechen), wenn die Fortsetzung der Arbeit erzwungen wird. Die
Hysterie erzwingt die Einstellung der Arbeit durch Erzeugung von
Organ- und Funktionslähmungen, deren Bestand mit der Ausführung
der Arbeit unvereinbar ist. Die Zwangsneurose stört die Arbeit durch
fortgesetzte Ablenkung und durch den Zeitverlust bei eingeschobenen
Verweilungen und Wiederholungen.

Wir könnten diese Übersicht noch auf andere Funktionen ausdehnen,
aber wir dürfen nicht erwarten, dabei mehr zu erreichen. Wir kämen
nicht über die Oberfläche der Erscheinungen hinaus. Entschließen wir
uns darum zu einer Auffassung, die dem Begriff der Hemmung nicht
mehr viel Rätselhaftes beläßt. Die Hemmung ist der Ausdruck einer
Funktionseinschränkung des Ichs, die selbst sehr verschiedene Ursachen
haben kann. Manche der Mechanismen dieses Verzichts auf Funktion
und eine allgemeine Tendenz desselben sind uns wohlbekannt.

An den spezialisierten Hemmungen ist die Tendenz leichter zu erkennen. Wenn das Klavierspielen, Schreiben und selbst das Gehen neurotischen Hemmungen unterliegen, so zeigt uns die Analyse den Grund
hiefür in einer überstarken Erotisierung der bei diesen Funktionen in
Anspruch genommenen Organe, der Finger und der Füße. Wir haben
ganz allgemein die Einsicht gewonnen, daß die Ichfunktion eines Orga-
nes geschädigt wird, wenn seine Erogeneität, seine sexuelle Bedeutung,
zunimmt. Es benimmt sich dann, wenn man den einigermaßen skurrilen
Vergleich wagen darf, wie eine Köchin, die nicht mehr am Herd arbeiten will, weil der Herr des Hauses Liebesbeziehungen zu ihr angeknüpft
hat. Wenn das Schreiben, das darin besteht, aus einem Rohr Flüssigkeit
auf ein Stück weißes Papier fließen zu lassen, die symbolische Bedeutung des Koitus angenommen hat oder wenn das Gehen zum symbolischen Ersatz des Stampfens auf dem Leib der Mutter Erde geworden
ist, dann wird beides, Schreiben und Gehen, unterlassen, weil es so ist,
als ob man die verbotene sexuelle Handlung ausführen würde. Das Ich
verzichtet auf diese ihm zustehenden Funktionen, um nicht eine neuer-

liche Verdrängung vornehmen zu müssen, *um einem Konflikt mit dem Es auszuweichen.*

Andere Hemmungen erfolgen offenbar im Dienste der Selbstbestrafung, wie nicht selten die der beruflichen Tätigkeiten. Das Ich darf diese Dinge nicht tun, weil sie ihm Nutzen und Erfolg bringen würden, was das gestrenge Über-Ich versagt hat. Dann verzichtet das Ich auch auf diese Leistungen, *um nicht in Konflikt mit dem Über-Ich zu geraten.*

Die allgemeineren Hemmungen des Ichs folgen einem anderen, einfachen, Mechanismus. Wenn das Ich durch eine psychische Aufgabe von besonderer Schwere in Anspruch genommen ist, wie z. B. durch eine Trauer, eine großartige Affektunterdrückung, durch die Nötigung, beständig aufsteigende sexuelle Phantasien niederzuhalten, dann verarmt es so sehr an der ihm verfügbaren Energie, daß es seinen Aufwand an vielen Stellen zugleich einschränken muß, wie ein Spekulant, der seine Gelder in seinen Unternehmungen immobilisiert hat. Ein lehrreiches Beispiel einer solchen intensiven Allgemeinhemmung von kurzer Dauer konnte ich an einem Zwangskranken beobachten, der in eine lähmende Müdigkeit von ein- bis mehrtägiger Dauer bei Anlässen verfiel, die offenbar einen Wutausbruch hätten herbeiführen sollen. Von hier aus muß auch ein Weg zum Verständnis der Allgemeinhemmung zu finden sein, durch die sich die Depressionszustände und der schwerste derselben, die Melancholie, kennzeichnen.

Man kann also abschließend über die Hemmungen sagen, sie seien Einschränkungen der Ichfunktionen, entweder aus Vorsicht oder infolge von Energieverarmung. Es ist nun leicht zu erkennen, worin sich die Hemmung vom Symptom unterscheidet. Das Symptom kann nicht mehr als ein Vorgang im oder am Ich beschrieben werden.

II

Die Grundzüge der Symptombildung sind längst studiert und in hoffentlich unanfechtbarer Weise ausgesprochen worden[1]. Das Symptom sei Anzeichen und Ersatz einer unterbliebenen Triebbefriedigung, ein Erfolg des Verdrängungsvorganges. Die Verdrängung geht vom Ich aus, das, eventuell im Auftrage des Über-Ichs, eine im Es angeregte Triebbesetzung nicht mitmachen will. Das Ich erreicht durch die Verdrängung, daß die Vorstellung, welche der Träger der unliebsamen Regung war, vom Bewußtwerden abgehalten wird. Die Analyse weist oftmals nach, daß sie als unbewußte Formation erhalten geblieben ist. So weit wäre es klar, aber bald beginnen die unerledigten Schwierigkeiten.

Unsere bisherigen Beschreibungen des Vorganges bei der Verdrängung haben den Erfolg der Abhaltung vom Bewußtsein nachdrücklich betont[2], aber in anderen Punkten Zweifel offen gelassen. Es entsteht die Frage, was ist das Schicksal der im Es aktivierten Triebregung, die auf Befriedigung abzielt? Die Antwort war eine indirekte, sie lautete, durch den Vorgang der Verdrängung werde die zu erwartende Befriedigungslust in Unlust verwandelt, und dann stand man vor dem Problem, wie Unlust das Ergebnis einer Triebbefriedigung sein könne. Wir hoffen, den Sachverhalt zu klären, wenn wir die bestimmte Aussage machen, der im Es beabsichtigte Erregungsablauf komme infolge der Verdrängung überhaupt nicht zustande, es gelinge dem Ich, ihn zu inhibieren oder abzulenken. Dann entfällt das Rätsel der »Affektverwandlung« bei der Verdrängung[3]. Wir haben aber damit dem Ich das Zugeständnis gemacht, daß es einen so weitgehenden Einfluß auf die Vorgänge im Es äußern kann, und sollen verstehen lernen, auf welchem Wege ihm diese überraschende Machtentfaltung möglich wird.

Ich glaube, dieser Einfluß fällt dem Ich zu infolge seiner innigen Bezie-

---

[1] [S. z. B. die *Drei Abhandlungen zur Sexualtheorie* (1905 *d*), Abhandlung I (4), insbesondere den dritten Absatz.]
[2] [Vgl. die Feststellung ziemlich zu Anfang der Schrift ›Die Verdrängung‹ (1915 *d*).]
[3] [Diese Frage wird in der Krankengeschichte der »Dora« (1905 *e*), oben S. 106, erörtert.]

hungen zum Wahrnehmungssystem, die ja sein Wesen ausmachen und der Grund seiner Differenzierung vom Es geworden sind. Die Funktion dieses Systems, das wir *W-Bw* genannt haben, ist mit dem Phänomen des Bewußtseins verbunden[1]; es empfängt Erregungen nicht nur von außen, sondern auch von innen her, und mittels der Lust-Unlustempfindungen, die es von daher erreichen, versucht es, alle Abläufe des seelischen Geschehens im Sinne des Lustprinzips zu lenken. Wir stellen uns das Ich so gerne als ohnmächtig gegen das Es vor, aber wenn es sich gegen einen Triebvorgang im Es sträubt, so braucht es bloß ein *Unlustsignal*[2] zu geben, um seine Absicht durch die Hilfe der beinahe allmächtigen Instanz des Lustprinzips zu erreichen. Wenn wir diese Situation für einen Augenblick isoliert betrachten, können wir sie durch ein Beispiel aus einer anderen Sphäre illustrieren. In einem Staate wehre sich eine gewisse Clique gegen eine Maßregel, deren Beschluß den Neigungen der Masse entsprechen würde. Diese Minderzahl bemächtigt sich dann der Presse, bearbeitet durch sie die souveräne »öffentliche Meinung« und setzt es so durch, daß der geplante Beschluß unterbleibt.

An die eine Beantwortung knüpfen weitere Fragestellungen an. Woher rührt die Energie, die zur Erzeugung des Unlustsignals verwendet wird? Hier weist uns die Idee den Weg, daß die Abwehr eines unerwünschten Vorganges im Inneren nach dem Muster der Abwehr gegen einen äußeren Reiz geschehen dürfte, daß das Ich den gleichen Weg der Verteidigung gegen die innere wie gegen die äußere Gefahr einschlägt. Bei äußerer Gefahr unternimmt das organische Wesen einen Fluchtversuch, es zieht zunächst die Besetzung von der Wahrnehmung des Gefährlichen ab; später erkennt es als das wirksamere Mittel, solche Muskelaktionen vorzunehmen, daß die Wahrnehmung der Gefahr, auch wenn man sie nicht verweigert, unmöglich wird, also sich dem Wirkungsbereich der Gefahr zu entziehen. Einem solchen Fluchtversuch gleichwertig ist auch die Verdrängung. Das Ich zieht die (vorbewußte) Besetzung von der zu verdrängenden Triebrepräsentanz[3] ab und verwendet sie für die Unlust-(Angst)-Entbindung. Das Problem, wie bei der Verdrängung die Angst entsteht, mag kein einfaches sein; immerhin hat man das Recht, an der Idee festzuhalten, daß das Ich die eigentliche Angststätte ist, und die frühere Auffassung zurückzuweisen, die

---

[1] [Vgl. *Jenseits des Lustprinzips* (1920 g), zu Anfang von Kapitel IV.]

[2] [S. die ›Editorische Vorbemerkung‹, S. 231.]

[3] [D. h. von dem, was den Trieb in der Seele repräsentiert.]

Besetzungsenergie der verdrängten Regung werde automatisch in Angst verwandelt. Wenn ich mich früher einmal so geäußert habe, so gab ich eine phänomenologische Beschreibung, nicht eine metapsychologische Darstellung.

Aus dem Gesagten leitet sich die neue Frage ab, wie es ökonomisch möglich ist, daß ein bloßer Abziehungs- und Abfuhrvorgang wie beim Rückzug der vorbewußten Ichbesetzung Unlust oder Angst erzeugen könne, die nach unseren Voraussetzungen nur Folge gesteigerter Besetmung sein kann. Ich antworte, diese Verursachung soll nicht ökonomisch erklärt werden, die Angst wird bei der Verdrängung nicht neu erzeugt, sondern als Affektzustand nach einem vorhandenen Erinnerungsbild reproduziert. Mit der weiteren Frage nach der Herkunft dieser Angst – wie der Affekte überhaupt – verlassen wir aber den unbestritten psychologischen Boden und betreten das Grenzgebiet der Physiologie. Die Affektzustände sind dem Seelenleben als Niederschläge uralter traumatischer Erlebnisse einverleibt und werden in ähnlichen Situationen wie Erinnerungssymbole[1] wachgerufen. Ich meine, ich hatte nicht unrecht, sie den spät und individuell erworbenen hysterischen Anfällen gleichzusetzen und als deren Normalvorbilder zu betrachten[2]. Beim Menschen und ihm verwandten Geschöpfen scheint der Geburtsakt als das erste individuelle Angsterlebnis dem Ausdruck des Angstaffekts charakteristische Züge geliehen zu haben. Wir sollen aber diesen Zusammenhang nicht überschätzen und in seiner Anerkennung nicht übersehen, daß ein Affektsymbol für die Situation der Gefahr eine biologische Notwendigkeit ist und auf jeden Fall geschaffen worden wäre. Ich halte es auch für unberechtigt anzunehmen, daß bei jedem Angstausbruch etwas im Seelenleben vor sich geht, was einer Reproduktion der Geburtssituation gleichkommt. Es ist nicht einmal sicher, ob die hysterischen Anfälle, die ursprünglich solche traumatische Reproduktionen sind, diesen Charakter dauernd bewahren.

Ich habe an anderer Stelle ausgeführt, daß die meisten Verdrängungen, mit denen wir bei der therapeutischen Arbeit zu tun bekommen, Fälle von *Nach*drängen sind[3]. Sie setzen früher erfolgte *Urverdrängungen* voraus, die auf die neuere Situation ihren anziehenden Einfluß ausüben. Von diesen Hintergründen und Vorstufen der Verdrängung ist noch viel zu wenig bekannt. Man kommt leicht in Gefahr, die Rolle des

---

[1] [S. Anm. 3, S. 54.]
[2] [S. die ›Editorische Vorbemerkung‹, S. 232, sowie unten S. 274.]
[3] [Dies wird ziemlich zu Anfang der Schrift ›Die Verdrängung‹ (1915 d) erörtert.]

Über-Ichs bei der Verdrängung zu überschätzen. Man kann es derzeit nicht beurteilen, ob etwa das Auftreten des Über-Ichs die Abgrenzung zwischen Urverdrängung und Nachdrängen schafft. Die ersten – sehr intensiven – Angstausbrüche erfolgen jedenfalls vor der Differenzierung des Über-Ichs. Es ist durchaus plausibel, daß quantitative Momente, wie die übergroße Stärke der Erregung und der Durchbruch des Reizschutzes, die nächsten Anlässe der Urverdrängungen sind.

Die Erwähnung des Reizschutzes mahnt uns wie ein Stichwort, daß die Verdrängungen in zwei unterschiedenen Situationen auftreten, nämlich wenn eine unliebsame Triebregung durch eine äußere Wahrnehmung wachgerufen wird und wenn sie ohne solche Provokation im Innern auftaucht. Wir werden später [S. 294] auf diese Verschiedenheit zurückkommen. Reizschutz gibt es aber nur gegen äußere Reize, nicht gegen innere Triebansprüche.

Solange wir den Fluchtversuch des Ichs studieren, bleiben wir der Symptombildung ferne. Das Symptom entsteht aus der durch die Verdrängung beeinträchtigten Triebregung. Wenn das Ich durch die Inanspruchnahme des Unlustsignals seine Absicht erreicht, die Triebregung völlig zu unterdrücken, erfahren wir nichts darüber, wie das geschieht. Wir lernen nur aus den Fällen, die als mehr oder minder mißglückte Verdrängungen zu bezeichnen sind.

Dann stellt es sich im allgemeinen so dar, daß die Triebregung zwar trotz der Verdrängung einen Ersatz gefunden hat, aber einen stark verkümmerten, verschobenen, gehemmten. Er ist auch als Befriedigung nicht mehr kenntlich. Wenn er vollzogen wird, kommt keine Lustempfindung zustande, dafür hat dieser Vollzug den Charakter des Zwanges angenommen. Aber bei dieser Erniedrigung des Befriedigungsablaufes zum Symptom zeigt die Verdrängung ihre Macht noch in einem anderen Punkte. Der Ersatzvorgang wird womöglich von der Abfuhr durch die Motilität ferngehalten; auch wo dies nicht gelingt, muß er sich in der Veränderung des eigenen Körpers erschöpfen und darf nicht auf die Außenwelt übergreifen; es wird ihm verwehrt, sich in Handlung umzusetzen. Wir verstehen, bei der Verdrängung arbeitet das Ich unter dem Einfluß der äußeren Realität und schließt darum den Erfolg des Ersatzvorganges von dieser Realität ab.

Das Ich beherrscht den Zugang zum Bewußtsein wie den Übergang zur Handlung gegen die Außenwelt; in der Verdrängung betätigt es seine Macht nach beiden Richtungen. Die [psychische] Triebrepräsentanz bekommt die eine, die Triebregung selbst die andere Seite seiner

Kraftäußerung zu spüren. Da ist es denn am Platze, sich zu fragen, wie diese Anerkennung der Mächtigkeit des Ichs mit der Beschreibung zusammenkommt, die wir in der Studie *Das Ich und das Es* von der Stellung desselben Ichs entworfen haben. Wir haben dort die Abhängigkeit des Ichs vom Es wie vom Über-Ich geschildert, seine Ohnmacht und Angstbereitschaft gegen beide, seine mühsam aufrechterhaltene Überheblichkeit entlarvt[1]. Dieses Urteil hat seither einen starken Widerhall in der psychoanalytischen Literatur gefunden. Zahlreiche Stimmen betonen eindringlich die Schwäche des Ichs gegen das Es, des Rationellen gegen das Dämonische in uns, und schicken sich an, diesen Satz zu einem Grundpfeiler einer psychoanalytischen »Weltanschauung« zu machen. Sollte nicht die Einsicht in die Wirkungsweise der Verdrängung gerade den Analytiker von so extremer Parteinahme zurückhalten?

Ich bin überhaupt nicht für die Fabrikation von Weltanschauungen[2]. Die überlasse man den Philosophen, die eingestandenermaßen die Lebensreise ohne einen solchen Baedeker, der über alles Auskunft gibt, nicht ausführbar finden. Nehmen wir demütig die Verachtung auf uns, mit der die Philosophen vom Standpunkt ihrer höheren Bedürftigkeit auf uns herabschauen. Da auch wir unseren narzißtischen Stolz nicht verleugnen können, wollen wir unseren Trost in der Erwägung suchen, daß alle diese »Lebensführer« rasch veralten, daß es gerade unsere kurzsichtig beschränkte Kleinarbeit ist, welche deren Neuauflagen notwendig macht, und daß selbst die modernsten dieser Baedeker Versuche sind, den alten, so bequemen und so vollständigen Katechismus zu ersetzen. Wir wissen genau, wie wenig Licht die Wissenschaft bisher über die Rätsel dieser Welt verbreiten konnte; alles Poltern der Philosophen kann daran nichts ändern, nur geduldige Fortsetzung der Arbeit, die alles der einen Forderung nach Gewißheit unterordnet, kann langsam Wandel schaffen. Wenn der Wanderer in der Dunkelheit singt, verleugnet er seine Ängstlichkeit, aber er sieht darum um nichts heller.

---

[1] [*Das Ich und das Es* (1923 *b*), V. Kapitel.]
[2] [Vgl. die ausführlichere Erörterung dieses Problems in der letzten Vorlesung von Freuds *Neuer Folge der Vorlesungen* (1933 *a*), *Studienausgabe*, Bd. 1, S. 586 ff.]

III

Um zum Problem des Ichs zurückzukehren[1]: Der Anschein des Widerspruchs kommt daher, daß wir Abstraktionen zu starr nehmen und aus einem komplizierten Sachverhalt bald die eine, bald die andere Seite allein herausgreifen. Die Scheidung des Ichs vom Es scheint gerechtfertigt, sie wird uns durch bestimmte Verhältnisse aufgedrängt. Aber anderseits ist das Ich mit dem Es identisch, nur ein besonders differenzierter Anteil desselben. Stellen wir dieses Stück in Gedanken dem Ganzen gegenüber oder hat sich ein wirklicher Zwiespalt zwischen den beiden ergeben, so wird uns die Schwäche dieses Ichs offenbar. Bleibt das Ich aber mit dem Es verbunden, von ihm nicht unterscheidbar, so zeigt sich seine Stärke. Ähnlich ist das Verhältnis des Ichs zum Über-Ich; für viele Situationen fließen uns die beiden zusammen, meistens können wir sie nur unterscheiden, wenn sich eine Spannung, ein Konflikt zwischen ihnen hergestellt hat. Für den Fall der Verdrängung wird die Tatsache entscheidend, daß das Ich eine Organisation ist, das Es aber keine; das Ich ist eben der organisierte Anteil des Es. Es wäre ganz ungerechtfertigt, wenn man sich vorstellte, Ich und Es seien wie zwei verschiedene Heerlager; durch die Verdrängung suche das Ich ein Stück des Es zu unterdrücken, nun komme das übrige Es dem Angegriffenen zu Hilfe und messe seine Stärke mit der des Ichs. Das mag oft zustande kommen, aber es ist gewiß nicht die Eingangssituation der Verdrängung; in der Regel bleibt die zu verdrängende Triebregung isoliert. Hat der Akt der Verdrängung uns die Stärke des Ichs gezeigt, so legt er doch in einem auch Zeugnis ab für dessen Ohnmacht und für die Unbeeinflußbarkeit der einzelnen Triebregung des Es. Denn der Vorgang, der durch die Verdrängung zum Symptom geworden ist, behauptet nun seine Existenz außerhalb der Ichorganisation und unabhängig von ihr. Und nicht er allein, auch alle seine Abkömmlinge genießen dasselbe Vorrecht, man möchte sagen: der Exterritorialität, und wo sie mit Anteilen der Ichorganisation assoziativ zusammentreffen, wird es fraglich, ob sie diese nicht zu sich herüberziehen und sich mit diesem Gewinn auf Kosten

---

[1] [Nämlich zum Gegensatz zwischen seiner Stärke und seiner Schwäche gegenüber dem Es.]

des Ichs ausbreiten werden. Ein uns längst vertrauter Vergleich betrachtet das Symptom als einen Fremdkörper, der unaufhörlich Reiz- und Reaktionserscheinungen in dem Gewebe unterhält, in das er sich eingebettet hat[1]. Es kommt zwar vor, daß der Abwehrkampf gegen die unliebsame Triebregung durch die Symptombildung abgeschlossen wird; soweit wir sehen, ist dies am ehesten bei der hysterischen Konversion möglich, aber in der Regel ist der Verlauf ein anderer; nach dem ersten Akt der Verdrängung folgt ein langwieriges oder nie zu beendendes Nachspiel, der Kampf gegen die Triebregung findet seine Fortsetzung in dem Kampf gegen das Symptom.

Dieser sekundäre Abwehrkampf zeigt uns zwei Gesichter – mit widersprechendem Ausdruck. Einerseits wird das Ich durch seine Natur genötigt, etwas zu unternehmen, was wir als Herstellungs- oder Versöhnungsversuch beurteilen müssen. Das Ich ist eine Organisation, es beruht auf dem freien Verkehr und der Möglichkeit gegenseitiger Beeinflussung unter all seinen Bestandteilen, seine desexualisierte Energie bekundet ihre Herkunft noch in dem Streben nach Bindung und Vereinheitlichung, und dieser Zwang zur Synthese nimmt immer mehr zu, je kräftiger sich das Ich entwickelt. So wird es verständlich, daß das Ich auch versucht, die Fremdheit und Isolierung des Symptoms aufzuheben, indem es alle Möglichkeiten ausnützt, es irgendwie an sich zu binden und durch solche Bande seiner Organisation einzuverleiben. Wir wissen, daß ein solches Bestreben bereits den Akt der Symptombildung beeinflußt. Ein klassisches Beispiel dafür sind jene hysterischen Symptome, die uns als Kompromiß zwischen Befriedigungs- und Strafbedürfnis durchsichtig geworden sind. Als Erfüllungen einer Forderung des Über-Ichs haben solche Symptome von vornherein Anteil am Ich, während sie anderseits Positionen des Verdrängten und Einbruchsstellen desselben in die Ichorganisation bedeuten; sie sind sozusagen Grenzstationen mit gemischter Besetzung. Ob alle primären hysterischen Symptome so gebaut sind, verdiente eine sorgfältige Untersuchung. Im weiteren Verlaufe benimmt sich das Ich so, als ob es von der Erwägung geleitet würde: das Symptom ist einmal da und kann nicht beseitigt werden; nun heißt es, sich mit dieser Situation befreunden und den größtmöglichen Vorteil aus ihr ziehen. Es findet eine Anpassung an das ichfremde Stück der Innenwelt statt, das durch das Symptom repräsentiert wird, wie sie das Ich sonst normalerweise gegen die reale Außenwelt zustande bringt. An Anläs-

---

[1] [Dieser Vergleich erscheint im Vortrag über hysterische Phänomene (1893 *h*), oben S. 20.]

sen hiezu fehlt es nie. Die Existenz des Symptoms mag eine gewisse Behinderung der Leistung mit sich bringen, mit der man eine Anforderung des Über-Ichs beschwichtigen oder einen Anspruch der Außenwelt zurückweisen kann. So wird das Symptom allmählich mit der Vertretung wichtiger Interessen betraut, es erhält einen Wert für die Selbstbehauptung, verwächst immer inniger mit dem Ich, wird ihm immer unentbehrlicher. Nur in ganz seltenen Fällen kann der Prozeß der Einheilung eines Fremdkörpers etwas ähnliches wiederholen. Man kann die Bedeutung dieser sekundären Anpassung an das Symptom auch übertreiben, indem man aussagt, das Ich habe sich das Symptom überhaupt nur angeschafft, um dessen Vorteile zu genießen. Das ist dann so richtig oder so falsch, wie wenn man die Ansicht vertritt, der Kriegsverletzte habe sich das Bein nur abschießen lassen, um dann arbeitsfrei von seiner Invalidenrente zu leben.

Andere Symptomgestaltungen, die der Zwangsneurose und der Paranoia, bekommen einen hohen Wert für das Ich, nicht weil sie ihm Vorteile, sondern weil sie ihm eine sonst entbehrte narzißtische Befriedigung bringen. Die Systembildungen der Zwangsneurotiker schmeicheln ihrer Eigenliebe durch die Vorspiegelung, sie seien als besonders reinliche oder gewissenhafte Menschen besser als andere; die Wahnbildungen der Paranoia eröffnen dem Scharfsinn und der Phantasie dieser Kranken ein Feld zur Betätigung, das ihnen nicht leicht ersetzt werden kann. Aus all den erwähnten Beziehungen resultiert, was uns als der (sekundäre) *Krankheitsgewinn* der Neurose bekannt ist[1]. Er kommt dem Bestreben des Ichs, sich das Symptom einzuverleiben, zu Hilfe und verstärkt die Fixierung des letzteren. Wenn wir dann den Versuch machen, dem Ich in seinem Kampf gegen das Symptom analytischen Beistand zu leisten, finden wir diese versöhnlichen Bindungen zwischen Ich und Symptom auf der Seite der Widerstände wirksam. Es wird uns nicht leicht gemacht, sie zu lösen. Die beiden Verfahren, die das Ich gegen das Symptom anwendet, stehen wirklich in Widerspruch zueinander.

Das andere Verfahren hat weniger freundlichen Charakter, es setzt die Richtung der Verdrängung fort. Aber es scheint, daß wir das Ich nicht mit dem Vorwurf der Inkonsequenz belasten dürfen. Das Ich ist friedfertig und möchte sich das Symptom einverleiben, es in sein Ensemble aufnehmen. Die Störung geht vom Symptom aus, das als richtiger Ersatz und Abkömmling der verdrängten Regung deren Rolle weiter-

---

[1] [S. Freuds wichtige (1923 hinzugefügte) Anm. zur Fallgeschichte der »Dora«, S. 118 f. oben, sowie den editorischen Kommentar am Schluß dieser Fußnote.]

spielt, deren Befriedigungsanspruch immer wieder erneuert und so das Ich nötigt, wiederum das Unlustsignal zu geben und sich zur Wehre zu setzen.

Der sekundäre Abwehrkampf gegen das Symptom ist vielgestaltig, spielt sich auf verschiedenen Schauplätzen ab und bedient sich mannigfaltiger Mittel. Wir werden nicht viel über ihn aussagen können, wenn wir nicht die einzelnen Fälle der Symptombildung zum Gegenstand der Untersuchung nehmen. Dabei werden wir Anlaß finden, auf das Problem der Angst einzugehen, das wir längst wie im Hintergrunde lauernd verspüren. Es empfiehlt sich, von den Symptomen, welche die hysterische Neurose schafft, auszugehen; auf die Voraussetzungen der Symptombildung bei der Zwangsneurose, Paranoia und anderen Neurosen sind wir noch nicht vorbereitet.

Der erste Fall, den wir betrachten, sei der einer infantilen hysterischen Tierphobie, also z. B. der gewiß in allen Hauptzügen typische Fall der Pferdephobie des »kleinen Hans«[1]. Schon der erste Blick läßt uns erkennen, daß die Verhältnisse eines realen Falles von neurotischer Erkrankung weit komplizierter sind, als unsere Erwartung, solange wir mit Abstraktionen arbeiten, sich vorstellt. Es gehört einige Arbeit dazu, sich zu orientieren, welches die verdrängte Regung, was ihr Symptomersatz ist, wo das Motiv der Verdrängung kenntlich wird.

Der kleine Hans weigert sich, auf die Straße zu gehen, weil er Angst vor dem Pferd hat. Dies ist der Rohstoff. Was ist nun daran das Symptom: die Angstentwicklung, die Wahl des Angstobjekts oder der Verzicht auf die freie Beweglichkeit oder mehreres davon zugleich? Wo ist die Befriedigung, die er sich versagt? Warum muß er sich diese versagen?

Es liegt nahe zu antworten, an dem Falle sei nicht so viel rätselhaft. Die unverständliche Angst vor dem Pferd ist das Symptom, die Unfähigkeit, auf die Straße zu gehen, ist eine Hemmungserscheinung, eine Einschränkung, die sich das Ich auferlegt, um nicht das Angstsymptom zu wecken. Man sieht ohneweiters die Richtigkeit der Erklärung des letzten Punktes ein und wird nun diese Hemmung bei der weiteren Diskussion außer Betracht lassen. Aber die erste flüchtige Bekanntschaft mit dem Falle lehrt uns nicht einmal den wirklichen Ausdruck des vermeintlichen Symptoms kennen. Es handelt sich, wie wir bei genauerem Verhör erfahren, gar nicht um eine unbestimmte Angst vor dem Pferd, sondern um die bestimmte ängstliche Erwartung: das Pferd werde ihn beißen[2]. Allerdings sucht sich dieser Inhalt dem Bewußtsein zu entziehen und sich durch die unbestimmte Phobie, in der nur noch die Angst und ihr Objekt vorkommen, zu ersetzen. Ist nun etwa dieser Inhalt der Kern des Symptoms?

Wir kommen keinen Schritt weiter, solange wir nicht die ganze psychische Situation des Kleinen in Betracht ziehen, wie sie uns während der

---

[1] Siehe ›Analyse der Phobie eines fünfjährigen Knaben‹ [1909 *b*].
[2] [*Studienausgabe,* Bd. 8, S. 27.]

analytischen Arbeit enthüllt wird. Er befindet sich in der eifersüchtigen und feindseligen Ödipus-Einstellung zu seinem Vater, den er doch, soweit die Mutter nicht als Ursache der Entzweiung in Betracht kommt, herzlich liebt. Also ein Ambivalenzkonflikt, gut begründete Liebe und nicht minder berechtigter Haß, beide auf dieselbe Person gerichtet. Seine Phobie muß ein Versuch zur Lösung dieses Konflikts sein. Solche Ambivalenzkonflikte sind sehr häufig, wir kennen einen anderen typischen Ausgang derselben. Bei diesem wird die eine der beiden miteinander ringenden Regungen, in der Regel die zärtliche, enorm verstärkt, die andere verschwindet. Nur das Übermaß und das Zwangsmäßige der Zärtlichkeit verrät uns, daß diese Einstellung nicht die einzig vorhandene ist, daß sie ständig auf der Hut ist, ihr Gegenteil in Unterdrückung zu halten, und läßt uns einen Hergang konstruieren, den wir als Verdrängung durch *Reaktionsbildung* (im Ich) beschreiben. Fälle wie der kleine Hans zeigen nichts von solcher Reaktionsbildung; es gibt offenbar verschiedene Wege, die aus einem Ambivalenzkonflikt herausführen.

Etwas anderes haben wir unterdes mit Sicherheit erkannt. Die Triebregung, die der Verdrängung unterliegt, ist ein feindseliger Impuls gegen den Vater. Die Analyse lieferte uns den Beweis hiefür, während sie der Herkunft der Idee des beißenden Pferdes nachspürte. Hans hat ein Pferd fallen gesehen, einen Spielkameraden fallen und sich verletzen, mit dem er »Pferdl« gespielt hatte[1]. Sie hat uns das Recht gegeben, bei Hans eine Wunschregung zu konstruieren, die gelautet hat, der Vater möge hinfallen, sich beschädigen wie das Pferd und der Kamerad. Beziehungen zu einer beobachteten Abreise[2] lassen vermuten, daß der Wunsch nach der Beseitigung des Vaters auch minder zaghaften Ausdruck gefunden hat. Ein solcher Wunsch ist aber gleichwertig mit der Absicht, ihn selbst zu beseitigen, mit der mörderischen Regung des Ödipus-Komplexes.

Von dieser verdrängten Triebregung führt bis jetzt kein Weg zu dem Ersatz für sie, den wir in der Pferdephobie vermuten. Vereinfachen wir nun die psychische Situation des kleinen Hans, indem wir das infantile Moment und die Ambivalenz wegräumen; er sei etwa ein jüngerer Diener in einem Haushalt, der in die Herrin verliebt ist und sich gewisser Gunstbezeugungen von ihrer Seite erfreue. Erhalten bleibt, daß er den stärkeren Hausherrn haßt und ihn beseitigt wissen möchte; dann ist es

---

[1] [Ibid., S. 47 und S. 74.]   [2] [Ibid., S. 31.]

die natürlichste Folge dieser Situation, daß er die Rache dieses Herrn fürchtet, daß sich bei ihm ein Zustand von Angst vor diesem einstellt – ganz ähnlich wie die Phobie des kleinen Hans vor dem Pferd. Das heißt, wir können die Angst dieser Phobie nicht als Symptom bezeichnen; wenn der kleine Hans, der in seine Mutter verliebt ist, Angst vor dem Vater zeigen würde, hätten wir kein Recht, ihm eine Neurose, eine Phobie, zuzuschreiben. Wir hätten eine durchaus begreifliche affektive Reaktion vor uns. Was diese zur Neurose macht, ist einzig und allein ein anderer Zug, die Ersetzung des Vaters durch das Pferd. Diese Verschiebung stellt also das her, was auf den Namen eines Symptoms Anspruch hat. Sie ist jener andere Mechanismus, der die Erledigung des Ambivalenzkonflikts ohne die Hilfe der Reaktionsbildung gestattet. [Vgl. S. 247.] Ermöglicht oder erleichtert wird sie durch den Umstand, daß die mitgeborenen Spuren totemistischer Denkweise in diesem zarten Alter noch leicht zu beleben sind. Die Kluft zwischen Mensch und Tier ist noch nicht anerkannt, gewiß nicht so überbetont wie später. Der erwachsene, bewunderte, aber auch gefürchtete Mann steht noch in einer Reihe mit dem großen Tier, das man um so vielerlei beneidet, vor dem man aber auch gewarnt worden ist, weil es gefährlich werden kann. Der Ambivalenzkonflikt wird also nicht an derselben Person erledigt, sondern gleichsam umgangen, indem man einer seiner Regungen eine andere Person als Ersatzobjekt unterschiebt.

Soweit sehen wir ja klar, aber in einem anderen Punkte hat uns die Analyse der Phobie des kleinen Hans eine volle Enttäuschung gebracht. Die Entstellung, in der die Symptombildung besteht, wird gar nicht an der [psychischen] Repräsentanz (dem Vorstellungsinhalt) der zu verdrängenden Triebregung vorgenommen, sondern an einer davon ganz verschiedenen, die nur einer Reaktion auf das eigentlich Unliebsame entspricht. Unsere Erwartung fände eher Befriedigung, wenn der kleine Hans an Stelle seiner Angst vor dem Pferd eine Neigung entwickelt hätte, Pferde zu mißhandeln, sie zu schlagen, oder deutlich seinen Wunsch kundgegeben hätte zu sehen, wie sie hinfallen, zu Schaden kommen, eventuell unter Zuckungen verenden (das Krawallmachen mit den Beinen)[1]. Etwas der Art tritt auch wirklich während seiner Analyse auf, aber es steht lange nicht voran in der Neurose, und – sonderbar – wenn er wirklich solche Feindseligkeit, nur gegen das Pferd anstatt gegen den Vater gerichtet, als Hauptsymptom entwickelt hätte, würden wir gar nicht geurteilt haben, er befinde sich in einer Neurose.

---

[1] [Ibid., S. 48.]

Etwas ist also da nicht in Ordnung, entweder an unserer Auffassung der Verdrängung oder in unserer Definition eines Symptoms. Eines fällt uns natürlich sofort auf: Wenn der kleine Hans wirklich ein solches Verhalten gegen Pferde gezeigt hätte, so wäre ja der Charakter der anstößigen, aggressiven Triebregung durch die Verdrängung gar nicht verändert, nur deren Objekt gewandelt worden.

Es ist ganz sicher, daß es Fälle von Verdrängung gibt, die nicht mehr leisten als dies; bei der Genese der Phobie des kleinen Hans ist aber mehr geschehen. Um wieviel mehr, erraten wir aus einem anderen Stück Analyse.

Wir haben bereits gehört, daß der kleine Hans als den Inhalt seiner Phobie die Vorstellung angab, vom Pferd gebissen zu werden. Nun haben wir später Einblick in die Genese eines anderen Falles von Tierphobie bekommen, in der der Wolf das Angsttier war, aber gleichfalls die Bedeutung eines Vaterersatzes hatte [1]. Im Anschluß an einen Traum, den die Analyse durchsichtig machen konnte, entwickelte sich bei diesem Knaben die Angst, vom Wolf gefressen zu werden wie eines der sieben Geißlein im Märchen [2]. Daß der Vater des kleinen Hans nachweisbar »Pferdl« mit ihm gespielt hatte [3], war gewiß bestimmend für die Wahl des Angsttieres geworden; ebenso ließ sich wenigstens sehr wahrscheinlich machen, daß der Vater meines erst im dritten Jahrzehnt analysierten Russen in den Spielen mit dem Kleinen den Wolf gemimt und scherzend mit dem Auffressen gedroht hatte [4]. Seither habe ich als dritten Fall einen jungen Amerikaner gefunden, bei dem sich zwar keine Tierphobie ausbildete, der aber gerade durch diesen Ausfall die anderen Fälle verstehen hilft. Seine sexuelle Erregung hatte sich an einer phantastischen Kindergeschichte entzündet, die man ihm vorlas, von einem arabischen Häuptling, der einer aus eßbarer Substanz bestehenden Person (dem *Gingerbreadman)* nachjagt, um ihn zu verzehren. Mit diesem eßbaren Menschen identifizierte er sich selbst, der Häuptling war als Vaterersatz leicht kenntlich, und diese Phantasie wurde die erste Unterlage seiner autoerotischen Betätigung. Die Vorstellung, vom Vater gefressen zu werden, ist aber typisches uraltes Kindergut; die Analogien aus der Mythologie (Kronos) und dem Tierleben sind allgemein bekannt.

Trotz solcher Erleichterungen ist dieser Vorstellungsinhalt uns so fremdartig, daß wir ihn dem Kinde nur ungläubig zugestehen können. Wir

---

[1] ›Aus der Geschichte einer infantilen Neurose‹ [1918 *b*, *Studienausgabe*, Bd. 8].
[2] [Ibid., S. 149 ff.]   [3] [Ibid., S. 107.]   [4] [Ibid., S. 152.]

wissen auch nicht, ob er wirklich das bedeutet, was er auszusagen scheint, und verstehen nicht, wie er Gegenstand einer Phobie werden kann. Die analytische Erfahrung gibt uns allerdings die erforderlichen Auskünfte. Sie lehrt uns, daß die Vorstellung, vom Vater gefressen zu werden, der regressiv erniedrigte Ausdruck für eine passive zärtliche Regung ist, die vom Vater als Objekt im Sinne der Genitalerotik geliebt zu werden begehrt. Die Verfolgung der Geschichte des Falles [1] läßt keinen Zweifel an der Richtigkeit dieser Deutung aufkommen. Die genitale Regung verrät freilich nichts mehr von ihrer zärtlichen Absicht, wenn sie in der Sprache der überwundenen Übergangsphase von der oralen zur sadistischen Libidoorganisation ausgedrückt wird. Handelt es sich übrigens nur um eine Ersetzung der [psychischen] Repräsentanz durch einen regressiven Ausdruck oder um eine wirkliche regressive Erniedrigung der genitalgerichteten Regung im Es? Das scheint gar nicht so leicht zu entscheiden. Die Krankengeschichte des russischen »Wolfsmannes« spricht ganz entschieden für die letztere ernstere Möglichkeit, denn er benimmt sich von dem entscheidenden Traum an »schlimm«, quälerisch, sadistisch und entwickelt bald darauf eine richtige Zwangsneurose. Jedenfalls gewinnen wir die Einsicht, daß die Verdrängung nicht das einzige Mittel ist, das dem Ich zur Abwehr einer unliebsamen Triebregung zu Gebote steht. Wenn es ihm gelingt, den Trieb zur Regression zu bringen, so hat es ihn im Grunde energischer beeinträchtigt, als durch die Verdrängung möglich wäre. Allerdings läßt es manchmal der zuerst erzwungenen Regression die Verdrängung folgen.

Der Sachverhalt beim Wolfsmann und der etwas einfachere beim kleinen Hans regen noch mancherlei Überlegungen an, aber zwei unerwartete Einsichten gewinnen wir schon jetzt. Kein Zweifel, die bei diesen Phobien verdrängte Triebregung ist eine feindselige gegen den Vater. Man kann sagen, sie wird verdrängt durch den Prozeß der Verwandlung ins Gegenteil; an Stelle der Aggression gegen den Vater tritt die Aggression – die Rache – des Vaters gegen die eigene Person. Da eine solche Aggression ohnedies in der sadistischen Libidophase wurzelt, bedarf sie nur noch einer gewissen Erniedrigung zur oralen Stufe, die bei Hans durch das Gebissenwerden angedeutet, beim Russen aber im Gefressenwerden grell ausgeführt ist. Aber außerdem läßt ja die Analyse über jeden Zweifel gesichert feststellen, daß gleichzeitig noch eine andere Triebregung der Verdrängung erlegen ist, die gegensinnige einer zärtlichen passiven Regung für den Vater, die bereits das Niveau

---

[1] [Des russischen Patienten.]

der genitalen (phallischen) Libidoorganisation erreicht hatte. Die letztere scheint sogar die für das Endergebnis des Verdrängungsvorganges bedeutsamere zu sein, sie erfährt die weitergehende Regression, sie erhält den bestimmenden Einfluß auf den Inhalt der Phobie. Wo wir also nur einer Triebverdrängung nachgespürt haben, müssen wir das Zusammentreffen von zwei solchen Vorgängen anerkennen; die beiden betroffenen Triebregungen – sadistische Aggression gegen den Vater und zärtlich passive Einstellung zu ihm – bilden ein Gegensatzpaar, ja noch mehr: wenn wir die Geschichte des kleinen Hans richtig würdigen, erkennen wir, daß durch die Bildung seiner Phobie auch die zärtliche Objektbesetzung der Mutter aufgehoben worden ist, wovon der Inhalt der Phobie nichts verrät. Es handelt sich bei Hans – beim Russen ist das weit weniger deutlich – um einen Verdrängungsvorgang, der fast alle Komponenten des Ödipus-Komplexes betrifft, die feindliche wie die zärtliche Regung gegen den Vater und die zärtliche für die Mutter.

Das sind unerwünschte Komplikationen für uns, die wir nur einfache Fälle von Symptombildung infolge von Verdrängung studieren wollten und uns in dieser Absicht an die frühesten und anscheinend durchsichtigsten Neurosen der Kindheit gewendet hatten. Anstatt einer einzigen Verdrängung fanden wir eine Häufung von solchen vor, und überdies bekamen wir es mit der Regression zu tun. Vielleicht haben wir die Verwirrung dadurch gesteigert, daß wir die beiden verfügbaren Analysen von Tierphobien – die des kleinen Hans und des Wolfmannes – durchaus auf denselben Leisten schlagen wollten. Nun fallen uns gewisse Unterschiede der beiden auf. Nur vom kleinen Hans kann man mit Bestimmtheit aussagen, daß er durch seine Phobie die beiden Hauptregungen des Ödipus-Komplexes, die aggressive gegen den Vater und die überzärtliche gegen die Mutter, erledigt; die zärtliche für den Vater ist gewiß auch vorhanden, sie spielt ihre Rolle bei der Verdrängung ihres Gegensatzes, aber es ist weder nachweisbar, daß sie stark genug war, um eine Verdrängung zu provozieren, noch daß sie nachher aufgehoben ist. Hans scheint eben ein normaler Junge mit sogenanntem »positiven« Ödipus-Komplex gewesen zu sein. Möglich, daß die Momente, die wir vermissen, auch bei ihm mittätig waren, aber wir können sie nicht aufzeigen, das Material selbst unserer eingehendsten Analysen ist eben lückenhaft, unsere Dokumentierung unvollständig. Beim Russen ist der Defekt an anderer Stelle; seine Beziehung zum weiblichen Objekt ist durch eine frühzeitige Verführung gestört worden[1], die passive,

---

[1] [Ibid., S. 139 ff.]

feminine Seite ist bei ihm stark ausgebildet, und die Analyse seines Wolfstraumes enthüllt wenig von beabsichtigter Aggression gegen den Vater, erbringt dafür die unzweideutigsten Beweise, daß die Verdrängung die passive, zärtliche Einstellung zum Vater betrifft. Auch hier mögen die anderen Faktoren beteiligt gewesen sein, sie treten aber nicht vor. Wenn trotz dieser Unterschiede der beiden Fälle, die sich nahezu einer Gegensätzlichkeit nähern, der Enderfolg der Phobie nahezu der nämliche ist, so muß uns die Erklärung dafür von anderer Seite kommen; sie kommt von dem zweiten Ergebnis unserer kleinen vergleichenden Untersuchung. Wir glauben den Motor der Verdrängung in beiden Fällen zu kennen und sehen seine Rolle durch den Verlauf bestätigt, den die Entwicklung der zwei Kinder nimmt. Er ist in beiden Fällen der nämliche, die Angst vor einer drohenden Kastration. Aus Kastrationsangst gibt der kleine Hans die Aggression gegen den Vater auf; seine Angst, das Pferd werde ihn beißen, kann zwanglos vervollständigt werden, das Pferd werde ihm das Genitale abbeißen, ihn kastrieren. Aber aus Kastrationsangst verzichtet auch der kleine Russe auf den Wunsch, vom Vater als Sexualobjekt geliebt zu werden, denn er hat verstanden, eine solche Beziehung hätte zur Voraussetzung, daß er sein Genitale aufopfert, das, was ihn vom Weib unterscheidet. Beide Gestaltungen des Ödipus-Komplexes, die normale, aktive, wie die invertierte, scheitern ja am Kastrationskomplex. Die Angstidee des Russen, vom Wolf gefressen zu werden, enthält zwar keine Andeutung der Kastration, sie hat sich durch orale Regression zu weit von der phallischen Phase entfernt, aber die Analyse seines Traumes macht jeden anderen Beweis überflüssig. Es ist auch ein voller Triumph der Verdrängung, daß im Wortlaut der Phobie nichts mehr auf die Kastration hindeutet.

Hier nun das unerwartete Ergebnis: In beiden Fällen ist der Motor der Verdrängung die Kastrationsangst; die Angstinhalte, vom Pferd gebissen und vom Wolf gefressen zu werden, sind Entstellungsersatz für den Inhalt, vom Vater kastriert zu werden. Dieser Inhalt ist es eigentlich, der die Verdrängung an sich erfahren hat. Beim Russen war er Ausdruck eines Wunsches, der gegen die Auflehnung der Männlichkeit nicht bestehen konnte, bei Hans Ausdruck einer Reaktion, welche die Aggression in ihr Gegenteil umwandelte. Aber der Angstaffekt der Phobie, der ihr Wesen ausmacht, stammt nicht aus dem Verdrängungsvorgang, nicht aus den libidinösen Besetzungen der verdrängten Regungen, sondern aus dem Verdrängenden selbst; die Angst der Tierphobie ist die unverwandelte Kastrationsangst, also eine Realangst, Angst vor einer wirklich drohenden oder als real beurteilten Gefahr. Hier macht die Angst die Verdrängung, nicht, wie ich früher gemeint habe, die Verdrängung die Angst.

Es ist nicht angenehm, daran zu denken, aber es hilft nichts, es zu verleugnen, ich habe oftmals den Satz vertreten, durch die Verdrängung werde die Triebrepräsentanz entstellt, verschoben u. dgl., die Libido der Triebregung aber in Angst verwandelt[1]. Die Untersuchung der Phobien, die vor allem berufen sein sollte, diesen Satz zu erweisen, bestätigt ihn also nicht, sie scheint ihm vielmehr direkt zu widersprechen. Die Angst der Tierphobien ist die Kastrationsangst des Ichs, die der weniger gründlich studierten Agoraphobie scheint Versuchungsangst zu sein, die ja genetisch mit der Kastrationsangst zusammenhängen muß. Die meisten Phobien gehen, soweit wir es heute übersehen, auf eine solche Angst des Ichs vor den Ansprüchen der Libido zurück. Immer ist dabei die Angsteinstellung des Ichs das Primäre und der Antrieb zur Verdrängung. Niemals geht die Angst aus der verdrängten Libido hervor. Wenn ich mich früher begnügt hätte zu sagen, nach der Verdrängung erscheint an Stelle der zu erwartenden Äußerung von Libido ein Maß von Angst, so hätte ich heute nichts zurückzunehmen. Die Beschreibung ist richtig, und zwischen der Stärke der zu verdrängenden Regung und der Intensität der resultierenden Angst besteht wohl die behauptete Entsprechung. Aber ich gestehe, ich glaubte mehr als eine bloße Beschreibung zu geben, ich nahm an, daß ich den metapsychologischen Vorgang einer direkten Umsetzung der Libido in Angst erkannt hatte; das kann ich also heute nicht mehr festhalten. Ich konnte auch früher nicht angeben, wie sich eine solche Umwandlung vollzieht.

Woher schöpfte ich überhaupt die Idee dieser Umsetzung? Zur Zeit, als es uns noch sehr ferne lag, zwischen Vorgängen im Ich und Vorgängen im Es zu unterscheiden, aus dem Studium der Aktualneurosen[2]. Ich fand, daß bestimmte sexuelle Praktiken wie *coitus interruptus,* frustrane Erregung, erzwungene Abstinenz Angstausbrüche und eine allgemeine Angstbereitschaft erzeugen, also immer, wenn die Sexualerregung in ihrem Ablauf zur Befriedigung gehemmt, aufgehalten oder

---

[1] [S. beispielsweise Freuds Arbeit ›Die Verdrängung‹ (1915 d), etwa drei Seiten vor Schluß, wo auch der Fall des »Wolfsmannes« erwähnt ist. Eine weitere Darstellung findet sich im Nachtrag A *(b),* S. 298 ff. unten, sowie in der ›Editorischen Vorbemerkung‹, S. 229 f.]

[2] [S. Freuds früheste Arbeit zur Angstneurose (1895 b), S. 27 ff. des vorliegenden Bandes.]

abgelenkt wird. Da die Sexualerregung der Ausdruck libidinöser Trieb-regungen ist, schien es nicht gewagt anzunehmen, daß die Libido sich durch die Einwirkung solcher Störungen in Angst verwandelt. Nun ist diese Beobachtung auch heute noch giltig; anderseits ist nicht abzuwei-sen, daß die Libido der Es-Vorgänge durch die Anregung der Ver-drängung eine Störung erfährt; es kann also noch immer richtig sein, daß sich bei der Verdrängung Angst aus der Libidobesetzung der Trieb-regungen bildet. Aber wie soll man dieses Ergebnis mit dem anderen zusammenbringen, daß die Angst der Phobien eine Ich-Angst ist, im Ich entsteht, nicht aus der Verdrängung hervorgeht, sondern die Verdrängung hervorruft? Das scheint ein Widerspruch und nicht einfach zu lösen. Die Reduktion der beiden Ursprünge der Angst auf einen einzigen läßt sich nicht leicht durchsetzen. Man kann es mit der Annahme versuchen, daß das Ich in der Situation des gestörten Koitus, der unterbrochenen Erregung, der Abstinenz, Gefahren wittert, auf die es mit Angst rea-giert, aber es ist nichts damit zu machen. Anderseits scheint die Analyse der Phobien, die wir vorgenommen haben, eine Berichtigung nicht zuzu-lassen. *Non liquet!* [1]

---

[1] [»Es ist nicht klar« – die alte gerichtliche Formel, wenn das Beweismaterial nicht schlüssig war.]

V

Wir wollten die Symptombildung und den sekundären Kampf des Ichs gegen das Symptom studieren, aber wir haben offenbar mit der Wahl der Phobien keinen glücklichen Griff getan. Die Angst, welche im Bild dieser Affektionen vorherrscht, erscheint uns nun als eine den Sachverhalt verhüllende Komplikation. Es gibt reichlich Neurosen, bei denen sich nichts von Angst zeigt. Die echte Konversionshysterie ist von solcher Art, deren schwerste Symptome ohne Beimengung von Angst gefunden werden. Schon diese Tatsache müßte uns warnen, die Beziehungen zwischen Angst und Symptombildung nicht allzu fest zu knüpfen. Den Konversionshysterien stehen die Phobien sonst so nahe, daß ich mich für berechtigt gehalten habe, ihnen diese als »Angsthysterie« anzureihen. Aber niemand hat noch die Bedingung angeben können, die darüber entscheidet, ob ein Fall die Form einer Konversionshysterie oder einer Phobie annimmt, niemand also die Bedingung der Angstentwicklung bei der Hysterie ergründet.

Die häufigsten Symptome der Konversionshysterie, eine motorische Lähmung, Kontraktur oder unwillkürliche Aktion oder Entladung, ein Schmerz, eine Halluzination, sind entweder permanent festgehaltene oder intermittierende Besetzungsvorgänge, was der Erklärung neue Schwierigkeiten bereitet. Man weiß eigentlich nicht viel über solche Symptome zu sagen. Durch die Analyse kann man erfahren, welchen gestörten Erregungsablauf sie ersetzen. Zumeist ergibt sich, daß sie selbst einen Anteil an diesem haben, so als ob sich die gesamte Energie desselben auf dies eine Stück konzentriert hätte. Der Schmerz war in der Situation, in welcher die Verdrängung vorfiel, vorhanden; die Halluzination war damals Wahrnehmung, die motorische Lähmung ist die Abwehr einer Aktion, die in jener Situation hätte ausgeführt werden sollen, aber gehemmt wurde, die Kontraktur gewöhnlich eine Verschiebung für eine damals intendierte Muskelinnervation an anderer Stelle, der Krampfanfall Ausdruck eines Affektausbruches, der sich der normalen Kontrolle des Ichs entzogen hat. In ganz auffälligem Maße wechselnd ist die Unlustempfindung, die das Auftreten der Symptome begleitet. Bei den permanenten, auf die Motilität verschobenen Symptomen, wie Lähmungen und Kontrakturen, fehlt sie meistens gänzlich, das Ich verhält sich gegen sie wie unbeteiligt; bei den intermittierenden und den Symptomen der sensorischen Sphäre werden in der Regel deutliche Unlustempfindungen verspürt, die sich im Falle des Schmerzsymptoms zu exzessiver Höhe steigern können. Es ist sehr schwer, in dieser Mannigfaltigkeit das Moment herauszufinden, das solche Differenzen ermöglicht und sie doch einheitlich erklären läßt. Auch vom Kampf des Ichs gegen das einmal gebildete Symptom ist bei der Konversionshysterie wenig zu merken. Nur wenn die Schmerzempfindlichkeit einer Körperstelle zum Symptom geworden ist, wird diese in den Stand gesetzt, eine Doppelrolle zu spielen. Das Schmerzsymptom tritt ebenso sicher auf, wenn diese Stelle von außen berührt wird, wie wenn die von ihr vertretene pathogene Situation von innen her assoziativ aktiviert wird, und das Ich ergreift Vorsichtsmaßregeln, um die Erweckung des Symptoms durch äußere Wahrnehmung hintanzuhalten. Woher die besondere Undurchsichtigkeit der Symptombildung bei der Konversionshysterie rührt, können wir nicht erraten, aber sie gibt uns ein Motiv, das unfruchtbare Gebiet bald zu verlassen.

Wir wenden uns zur Zwangsneurose in der Erwartung, hier mehr über die Symptombildung zu erfahren. Die Symptome der Zwangsneurose sind im allgemeinen von zweierlei Art und entgegengesetzter Tendenz. Es sind entweder Verbote, Vorsichtsmaßregeln, Bußen, also negativer Natur, oder im Gegenteil Ersatzbefriedigungen, sehr häufig in symbolischer Verkleidung. Von diesen zwei Gruppen ist die negative, abwehrende, strafende, die ältere; mit der Dauer des Krankseins nehmen aber die aller Abwehr spottenden Befriedigungen überhand. Es ist ein Triumph der Symptombildung, wenn es gelingt, das Verbot mit der Befriedigung zu verquicken, so daß das ursprünglich abwehrende Gebot oder Verbot auch die Bedeutung einer Befriedigung bekommt, wozu oft sehr künstliche Verbindungswege in Anspruch genommen werden. In dieser Leistung zeigt sich die Neigung zur Synthese, die wir dem Ich bereits zuerkannt haben. In extremen Fällen bringt es der Kranke zustande, daß die meisten seiner Symptome zu ihrer ursprünglichen Bedeutung auch die des direkten Gegensatzes erworben haben, ein Zeugnis für die Macht der Ambivalenz, die, wir wissen nicht warum, in der Zwangsneurose eine so große Rolle spielt. Im rohesten Fall ist das Symptom zweizeitig [s. S. 263], d. h. auf die Handlung, die eine gewisse Vorschrift ausführt, folgt unmittelbar eine zweite, die sie aufhebt oder rückgängig macht, wenngleich sie noch nicht wagt, ihr Gegenteil auszuführen.

Zwei Eindrücke ergeben sich sofort aus dieser flüchtigen Überschau der Zwangssymptome. Der erste, daß hier ein fortgesetzter Kampf gegen das Verdrängte unterhalten wird, der sich immer mehr zu Ungunsten der verdrängenden Kräfte wendet, und zweitens, daß Ich und Über-Ich hier einen besonders großen Anteil an der Symptombildung nehmen.

Die Zwangsneurose ist wohl das interessanteste und dankbarste Objekt der analytischen Untersuchung, aber noch immer als Problem unbezwungen. Wollen wir in ihr Wesen tiefer eindringen, so müssen wir eingestehen, daß unsichere Annahmen und unbewiesene Vermutungen noch nicht entbehrt werden können. Die Ausgangssituation der Zwangsneurose ist wohl keine andere als die der Hysterie, die notwendige Abwehr der libidinösen Ansprüche des Ödipus-Komplexes. Auch scheint sich bei jeder Zwangsneurose eine unterste Schicht sehr früh gebildeter hysterischer Symptome zu finden[1]. Dann aber wird die weitere Gestaltung durch einen konstitutionellen Faktor entscheidend verändert. Die genitale Organisation der Libido erweist sich als schwächlich und zu wenig resistent. Wenn das Ich sein Abwehrstreben beginnt, so erzielt es als ersten Erfolg, daß die Genitalorganisation (der phallischen Phase) ganz oder teilweise auf die frühere sadistisch-anale Stufe zurückgeworfen wird. Diese Tatsache der Regression bleibt für alles folgende bestimmend.

Man kann noch eine andere Möglichkeit in Erwägung ziehen. Vielleicht ist die Regression nicht die Folge eines konstitutionellen, sondern eines zeitlichen Faktors. Sie wird nicht darum ermöglicht werden, weil die Genitalorganisation der Libido zu schwächlich geraten, sondern weil das Sträuben des Ichs zu frühzeitig, noch während der Blüte der sadistischen Phase eingesetzt hat. Einer sicheren Entscheidung getraue ich mich auch in diesem Punkte nicht, aber die analytische Beobachtung begünstigt diese Annahme nicht. Sie zeigt eher, daß bei der Wendung zur Zwangsneurose die phallische Stufe bereits erreicht ist. Auch ist das Lebensalter für den Ausbruch dieser Neurose ein späteres als das der Hysterie (die zweite Kindheitsperiode, nach dem Termin der Latenzzeit), und in einem Fall von sehr später Entwicklung dieser Affektion, den ich studie-

---

[1] [Ein Beispiel hierfür findet sich in der Analyse des »Wolfsmannes«, *Studienausgabe*, Bd. 8, S. 191.]

ren konnte, ergab es sich klar, daß eine reale Entwertung des bis dahin intakten Genitallebens die Bedingung für die Regression und die Entstehung der Zwangsneurose schuf[1].

Die metapsychologische Erklärung der Regression suche ich in einer »Triebentmischung«, in der Absonderung der erotischen Komponenten, die mit Beginn der genitalen Phase zu den destruktiven Besetzungen der sadistischen Phase hinzugetreten waren[2].

Die Erzwingung der Regression bedeutet den ersten Erfolg des Ichs im Abwehrkampf gegen den Anspruch der Libido. Wir unterscheiden hier zweckmäßig die allgemeinere Tendenz der »Abwehr« von der »Verdrängung«[3], die nur eine der Mechanismen ist, deren sich die Abwehr bedient. Vielleicht noch klarer als bei normalen und hysterischen Fällen erkennt man bei der Zwangsneurose als den Motor der Abwehr den Kastrationskomplex, als das Abgewehrte die Strebungen des Ödipus-Komplexes. Wir befinden uns nun zu Beginn der Latenzzeit, die durch den Untergang des Ödipus-Komplexes, die Schöpfung oder Konsolidierung des Über-Ichs und die Aufrichtung der ethischen und ästhetischen Schranken im Ich gekennzeichnet ist. Diese Vorgänge gehen bei der Zwangsneurose über das normale Maß hinaus; zur Zerstörung des Ödipus-Komplexes tritt die regressive Erniedrigung der Libido hinzu, das Über-Ich wird besonders strenge und lieblos, das Ich entwickelt im Gehorsam gegen das Über-Ich hohe Reaktionsbildungen von Gewissenhaftigkeit, Mitleid, Reinlichkeit. Mit unerbittlicher, darum nicht immer erfolgreicher Strenge wird die Versuchung zur Fortsetzung der frühinfantilen Onanie verpönt, die sich nun an regressive (sadistisch-anale) Vorstellungen anlehnt, aber doch den unbezwungenen Anteil der phallischen Organisation repräsentiert. Es liegt ein innerer Widerspruch darin, daß gerade im Interesse der Erhaltung der Männlichkeit (Kastrationsangst) jede Betätigung dieser Männlichkeit verhindert wird, aber auch dieser Widerspruch wird bei der Zwangsneurose nur übertrieben, er haftet bereits an der normalen Art der Beseitigung des Ödipus-Komplexes. Wie jedes Übermaß den Keim zu seiner Selbstaufhebung in sich trägt, wird sich auch an der Zwangsneurose bewähren, indem gerade

---

[1] S. ›Die Disposition zur Zwangsneurose‹ [1913 *i*; der Fall wird gleich zu Beginn der Arbeit erörtert].

[2] [Ziemlich am Anfang des IV. Kapitels von *Das Ich und das Es* (1923 *b*) vermutet Freud, daß der Fortschritt von der sadistisch-analen zur Genitalphase »einen Zuschuß von erotischen Komponenten zur Bedingung hat«.]

[3] [Dies wird ausführlich im Nachtrag A *(c)*, S. 300 ff. unten, erörtert.]

die unterdrückte Onanie sich in der Form der Zwangshandlungen eine immer weiter gehende Annäherung an die Befriedigung erzwingt.

Die Reaktionsbildungen im Ich der Zwangsneurotiker, die wir als Übertreibungen der normalen Charakterbildung erkennen, dürfen wir als einen neuen Mechanismus der Abwehr gegen die Regression und die Verdrängung hinstellen. Sie scheinen bei der Hysterie zu fehlen oder weit schwächer zu sein. Rückschauend gewinnen wir so eine Vermutung, wodurch der Abwehrvorgang der Hysterie ausgezeichnet ist. Es scheint, daß er sich auf die Verdrängung einschränkt, indem das Ich sich von der unliebsamen Triebregung abwendet, sie dem Ablauf im Unbewußten überläßt und an ihren Schicksalen keinen weiteren Anteil nimmt. So ganz ausschließend richtig kann das zwar nicht sein, denn wir kennen ja den Fall, daß das hysterische Symptom gleichzeitig die Erfüllung einer Strafanforderung des Über-Ichs bedeutet, aber es mag einen allgemeinen Charakter im Verhalten des Ichs bei der Hysterie beschreiben.

Man kann es einfach als Tatsache hinnehmen, daß sich bei der Zwangsneurose ein so strenges Über-Ich bildet, oder man kann daran denken, daß der fundamentale Zug dieser Affektion die Libidoregression ist, und versuchen, auch den Charakter des Über-Ichs mit ihr zu verknüpfen. In der Tat kann ja das Über-Ich, das aus dem Es stammt, sich der dort eingetretenen Regression und Triebentmischung nicht entziehen. Es wäre nicht zu verwundern, wenn es seinerseits härter, quälerischer, liebloser würde als bei normaler Entwicklung.

Während der Latenzzeit scheint die Abwehr der Onanieversuchung als Hauptaufgabe behandelt zu werden. Dieser Kampf erzeugt eine Reihe von Symptomen, die bei den verschiedensten Personen in typischer Weise wiederkehren und im allgemeinen den Charakter des Zeremoniells tragen. Es ist sehr zu bedauern, daß sie noch nicht gesammelt und systematisch analysiert worden sind; als früheste Leistungen der Neurose würden sie über den hier verwendeten Mechanismus der Symptombildung am ehesten Licht verbreiten. Sie zeigen bereits die Züge, welche in einer späteren schweren Erkrankung so verhängnisvoll hervortreten werden: die Unterbringung an den Verrichtungen, die später wie automatisch ausgeführt werden sollen, am Schlafengehen, Waschen und Ankleiden, an der Lokomotion, die Neigung zur Wiederholung und zum Zeitaufwand. Warum das so geschieht, ist noch keineswegs verständlich; die Sublimierung analerotischer Komponenten spielt dabei eine deutliche Rolle.

Die Pubertät macht in der Entwicklung der Zwangsneurose einen entscheidenden Abschnitt. Die in der Kindheit abgebrochene Genitalorganisation setzt nun mit großer Kraft wieder ein. Wir wissen aber, daß die Sexualentwicklung der Kinderzeit auch für den Neubeginn der Pubertätsjahre die Richtung vorschreibt. Es werden also einerseits die aggressiven Regungen der Frühzeit wieder erwachen, anderseits muß ein mehr oder minder großer Anteil der neuen libidinösen Regungen — in bösen Fällen deren Ganzes — die durch die Regression vorgezeichneten Bahnen einschlagen und als aggressive und destruktive Absichten auftreten. Infolge dieser Verkleidung der erotischen Strebungen und der starken Reaktionsbildungen im Ich, wird nun der Kampf gegen die Sexualität unter ethischer Flagge weitergeführt. Das Ich sträubt sich verwundert gegen grausame und gewalttätige Zumutungen, die ihm vom Es her ins Bewußtsein geschickt werden, und ahnt nicht, daß es dabei erotische Wünsche bekämpft, darunter auch solche, die sonst seinem Einspruch entgangen wären. Das überstrenge Über-Ich besteht um so energischer auf der Unterdrückung der Sexualität, da sie so abstoßende Formen angenommen hat. So zeigt sich der Konflikt bei der Zwangsneurose nach zwei Richtungen verschärft, das Abwehrende ist intoleranter, das Abzuwehrende unerträglicher geworden; beides durch den Einfluß des einen Moments, der Libidoregression.

Man könnte einen Widerspruch gegen manche unserer Voraussetzungen darin finden, daß die unliebsame Zwangsvorstellung überhaupt bewußt wird. Allein es ist kein Zweifel, daß sie vorher den Prozeß der Verdrängung durchgemacht hat. In den meisten Fällen ist der eigentliche Wortlaut der aggressiven Triebregung dem Ich überhaupt nicht bekannt. Es gehört ein gutes Stück analytischer Arbeit dazu, um ihn bewußt zu machen. Was zum Bewußtsein durchdringt, ist in der Regel nur ein entstellter Ersatz, entweder von einer verschwommenen, traumhaften Unbestimmtheit oder unkenntlich gemacht durch eine absurde Verkleidung. Wenn die Verdrängung nicht den Inhalt der aggressiven Triebregung angenagt hat, so hat sie doch gewiß den sie begleitenden Affektcharakter beseitigt. So erscheint die Aggression dem Ich nicht als ein Impuls, sondern, wie die Kranken sagen, als ein bloßer »Gedankeninhalt«, der einen kalt lassen sollte[1]. Das Merkwürdigste ist, daß dies doch nicht der Fall ist.

---

[1] [S. zu diesem Problemzusammenhang den Anfang des zweiten, des theoretischen Teils der Krankengeschichte des »Rattenmannes« (1909 d).]

Der bei der Wahrnehmung der Zwangsvorstellung ersparte Affekt kommt nämlich an anderer Stelle zum Vorschein. Das Über-Ich benimmt sich so, als hätte keine Verdrängung stattgefunden, als wäre ihm die aggressive Regung in ihrem richtigen Wortlaut und mit ihrem vollen Affektcharakter bekannt, und behandelt das Ich auf Grund dieser Voraussetzung. Das Ich, das sich einerseits schuldlos weiß, muß anderseits ein Schuldgefühl verspüren und eine Verantwortlichkeit tragen, die es sich nicht zu erklären weiß. Das Rätsel, das uns hiemit aufgegeben wird, ist aber nicht so groß, als es zuerst erscheint. Das Verhalten des Über-Ichs ist durchaus verständlich, der Widerspruch im Ich beweist uns nur, daß es sich mittels der Verdrängung gegen das Es verschlossen hat, während es den Einflüssen aus dem Über-Ich voll zugänglich geblieben ist[1]. Der weiteren Frage, warum das Ich sich nicht auch der peinigenden Kritik des Über-Ichs zu entziehen sucht, macht die Nachricht ein Ende, daß dies wirklich in einer großen Reihe von Fällen so geschieht. Es gibt auch Zwangsneurosen ganz ohne Schuldbewußtsein; soweit wir es verstehen, hat sich das Ich die Wahrnehmung desselben durch eine neue Reihe von Symptomen, Bußhandlungen, Einschränkungen zur Selbstbestrafung, erspart. Diese Symptome bedeuten aber gleichzeitig Befriedigungen masochistischer Triebregungen, die ebenfalls aus der Regression eine Verstärkung bezogen haben.

Die Mannigfaltigkeit in den Erscheinungen der Zwangsneurose ist eine so großartige, daß es noch keiner Bemühung gelungen ist, eine zusammenhängende Synthese aller ihrer Variationen zu geben. Man ist bestrebt, typische Beziehungen herauszuheben, und dabei immer in Sorge, andere nicht minder wichtige Regelmäßigkeiten zu übersehen.

Die allgemeine Tendenz der Symptombildung bei der Zwangsneurose habe ich bereits beschrieben. Sie geht dahin, der Ersatzbefriedigung immer mehr Raum auf Kosten der Versagung zu schaffen. Dieselben Symptome, die ursprünglich Einschränkungen des Ichs bedeuteten, nehmen dank der Neigung des Ichs zur Synthese später auch die von Befriedigungen an, und es ist unverkennbar, daß die letztere Bedeutung allmählich die wirksamere wird. Ein äußerst eingeschränktes Ich, das darauf angewiesen ist, seine Befriedigungen in den Symptomen zu suchen, wird das Ergebnis dieses Prozesses, der sich immer mehr dem völligen Fehlschlagen des anfänglichen Abwehrstrebens nähert. Die Verschiebung des Kräfteverhältnisses zugunsten der Befriedigung kann

---

[1] Vgl. Reik, 1925, S. 51.

zu dem gefürchteten Endausgang der Willenslähmung des Ichs führen, das für jede Entscheidung beinahe ebenso starke Antriebe von der einen wie von der anderen Seite findet. Der überscharfe Konflikt zwischen Es und Über-Ich, der die Affektion von Anfang an beherrscht, kann sich so sehr ausbreiten, daß keine der Verrichtungen des zur Vermittlung unfähigen Ichs der Einbeziehung in diesen Konflikt entgehen kann.

Während dieser Kämpfe kann man zwei symptombildende Tätigkeiten des Ichs beobachten, die ein besonderes Interesse verdienen, weil sie offenbare Surrogate der Verdrängung sind und darum deren Tendenz und Technik schön erläutern können. Vielleicht dürfen wir auch das Hervortreten dieser Hilfs- und Ersatztechniken als einen Beweis dafür auffassen, daß die Durchführung der regelrechten Verdrängung auf Schwierigkeiten stößt. Wenn wir erwägen, daß bei der Zwangsneurose das Ich soviel mehr Schauplatz der Symptombildung ist als bei der Hysterie, daß dieses Ich zähe an seiner Beziehung zur Realität und zum Bewußtsein festhält und dabei alle seine intellektuellen Mittel aufbietet, ja, daß die Denktätigkeit überbesetzt, erotisiert erscheint, werden uns solche Variationen der Verdrängung vielleicht nähergebracht.

Die beiden angedeuteten Techniken sind das *Ungeschehenmachen* und das *Isolieren*[1]. Die erstere hat ein großes Anwendungsgebiet und reicht weit zurück. Sie ist sozusagen negative Magie, sie will durch motorische Symbolik nicht die Folgen eines Ereignisses (Eindruckes, Erlebnisses), sondern dieses selbst »wegblasen«. Mit der Wahl dieses letzten Ausdruckes ist darauf hingewiesen, welche Rolle diese Technik nicht nur in der Neurose, sondern auch in den Zauberhandlungen, Volksgebräuchen und im religiösen Zeremoniell spielt. In der Zwangsneurose begegnet man dem Ungeschehenmachen zuerst bei den zweizeitigen Symptomen [s. S. 256 f.], wo der zweite Akt den ersten aufhebt, so, als ob nichts geschehen wäre, wo in Wirklichkeit beides geschehen ist. Das zwangsneurotische Zeremoniell hat in der Absicht des Ungeschehenmachens seine zweite Wurzel. Die erste ist die Verhütung, die Vorsicht, damit etwas Bestimmtes nicht geschehe, sich nicht wiederhole. Der Unterschied ist leicht zu fassen; die Vorsichtsmaßregeln sind rationell, die »Aufhebungen« durch Ungeschehenmachen irrationell, magischer Natur. Natürlich muß man vermuten, daß diese zweite Wurzel die ältere, aus der animistischen Einstellung zur Umwelt stammende ist. Seine Abschattung zum Normalen findet das Streben zum Ungeschehenmachen in dem

---

[1] [Beide Techniken erwähnt Freud in der Analyse des »Rattenmannes« (1909 d), Teil II, gegen Ende von Abschnitt (B) und in (C).]

Entschluß, ein Ereignis als »*non arrivé*« zu behandeln, aber dann unternimmt man nichts dagegen, kümmert sich weder um das Ereignis noch um seine Folgen, während man in der Neurose die Vergangenheit selbst aufzuheben, motorisch zu verdrängen sucht. Dieselbe Tendenz kann auch die Erklärung des in der Neurose so häufigen Zwanges zur *Wiederholung* geben, bei dessen Ausführung sich dann mancherlei einander widerstreitende Absichten zusammenfinden. Was nicht in solcher Weise geschehen ist, wie es dem Wunsch gemäß hätte geschehen sollen, wird durch die Wiederholung in anderer Weise ungeschehen gemacht, wozu nun alle die Motive hinzutreten, bei diesen Wiederholungen zu verweilen. Im weiteren Verlauf der Neurose enthüllt sich oft die Tendenz, ein traumatisches Erlebnis ungeschehen zu machen, als ein symptombildendes Motiv von erstem Range. Wir erhalten so unerwarteten Einblick in eine neue, motorische Technik der Abwehr oder, wie wir hier mit geringerer Ungenauigkeit sagen können, der Verdrängung.

Die andere der neu zu beschreibenden Techniken ist das der Zwangsneurose eigentümlich zukommende *Isolieren*. Es bezieht sich gleichfalls auf die motorische Sphäre, besteht darin, daß nach einem unliebsamen Ereignis, ebenso nach einer im Sinne der Neurose bedeutsamen eigenen Tätigkeit, eine Pause eingeschoben wird, in der sich nichts mehr ereignen darf, keine Wahrnehmung gemacht und keine Aktion ausgeführt wird. Dies zunächst sonderbare Verhalten verrät uns bald seine Beziehung zur Verdrängung. Wir wissen, bei Hysterie ist es möglich, einen traumatischen Eindruck der Amnesie verfallen zu lassen; bei der Zwangsneurose ist dies oft nicht gelungen, das Erlebnis ist nicht vergessen, aber es ist von seinem Affekt entblößt, und seine assoziativen Beziehungen sind unterdrückt oder unterbrochen, so daß es wie isoliert dasteht und auch nicht im Verlaufe der Denktätigkeit reproduziert wird. Der Effekt dieser Isolierung ist dann der nämliche wie bei der Verdrängung mit Amnesie. Diese Technik wird also in den Isolierungen der Zwangsneurose reproduziert, aber dabei auch in magischer Absicht motorisch verstärkt. Was so auseinandergehalten wird, ist gerade das, was assoziativ zusammengehört, die motorische Isolierung soll eine Garantie für die Unterbrechung des Zusammenhanges im Denken geben. Einen Vorwand für dies Verfahren der Neurose gibt der normale Vorgang der Konzentration. Was uns bedeutsam als Eindruck, als Aufgabe erscheint, soll nicht durch die gleichzeitigen Ansprüche anderer Denkverrichtungen oder Tätigkeiten gestört werden. Aber schon im Normalen wird die Konzentration dazu verwendet, nicht nur das Gleichgültige, nicht

Dazugehörige, sondern vor allem das unpassende Gegensätzliche fern-
zuhalten. Als das Störendste wird empfunden, was ursprünglich zusammengehört hat und durch den Fortschritt der Entwicklung ausein-
andergerissen wurde, z. B. die Äußerungen der Ambivalenz des Vater-
komplexes in der Beziehung zu Gott oder die Regungen der Exkretions-
organe in den Liebeserregungen. So hat das Ich normalerweise eine
große Isolierungsarbeit bei der Lenkung des Gedankenablaufes zu
leisten, und wir wissen, in der Ausübung der analytischen Technik
müssen wir das Ich dazu erziehen, auf diese sonst durchaus gerecht-
fertigte Funktion zeitweilig zu verzichten.
Wir haben alle die Erfahrung gemacht, daß es dem Zwangsneurotiker
besonders schwer wird, die psychoanalytische Grundregel zu befolgen.
Wahrscheinlich infolge der hohen Konfliktspannung zwischen seinem
Über-Ich und seinem Es ist sein Ich wachsamer, dessen Isolierungen
schärfer. Es hat während seiner Denkarbeit zuviel abzuwehren, die
Einmengung unbewußter Phantasien, die Äußerung der ambivalenten
Strebungen. Es darf sich nicht gehenlassen, befindet sich fortwährend
in Kampfbereitschaft. Diesen Zwang zur Konzentration und Isolierung
unterstützt es dann durch die magischen Isolierungsaktionen, die als
Symptome so auffällig und praktisch so bedeutsam werden, an sich
natürlich nutzlos sind und den Charakter des Zeremoniells haben.
Indem es aber Assoziationen, Verbindung in Gedanken, zu verhindern
sucht, befolgt es eines der ältesten und fundamentalsten Gebote der
Zwangsneurose, das Tabu der *Berührung*. Wenn man sich die Frage
vorlegt, warum die Vermeidung von Berührung, Kontakt, Ansteckung
in der Neurose eine so große Rolle spielt und zum Inhalt so komplizierter Systeme gemacht wird, so findet man die Antwort, daß die Berührung, der körperliche Kontakt, das nächste Ziel sowohl der aggressiven
wie der zärtlichen Objektbesetzung ist[1]. Der Eros will die Berührung,
denn er strebt nach Vereinigung, Aufhebung der Raumgrenzen zwischen
Ich und geliebtem Objekt. Aber auch die Destruktion, die vor der
Erfindung der Fernwaffe nur aus der Nähe erfolgen konnte, muß die
körperliche Berührung, das Handanlegen voraussetzen. Eine Frau berühren ist im Sprachgebrauch ein Euphemismus für ihre Benützung als
Sexualobjekt geworden. Das Glied nicht berühren ist der Wortlaut des
Verbotes der autoerotischen Befriedigung. Da die Zwangsneurose zu
Anfang die erotische Berührung, dann nach der Regression die als
Aggression maskierte Berührung verfolgte, ist nichts anderes für sie in so

---

[1] [Vgl. mehrere Stellen im zweiten Aufsatz von *Totem und Tabu* (1912–13).]

hohem Grade verpönt worden, nichts so geeignet, zum Mittelpunkt eines Verbotsystems zu werden. Die Isolierung ist aber Aufhebung der Kontaktmöglichkeit, Mittel, ein Ding jeder Berührung zu entziehen, und wenn der Neurotiker auch einen Eindruck oder eine Tätigkeit durch eine Pause isoliert, gibt er uns symbolisch zu verstehen, daß er die Gedanken an sie nicht in assoziative Berührung mit anderen kommen lassen will.

So weit reichen unsere Untersuchungen über die Symptombildung. Es verlohnt sich kaum, sie zu resumieren, sie sind ergebnisarm und unvollständig geblieben, haben auch wenig gebracht, was nicht schon früher bekannt gewesen wäre. Die Symptombildung bei anderen Affektionen als bei den Phobien, der Konversionshysterie und der Zwangsneurose in Betracht zu ziehen wäre aussichtslos; es ist zu wenig darüber bekannt. Aber auch schon aus der Zusammenstellung dieser drei Neurosen erhebt sich ein schwerwiegendes, nicht mehr aufzuschiebendes Problem. Für alle drei ist die Zerstörung des Ödipus-Komplexes der Ausgang, in allen, nehmen wir an, die Kastrationsangst der Motor des Ichsträubens. Aber nur in den Phobien kommt solche Angst zum Vorschein, wird sie eingestanden. Was ist bei den zwei anderen Formen aus ihr geworden, wie hat das Ich sich solche Angst erspart? Das Problem verschärft sich noch, wenn wir an die vorhin erwähnte Möglichkeit denken, daß die Angst durch eine Art Vergärung aus der im Ablauf gestörten Libidobesetzung selbst hervorgeht, und weiters: steht es fest, daß die Kastrationsangst der einzige Motor der Verdrängung (oder Abwehr) ist? Wenn man an die Neurosen der Frauen denkt, muß man das bezweifeln, denn so sicher sich der Kastrationskomplex bei ihnen konstatieren läßt, von einer Kastrationsangst im richtigen Sinne kann man bei bereits vollzogener Kastration doch nicht sprechen.

Kehren wir zu den infantilen Tierphobien zurück, wir verstehen diese Fälle doch besser als alle anderen. Das Ich muß also hier gegen eine libidinöse Objektbesetzung des Es (die des positiven oder des negativen Ödipus-Komplexes) einschreiten, weil es verstanden hat, ihr nachzugeben brächte die Gefahr der Kastration mit sich. Wir haben das schon erörtert und finden noch Anlaß, uns einen Zweifel klarzumachen, der von dieser ersten Diskussion erübrigt ist. Sollen wir beim kleinen Hans (also im Falle des positiven Ödipus-Komplexes) annehmen, daß es die zärtliche Regung für die Mutter oder die aggressive gegen den Vater ist, welche die Abwehr des Ichs herausfordert? Praktisch schiene das gleichgültig, besonders da die beiden Regungen einander bedingen, aber ein theoretisches Interesse knüpft sich an die Frage, weil nur die zärtliche Strömung für die Mutter als eine rein erotische gelten kann. Die aggressive ist wesentlich vom Destruktionstrieb abhängig, und wir haben immer geglaubt, bei der Neurose wehre sich das Ich gegen Ansprüche der Libido, nicht der anderen Triebe. In der Tat sehen wir, daß nach der Bildung der Phobie die zärtliche Mutterbindung wie verschwunden ist, sie ist durch die Verdrängung gründlich erledigt worden, an der aggressiven Regung hat sich aber die Symptom- (Ersatz-) Bildung vollzogen. Im Falle des Wolfsmannes liegt es einfacher, die verdrängte Regung ist wirklich eine erotische, die feminine Einstellung zum Vater, und an ihr vollzieht sich auch die Symptombildung.

Es ist fast beschämend, daß wir nach so langer Arbeit noch immer Schwierigkeiten in der Auffassung der fundamentalsten Verhältnisse finden, aber wir haben uns vorgenommen, nichts zu vereinfachen und nichts zu verheimlichen. Wenn wir nicht klar sehen können, wollen wir wenigstens die Unklarheiten scharf sehen. Was uns hier im Wege steht, ist offenbar eine Unebenheit in der Entwicklung unserer Trieblehre. Wir hatten zuerst die Organisationen der Libido von der oralen über die sadistisch-anale zur genitalen Stufe verfolgt und dabei alle Komponenten des Sexualtriebs einander gleichstellt. Später erschien uns der Sadismus als der Vertreter eines andern, dem Eros gegensätzlichen Triebes. Die neue Auffassung von den zwei Triebgruppen scheint die frühere Konstruktion von sukzessiven Phasen der Libidoorganisation zu sprengen. Die hilfreiche Auskunft aus dieser Schwierigkeit brauchen wir aber nicht neu zu erfinden. Sie hat sich uns längst geboten und lautet, daß wir es kaum jemals mit reinen Triebregungen zu tun haben, sondern durchweg mit Legierungen beider Triebe in verschiedenen Mengenverhältnissen. Die sadistische Objektbesetzung hat also auch ein Anrecht, als eine libidinöse behandelt zu werden, die Organisationen der Libido brauchen nicht revidiert zu werden, die aggressive Regung gegen den Vater kann mit demselben Anrecht Objekt der Verdrängung werden wie die zärtliche für die Mutter. Immerhin setzen wir als Stoff für spätere Überlegung die Möglichkeit beiseite, daß die Verdrängung ein Prozeß ist, der eine besondere Beziehung zur Genitalorganisation der Libido hat, daß das Ich zu anderen Methoden der Abwehr greift, wenn es sich der Libido auf anderen Stufen der Organisation zu erwehren hat, und setzen wir fort: Ein Fall wie der des kleinen Hans gestattet uns keine Entscheidung; hier wird zwar eine aggressive Regung durch Verdrängung erledigt, aber nachdem die Genitalorganisation bereits erreicht ist.

Wir wollen diesmal die Beziehung zur Angst nicht aus den Augen lassen. Wir sagten, so wie das Ich die Kastrationsgefahr erkannt hat, gibt es das Angstsignal und inhibiert mittels der Lust-Unlust-Instanz auf eine weiter nicht einsichtliche Weise den bedrohlichen Besetzungsvorgang im Es. Gleichzeitig vollzieht sich die Bildung der Phobie. Die Kastrationsangst erhält ein anderes Objekt und einen entstellten Ausdruck: vom Pferd gebissen (vom Wolf gefressen), anstatt vom Vater kastriert zu werden. Die Ersatzbildung hat zwei offenkundige Vorteile, erstens, daß sie einem Ambivalenzkonflikt ausweicht, denn der Vater ist ein gleichzeitig geliebtes Objekt, und zweitens, daß sie dem Ich gestattet, die Angstentwicklung einzustellen. Die Angst der Phobie ist nämlich eine fakultative, sie tritt nur auf, wenn ihr Objekt Gegenstand der Wahrnehmung wird. Das ist ganz korrekt; nur dann ist nämlich die Gefahrsituation vorhanden. Von einem abwesenden Vater braucht man auch die Kastration nicht zu befürchten. Nun kann man den Vater nicht wegschaffen, er zeigt sich immer, wann er will. Ist er aber durch das Tier ersetzt, so braucht man nur den Anblick, d. h. die Gegenwart des Tieres zu vermeiden, um frei von Gefahr und Angst zu sein. Der kleine Hans legt seinem Ich also eine Einschränkung auf, er produziert die Hemmung, nicht auszugehen, um nicht mit Pferden zusammenzutreffen. Der kleine Russe hat es noch bequemer, es ist kaum ein Verzicht für ihn, daß er ein gewisses Bilderbuch nicht mehr zur Hand nimmt. Wenn

die schlimme Schwester ihm nicht immer wieder das Bild des aufrecht-
stehenden Wolfes in diesem Buch vor Augen halten würde, dürfte er
sich vor seiner Angst gesichert fühlen[1].

Ich habe früher einmal der Phobie den Charakter einer Projektion zugeschrieben, indem sie eine innere Triebgefahr durch eine äußere Wahr-
nehmungsgefahr ersetzt. Das bringt den Vorteil, daß man sich gegen die
äußere Gefahr durch Flucht und Vermeidung der Wahrnehmung schützen kann, während gegen die Gefahr von innen keine Flucht nützt[2].
Meine Bemerkung ist nicht unrichtig, aber sie bleibt an der Oberfläche.
Der Triebanspruch ist ja nicht an sich eine Gefahr, sondern nur darum,
weil er eine richtige äußere Gefahr, die der Kastration, mit sich bringt.
So ist im Grunde bei der Phobie doch nur eine äußere Gefahr durch eine
andere ersetzt. Daß das Ich sich bei der Phobie durch eine Vermeidung
oder ein Hemmungssymptom der Angst entziehen kann, stimmt sehr gut
zur Auffassung, diese Angst sei nur ein Affektsignal und an der ökonomischen Situation sei nichts geändert worden.

Die Angst der Tierphobien ist also eine Affektreaktion des Ichs auf die
Gefahr; die Gefahr, die hier signalisiert wird, die der Kastration. Kein
anderer Unterschied von der Realangst, die das Ich normalerweise in
Gefahrsituationen äußert, als daß der Inhalt der Angst unbewußt
bleibt und nur in einer Entstellung bewußt wird.

Dieselbe Auffassung wird sich uns, glaube ich, auch für die Phobien
Erwachsener giltig erweisen, wenngleich das Material, das die Neurose
verarbeitet, hier sehr viel reichhaltiger ist und einige Momente zur
Symptombildung hinzukommen. Im Grunde ist es das nämliche. Der
Agoraphobe legt seinem Ich eine Beschränkung auf, um einer Triebgefahr zu entgehen. Die Triebgefahr ist die Versuchung, seinen erotischen Gelüsten nachzugeben, wodurch er wieder wie in der Kindheit
die Gefahr der Kastration, oder eine ihr analoge, heraufbeschwören
würde. Als einfaches Beispiel führe ich den Fall eines jungen Mannes
an, der agoraphob wurde, weil er befürchtete, den Lockungen von
Prostituierten nachzugeben und sich zur Strafe Syphilis zu holen.

Ich weiß wohl, daß viele Fälle eine kompliziertere Struktur zeigen und
daß viele andere verdrängte Triebregungen in die Phobie einmünden
können, aber diese sind nur auxiliär und haben sich meist nachträglich
mit dem Kern der Neurose in Verbindung gesetzt. Die Symptomatik

---

[1] [*Studienausgabe*, Bd. 8, S. 136.]

[2] [S. die Darstellung der Phobien in Abschnitt IV von Freuds metapsychologischer
Arbeit ›Das Unbewußte‹ (1915 e). S. auch die ›Editorische Vorbemerkung‹, S. 230 f. oben.]

der Agoraphobie wird dadurch kompliziert, daß das Ich sich nicht damit begnügt, auf etwas zu verzichten; es tut noch etwas hinzu, um der Situation ihre Gefahr zu benehmen. Diese Zutat ist gewöhnlich eine zeitliche Regression in die Kinderjahre (im extremen Fall bis in den Mutterleib, in Zeiten, in denen man gegen die heute drohenden Gefahren geschützt war) und tritt als die Bedingung auf, unter der der Verzicht unterbleiben kann. So kann der Agoraphobe auf die Straße gehen, wenn er wie ein kleines Kind von einer Person seines Vertrauens begleitet wird. Dieselbe Rücksicht mag ihm auch gestatten, allein auszugehen, wenn er sich nur nicht über eine bestimmte Strecke von seinem Haus entfernt, nicht in Gegenden geht, die er nicht gut kennt und wo er den Leuten nicht bekannt ist. In der Auswahl dieser Bestimmungen zeigt sich der Einfluß der infantilen Momente, die ihn durch seine Neurose beherrschen. Ganz eindeutig, auch ohne solche infantile Regression, ist die Phobie vor dem Alleinsein, die im Grunde der Versuchung zur einsamen Onanie ausweichen will. Die Bedingung dieser infantilen Regression ist natürlich die zeitliche Entfernung von der Kindheit.

Die Phobie stellt sich in der Regel her, nachdem unter gewissen Umständen – auf der Straße, auf der Eisenbahn, im Alleinsein – ein erster Angstanfall erlebt worden ist. Dann ist die Angst gebannt, tritt aber jedesmal wieder auf, wenn die schützende Bedingung nicht eingehalten werden kann. Der Mechanismus der Phobie tut als Abwehrmittel gute Dienste und zeigt eine große Neigung zur Stabilität. Eine Fortsetzung des Abwehrkampfes, der sich jetzt gegen das Symptom richtet, tritt häufig, aber nicht notwendig, ein.

Was wir über die Angst bei den Phobien erfahren haben, bleibt noch für die Zwangsneurose verwertbar. Es ist nicht schwierig, die Situation der Zwangsneurose auf die der Phobie zu reduzieren. Der Motor aller späteren Symptombildung ist hier offenbar die Angst des Ichs vor seinem Über-Ich. Die Feindseligkeit des Über-Ichs ist die Gefahrsituation, der sich das Ich entziehen muß. Hier fehlt jeder Anschein einer Projektion, die Gefahr ist durchaus verinnerlicht. Aber wenn wir uns fragen, was das Ich von seiten des Über-Ichs befürchtet, so drängt sich die Auffassung auf, daß die Strafe des Über-Ichs eine Fortbildung der Kastrationsstrafe ist. Wie das Über-Ich der unpersönlich gewordene Vater ist, so hat sich die Angst vor der durch ihn drohenden Kastration zur unbestimmten sozialen oder Gewissensangst umgewandelt[1]. Aber

---

[1] [Die ausführlichste Diskussion dieser Fragen findet sich in den Kapiteln VII und VIII von *Das Unbehagen in der Kultur* (1930 a).]

diese Angst ist gedeckt, das Ich entzieht sich ihr, indem es die ihm auferlegten Gebote, Vorschriften und Bußhandlungen gehorsam ausführt. Wenn es daran gehindert wird, dann tritt sofort ein äußerst peinliches Unbehagen auf, in dem wir das Äquivalent der Angst erblicken dürfen, das die Kranken selbst der Angst gleichstellen. Unser Ergebnis lautet also: Die Angst ist die Reaktion auf die Gefahrsituation; sie wird dadurch erspart, daß das Ich etwas tut, um die Situation zu vermeiden oder sich ihr zu entziehen. Man könnte nun sagen, die Symptome werden geschaffen, um die Angstentwicklung zu vermeiden, aber das läßt nicht tief blicken. Es ist richtiger zu sagen, die Symptome werden geschaffen, um die *Gefahrsituation* zu vermeiden, die durch die Angstentwicklung signalisiert wird. Diese Gefahr war aber in den bisher betrachteten Fällen die Kastration oder etwas von ihr Abgeleitetes.

Wenn die Angst die Reaktion des Ichs auf die Gefahr ist, so liegt es nahe, die traumatische Neurose, welche sich so häufig an überstandene Lebensgefahr anschließt, als direkte Folge der Lebens- oder Todesangst mit Beiseitesetzung der Abhängigkeiten des Ichs [S. 241] und der Kastration aufzufassen. Das ist auch von den meisten Beobachtern der traumatischen Neurosen des letzten Krieges[1] geschehen, und es ist triumphierend verkündet worden, nun sei der Beweis erbracht, daß eine Gefährdung des Selbsterhaltungstriebes eine Neurose erzeugen könne ohne jede Beteiligung der Sexualität und ohne Rücksicht auf die komplizierten Annahmen der Psychoanalyse. Es ist in der Tat außerordentlich zu bedauern, daß nicht eine einzige verwertbare Analyse einer traumatischen Neurose vorliegt. Nicht wegen des Widerspruches gegen die ätiologische Bedeutung der Sexualität, denn dieser ist längst durch die Einführung des Narzißmus aufgehoben worden, der die libidinöse Besetzung des Ichs in eine Reihe mit den Objektbesetzungen bringt und die libidinöse Natur des Selbsterhaltungstriebes betont, sondern weil wir durch den Ausfall dieser Analysen die kostbarste Gelegenheit zu entscheidenden Aufschlüssen über das Verhältnis zwischen Angst und Symptombildung versäumt haben. Es ist nach allem, was wir von der Struktur der simpleren Neurosen des täglichen Lebens wissen, sehr unwahrscheinlich, daß eine Neurose nur durch die objektive Tatsache der Gefährdung ohne Beteiligung der tieferen unbewußten Schichten des seelischen Apparats zustande kommen sollte. Im Unbewußten ist aber nichts vorhanden, was unserem Begriff der Lebensvernichtung Inhalt geben kann. Die Kastration wird sozusagen vorstellbar

---

[1] [Des Ersten Weltkrieges.]

durch die tägliche Erfahrung der Trennung vom Darminhalt und durch den bei der Entwöhnung erlebten Verlust der mütterlichen Brust[1]; etwas dem Tod Ähnliches ist aber nie erlebt worden oder hat wie die Ohnmacht keine nachweisbare Spur hinterlassen. Ich halte darum an der Vermutung fest, daß die Todesangst als Analogon der Kastrationsangst aufzufassen ist und daß die Situation, auf welche das Ich reagiert, das Verlassensein vom schützenden Über-Ich – den Schicksalsmächten – ist, womit die Sicherung gegen alle Gefahren ein Ende hat[2]. Außerdem kommt in Betracht, daß bei den Erlebnissen, die zur traumatischen Neurose führen, äußerer Reizschutz durchbrochen wird und übergroße Erregungsmengen an den seelischen Apparat herantreten [vgl. S. 240], so daß hier die zweite Möglichkeit vorliegt, daß Angst nicht nur als Affekt signalisiert, sondern auch aus den ökonomischen Bedingungen der Situation neu erzeugt wird.

Durch die letzte Bemerkung, das Ich sei durch regelmäßig wiederholte Objektverluste auf die Kastration vorbereitet worden, haben wir eine neue Auffassung der Angst gewonnen. Betrachteten wir sie bisher als Affektsignal der Gefahr, so erscheint sie uns nun, da es sich so oft um die Gefahr der Kastration handelt, als die Reaktion auf einen Verlust, eine Trennung. Mag auch mancherlei, was sich sofort ergibt, gegen diesen Schluß sprechen, so muß uns doch eine sehr merkwürdige Übereinstimmung auffallen. Das erste Angsterlebnis des Menschen wenigstens ist die Geburt, und diese bedeutet objektiv die Trennung von der Mutter, könnte einer Kastration der Mutter (nach der Gleichung Kind = Penis) verglichen werden. Nun wäre es sehr befriedigend, wenn die Angst als Symbol einer Trennung bei jeder späteren Trennung wiederholt würde, aber leider steht einer Verwertung dieses Zusammenstimmens im Wege, daß ja die Geburt subjektiv nicht als Trennung von der Mutter erlebt wird, da diese als Objekt dem durchaus narzißtischen Fötus völlig unbekannt ist. Ein anderes Bedenken wird lauten, daß uns die Affektreaktionen auf eine Trennung bekannt sind und daß wir sie als Schmerz und Trauer, nicht als Angst empfinden. Allerdings erinnern wir uns, wir haben bei der Diskussion der Trauer auch nicht verstehen können, warum sie so schmerzhaft ist[3].

---

[1] [S. eine 1923 zur Krankengeschichte des »kleinen Hans« hinzugefügte Anm., *Studienausgabe*, Bd. 8, S. 15.]

[2] [Vgl. die letzten Absätze von *Das Ich und das Es* (1923 b) sowie unten S. 280.]

[3] Zu diesem Thema kehrt Freud in Nachtrag C, S. 305 ff. unten zurück.]

Es ist Zeit, sich zu besinnen. Wir suchen offenbar nach einer Einsicht, die uns das Wesen der Angst erschließt, nach einem Entweder-Oder, das die Wahrheit über sie vom Irrtum scheidet. Aber das ist schwer zu haben, die Angst ist nicht einfach zu erfassen. Bisher haben wir nichts erreicht als Widersprüche, zwischen denen ohne Vorurteil keine Wahl möglich war. Ich schlage jetzt vor, es anders zu machen; wir wollen unparteiisch alles zusammentragen, was wir von der Angst aussagen können, und dabei auf die Erwartung einer neuen Synthese verzichten.

Die Angst ist also in erster Linie etwas Empfundenes. Wir heißen sie einen Affektzustand, obwohl wir auch nicht wissen, was ein Affekt ist. Sie hat als Empfindung offenbarsten Unlustcharakter, aber das erschöpft nicht ihre Qualität; nicht jede Unlust können wir Angst heißen. Es gibt andere Empfindungen mit Unlustcharakter (Spannungen, Schmerz, Trauer), und die Angst muß außer dieser Unlustqualität andere Besonderheiten haben. Eine Frage: Werden wir es dazu bringen, die Unterschiede zwischen diesen verschiedenen Unlustaffekten zu verstehen?

Aus der Empfindung der Angst können wir immerhin etwas entnehmen. Ihr Unlustcharakter scheint eine besondere Note zu haben; das ist schwer zu beweisen, aber wahrscheinlich; es wäre nichts Auffälliges. Aber außer diesem schwer isolierbaren Eigencharakter nehmen wir an der Angst bestimmtere körperliche Sensationen wahr, die wir auf bestimmte Organe beziehen. Da uns die Physiologie der Angst hier nicht interessiert, genügt es uns, einzelne Repräsentanten dieser Sensationen hervorzuheben, also die häufigsten und deutlichsten an den Atmungsorganen und am Herzen [1]. Sie sind uns Beweise dafür, daß motorische Innervationen, also Abfuhrvorgänge an dem Ganzen der Angst Anteil haben. Die Analyse des Angstzustandes ergibt also 1) einen spezifischen Unlustcharakter, 2) Abfuhraktionen, 3) Wahrnehmungen derselben.

Die Punkte 2 und 3 ergeben uns bereits einen Unterschied gegen die

---

[1] [Vgl. eine Stelle in Freuds erster Arbeit über Angstneurose (1895 b), S. 30 oben.]

ähnlichen Zustände, z. B. der Trauer und des Schmerzes. Bei diesen gehören die motorischen Äußerungen nicht dazu; wo sie vorhanden sind, sondern sie sich deutlich nicht als Bestandteile des Ganzen, sondern als Konsequenzen oder Reaktionen darauf. Die Angst ist also ein besonderer Unlustzustand mit Abfuhraktionen auf bestimmte Bahnen. Nach unseren allgemeinen Anschauungen[1] werden wir glauben, daß der Angst eine Steigerung der Erregung zugrunde liegt, die einerseits den Unlustcharakter schafft, anderseits sie durch die genannten Abfuhren erleichtert. Diese rein physiologische Zusammenfassung wird uns aber kaum genügen; wir sind versucht anzunehmen, daß ein historisches Moment da ist, welches die Sensationen und Innervationen der Angst fest aneinander bindet. Mit anderen Worten, daß der Angstzustand die Reproduktion eines Erlebnisses ist, das die Bedingungen einer solchen Reizsteigerung und der Abfuhr auf bestimmte Bahnen enthielt, wodurch also die Unlust der Angst ihren spezifischen Charakter erhält. Als solches vorbildliches Erlebnis bietet sich uns für den Menschen die Geburt, und darum sind wir geneigt, im Angstzustand eine Reproduktion des Geburtstraumas zu sehen. [Vgl. S. 239 f.]

Wir haben damit nichts behauptet, was der Angst eine Ausnahmestellung unter den Affektzuständen einräumen würde. Wir meinen, auch die anderen Affekte sind Reproduktionen alter, lebenswichtiger, eventuell vorindividueller Ereignisse, und wir bringen sie als allgemeine, typische, mitgeborene hysterische Anfälle in Vergleich mit den spät und individuell erworbenen Attacken der hysterischen Neurose, deren Genese und Bedeutung als Erinnerungssymbole uns durch die Analyse deutlich geworden ist. Natürlich wäre es sehr wünschenswert, diese Auffassung für eine Reihe anderer Affekte beweisend durchführen zu können, wovon wir heute weit entfernt sind[2].

Die Zurückführung der Angst auf das Geburtsereignis hat sich gegen naheliegende Einwände zu verteidigen. Die Angst ist eine wahrscheinlich allen Organismen, jedenfalls allen höheren zukommende Reaktion, die Geburt wird nur von den Säugetieren erlebt, und es ist fraglich, ob sie bei allen diesen die Bedeutung eines Traumas hat. Es gibt also Angst ohne Geburtsvorbild. Aber dieser Einwand setzt sich über die Schranken zwischen Biologie und Psychologie hinaus. Gerade weil die Angst

---

[1] [Formuliert beispielsweise auf den einleitenden Seiten von *Jenseits des Lustprinzips* (1920 g).]

[2] [Dieser Gedanke geht vermutlich auf Darwins *Expression of the Emotions* (1872) zurück. S. die ›Editorische Vorbemerkung‹, S. 232 oben, in der weitere Hinweise gegeben werden.]

eine biologisch unentbehrliche Funktion zu erfüllen hat, als Reaktion auf den Zustand der Gefahr, mag sie bei verschiedenen Lebewesen auf verschiedene Art eingerichtet worden sein. Wir wissen auch nicht, ob sie bei dem Menschen fernerstehenden Lebewesen denselben Inhalt an Sensationen und Innervationen hat wie beim Menschen. Das hindert also nicht, daß die Angst beim Menschen den Geburtsvorgang zum Vorbild nimmt.

Wenn dies die Struktur und die Herkunft der Angst ist, so lautet die weitere Frage: Was ist ihre Funktion? Bei welchen Gelegenheiten wird sie reproduziert? Die Antwort scheint naheliegend und zwingend zu sein. Die Angst entstand als Reaktion auf einen Zustand der *Gefahr*, sie wird nun regelmäßig reproduziert, wenn sich ein solcher Zustand wieder einstellt.

Dazu ist aber einiges zu bemerken. Die Innervationen des ursprünglichen Angstzustandes waren wahrscheinlich auch sinnvoll und zweckmäßig, ganz so wie die Muskelaktionen des ersten hysterischen Anfalls. Wenn man den hysterischen Anfall erklären will, braucht man ja nur die Situation zu suchen, in der die betreffenden Bewegungen Anteile einer berechtigten Handlung waren. So hat wahrscheinlich während der Geburt die Richtung der Innervation auf die Atmungsorgane die Tätigkeit der Lungen vorbereitet, die Beschleunigung des Herzschlags gegen die Vergiftung des Blutes arbeiten wollen. Diese Zweckmäßigkeit entfällt natürlich bei der späteren Reproduktion des Angstzustandes als Affekt, wie sie auch beim wiederholten hysterischen Anfall vermißt wird. Wenn also das Individuum in eine neue Gefahrsituation gerät, so kann es leicht unzweckmäßig werden, daß es mit dem Angstzustand, der Reaktion auf eine frühere Gefahr, antwortet, anstatt die der jetzigen adäquate Reaktion einzuschlagen. Die Zweckmäßigkeit tritt aber wieder hervor, wenn die Gefahrsituation als herannahend erkannt und durch den Angstausbruch signalisiert wird. Die Angst kann dann sofort durch geeignetere Maßnahmen abgelöst werden. Es sondern sich also sofort zwei Möglichkeiten des Auftretens der Angst: die eine, unzweckmäßige, in einer neuen Gefahrsituation, die andere, zweckmäßige, zur Signalisierung und Verhütung einer solchen.

Was aber ist eine »Gefahr«? Im Geburtsakt besteht eine objektive Gefahr für die Erhaltung des Lebens, wir wissen, was das in der Realität bedeutet. Aber psychologisch sagt es uns gar nichts. Die Gefahr der Geburt hat noch keinen psychischen Inhalt. Sicherlich dürfen wir beim Fötus nichts voraussetzen, was sich irgendwie einer Art von Wissen um die Möglichkeit eines Ausgangs in Lebensvernichtung annähert. Der Fötus kann nichts anderes bemerken als eine großartige Störung in der Ökonomie seiner narzißtischen Libido. Große Erregungssummen dringen zu ihm, erzeugen neuartige Unlustempfindungen, manche Organe erzwingen sich erhöhte Besetzungen, was wie ein Vorspiel der bald beginnenden Objektbesetzung ist; was davon wird als Merkzeichen einer »Gefahrsituation« Verwertung finden?

Wir wissen leider viel zu wenig von der seelischen Verfassung des Neugeborenen, um diese Frage direkt zu beantworten. Ich kann nicht einmal für die Brauchbarkeit der eben gegebenen Schilderung einstehen. Es ist leicht zu sagen, das Neugeborene werde den Angstaffekt in allen Situationen wiederholen, die es an das Geburtsereignis erinnert. Der entscheidende Punkt bleibt aber, wodurch und woran es erinnert wird.

Es bleibt uns kaum etwas anderes übrig, als die Anlässe zu studieren, bei denen der Säugling oder das ein wenig ältere Kind sich zur Angstentwicklung bereit zeigt. Rank hat in seinem Buch *Das Trauma der Geburt* (1924) einen sehr energischen Versuch gemacht, die Beziehungen der frühesten Phobien des Kindes zum Eindruck des Geburtsereignisses zu erweisen, allein ich kann ihn nicht für geglückt halten. Man kann ihm zweierlei vorwerfen: Erstens, daß er auf der Voraussetzung beruht, das Kind habe bestimmte Sinneseindrücke, insbesondere visueller Natur, bei seiner Geburt empfangen, deren Erneuerung die Erinnerung an das Geburtstrauma und somit die Angstreaktion hervorrufen kann. Diese Annahme ist völlig unbewiesen und sehr unwahrscheinlich; es ist nicht glaubhaft, daß das Kind andere als taktile und Allgemeinsensationen vom Geburtsvorgang bewahrt hat. Wenn es also später Angst vor kleinen Tieren zeigt, die in Löchern verschwinden oder aus diesen herauskommen, so erklärt Rank diese Reaktion durch die Wahrnehmung einer Analogie, die aber dem Kinde nicht auffällig werden kann. Zweitens, daß Rank in der Würdigung dieser späteren Angstsituationen je nach Bedürfnis die Erinnerung an die glückliche intrauterine Existenz oder an deren traumatische Störung wirksam werden läßt, womit der Willkür in der Deutung Tür und Tor geöffnet wird. Einzelne Fälle dieser Kinderangst widersetzen sich direkt der Anwendung des Rankschen Prinzips. Wenn das Kind in Dunkelheit und Einsamkeit gebracht wird, so sollten wir erwarten, daß es diese Wiederherstellung der intrauterinen Situation mit Befriedigung aufnimmt, und wenn die Tatsache, daß es gerade dann mit Angst reagiert, auf die Erinnerung an die

Störung dieses Glücks durch die Geburt zurückgeführt wird, so kann man das Gezwungene dieses Erklärungsversuches nicht länger verkennen[1].

Ich muß den Schluß ziehen, daß die frühesten Kindheitsphobien eine direkte Rückführung auf den Eindruck des Geburtsaktes nicht zulassen und sich überhaupt bis jetzt der Erklärung entzogen haben. Eine gewisse Angstbereitschaft des Säuglings ist unverkennbar. Sie ist nicht etwa unmittelbar nach der Geburt am stärksten, um dann langsam abzunehmen, sondern tritt erst später mit dem Fortschritt der seelischen Entwicklung hervor und hält über eine gewisse Periode der Kinderzeit an. Wenn sich solche Frühphobien über diese Zeit hinaus erstrecken, erwecken sie den Verdacht einer neurotischen Störung, wiewohl uns ihre Beziehung zu den späteren deutlichen Neurosen der Kindheit keineswegs einsichtlich ist.

Nur wenige Fälle der kindlichen Angstäußerung sind uns verständlich; an diese werden wir uns halten müssen. So, wenn das Kind allein, in der Dunkelheit, ist und wenn es eine fremde Person an Stelle der ihm vertrauten (der Mutter) findet. Diese drei Fälle reduzieren sich auf eine einzige Bedingung, das Vermissen der geliebten (ersehnten) Person. Von da an ist aber der Weg zum Verständnis der Angst und zur Vereinigung der Widersprüche, die sich an sie zu knüpfen scheinen, frei.

Das Erinnerungsbild der ersehnten Person wird gewiß intensiv, wahrscheinlich zunächst halluzinatorisch besetzt. Aber das hat keinen Erfolg, und nun hat es den Anschein, als ob diese Sehnsucht in Angst umschlüge. Es macht geradezu den Eindruck, als wäre diese Angst ein Ausdruck der Ratlosigkeit, als wüßte das noch sehr unentwickelte Wesen mit dieser sehnsüchtigen Besetzung nichts Besseres anzufangen. Die Angst erscheint so als Reaktion auf das Vermissen des Objekts, und es drängen sich uns die Analogien auf, daß auch die Kastrationsangst die Trennung von einem hochgeschätzten Objekt zum Inhalt hat und daß die ursprünglichste Angst (die »*Urangst*« der Geburt) bei der Trennung von der Mutter entstand.

Die nächste Überlegung führt über diese Betonung des Objektverlustes hinaus. Wenn der Säugling nach der Wahrnehmung der Mutter verlangt, so doch nur darum, weil er bereits aus Erfahrung weiß, daß sie alle seine Bedürfnisse ohne Verzug befriedigt. Die Situation, die er als

---

[1] [Ranks Theorie wird ferner auf S. 289 ff. besprochen.]

»Gefahr« wertet, gegen die er versichert sein will, ist also die der Unbefriedigung, des *Anwachsens der Bedürfnisspannung*, gegen die er ohnmächtig ist. Ich meine, von diesem Gesichtspunkt aus ordnet sich alles
ein; die Situation der Unbefriedigung, in der Reizgrößen eine unlust-
volle Höhe erreichen, ohne Bewältigung durch psychische Verwendung
und Abfuhr zu finden, muß für den Säugling die Analogie mit dem
Geburtserlebnis, die Wiederholung der Gefahrsituation sein; das beiden
Gemeinsame ist die ökonomische Störung durch das Anwachsen der
Erledigung heischenden Reizgrößen, dieses Moment also der eigentliche
Kern der »Gefahr«. In beiden Fällen tritt die Angstreaktion auf, die
sich auch noch beim Säugling als zweckmäßig erweist, indem die Rich-
tung der Abfuhr auf Atem- und Stimmuskulatur nun die Mutter her-
beiruft, wie sie früher die Lungentätigkeit zur Wegschaffung der inneren
Reize anregte. Mehr als diese Kennzeichnung der Gefahr braucht das
Kind von seiner Geburt nicht bewahrt zu haben.

Mit der Erfahrung, daß ein äußeres, durch Wahrnehmung erfaßbares
Objekt der an die Geburt mahnenden gefährlichen Situation ein Ende
machen kann, verschiebt sich nun der Inhalt der Gefahr von der ökonomischen Situation auf seine Bedingung, den Objektverlust. Das Vermissen der Mutter wird nun die Gefahr, bei deren Eintritt der Säugling
das Angstsignal gibt, noch ehe die gefürchtete ökonomische Situation
eingetreten ist. Diese Wandlung bedeutet einen ersten großen Fortschritt in der Fürsorge für die Selbsterhaltung, sie schließt gleichzeitig
den Übergang von der automatisch ungewollten Neuentstehung der
Angst zu ihrer beabsichtigten Reproduktion als Signal der Gefahr
ein.

In beiden Hinsichten, sowohl als automatisches Phänomen wie als ret-
tendes Signal, zeigt sich die Angst als Produkt der psychischen Hilflosigkeit des Säuglings, welche das selbstverständliche Gegenstück seiner
biologischen Hilflosigkeit ist. Das auffällige Zusammentreffen, daß
sowohl die Geburtsangst wie die Säuglingsangst die Bedingung der
Trennung von der Mutter anerkennt, bedarf keiner psychologischen
Deutung; es erklärt sich biologisch einfach genug aus der Tatsache, daß
die Mutter, die zuerst alle Bedürfnisse des Fötus durch die Einrichtun-
gen ihres Leibes beschwichtigt hatte, dieselbe Funktion zum Teil mit
anderen Mitteln auch nach der Geburt fortsetzt. Intrauterinleben und
erste Kindheit sind weit mehr ein Kontinuum, als uns die auffällige
Caesur des Geburtsaktes glauben läßt. Das psychische Mutterobjekt
ersetzt dem Kinde die biologische Fötalsituation. Wir dürfen darum

nicht vergessen, daß im Intrauterinleben die Mutter kein Objekt war und daß es damals keine Objekte gab.

Es ist leicht zu sehen, daß es in diesem Zusammenhange keinen Raum für ein Abreagieren des Geburtstraumas gibt und daß eine andere Funktion der Angst als die eines Signals zur Vermeidung der Gefahrsituation nicht aufzufinden ist. Die Angstbedingung des Objektverlustes trägt nun noch ein ganzes Stück weiter. Auch die nächste Wandlung der Angst, die in der phallischen Phase auftretende Kastrationsangst, ist eine Trennungsangst und an dieselbe Bedingung gebunden. Die Gefahr ist hier die Trennung von dem Genitale. Ein vollberechtigt scheinender Gedankengang von Ferenczi [1925] läßt uns hier die Linie des Zusammenhanges mit den früheren Inhalten der Gefahrsituation deutlich erkennen. Die hohe narzißtische Einschätzung des Penis kann sich darauf berufen, daß der Besitz dieses Organs die Gewähr für eine Wiedervereinigung mit der Mutter (dem Mutterersatz) im Akt des Koitus enthält. Die Beraubung dieses Gliedes ist soviel wie eine neuerliche Trennung von der Mutter, bedeutet also wiederum, einer unlustvollen Bedürfnisspannung (wie bei der Geburt) hilflos ausgeliefert zu sein. Das Bedürfnis, dessen Ansteigen gefürchtet wird, ist aber nun ein spezialisiertes, das der genitalen Libido, nicht mehr ein beliebiges wie in der Säuglingszeit. Ich füge hier an, daß die Phantasie der Rückkehr in den Mutterleib der Koitusersatz des Impotenten (durch die Kastrationsdrohung Gehemmten) ist. Im Sinne Ferenczis kann man sagen, das Individuum, das sich zur Rückkehr in den Mutterleib durch sein Genitalorgan vertreten lassen wollte, ersetzt nun [in dieser Phantasie] regressiv dies Organ durch seine ganze Person[1].

Die Fortschritte in der Entwicklung des Kindes, die Zunahme seiner Unabhängigkeit, die schärfere Sonderung seines seelischen Apparats in mehrere Instanzen, das Auftreten neuer Bedürfnisse können nicht ohne Einfluß auf den Inhalt der Gefahrsituation bleiben. Wir haben dessen Wandlung vom Verlust des Mutterobjekts zur Kastration verfolgt und sehen den nächsten Schritt durch die Macht des Über-Ichs verursacht. Mit dem Unpersönlichwerden der Elterninstanz, von der man die Kastration befürchtete, wird die Gefahr unbestimmter. Die Kastrationsangst entwickelt sich zur Gewissensangst, zur sozialen Angst. Es ist jetzt nicht mehr so leicht anzugeben, was die Angst befürchtet. Die Formel: »Trennung, Ausschluß aus der Horde«, trifft nur jenen späteren

---

[1] [Freud erörterte diese Phantasie schon in der Analyse des »Wolfsmannes« (1918 *b*), *Studienausgabe*, Bd. 8, S. 212–14.]

Anteil des Über-Ichs, der sich in Anlehnung an soziale Vorbilder entwickelt hat, nicht den Kern des Über-Ichs, der der introjizierten Elterninstanz entspricht. Allgemeiner ausgedrückt, ist es der Zorn, die Strafe des Über-Ichs, der Liebesverlust von dessen Seite, den das Ich als Gefahr wertet und mit dem Angstsignal beantwortet. Als letzte Wandlung dieser Angst vor dem Über-Ich ist mir die Todes- (Lebens-) Angst, die Angst vor der Projektion des Über-Ichs in den Schicksalsmächten erschienen [vgl. S. 272].

Ich habe früher einmal einen gewissen Wert auf die Darstellung gelegt, daß es die bei der Verdrängung abgezogene Besetzung ist, welche die Verwendung als Angstabfuhr erfährt[1]. Das erscheint mir nun heute kaum wissenswert. Der Unterschied liegt darin, daß ich vormals die Angst in jedem Falle durch einen ökonomischen Vorgang automatisch entstanden glaubte, während die jetzige Auffassung der Angst als eines vom Ich beabsichtigten Signals zum Zweck der Beeinflussung der Lust-Unlust-Instanz uns von diesem ökonomischen Zwange unabhängig macht. Es ist natürlich nichts gegen die Annahme zu sagen, daß das Ich gerade die durch die Abziehung bei der Verdrängung frei gewordene Energie zur Erweckung des Affekts verwendet, aber es ist bedeutungslos geworden, mit welchem Anteil Energie dies geschieht[2].

Ein anderer Satz, den ich einmal ausgesprochen, verlangt nun nach Überprüfung im Lichte unserer neuen Auffassung. Es ist die Behauptung, das Ich sei die eigentliche Angststätte[3]; ich meine, sie wird sich als zutreffend erweisen. Wir haben nämlich keinen Anlaß, dem Über-Ich irgendeine Angstäußerung zuzuteilen. Wenn aber von einer »Angst des Es« die Rede ist, so hat man nicht zu widersprechen, sondern einen ungeschickten Ausdruck zu korrigieren. Die Angst ist ein Affektzustand, der natürlich nur vom Ich verspürt werden kann. Das Es kann nicht Angst haben wie das Ich, es ist keine Organisation, kann Gefahrsituationen nicht beurteilen. Dagegen ist es ein überaus häufiges Vorkommnis, daß sich im Es Vorgänge vorbereiten oder vollziehen, die dem Ich Anlaß zur Angstentwicklung geben; in der Tat sind die wahrscheinlich frühesten Verdrängungen, wie die Mehrzahl aller späteren, durch solche Angst des Ichs vor einzelnen Vorgängen im Es motiviert. Wir unterscheiden hier wiederum mit gutem Grund die beiden Fälle, daß sich im

---

[1] [S. beispielsweise in Abschnitt IV von ›Das Unbewußte‹ (1915 *e*).]

[2] [Vgl. die ›Editorische Vorbemerkung‹, S. 230 f. oben.]

[3] [Sie findet sich in *Das Ich und das Es* (1923 *b*), etwa zwei Seiten vor dem Ende der Arbeit.]

Es etwas ereignet, was eine der Gefahrsituationen fürs Ich aktiviert und es somit bewegt, zur Inhibition das Angstsignal zu geben, und den anderen Fall, daß sich im Es die dem Geburtstrauma analoge Situation herstellt, in der es automatisch zur Angstreaktion kommt. Man bringt die beiden Fälle einander näher, wenn man hervorhebt, daß der zweite der ersten und ursprünglichen Gefahrsituation entspricht, der erste aber einer der später aus ihr abgeleiteten Angstbedingungen. Oder auf die wirklich vorkommenden Affektionen bezogen. daß der zweite Fall in der Ätiologie der Aktualneurosen verwirklicht ist, der erste für die der Psychoneurosen charakteristisch bleibt.

Wir sehen nun, daß wir frühere Ermittlungen nicht zu entwerten, sondern bloß mit den neueren Einsichten in Verbindung zu bringen brauchen. Es ist nicht abzuweisen, daß bei Abstinenz, mißbräuchlicher Störung im Ablauf der Sexualerregung, Ablenkung derselben von ihrer psychischen Verarbeitung[1], direkt Angst aus Libido entsteht, d. h. jener Zustand von Hilflosigkeit des Ichs gegen eine übergroße Bedürfnisspannung hergestellt wird, der wie bei der Geburt in Angstentwicklung ausgeht, wobei es wieder eine gleichgültige, aber naheliegende Möglichkeit ist, daß gerade der Überschuß an unverwendeter Libido seine Abfuhr in der Angstentwicklung findet[2]. Wir sehen, daß sich auf dem Boden dieser Aktualneurosen besonders leicht Psychoneurosen entwickeln, d. h. wohl, daß das Ich Versuche macht, die Angst, die es eine Weile suspendiert zu erhalten gelernt hat, zu ersparen und durch Symptombildung zu binden. Wahrscheinlich würde die Analyse der traumatischen Kriegsneurosen, welcher Name allerdings sehr verschiedenartige Affektionen umfaßt, ergeben haben, daß eine Anzahl von ihnen an den Charakteren der Aktualneurosen Anteil hat. [Vgl. S. 271.]

Als wir die Entwicklung der verschiedenen Gefahrsituationen aus dem ursprünglichen Geburtsvorbild darstellten, lag es uns ferne zu behaupten, daß jede spätere Angstbedingung die frühere einfach außer Kraft setzt. Die Fortschritte der Ichentwicklung tragen allerdings dazu bei, die frühere Gefahrsituation zu entwerten und beiseite zu schieben, so daß man sagen kann, einem bestimmten Entwicklungsalter sei eine gewisse Angstbedingung wie adäquat zugeteilt. Die Gefahr der psychischen Hilflosigkeit paßt zur Lebenszeit der Unreife des Ichs, wie die

---

[1] [Dieser Ausdruck steht auf S. 44 oben, in Abschnitt III der ersten Arbeit über Angstneurose (1895 *b*); der ganze vorliegende Absatz ist ein Echo jener Darstellung.]
[2] [Vgl. die ähnliche Bemerkung am Ende des vorletzten Absatzes; s. aber auch die ›Editorische Vorbemerkung‹, S. 230 oben.]

Gefahr des Objektverlustes zur Unselbständigkeit der ersten Kinder-jahre, die Kastrationsgefahr zur phallischen Phase, die Über-Ichangst zur Latenzzeit. Aber es können doch alle diese Gefahrsituationen und Angstbedingungen nebeneinander fortbestehen bleiben und das Ich auch zu späteren als den adäquaten Zeiten zur Angstreaktion veranlassen, oder es können mehrere von ihnen gleichzeitig in Wirksamkeit treten. Möglicherweise bestehen auch engere Beziehungen zwischen der wirk-samen Gefahrsituation und der Form der auf sie folgenden Neu-rose[1].

Als wir in einem früheren Stück dieser Untersuchungen auf die Bedeu-tung der Kastrationsgefahr bei mehr als einer neurotischen Affektion stießen, erteilten wir uns die Mahnung, dies Moment doch nicht zu über-schätzen, da es bei dem gewiß mehr zur Neurose disponierten weib-lichen Geschlecht doch nicht ausschlaggebend sein könnte. [Vgl. S. 266.] Wir sehen jetzt, daß wir nicht in Gefahr sind, die Kastrationsangst für den einzigen Motor der zur Neurose führenden Abwehrvorgänge zu erklären. Ich habe an anderer Stelle[2] auseinandergesetzt, wie die Ent-wicklung des kleinen Mädchens durch den Kastrationskomplex zur

---

[1] Seit der Unterscheidung von Ich und Es mußte auch unser Interesse an den Proble-men der Verdrängung eine neue Belebung erfahren. Bisher hatte es uns genügt, die dem Ich zugewendeten Seiten des Vorgangs, die Abhaltung vom Bewußtsein und von der Motilität und die Ersatz- (Symptom-) Bildung ins Auge zu fassen, von der ver-drängten Triebregung selbst nahmen wir an, sie bleibe im Unbewußten unbestimmt lange unverändert bestehen. Nun wendet sich das Interesse den Schicksalen des Ver-drängten zu, und wir ahnen, daß ein solcher unveränderter und unveränderlicher Fort-bestand nicht selbstverständlich, vielleicht nicht einmal gewöhnlich ist. Die ursprüng-liche Triebregung ist jedenfalls durch die Verdrängung gehemmt und von ihrem Ziel abgelenkt worden. Ist aber ihr Ansatz im Unbewußten erhalten geblieben und hat er sich resistent gegen die verändernden und entwertenden Einflüsse des Lebens erwiesen? Bestehen also die alten Wünsche noch, von deren früherer Existenz uns die Analyse be-richtet? Die Antwort scheint naheliegend und gesichert: Die verdrängten alten Wünsche müssen im Unbewußten noch fortbestehen, da wir ihre Abkömmlinge, die Symptome, noch wirksam finden. Aber sie ist nicht zureichend, sie läßt nicht zwischen den beiden Möglichkeiten entscheiden, ob der alte Wunsch jetzt nur durch seine Abkömmlinge wirkt, denen er all seine Besetzungsenergie übertragen hat, oder ob er außerdem selbst erhalten geblieben ist. Wenn es sein Schicksal war, sich in der Besetzung seiner Ab-kömmlinge zu erschöpfen, so bleibt noch die dritte Möglichkeit, daß er im Verlauf der Neurose durch Regression wiederbelebt wurde, so unzeitgemäß er gegenwärtig sein mag. Man braucht diese Erwägungen nicht für müßig zu halten; vieles an den Erscheinungen des krankhaften wie des normalen Seelenlebens scheint solche Frage-stellungen zu erfordern. In meiner Studie über den Untergang des Ödipus-Komplexes [1924 d] bin ich auf den Unterschied zwischen der bloßen Verdrängung und der wirk-lichen Aufhebung einer alten Wunschregung aufmerksam geworden.
[2] [S. die zweite Hälfte der Arbeit über die anatomischen Geschlechtsunterschiede (1925 j).]

zärtlichen Objektbesetzung gelenkt wird. Gerade beim Weibe scheint die Gefahrsituation des Objektverlustes die wirksamste geblieben zu sein. Wir dürfen an ihrer Angstbedingung die kleine Modifikation anbringen, daß es sich nicht mehr um das Vermissen oder den realen Verlust des Objekts handelt, sondern um den Liebesverlust von seiten des Objekts. Da es sicher steht, daß die Hysterie eine größere Affinität zur Weiblichkeit hat, ebenso wie die Zwangsneurose zur Männlichkeit[1], so liegt die Vermutung nahe, die Angstbedingung des Liebesverlustes spiele bei Hysterie eine ähnliche Rolle wie die Kastrationsdrohung bei den Phobien, die Über-Ichangst bei der Zwangsneurose.

---

[1] [S. die Anm. 1 auf S. 80 oben.]

Was jetzt erübrigt, ist die Behandlung der Beziehungen zwischen Symptombildung und Angstentwicklung.

Zwei Meinungen darüber scheinen weit verbreitet zu sein. Die eine nennt die Angst selbst ein Symptom der Neurose, die andere glaubt an ein weit innigeres Verhältnis zwischen beiden. Ihr zufolge würde alle Symptombildung nur unternommen werden, um der Angst zu entgehen; die Symptome binden die psychische Energie, die sonst als Angst abgeführt würde, so daß die Angst das Grundphänomen und Hauptproblem der Neurose wäre.

Die zumindest partielle Berechtigung der zweiten Behauptung läßt sich durch schlagende Beispiele erweisen. Wenn man einen Agoraphoben, den man auf die Straße begleitet hat, dort sich selbst überläßt, produziert er einen Angstanfall; wenn man einen Zwangsneurotiker daran hindern läßt, sich nach einer Berührung die Hände zu waschen, wird er die Beute einer fast unerträglichen Angst. Es ist also klar, die Bedingung des Begleitetwerdens und die Zwangshandlung des Waschens hatten die Absicht und auch den Erfolg, solche Angstausbrüche zu verhüten. In diesem Sinne kann auch jede Hemmung, die sich das Ich auferlegt, Symptom genannt werden.

Da wir die Angstentwicklung auf die Gefahrsituation zurückgeführt haben, werden wir es vorziehen zu sagen, die Symptome werden geschaffen, um das Ich der Gefahrsituation zu entziehen. Wird die Symptombildung verhindert, so tritt die Gefahr wirklich ein, d. h. es stellt sich jene der Geburt analoge Situation her, in der sich das Ich hilflos gegen den stetig wachsenden Triebanspruch findet, also die erste und ursprünglichste der Angstbedingungen. Für unsere Anschauung erweisen sich die Beziehungen zwischen Angst und Symptom weniger eng als angenommen wurde, die Folge davon, daß wir zwischen beide das Moment der Gefahrsituation eingeschoben haben. Wir können auch ergänzend sagen, die Angstentwicklung leite die Symptombildung ein, ja sie sei eine notwendige Voraussetzung derselben, denn wenn das Ich nicht durch die Angstentwicklung die Lust-Unlust-Instanz wachrütteln würde, bekäme es nicht die Macht, den im Es vorbereiteten, gefahrdrohenden Vorgang aufzuhalten. Dabei ist die Tendenz unverkennbar, sich auf ein Mindestmaß von Angstentwicklung zu beschränken, die Angst nur als Signal zu verwenden, denn sonst bekäme man die Unlust, die durch den Triebvorgang droht, nur an anderer Stelle zu spüren, was kein Erfolg nach der Absicht des Lustprinzips wäre, sich aber doch bei den Neurosen häufig genug ereignet.

Die Symptombildung hat also den wirklichen Erfolg, die Gefahrsituation aufzuheben. Sie hat zwei Seiten; die eine, die uns verborgen bleibt, stellt im Es jene Abänderung her, mittels deren das Ich der Gefahr entzogen wird, die andere, uns zugewendete, zeigt, was sie an Stelle des beeinflußten Triebvorganges geschaffen hat, die Ersatzbildung.

Wir sollten uns aber korrekter ausdrücken, dem Abwehrvorgang zuschreiben, was wir eben von der Symptombildung ausgesagt haben, und den Namen Symptombildung selbst als synomym mit Ersatzbildung gebrauchen. Es scheint dann klar, daß der Abwehrvorgang analog der Flucht ist, durch die sich das Ich einer von außen drohenden Gefahr entzieht, daß er eben einen Fluchtversuch vor einer Triebgefahr darstellt. Die Bedenken gegen diesen Vergleich werden uns zu weiterer Klärung verhelfen. Erstens läßt sich einwenden, daß der Objektverlust (der Verlust der Liebe von seiten des Objekts) und die Kastrationsdrohung ebensowohl Gefahren sind, die von außen drohen, wie etwa ein reißendes Tier, also nicht Triebgefahren. Aber es ist doch nicht derselbe Fall. Der Wolf würde uns wahrscheinlich anfallen, gleichgiltig, wie wir uns gegen ihn benehmen; die geliebte Person würde uns aber nicht ihre Liebe entziehen, die Kastration uns nicht angedroht werden, wenn wir nicht bestimmte Gefühle und Absichten in unserem Inneren nähren würden. So werden diese Triebregungen zu Bedingungen der äußeren Gefahr und damit selbst gefährlich, wir können jetzt die äußere Gefahr durch Maßregeln gegen innere Gefahren bekämpfen. Bei den Tierphobien scheint die Gefahr noch durchaus als eine äußerliche empfunden zu werden, wie sie auch im Symptom eine äußerliche Verschiebung erfährt. Bei der Zwangsneurose ist sie weit mehr verinnerlicht, der Anteil der Angst vor dem Über-Ich, der soziale Angst ist, repräsentiert noch den innerlichen Ersatz einer äußeren Gefahr, der andere Anteil, die Gewissensangst, ist durchaus endopsychisch[1].

Ein zweiter Einwand sagt, beim Fluchtversuch vor einer drohenden

---

[1] [In diesen Ausführungen erwägt Freud großenteils die Argumente noch einmal, die er in seinen metapsychologischen Arbeiten ›Die Verdrängung‹ (1915 d) und ›Das Unbewußte‹ (1915 e, besonders in Abschnitt IV) vorgebracht hat.]

äußeren Gefahr tun wir ja nichts anderes, als daß wir die Raumdistanz zwischen uns und dem Drohenden vergrößern. Wir setzen uns ja nicht gegen die Gefahr zur Wehr, suchen nichts an ihr selbst zu ändern, wie in dem anderen Falle, daß wir mit einem Knüttel auf den Wolf losgehen oder mit einem Gewehr auf ihn schießen. Der Abwehrvorgang scheint aber mehr zu tun, als einem Fluchtversuch entspricht. Er greift ja in den drohenden Triebablauf ein, unterdrückt ihn irgendwie, lenkt ihn von seinem Ziel ab, macht ihn dadurch ungefährlich. Dieser Einwand scheint unabweisbar, wir müssen ihm Rechnung tragen. Wir meinen, es wird wohl so sein, daß es Abwehrvorgänge gibt, die man mit gutem Recht einem Fluchtversuch vergleichen kann, während sich das Ich bei anderen weit aktiver zur Wehre setzt, energische Gegenaktionen vornimmt. Wenn der Vergleich der Abwehr mit der Flucht nicht überhaupt durch den Umstand gestört wird, daß das Ich und der Trieb im Es ja Teile derselben Organisation sind, nicht getrennte Existenzen, wie der Wolf und das Kind, so daß jede Art Verhaltens des Ichs auch abändernd auf den Triebvorgang einwirken muß.

Durch das Studium der Angstbedingungen haben wir das Verhalten des Ichs bei der Abwehr sozusagen in rationeller Verklärung erblicken müssen. Jede Gefahrsituation entspricht einer gewissen Lebenszeit oder Entwicklungsphase des seelischen Apparats und erscheint für diese berechtigt. Das frühkindliche Wesen ist wirklich nicht dafür ausgerüstet, große Erregungssummen, die von außen oder innen anlangen, psychisch zu bewältigen. Zu einer gewissen Lebenszeit ist es wirklich das wichtigste Interesse, daß die Personen, von denen man abhängt, ihre zärtliche Sorge nicht zurückziehen. Wenn der Knabe den mächtigen Vater als Rivalen bei der Mutter empfindet, seiner aggressiven Neigungen gegen ihn und seiner sexuellen Absichten auf die Mutter inne wird, hat er ein Recht dazu, sich vor ihm zu fürchten, und die Angst vor seiner Strafe kann durch phylogenetische Verstärkung sich als Kastrationsangst äußern. Mit dem Eintritt in soziale Beziehungen wird die Angst vor dem Über-Ich, das Gewissen, zur Notwendigkeit, der Wegfall dieses Moments die Quelle von schweren Konflikten und Gefahren usw. Aber gerade daran knüpft sich ein neues Problem.

Versuchen wir es, den Angstaffekt für eine Weile durch einen anderen, z. B. den Schmerzaffekt, zu ersetzen. Wir halten es für durchaus normal, daß das Mädchen von vier Jahren schmerzlich weint, wenn ihm eine Puppe zerbricht, mit sechs Jahren, wenn ihm die Lehrerin einen Verweis gibt, mit sechzehn Jahren, wenn der Geliebte sich nicht um sie bekümmert, mit fünfundzwanzig Jahren vielleicht, wenn sie ein Kind begräbt. Jede dieser Schmerzbedingungen hat ihre Zeit und erlischt mit deren Ablauf; die letzten, definitiven, erhalten sich dann durchs Leben. Es würde uns aber auffallen, wenn dies Mädchen als Frau und Mutter über die Beschädigung einer Nippsache weinen würde. So benehmen sich aber die Neurotiker. In ihrem seelischen Apparat sind längst alle Instanzen zur Reizbewältigung innerhalb weiter Grenzen ausgebildet, sie sind erwachsen genug, um die meisten ihrer Bedürfnisse selbst zu befriedigen, sie wissen längst, daß die Kastration nicht mehr als Strafe geübt wird, und doch benehmen sie sich, als bestünden die alten Gefahrsituationen noch, sie halten an allen früheren Angstbedingungen fest.

Die Antwort hierauf wird etwas weitläufig ausfallen. Sie wird vor allem den Tatbestand zu sichten haben. In einer großen Anzahl von Fällen werden die alten Angstbedingungen wirklich fallengelassen, nachdem sie bereits neurotische Reaktionen erzeugt haben. Die Phobien der kleinsten Kinder vor Alleinsein, Dunkelheit und vor Fremden, die beinahe normal zu nennen sind, vergehen zumeist in etwas späteren Jahren, sie »wachsen sich aus«, wie man von manchen anderen Kindheitsstörungen sagt. Die so häufigen Tierphobien haben das gleiche Schicksal, viele der Konversionshysterien der Kinderjahre finden später keine Fortsetzung. Zeremoniell in der Latenzzeit ist ein ungemein häufiges Vorkommnis, nur ein sehr geringer Prozentsatz dieser Fälle entwickelt sich später zur vollen Zwangsneurose. Die Kinderneurosen sind überhaupt – soweit unsere Erfahrungen an den höheren Kulturanforderungen unterworfenen Stadtkindern weißer Rasse reichen – regelmäßige Episoden der Entwicklung, wenngleich ihnen noch immer zu wenig Aufmerksamkeit geschenkt wird. Man vermißt die Zeichen der Kindheitsneurose auch nicht bei *einem* erwachsenen Neurotiker, während lange nicht alle Kinder, die sie zeigen, auch später Neurotiker werden. Es müssen also im Verlaufe der Reifung Angstbedingungen aufgegeben worden sein und Gefahrsituationen ihre Bedeutung verloren haben. Dazu kommt, daß einige dieser Gefahrsituationen sich dadurch in späte Zeiten hinüberretten, daß sie ihre Angstbedingung zeitgemäß modifizieren. So erhält sich z. B. die Kastrationsangst unter der Maske der Syphilisphobie, nachdem man erfahren hat, daß zwar die Kastration nicht mehr als Strafe für das Gewährenlassen der sexuellen Gelüste üblich ist, aber daß dafür der Triebfreiheit schwere Erkrankungen drohen. Andere der Angstbedingungen sind überhaupt nicht zum Untergang bestimmt, sondern sollen den Menschen durchs Leben begleiten, wie die der Angst vor dem Über-Ich. Der Neurotiker unterscheidet sich dann vor den Normalen dadurch, daß er die Reaktionen auf diese Gefahren übermäßig erhöht. Gegen die Wiederkehr der ursprünglichen traumatischen Angstsituation bietet endlich auch das Erwachsensein keinen zureichenden Schutz; es dürfte für jedermann eine Grenze geben, über die hinaus sein seelischer Apparat in der Bewältigung der Erledigung heischenden Erregungsmengen versagt.

Diese kleinen Berichtigungen können unmöglich die Bestimmung haben, an der Tatsache zu rütteln, die hier erörtert wird, der Tatsache, daß so viele Menschen in ihrem Verhalten zur Gefahr infantil bleiben und verjährte Angstbedingungen nicht überwinden; dies bestreiten, hieße die Tatsache der Neurose leugnen, denn solche Personen heißt man eben Neurotiker. Wie ist das aber möglich? Warum sind nicht alle Neurosen Episoden der Entwicklung, die mit Erreichung der nächsten Phase abgeschlossen werden? Woher das Dauermoment in diesen Reaktionen auf die Gefahr? Woher der Vorzug, den der Angstaffekt vor allen anderen Affekten zu genießen scheint, daß er allein Reaktionen hervorruft, die sich als abnorm von den anderen sondern und sich als unzweckmäßig dem Strom des Lebens entgegenstellen? Mit anderen Worten, wir finden uns unversehens wieder vor der so oft gestellten Vexierfrage, woher kommt die Neurose, was ist ihr letztes, das ihr besondere Motiv? Nach jahrzehntelangen analytischen Bemühungen erhebt sich dies Problem vor uns, unangetastet, wie zu Anfang.

X

Die Angst ist die Reaktion auf die Gefahr. Man kann doch die Idee nicht abweisen, daß es mit dem Wesen der Gefahr zusammenhängt, wenn sich der Angstaffekt eine Ausnahmsstellung in der seelischen Ökonomie erzwingen kann. Aber die Gefahren sind allgemein menschliche, für alle Individuen die nämlichen; was wir brauchen und nicht zur Verfügung haben, ist ein Moment, das uns die Auslese der Individuen verständlich macht, die den Angstaffekt trotz seiner Besonderheit dem normalen seelischen Betrieb unterwerfen können, oder das bestimmt, wer an dieser Aufgabe scheitern muß. Ich sehe zwei Versuche vor mir, ein solches Moment aufzudecken; es ist begreiflich, daß jeder solche Versuch eine sympathische Aufnahme erwarten darf, da er einem quälenden Bedürfnis Abhilfe verspricht. Die beiden Versuche ergänzen einander, indem sie das Problem an entgegengesetzten Enden angreifen. Der erste ist vor mehr als zehn Jahren von Alfred Adler unternommen worden[1]; er behauptet, auf seinen innersten Kern reduziert, daß diejenigen Menschen an der Bewältigung der durch die Gefahr gestellten Aufgabe scheitern, denen die Minderwertigkeit ihrer Organe zu große Schwierigkeiten bereitet. Bestünde der Satz *simplex sigillum veri*[2] zu Recht, so müßte man eine solche Lösung wie eine Erlösung begrüßen. Aber im Gegenteile, die Kritik des abgelaufenen Jahrzehnts hat die volle Unzulänglichkeit dieser Erklärung, die sich überdies über den ganzen Reichtum der von der Psychoanalyse aufgedeckten Tatbestände hinaussetzt, beweisend dargetan.
Den zweiten Versuch hat Otto Rank 1923 in seinem Buch *Das Trauma der Geburt* unternommen. [S. oben, S. 232 und S. 276 f.] Es wäre unbillig, ihn dem Versuch von Adler in einem anderen Punkte als dem einen hier betonten gleichzustellen, denn er bleibt auf dem Boden der Psychoanalyse, deren Gedankengänge er fortsetzt, und ist als eine legitime Bemühung zur Lösung der analytischen Probleme anzuerkennen. In der

---

[1] [S. etwa Adler, 1907.]
[2] [»Einfachheit ist das Siegel der Wahrheit.«]

gegebenen Relation zwischen Individuum und Gefahr lenkt Rank von der Organschwäche des Individuums ab und auf die veränderliche Intensität der Gefahr hin. Der Geburtsvorgang ist die erste Gefahrsituation, der von ihm produzierte ökonomische Aufruhr wird das Vorbild der Angstreaktion; wir haben vorhin [S. 277 ff.] die Entwicklungslinie verfolgt, welche diese erste Gefahrsituation und Angstbedingung mit allen späteren verbindet, und dabei gesehen, daß sie alle etwas Gemeinsames bewahren, indem sie alle in gewissem Sinne eine Trennung von der Mutter bedeuten, zuerst nur in biologischer Hinsicht, dann im Sinn eines direkten Objektverlustes und später eines durch indirekte Wege vermittelten. Die Aufdeckung dieses großen Zusammenhanges ist ein unbestrittenes Verdienst der Rankschen Konstruktion. Nun trifft das Trauma der Geburt die einzelnen Individuen in verschiedener Intensität, mit der Stärke des Traumas variiert die Heftigkeit der Angstreaktion, und es soll nach Rank von dieser Anfangshöhe der Angstentwicklung abhängen, ob das Individuum jemals ihre Beherrschung erlangen kann, ob es neurotisch wird oder normal.

Die Einzelkritik der Rankschen Aufstellungen ist nicht unsere Aufgabe, bloß deren Prüfung, ob sie zur Lösung unseres Problems brauchbar sind. Die Formel Ranks, Neurotiker werde der, dem es wegen der Stärke des Geburtstraumas niemals gelinge, dieses völlig abzureagieren, ist theoretisch höchst anfechtbar. Man weiß nicht recht, was mit dem Abreagieren des Traumas gemeint ist. Versteht man es wörtlich, so kommt man zu dem unhaltbaren Schluß, daß der Neurotiker sich um so mehr der Gesundung nähert, je häufiger und intensiver er den Angstaffekt reproduziert. Wegen dieses Widerspruches mit der Wirklichkeit hatte ich ja seinerzeit die Theorie des Abreagierens aufgegeben, die in der Katharsis eine so große Rolle spielte. Die Betonung der wechselnden Stärke des Geburtstraumas läßt keinen Raum für den berechtigten ätiologischen Anspruch der hereditären Konstitution. Sie ist ja ein organisches Moment, welches sich gegen die Konstitution wie eine Zufälligkeit verhält und selbst von vielen, zufällig zu nennenden Einflüssen, z. B. von der rechtzeitigen Hilfeleistung bei der Geburt abhängig ist. Die Ranksche Lehre hat konstitutionelle wie phylogenetische Faktoren überhaupt außer Betracht gelassen. Will man aber für die Bedeutung der Konstitution Raum schaffen, etwa durch die Modifikation, es käme vielmehr darauf an, wie ausgiebig das Individuum auf die variable Intensität des Geburtstraumas reagiere, so hat man der Theorie ihre Bedeutung geraubt und den neu eingeführten Faktor auf eine Nebenrolle

eingeschränkt. Die Entscheidung über den Ausgang in Neurose liegt
dann doch auf einem anderen, wiederum auf einem unbekannten
Gebiet.

Die Tatsache, daß der Mensch den Geburtsvorgang mit den anderen
Säugetieren gemein hat, während ihm eine besondere Disposition zur
Neurose als Vorrecht vor den Tieren zukommt, wird kaum günstig
für die Ranksche Lehre stimmen. Der Haupteinwand bleibt aber, daß
sie in der Luft schwebt, anstatt sich auf gesicherte Beobachtung zu stützen. Es gibt keine guten Untersuchungen darüber, ob schwere und pro-
trahierte Geburt in unverkennbarer Weise mit Entwicklung von Neurose zusammentreffen, ja, ob so geborene Kinder nur die Phänomene
der frühinfantilen Ängstlichkeit länger oder stärker zeigen als andere.
Macht man geltend, daß präzipitierte und für die Mutter leichte Geburten für das Kind möglicherweise die Bedeutung von schweren Traumen
haben, so bleibt doch die Forderung aufrecht, daß Geburten, die zur
Asphyxie führen, die behaupteten Folgen mit Sicherheit erkennen lassen müßten. Es scheint ein Vorteil der Rankschen Ätiologie, daß sie ein
Moment voranstellt, das der Nachprüfung am Material der Erfahrung
zugänglich ist; solange man eine solche Prüfung nicht wirklich vorgenommen hat, ist es unmöglich, ihren Wert zu beurteilen.

Dagegen kann ich mich der Meinung nicht anschließen, daß die Ranksche Lehre der bisher in der Psychoanalyse anerkannten ätiologischen
Bedeutung der Sexualtriebe widerspricht; denn sie bezieht sich nur auf
das Verhältnis des Individuums zur Gefahrsituation und läßt die gute
Auskunft offen, daß, wer die anfänglichen Gefahren nicht bewältigen
konnte, auch in den später auftauchenden Situationen sexueller Gefahr
versagen muß und dadurch in die Neurose gedrängt wird.

Ich glaube also nicht, daß der Ranksche Versuch uns die Antwort auf
die Frage nach der Begründung der Neurose gebracht hat, und ich
meine, es läßt sich noch nicht entscheiden, einen wie großen Beitrag
zur Lösung der Frage er doch enthält. Wenn die Untersuchungen über
den Einfluß schwerer Geburt auf die Disposition zu Neurosen negativ ausfallen, ist dieser Beitrag gering einzuschätzen. Es ist sehr zu
besorgen, daß das Bedürfnis nach einer greifbaren und einheitlichen
»letzten Ursache« der Nervosität immer unbefriedigt bleiben wird. Der
ideale Fall, nach dem sich der Mediziner wahrscheinlich noch heute
sehnt, wäre der des Bazillus, der sich isolieren und reinzüchten läßt und
dessen Impfung bei jedem Individuum die nämliche Affektion hervorruft. Oder etwas weniger phantastisch: die Darstellung von chemischen

Stoffen, deren Verabreichung bestimmte Neurosen produziert und aufhebt. Aber die Wahrscheinlichkeit spricht nicht für solche Lösungen des Problems.

Die Psychoanalyse führt zu weniger einfachen, minder befriedigenden Auskünften. Ich habe hier nur längst Bekanntes zu wiederholen, nichts Neues hinzuzufügen. Wenn es dem Ich gelungen ist, sich einer gefährlichen Triebregung zu erwehren, z. B. durch den Vorgang der Verdrängung, so hat es diesen Teil des Es zwar gehemmt und geschädigt, aber ihm gleichzeitig auch ein Stück Unabhängigkeit gegeben und auf ein Stück seiner eigenen Souveränität verzichtet. Das folgt aus der Natur der Verdrängung, die im Grunde ein Fluchtversuch ist. Das Verdrängte ist nun »vogelfrei«, ausgeschlossen aus der großen Organisation des Ichs, nur den Gesetzen unterworfen, die im Bereich des Unbewußten herrschen. Ändert sich nun die Gefahrsituation, so daß das Ich kein Motiv zur Abwehr einer neuerlichen, der verdrängten analogen Triebregung hat, so werden die Folgen der Icheinschränkung manifest. Der neuerliche Triebablauf vollzieht sich unter dem Einfluß des Automatismus – ich zöge vor zu sagen: des Wiederholungszwanges –, er wandelt dieselben Wege wie der früher verdrängte, als ob die überwundene Gefahrsituation noch bestünde. Das fixierende Moment an der Verdrängung ist also der Wiederholungszwang des unbewußten Es, der normalerweise nur durch die frei bewegliche Funktion des Ichs aufgehoben wird. Nun mag es dem Ich mitunter gelingen, die Schranken der Verdrängung, die es selbst aufgerichtet, wieder einzureißen, seinen Einfluß auf die Triebregung wiederzugewinnen und den neuerlichen Triebablauf im Sinne der veränderten Gefahrsituation zu lenken. Tatsache ist, daß es ihm so oft mißlingt und daß es seine Verdrängungen nicht rückgängig machen kann. Quantitative Relationen mögen für den Ausgang dieses Kampfes maßgebend sein. In manchen Fällen haben wir den Eindruck, daß die Entscheidung eine zwangsläufige ist, die regressive Anziehung der verdrängten Regung und die Stärke der Verdrängung sind so groß, daß die neuerliche Regung nur dem Wiederholungszwange folgen kann. In anderen Fällen nehmen wir den Beitrag eines anderen Kräftespiels wahr, die Anziehung des verdrängten Vorbilds wird verstärkt durch die Abstoßung von seiten der realen Schwierigkeiten, die sich einem anderen Ablauf der neuerlichen Triebregung entgegensetzen.

Daß dies der Hergang der Fixierung an die Verdrängung und der Erhaltung der nicht mehr aktuellen Gefahrsituation ist, findet seinen

Erweis in der an sich bescheidenen, aber theoretisch kaum überschätzbaren Tatsache der analytischen Therapie. Wenn wir dem Ich in der Analyse die Hilfe leisten, die es in den Stand setzen kann, seine Verdrängungen aufzuheben, bekommt es seine Macht über das verdrängte Es wieder und kann die Triebregungen so ablaufen lassen, als ob die alten Gefahrsituationen nicht mehr bestünden. Was wir so erreichen, steht in gutem Einklang mit dem sonstigen Machtbereich unserer ärztlichen Leistung. In der Regel muß sich ja unsere Therapie damit begnügen, rascher, verläßlicher, mit weniger Aufwand den guten Ausgang herbeizuführen, der sich unter günstigen Verhältnissen spontan ergeben hätte.

Die bisherigen Erwägungen lehren uns, es sind *quantitative* Relationen, nicht direkt aufzuzeigen, nur auf dem Wege des Rückschlusses faßbar, die darüber entscheiden, ob die alten Gefahrsituationen festgehalten werden, ob die Verdrängungen des Ichs erhalten bleiben, ob die Kinderneurosen ihre Fortsetzung finden oder nicht. Von den Faktoren, die an der Verursachung der Neurosen beteiligt sind, die die Bedingungen geschaffen haben, unter denen sich die psychischen Kräfte miteinander messen, heben sich für unser Verständnis drei hervor, ein biologischer, ein phylogenetischer und ein rein psychologischer. Der biologische ist die lang hingezogene Hilflosigkeit und Abhängigkeit des kleinen Menschenkindes. Die Intrauterinexistenz des Menschen erscheint gegen die der meisten Tiere relativ verkürzt; er wird unfertiger als diese in die Welt geschickt. Dadurch wird der Einfluß der realen Außenwelt verstärkt, die Differenzierung des Ichs vom Es frühzeitig gefördert, die Gefahren der Außenwelt in ihrer Bedeutung erhöht und der Wert des Objekts, das allein gegen diese Gefahren schützen und das verlorene Intrauterinleben ersetzen kann, enorm gesteigert. Dies biologische Moment stellt also die ersten Gefahrsituationen her und schafft das Bedürfnis, geliebt zu werden, das den Menschen nicht mehr verlassen wird.

Der zweite, phylogenetische Faktor ist von uns nur erschlossen worden; eine sehr merkwürdige Tatsache der Libidoentwicklung hat uns zu seiner Annahme gedrängt. Wir finden, daß das Sexualleben des Menschen sich nicht wie das der meisten ihm nahestehenden Tiere vom Anfang bis zur Reifung stetig weiter entwickelt, sondern daß es nach einer ersten Frühblüte bis zum fünften Jahr eine energische Unterbrechung erfährt, worauf es dann mit der Pubertät von neuem anhebt und an die infantilen Ansätze anknüpft. Wir meinen, es müßte in den

Schicksalen der Menschenart etwas Wichtiges vorgefallen sein [1], was diese Unterbrechung der Sexualentwicklung als historischen Niederschlag hinterlassen hat. Die pathogene Bedeutung dieses Moments ergibt sich daraus, daß die meisten Triebansprüche dieser kindlichen Sexualität vom Ich als Gefahren behandelt und abgewehrt werden, so daß die späteren sexuellen Regungen der Pubertät, die ichgerecht sein sollten, in Gefahr sind, der Anziehung der infantilen Vorbilder zu unterliegen und ihnen in die Verdrängung zu folgen. Hier stoßen wir auf die direkteste Ätiologie der Neurosen. Es ist merkwürdig, daß der frühe Kontakt mit den Ansprüchen der Sexualität auf das Ich ähnlich wirkt wie die vorzeitige Berührung mit der Außenwelt.

Der dritte oder psychologische Faktor ist in einer Unvollkommenheit unseres seelischen Apparates zu finden, die gerade mit seiner Differenzierung in ein Ich und ein Es zusammenhängt, also in letzter Linie auch auf den Einfluß der Außenwelt zurückgeht. Durch die Rücksicht auf die Gefahren der [äußeren] Realität wird das Ich genötigt, sich gegen gewisse Triebregungen des Es zur Wehre zu setzen, sie als Gefahren zu behandeln. Das Ich kann sich aber gegen innere Triebgefahren nicht in so wirksamer Weise schützen wie gegen ein Stück der ihm fremden Realität. Mit dem Es selbst innig verbunden, kann es die Triebgefahr nur abwehren, indem es seine eigene Organisation einschränkt und sich die Symptombildung als Ersatz für seine Beeinträchtigung des Triebes gefallen läßt. Erneuert sich dann der Andrang des abgewiesenen Triebes, so ergeben sich für das Ich alle die Schwierigkeiten, die wir als das neurotische Leiden kennen.

Weiter muß ich glauben, ist unsere Einsicht in das Wesen und die Verursachung der Neurosen vorläufig nicht gekommen.

---

[1] [In Kapitel III von *Das Ich und das Es* (1923 *b*) gibt Freud deutlich zu verstehen, daß er die geologische Epoche der Eiszeit im Sinne hat. Der Gedanke war früher schon von Ferenczi (1913) formuliert worden.]

XI
NACHTRÄGE

Im Laufe dieser Erörterungen sind verschiedene Themen berührt worden, die vorzeitig verlassen werden mußten und die jetzt gesammelt
werden sollen, um den Anteil Aufmerksamkeit zu erhalten, auf den
sie Anspruch haben.

A
MODIFIKATIONEN FRÜHER GEÄUSSERTER ANSICHTEN

a) Widerstand und Gegenbesetzung

Es ist ein wichtiges Stück der Theorie der Verdrängung, daß sie nicht
einen einmaligen Vorgang darstellt, sondern einen dauernden [Kraft-]
Aufwand erfordert. Wenn dieser entfiele, würde der verdrängte Trieb,
der kontinuierlich Zuflüsse aus seinen Quellen erhält, ein nächstes Mal
denselben Weg einschlagen, von dem er abgedrängt wurde, die Verdrängung würde um ihren Erfolg gebracht, oder sie müßte unbestimmt
oft wiederholt werden[1]. So folgt aus der kontinuierlichen Natur des
Triebes die Anforderung an das Ich, seine Abwehraktion durch einen
Daueraufwand zu versichern. Diese Aktion zum Schutz der Verdrängung ist es, die wir bei der therapeutischen Bemühung als *Widerstand*
verspüren. Widerstand setzt das voraus, was ich als *Gegenbesetzung*
bezeichnet habe. Eine solche Gegenbesetzung wird bei der Zwangsneurose greifbar. Sie erscheint hier als Ichveränderung, als Reaktionsbildung im Ich, durch Verstärkung jener Einstellung, welche der zu
verdrängenden Triebrichtung gegensätzlich ist (Mitleid, Gewissenhaftigkeit, Reinlichkeit). Diese Reaktionsbildungen der Zwangsneurose
sind durchweg Übertreibungen normaler, im Verlauf der Latenzzeit
entwickelter Charakterzüge. Es ist weit schwieriger, die Gegenbesetzung
bei der Hysterie aufzuweisen, wo sie nach der theoretischen Erwartung
ebenso unentbehrlich ist. Auch hier ist ein gewisses Maß von Ichver-

---

[1] [Vgl. eine Stelle etwa in der Mitte der Arbeit ›Die Verdrängung‹ (1915 *d*).]

änderung durch Reaktionsbildung unverkennbar und wird in manchen Verhältnissen so auffällig, daß es sich der Aufmerksamkeit als das Hauptsymptom des Zustandes aufdrängt. In solcher Weise wird z. B. der Ambivalenzkonflikt der Hysterie gelöst, der Haß gegen eine geliebte Person wird durch ein Übermaß von Zärtlichkeit für sie und Ängstlichkeit um sie niedergehalten. Man muß aber als Unterschiede gegen die Zwangsneurose hervorheben, daß solche Reaktionsbildungen nicht die allgemeine Natur von Charakterzügen zeigen, sondern sich auf ganz spezielle Relationen einschränken. Die Hysterika z. B., die ihre im Grunde gehaßten Kinder mit exzessiver Zärtlichkeit behandelt, wird darum nicht im ganzen liebesbereiter als andere Frauen, nicht einmal zärtlicher für andere Kinder. Die Reaktionsbildung der Hysterie hält an einem bestimmten Objekt zähe fest und erhebt sich nicht zu einer allgemeinen Disposition des Ichs. Für die Zwangsneurose ist gerade diese Verallgemeinerung, die Lockerung der Objektbeziehungen, die Erleichterung der Verschiebung in der Objektwahl charakteristisch.

Eine andere Art der Gegenbesetzung scheint der Eigenart der Hysterie gemäßer zu sein. Die verdrängte Triebregung kann von zwei Seiten her aktiviert (neu besetzt) werden, erstens von innen her durch eine Verstärkung des Triebes aus seinen inneren Erregungsquellen, zweitens von außen her durch die Wahrnehmung eines Objekts, das dem Trieb erwünscht wäre. Die hysterische Gegenbesetzung ist nun vorzugsweise nach außen gegen gefährliche Wahrnehmung gerichtet, sie nimmt die Form einer besonderen Wachsamkeit an, die durch Icheinschränkungen Situationen vermeidet, in denen die Wahrnehmung auftreten müßte, und die es zustandebringt, dieser Wahrnehmung die Aufmerksamkeit zu entziehen, wenn sie doch aufgetaucht ist. Französische Autoren (Laforgue [1926]) haben kürzlich diese Leistung der Hysterie durch den besonderen Namen » Skotomisation«[1] ausgezeichnet. Noch auffälliger als bei Hysterie ist diese Technik der Gegenbesetzung bei den Phobien, deren Interesse sich darauf konzentriert, sich immer weiter von der Möglichkeit der gefürchteten Wahrnehmung zu entfernen. Der Gegensatz in der Richtung der Gegenbesetzung zwischen Hysterie und Phobien einerseits und Zwangsneurose anderseits scheint bedeutsam, wenn er auch kein absoluter ist. Er legt uns nahe anzunehmen, daß zwischen der Verdrängung und der äußeren Gegenbesetzung, wie zwischen der

---

[1] [Freud erläutert diesen Terminus ausführlicher in seiner späteren Arbeit ›Fetischismus‹ (1927 e) im Zusammenhang mit dem Begriff der Verleugnung.]

Regression und der inneren Gegenbesetzung (Ichveränderung durch Reaktionsbildung), ein innigerer Zusammenhang besteht. Die Abwehr der gefährlichen Wahrnehmung ist übrigens eine allgemeine Aufgabe der Neurosen. Verschiedene Gebote und Verbote der Zwangsneurose sollen der gleichen Absicht dienen.

Wir haben uns früher einmal[1] klargemacht, daß der Widerstand, den wir in der Analyse zu überwinden haben, vom Ich geleistet wird, das an seinen Gegenbesetzungen festhält. Das Ich hat es schwer, seine Aufmerksamkeit Wahrnehmungen und Vorstellungen zuzuwenden, deren Vermeidung es sich bisher zur Vorschrift gemacht hatte, oder Regungen als die seinigen anzuerkennen, die den vollsten Gegensatz zu den ihm als eigen vertrauten bilden. Unsere Bekämpfung des Widerstandes in der Analyse gründet sich auf eine solche Auffassung desselben. Wir machen den Widerstand bewußt, wo er, wie so häufig, infolge des Zusammenhanges mit dem Verdrängten selbst unbewußt ist; wir setzen ihm logische Argumente entgegen, wenn oder nachdem er bewußtgeworden ist, versprechen dem Ich Nutzen und Prämien, wenn es auf den Widerstand verzichtet. An dem Widerstand des Ichs ist also nichts zu bezweifeln oder zu berichtigen. Dagegen fragt es sich, ob er allein den Sachverhalt deckt, der uns in der Analyse entgegentritt. Wir machen die Erfahrung, daß das Ich noch immer Schwierigkeiten findet, die Verdrängungen rückgängig zu machen, auch nachdem es den Vorsatz gefaßt hat, seine Widerstände aufzugeben, und haben die Phase anstrengender Bemühung, die nach solchem löblichen Vorsatz folgt, als die des »Durcharbeitens« bezeichnet. Es liegt nun nahe, das dynamische Moment anzuerkennen, das ein solches Durcharbeiten notwendig und verständlich macht. Es kann kaum anders sein, als daß nach Aufhebung des Ichwiderstandes noch die Macht des Wiederholungszwanges, die Anziehung der unbewußten Vorbilder auf den verdrängten Triebvorgang, zu überwinden ist, und es ist nichts dagegen zu sagen, wenn man dies Moment als den *Widerstand des Unbewußten* bezeichnen will.

Lassen wir uns solche Korrekturen nicht verdrießen; sie sind erwünscht, wenn sie unser Verständnis um ein Stück fördern, und keine Schande, wenn sie das frühere nicht widerlegen, sondern bereichern, eventuell eine Allgemeinheit einschränken, eine zu enge Auffassung erweitern.

Es ist nicht anzunehmen, daß wir durch diese Korrektur eine vollständige Übersicht über die Arten der uns in der Analyse begegnenden

---

[1] [Gegen Ende des I. Kapitels von *Das Ich und das Es* (1923 b).]

Widerstände gewonnen haben. Bei weiterer Vertiefung merken wir vielmehr, daß wir fünf Arten des Widerstandes zu bekämpfen haben, die von drei Seiten herstammen, nämlich vom Ich, vom Es und vom Über-Ich, wobei sich das Ich als die Quelle von drei in ihrer Dynamik unterschiedenen Formen erweist. Der erste dieser drei Ichwiderstände ist der vorhin behandelte *Verdrängungs*widerstand [s. S. 295 ff.], über den am wenigsten Neues zu sagen ist. Von ihm sondert sich der *Über-tragungs*widerstand, der von der gleichen Natur ist, aber in der Analyse andere und weit deutlichere Erscheinungen macht, da es ihm gelungen ist, eine Beziehung zur analytischen Situation oder zur Person des Analytikers herzustellen und somit eine Verdrängung, die bloß erinnert werden sollte, wieder wie frisch zu beleben. Auch ein Ichwiderstand, aber ganz anderer Natur, ist jener, der vom *Krankheitsgewinn* ausgeht und sich auf die Einbeziehung des Symptoms ins Ich gründet [vgl. S. 244]. Er entspricht dem Sträuben gegen den Verzicht auf eine Befriedigung oder Erleichterung. Die vierte Art des Widerstandes – den des *Es* – haben wir eben für die Notwendigkeit des Durcharbeitens verantwortlich gemacht. Der fünfte Widerstand, der des *Über-Ichs*, der zuletzt erkannte, dunkelste, aber nicht immer schwächste, scheint dem Schuldbewußtsein oder Strafbedürfnis zu entstammen; er widersetzt sich jedem Erfolg und demnach auch der Genesung durch die Analyse[1].

b) Angst aus Umwandlung von Libido

Die in diesem Aufsatz vertretene Auffassung der Angst entfernt sich ein Stück weit von jener, die mir bisher berechtigt schien. Früher betrachtete ich die Angst als eine allgemeine Reaktion des Ichs unter den Bedingungen der Unlust, suchte ihr Auftreten jedesmal ökonomisch[2] zu rechtfertigen und nahm an, gestützt auf die Untersuchung der Aktualneurosen, daß Libido (sexuelle Erregung), die vom Ich abgelehnt oder nicht verwendet wird, eine direkte Abfuhr in der Form der Angst findet. Man kann es nicht übersehen, daß diese verschiedenen Bestimmungen nicht gut zusammengehen, zum mindesten nicht notwendig auseinander folgen. Überdies ergab sich der Anschein einer besonders innigen Beziehung von Angst und Libido, die wiederum mit dem Allgemeincharakter der Angst als Unlustreaktion nicht harmonierte.

---

[1] [Dies wird auf den ersten Seiten des V. Kapitels von *Das Ich und das Es* erörtert.]
[2] [Das Wort »ökonomisch« steht nur in der ersten Auflage (1926). Es fehlt, zweifellos versehentlich, in allen späteren deutschen Auflagen.]

Der Einspruch gegen diese Auffassung ging von der Tendenz aus, das Ich zur alleinigen Angststätte zu machen, war also eine der Folgen der im *Ich und Es* versuchten Gliederung des seelischen Apparates. Der früheren Auffassung lag es nahe, die Libido der verdrängten Triebregung als die Quelle der Angst zu betrachten; nach der neueren hatte vielmehr das Ich für diese Angst aufzukommen. Also Ich-Angst oder Trieb-(Es-)Angst. Da das Ich mit desexualisierter Energie arbeitet, wurde in der Neuerung auch der intime Zusammenhang von Angst und Libido gelockert. Ich hoffe, es ist mir gelungen, wenigstens den Widerspruch klarzumachen, die Umrisse der Unsicherheit scharf zu zeichnen.

Die Ranksche Mahnung, der Angstaffekt sei, wie ich selbst zuerst behauptete[1], eine Folge des Geburtsvorganges und eine Wiederholung der damals durchlebten Situation, nötigte zu einer neuerlichen Prüfung des Angstproblems. Mit seiner eigenen Auffassung der Geburt als Trauma, des Angstzustandes als Abfuhrreaktion darauf, jedes neuerlichen Angstaffekts als Versuch, das Trauma immer vollständiger »abzureagieren«, konnte ich nicht weiterkommen. Es ergab sich die Nötigung, von der Angstreaktion auf die *Gefahrsituation* hinter ihr zurückzugehen. Mit der Einführung dieses Moments ergaben sich neue Gesichtspunkte für die Betrachtung. Die Geburt wurde das Vorbild für alle späteren Gefahrsituationen, die sich unter den neuen Bedingungen der veränderten Existenzform und der fortschreitenden psychischen Entwicklung ergaben. Ihre eigene Bedeutung wurde aber auch auf diese vorbildliche Beziehung zur Gefahr eingeschränkt. Die bei der Geburt empfundene Angst wurde nun das Vorbild eines Affektzustandes, der die Schicksale anderer Affekte teilen mußte. Er reproduzierte sich entweder automatisch in Situationen, die seinen Ursprungssituationen analog waren, als unzweckmäßige Reaktionsform, nachdem er in der ersten Gefahrsituation zweckmäßig gewesen war. Oder das Ich bekam Macht über diesen Affekt und reproduzierte ihn selbst, bediente sich seiner als Warnung vor der Gefahr und als Mittel, das Eingreifen des Lust-Unlust-Mechanismus wachzurufen. Die biologische Bedeutung des Angstaffekts kam zu ihrem Recht, indem die Angst als die allgemeine Reaktion auf die Situation der Gefahr anerkannt wurde; die Rolle des Ichs als Angststätte wurde bestätigt, indem dem Ich die Funktion eingeräumt wurde, den Angstaffekt nach seinen Bedürfnissen zu produzieren. Der Angst wurden so im späteren Leben zweierlei Ur-

---

[1] [S. die ›Editorische Vorbemerkung‹, S. 231 f.]

sprungsweisen zugewiesen, die eine ungewollt, automatisch, jedesmal ökonomisch gerechtfertigt, wenn sich eine Gefahrsituation analog jener der Geburt hergestellt hatte, die andere, vom Ich produzierte, wenn eine solche Situation nur drohte, um zu ihrer Vermeidung aufzufordern. In diesem zweiten Fall unterzog sich das Ich der Angst gleichsam wie einer Impfung, um durch einen abgeschwächten Krankheitsausbruch einem ungeschwächten Anfall zu entgehen. Es stellte sich gleichsam die Gefahrsituation lebhaft vor, bei unverkennbarer Tendenz, dies peinliche Erleben auf eine Andeutung, ein Signal, zu beschränken. Wie sich dabei die verschiedenen Gefahrsituationen nacheinander entwickeln und doch genetisch miteinander verknüpft bleiben, ist bereits im einzelnen dargestellt worden [S. 277–80]. Vielleicht gelingt es uns, ein Stück weiter ins Verständnis der Angst einzudringen, wenn wir das Problem des Verhältnisses zwischen neurotischer Angst und Realangst angreifen [S. 302 ff.].

Die früher behauptete direkte Umsetzung der Libido in Angst ist unserem Interesse nun weniger bedeutsam geworden. Ziehen wir sie doch in Erwägung, so haben wir mehrere Fälle zu unterscheiden. Für die Angst, die das Ich als Signal provoziert, kommt sie nicht in Betracht; also auch nicht in all den Gefahrsituationen, die das Ich zur Einleitung einer Verdrängung bewegen. Die libidinöse Besetzung der verdrängten Triebregung erfährt, wie man es am deutlichsten bei der Konversionshysterie sieht, eine andere Verwendung als die Umsetzung in und Abfuhr als Angst. Hingegen werden wir bei der weiteren Diskussion der Gefahrsituation auf jenen Fall der Angstentwicklung stoßen, der wahrscheinlich anders zu beurteilen ist [S. 304 f.].

c) Verdrängung und Abwehr

Im Zusammenhange der Erörterungen über das Angstproblem habe ich einen Begriff – oder bescheidener ausgedrückt: einen Terminus – wieder aufgenommen, dessen ich mich zu Anfang meiner Studien vor dreißig Jahren ausschließlich bedient und den ich späterhin fallengelassen habe. Ich meine den des Abwehrvorganges[1]. Ich ersetzte ihn in der Folge durch den der Verdrängung, das Verhältnis zwischen beiden blieb aber unbestimmt. Ich meine nun, es bringt einen sicheren Vorteil, auf den alten Begriff der Abwehr zurückzugreifen, wenn man dabei festsetzt, daß er die allgemeine Bezeichnung für alle die Techniken sein soll,

---

[1] Siehe: ›Die Abwehr-Neuropsychosen‹ [1894 a].

deren sich das Ich in seinen eventuell zur Neurose führenden Konflikten bedient, während Verdrängung der Name einer bestimmten solchen Abwehrmethode bleibt, die uns infolge der Richtung unserer Untersuchungen zuerst besser bekannt worden ist.

Auch eine bloß terminologische Neuerung will gerechtfertigt werden, soll der Ausdruck einer neuen Betrachtungsweise oder einer Erweiterung unserer Einsichten sein. Die Wiederaufnahme des Begriffes Abwehr und die Einschränkung des Begriffes der Verdrängung trägt nun einer Tatsache Rechnung, die längst bekannt ist, aber durch einige neuere Funde an Bedeutung gewonnen hat. Unsere ersten Erfahrungen über Verdrängung und Symptombildung machten wir an der Hysterie; wir sahen, daß der Wahrnehmungsinhalt erregender Erlebnisse, der Vorstellungsinhalt pathogener Gedankenbildungen vergessen und von der Reproduktion im Gedächtnis ausgeschlossen wird, und haben darum in der Abhaltung vom Bewußtsein einen Hauptcharakter der hysterischen Verdrängung erkannt. Später haben wir die Zwangsneurose studiert und gefunden, daß bei dieser Affektion die pathogenen Vorfälle nicht vergessen werden. Sie bleiben bewußt, werden aber auf eine noch nicht vorstellbare Weise »isoliert«, so daß ungefähr derselbe Erfolg erzielt wird wie durch die hysterische Amnesie. Aber die Differenz ist groß genug, um unsere Meinung zu berechtigen, der Vorgang, mittels dessen die Zwangsneurose einen Triebanspruch beseitigt, könne nicht der nämliche sein wie bei Hysterie. Weitere Untersuchungen haben uns gelehrt, daß bei der Zwangsneurose unter dem Einfluß des Ichsträubens eine Regression der Triebregungen auf eine frühere Libidophase erzielt wird, die zwar eine Verdrängung nicht überflüssig macht, aber offenbar in demselben Sinne wirkt wie die Verdrängung. Wir haben ferner gesehen, daß die auch bei Hysterie anzunehmende Gegenbesetzung bei der Zwangsneurose als reaktive Ichveränderung eine besonders große Rolle beim Ichschutz spielt, wir sind auf ein Verfahren der »Isolierung« aufmerksam worden, dessen Technik wir noch nicht angeben können, das sich einen direkten symptomatischen Ausdruck schafft, und auf die magisch zu nennende Prozedur des »Ungeschehenmachens«, über deren abwehrende Tendenz kein Zweifel sein kann, die aber mit dem Vorgang der »Verdrängung« keine Ähnlichkeit mehr hat. Diese Erfahrungen sind Grund genug, den alten Begriff der *Abwehr* wieder einzusetzen, der alle diese Vorgänge mit gleicher Tendenz – Schutz des Ichs gegen Triebansprüche – umfassen kann, und ihm die Verdrängung als einen Spezialfall zu subsumieren. Die Bedeutung einer solchen Namengebung wird erhöht, wenn man die Möglichkeit erwägt, daß eine Vertiefung unserer Studien eine innige Zusammengehörigkeit zwischen besonderen Formen der Abwehr und bestimmten Affektionen ergeben könnte, z. B. zwischen Verdrängung und Hysterie. Unsere Erwartung richtet sich ferner auf die Möglichkeit einer anderen bedeutsamen Abhängigkeit. Es kann leicht sein, daß der seelische Apparat vor der scharfen Sonderung von Ich und Es, vor der Ausbildung eines Über-Ichs andere Methoden der Abwehr übt als nach der Erreichung dieser Organisationsstufen.

B

ERGÄNZUNG ZUR ANGST

Der Angstaffekt zeigt einige Züge, deren Untersuchung weitere Aufklärung verspricht. Die Angst hat eine unverkennbare Beziehung zur *Erwartung;* sie ist Angst *vor* etwas. Es haftet ihr ein Charakter von *Unbestimmtheit* und *Objektlosigkeit* an; der korrekte Sprachgebrauch ändert selbst ihren Namen, wenn sie ein Objekt gefunden hat, und ersetzt ihn dann durch *Furcht.* Die Angst hat ferner außer ihrer Beziehung zur Gefahr eine andere zur Neurose, um deren Aufklärung wir uns seit langem bemühen. Es entsteht die Frage, warum nicht alle Angstreaktionen neurotisch sind, warum wir so viele als normal anerkennen; endlich verlangt der Unterschied von Realangst und neurotischer Angst nach gründlicher Würdigung.

Gehen wir von der letzteren Aufgabe aus. Unser Fortschritt bestand in dem Rückgreifen von der Reaktion der Angst auf die Situation der Gefahr. Nehmen wir dieselbe Veränderung an dem Problem der Realangst vor, so wird uns dessen Lösung leicht. Realgefahr ist eine Gefahr, die wir kennen, Realangst die Angst vor einer solchen bekannten Gefahr. Die neurotische Angst ist Angst vor einer Gefahr, die wir nicht kennen. Die neurotische Gefahr muß also erst gesucht werden; die Analyse hat uns gelehrt, sie ist eine Triebgefahr. Indem wir diese dem Ich unbekannte Gefahr zum Bewußtsein bringen, verwischen wir den Unterschied zwischen Realangst und neurotischer Angst, können wir die letztere wie die erstere behandeln.

In der Realgefahr entwickeln wir zwei Reaktionen, die affektive, den Angstausbruch, und die Schutzhandlung. Voraussichtlich wird bei der Triebgefahr dasselbe geschehen. Wir kennen den Fall des zweckmäßigen

Zusammenwirkens beider Reaktionen, indem die eine das Signal für das Einsetzen der anderen gibt, aber auch den unzweckmäßigen Fall, den der Angstlähmung, daß die eine sich auf Kosten der anderen ausbreitet.

Es gibt Fälle, in denen sich die Charaktere von Realangst und neurotischer Angst vermengt zeigen. Die Gefahr ist bekannt und real, aber die Angst von ihr übermäßig groß, größer als sie nach unserem Urteil sein dürfte. In diesem Mehr verrät sich das neurotische Element. Aber diese Fälle bringen nichts prinzipiell Neues. Die Analyse zeigt, daß an die bekannte Realgefahr eine unerkannte Triebgefahr geknüpft ist.

Wir kommen weiter, wenn wir uns auch mit der Zurückführung der Angst auf die Gefahr nicht begnügen. Was ist der Kern, die Bedeutung der Gefahrsituation? Offenbar die Einschätzung unserer Stärke im Vergleich zu ihrer Größe, das Zugeständnis unserer Hilflosigkeit gegen sie, der materiellen Hilflosigkeit im Falle der Realgefahr, der psychischen Hilflosigkeit im Falle der Triebgefahr. Unser Urteil wird dabei von wirklich gemachten Erfahrungen geleitet werden; ob es sich in seiner Schätzung irrt, ist für den Erfolg gleichgiltig. Heißen wir eine solche erlebte Situation von Hilflosigkeit eine *traumatische;* wir haben dann guten Grund, die traumatische Situation von der *Gefahrsituation* zu trennen.

Es ist nun ein wichtiger Fortschritt in unserer Selbstbewahrung, wenn eine solche traumatische Situation von Hilflosigkeit nicht abgewartet, sondern vorhergesehen, erwartet, wird. Die Situation, in der die Bedingung für solche Erwartung enthalten ist, heiße die Gefahrsituation, in ihr wird das Angstsignal gegeben. Dies will besagen: ich erwarte, daß sich eine Situation von Hilflosigkeit ergeben wird, oder die gegenwärtige Situation erinnert mich an eines der früher erfahrenen traumatischen Erlebnisse. Daher antizipiere ich dieses Trauma, will mich benehmen, als ob es schon da wäre, solange noch Zeit ist, es abzuwenden. Die Angst ist also einerseits Erwartung des Traumas, anderseits eine gemilderte Wiederholung desselben. Die beiden Charaktere, die uns an der Angst aufgefallen sind, haben also verschiedenen Ursprung. Ihre Beziehung zur Erwartung gehört zur Gefahrsituation, ihre Unbestimmtheit und Objektlosigkeit zur traumatischen Situation der Hilflosigkeit, die in der Gefahrsituation antizipiert wird.

Nach der Entwicklung der Reihe: Angst – Gefahr – Hilflosigkeit (Trauma) können wir zusammenfassen: Die Gefahrsituation ist die erkannte, erinnerte, erwartete Situation der Hilflosigkeit. Die Angst ist die ursprüngliche Reaktion auf die Hilflosigkeit im Trauma, die dann später in der Gefahrsituation als Hilfssignal reproduziert wird. Das Ich, welches das Trauma passiv erlebt hat, wiederholt nun aktiv eine abgeschwächte Reproduktion desselben, in der Hoffnung, deren Ablauf selbsttätig leiten zu können. Wir wissen, das Kind benimmt sich ebenso gegen alle ihm peinlichen Eindrücke, indem es sie im Spiel reproduziert; durch diese Art, von der Passivität zur Aktivität überzugehen, sucht es seine Lebenseindrücke psychisch zu bewältigen[1]. Wenn dies der Sinn eines »Abreagierens« des Traumas sein soll, so kann man nichts mehr dagegen einwenden [s. S. 290]. Das Entscheidende ist aber die erste Verschiebung der Angstreaktion von ihrem Ursprung in der Situation der Hilflosigkeit auf deren Erwartung, die Gefahrsituation. Dann folgen die weiteren Verschiebungen von der Gefahr auf die Bedingung der Gefahr, den Objektverlust und dessen schon erwähnte Modifikationen.

Die »Verwöhnung« des kleinen Kindes hat die unerwünschte Folge, daß die Gefahr des Objektverlustes – das Objekt als Schutz gegen alle Situationen der Hilflosigkeit – gegen alle anderen Gefahren übersteigert wird. Sie begünstigt also die Zurückhaltung in der Kindheit, der die motorische wie die psychische Hilflosigkeit eigen sind.

Wir haben bisher keinen Anlaß gehabt, die Realangst anders zu betrachten als die neurotische Angst. Wir kennen den Unterschied; die Realgefahr droht von einem äußeren Objekt, die neurotische von einem Triebanspruch. Insoferne dieser Triebanspruch etwas Reales ist, kann auch die neurotische Angst als real begründet anerkannt werden. Wir haben verstanden, daß der Anschein einer besonders intimen Beziehung zwischen Angst und Neurose sich auf die Tatsache zurückführt, daß das Ich sich mit Hilfe der Angstreaktion der Triebgefahr ebenso erwehrt wie der äußeren Realgefahr, daß aber diese Richtung der Abwehrtätigkeit infolge einer Unvollkommenheit des seelischen Apparats in die Neurose ausläuft. Wir haben auch die Überzeugung gewonnen, daß der Triebanspruch oft nur darum zur (inneren) Gefahr wird, weil seine Befriedigung eine äußere Gefahr herbeiführen würde, also weil diese innere Gefahr eine äußere repräsentiert.

Anderseits muß auch die äußere (Real-) Gefahr eine Verinnerlichung gefunden haben, wenn sie für das Ich bedeutsam werden soll; sie muß in ihrer Beziehung zu einer erlebten Situation von Hilflosigkeit erkannt

---

[1] [Vgl. den Schluß des II. Kapitels von *Jenseits des Lustprinzips* (1920 g).]

werden[1]. Eine instinktive Erkenntnis von außen drohender Gefahren scheint dem Menschen nicht oder nur in sehr bescheidenem Ausmaß mitgegeben worden zu sein. Kleine Kinder tun unaufhörlich Dinge, die sie in Lebensgefahr bringen, und können gerade darum das schützende Objekt nicht entbehren. In der Beziehung zur traumatischen Situation, gegen die man hilflos ist, treffen äußere und innere Gefahr, Realgefahr und Triebanspruch zusammen. Mag das Ich in dem einen Falle einen Schmerz, der nicht aufhören will, erleben, im anderen Falle eine Bedürfnisstauung, die keine Befriedigung finden kann, die ökonomische Situation ist für beide Fälle die nämliche, und die motorische Hilflosigkeit findet in der psychischen Hilflosigkeit ihren Ausdruck.

Die rätselhaften Phobien der frühen Kinderzeit verdienen an dieser Stelle nochmalige Erwähnung. [Vgl. S. 276 f.] Die einen von ihnen – Alleinsein, Dunkelheit, fremde Personen – konnten wir als Reaktionen auf die Gefahr des Objektverlustes verstehen; für andere – kleine Tiere, Gewitter u. dgl. – bietet sich vielleicht die Auskunft, sie seien die verkümmerten Reste einer kongenitalen Vorbereitung auf die Realgefahren, die bei anderen Tieren so deutlich ausgebildet ist. Für den Menschen zweckmäßig ist allein der Anteil dieser archaischen Erbschaft, der sich auf den Objektverlust bezieht. Wenn solche Kinderphobien sich fixieren, stärker werden und bis in späte Lebensjahre anhalten, weist die Analyse nach, daß ihr Inhalt sich mit Triebansprüchen in Verbindung gesetzt hat, zur Vertretung auch innerer Gefahren geworden ist.

C

ANGST, SCHMERZ UND TRAUER

Zur Psychologie der Gefühlsvorgänge liegt so wenig vor, daß die nachstehenden schüchternen Bemerkungen auf die nachsichtigste Beurteilung Anspruch erheben dürfen. An folgender Stelle erhebt sich für uns das Problem. Wir mußten sagen, die Angst werde zur Reaktion auf die Gefahr des Objektverlusts. Nun kennen wir bereits eine solche Reaktion auf den Objektverlust, es ist die Trauer. Also wann kommt es zur

---

[1] Es mag oft genug vorkommen, daß in einer Gefahrsituation, die als solche richtig geschätzt wird, zur Realangst ein Stück Triebangst hinzukommt. Der Triebanspruch, vor dessen Befriedigung das Ich zurückschreckt, wäre dann der masochistische, der gegen die eigene Person gewendete Destruktionstrieb. Vielleicht erklärt diese Zutat den Fall, daß die Angstreaktion übermäßig und unzweckmäßig, lähmend ausfällt. Die Höhenphobien (Fenster, Turm, Abgrund) könnten diese Herkunft haben; ihre geheime feminine Bedeutung steht dem Masochismus nahe.

einen, wann zur anderen? An der Trauer, mit der wir uns bereits früher beschäftigt haben[1], blieb ein Zug völlig unverstanden, ihre besondere Schmerzlichkeit [s. S. 272]. Daß die Trennung vom Objekt schmerzlich ist, erscheint uns trotzdem selbstverständlich. Also kompliziert sich das Problem weiter: Wann macht die Trennung vom Objekt Angst, wann Trauer und wann vielleicht nur Schmerz?

Sagen wir es gleich, es ist keine Aussicht vorhanden, Antworten auf diese Fragen zu geben. Wir werden uns dabei bescheiden, einige Abgrenzungen und einige Andeutungen zu finden.

Unser Ausgangspunkt sei wiederum die eine Situation, die wir zu verstehen glauben, die des Säuglings, der anstatt seiner Mutter eine fremde Person erblickt. Er zeigt dann die Angst, die wir auf die Gefahr des Objektverlustes gedeutet haben. Aber sie ist wohl komplizierter und verdient eine eingehendere Diskussion. An der Angst des Säuglings ist zwar kein Zweifel, aber Gesichtsausdruck und die Reaktion des Weinens lassen annehmen, daß er außerdem noch Schmerz empfindet. Es scheint, daß bei ihm einiges zusammenfließt, was später gesondert werden wird. Er kann das zeitweilige Vermissen und den dauernden Verlust noch nicht unterscheiden; wenn er die Mutter das eine Mal nicht zu Gesicht bekommen hat, benimmt er sich so, als ob er sie nie wieder sehen sollte, und es bedarf wiederholter tröstlicher Erfahrungen, bis er gelernt hat, daß auf ein solches Verschwinden der Mutter ihr Wiedererscheinen zu folgen pflegt. Die Mutter reift diese für ihn so wichtige Erkenntnis, indem sie das bekannte Spiel mit ihm aufführt, sich vor ihm das Gesicht zu verdecken und zu seiner Freude wieder zu enthüllen[2]. Er kann dann sozusagen Sehnsucht empfinden, die nicht von Verzweiflung begleitet ist.

Die Situation, in der er die Mutter vermißt, ist infolge seines Mißverständnisses für ihn keine Gefahrsituation, sondern eine traumatische, oder richtiger, sie ist eine traumatische, wenn er in diesem Moment ein Bedürfnis verspürt, das die Mutter befriedigen soll; sie wandelt sich zur Gefahrsituation, wenn dies Bedürfnis nicht aktuell ist. Die erste Angstbedingung, die das Ich selbst einführt, ist also die des Wahrnehmungsverlustes, die der des Objektverlustes gleichgestellt wird. Ein Liebesverlust kommt noch nicht in Betracht. Später lehrt die Erfah-

---

[1] Siehe: ›Trauer und Melancholie‹ [(1917 e), besonders eine Passage ziemlich zu Anfang dieser Arbeit].

[2] [Vgl. das in der zweiten Hälfte des II. Kapitels von *Jenseits des Lustprinzips* beschriebene Kinderspiel.]

rung, daß das Objekt vorhanden bleiben, aber auf das Kind böse geworden sein kann, und nun wird der Verlust der Liebe von seiten des Objekts zur neuen, weit beständigeren Gefahr und Angstbedingung. Die traumatische Situation des Vermissens der Mutter weicht in einem entscheidenden Punkte von der traumatischen Situation der Geburt ab. Damals war kein Objekt vorhanden, das vermißt werden konnte. Die Angst blieb die einzige Reaktion, die zustande kam. Seither haben wiederholte Befriedigungssituationen das Objekt der Mutter geschaffen, das nun im Falle des Bedürfnisses eine intensive, »sehnsüchtig« zu nennende Besetzung erfährt. Auf diese Neuerung ist die Reaktion des Schmerzes zu beziehen. Der Schmerz ist also die eigentliche Reaktion auf den Objektverlust, die Angst die auf die Gefahr, welche dieser Verlust mit sich bringt, in weiterer Verschiebung auf die Gefahr des Objektverlustes selbst.

Auch vom Schmerz wissen wir sehr wenig. Den einzig sicheren Inhalt gibt die Tatsache, daß der Schmerz – zunächst und in der Regel – entsteht, wenn ein an der Peripherie angreifender Reiz die Vorrichtungen des Reizschutzes durchbricht und nun wie ein kontinuierlicher Triebreiz wirkt, gegen den die sonst wirksamen Muskelaktionen, welche die gereizte Stelle dem Reiz entziehen, ohnmächtig bleiben[1]. Wenn der Schmerz nicht von einer Hautstelle, sondern von einem inneren Organ ausgeht, so ändert das nichts an der Situation; es ist nur ein Stück der inneren Peripherie an die Stelle der äußeren getreten. Das Kind hat offenbar Gelegenheit, solche Schmerzerlebnisse zu machen, die unabhängig von seinen Bedürfniserlebnissen sind. Diese Entstehungsbedingung des Schmerzes scheint aber sehr wenig Ähnlichkeit mit einem Objektverlust zu haben, auch ist das für den Schmerz wesentliche Moment der peripherischen Reizung in der Sehnsuchtssituation des Kindes völlig entfallen. Und doch kann es nicht sinnlos sein, daß die Sprache den Begriff des inneren, des seelischen, Schmerzes geschaffen hat und die Empfindungen des Objektverlusts durchaus dem körperlichen Schmerz gleichstellt.

Beim körperlichen Schmerz entsteht eine hohe, narzißtisch zu nennende Besetzung der schmerzenden Körperstelle[2], die immer mehr zunimmt und sozusagen entleerend auf das Ich wirkt[3]. Es ist bekannt, daß wir,

---

[1] [S. die Darstellung etwa im letzten Drittel des IV. Kapitels von *Jenseits des Lustprinzips* (1920 g).]

[2] [Vgl. den Anfang von Abschnitt II der Schrift ›Zur Einführung des Narzißmus‹ (1914 c).]

[3] [S. *Jenseits des Lustprinzips,* loc. cit.]

bei Schmerzen in inneren Organen, räumliche und andere Vorstellungen von solchen Körperteilen bekommen, die sonst im bewußten Vorstellen gar nicht vertreten sind. Auch die merkwürdige Tatsache, daß die intensivsten Körperschmerzen bei psychischer Ablenkung durch ein andersartiges Interesse nicht zustande kommen (man darf hier nicht sagen: unbewußt bleiben), findet in der Tatsache der Konzentration der Besetzung auf die psychische Repräsentanz der schmerzenden Körperstelle ihre Erklärung. Nun scheint in diesem Punkt die Analogie zu liegen, die die Übertragung der Schmerzempfindung auf das seelische Gebiet gestattet hat. Die intensive, infolge ihrer Unstillbarkeit stets anwachsende Sehnsuchtsbesetzung des vermißten (verlorenen) Objekts schafft dieselben ökonomischen Bedingungen wie die Schmerzbesetzung der verletzten Körperstelle und macht es möglich, von der peripherischen Bedingtheit des Körperschmerzes abzusehen! Der Übergang vom Körperschmerz zum Seelenschmerz entspricht dem Wandel von narzißtischer zur Objektbesetzung. Die vom Bedürfnis hochbesetzte Objektvorstellung spielt die Rolle der von dem Reizzuwachs besetzten Körperstelle. Die Kontinuität und Unhemmbarkeit des Besetzungsvorganges bringen den gleichen Zustand der psychischen Hilflosigkeit hervor. Wenn die dann entstehende Unlustempfindung den spezifischen, nicht näher zu beschreibenden Charakter des Schmerzes trägt, anstatt sich in der Reaktionsform der Angst zu äußern, so liegt es nahe, dafür ein Moment verantwortlich zu machen, das sonst von der Erklärung noch zu wenig in Anspruch genommen wurde, das hohe Niveau der Besetzungs- und Bindungsverhältnisse, auf dem sich diese zur Unlustempfindung führenden Vorgänge vollziehen[1].

Wir kennen noch eine andere Gefühlsreaktion auf den Objektverlust, die Trauer. Ihre Erklärung bereitet aber keine Schwierigkeiten mehr. Die Trauer entsteht unter dem Einfluß der Realitätsprüfung, die kategorisch verlangt, daß man sich von dem Objekt trennen müsse, weil es nicht mehr besteht[2]. Sie hat nun die Arbeit zu leisten, diesen Rückzug vom Objekt in all den Situationen durchzuführen, in denen das Objekt Gegenstand hoher Besetzung war. Der schmerzliche Charakter dieser Trennung fügt sich dann der eben gegebenen Erklärung durch die hohe und unerfüllbare Sehnsuchtsbesetzung des Objekts während der Reproduktion der Situationen, in denen die Bindung an das Objekt gelöst werden soll.

---

[1] [S. *Jenseits des Lustprinzips,* loc. cit.]

[2] [Vgl. ›Trauer und Melancholie‹ (1917 *e*), unweit vom Anfang der Arbeit.]

Anhang

BIBLIOGRAPHIE

Vorbemerkung: Titel von Büchern und Zeitschriften sind kursiv, Titel von Beiträgen zu Zeitschriften oder Büchern in einfache Anführungszeichen gesetzt. Die Abkürzungen entsprechen der *World List of Scientific Periodicals* (London, 1963–65). Weitere in diesem Band verwendete Abkürzungen finden sich in der *Liste der Abkürzungen* auf Seite 318. Die in runde Klammern gesetzten Zahlen am Ende bibliographischer Eintragungen geben die Seite bzw. Seiten des vorliegenden Bandes an, wo auf das betreffende Werk hingewiesen wird. Die kursivierten Kleinbuchstaben hinter den Jahreszahlen der unten aufgeführten Freud-Schriften beziehen sich auf die verbindliche Freud-Gesamtbibliographie, die im letzten Band der englischen Gesamtausgabe, der *Standard Edition of the Complete Psychological Works of Sigmund Freud,* erscheinen wird. Eine vorläufige, nicht vollständige Fassung dieser Gesamtbibliographie ist bereits publiziert worden (*Int. J. Psycho-Analysis,* Bd. 37, 1956). Für nichtwissenschaftliche Autoren und für wissenschaftliche Autoren, von denen kein spezielles Werk zitiert wird, siehe das Namen- und Sachregister.

ADLER, A.   (1907) *Studie über Minderwertigkeit von Organen,* Berlin und Wien. (289)

ANDERSSON, O.   (1962) *Studies in the Prehistory of Psychoanalysis, Studia Scientiae paedagogicae Upsaliensia III,* Stockholm. (22)

BEARD, G. M.   (1881) *American Nervousness, its Causes and Consequences,* New York. (27)

                   (1884) *Sexual Neurasthenia (Nervous Exhaustion), its Hygiene, Causes, Symptoms and Treatment,* New York. (27)

BLOCH, I.   (1902–03) *Beiträge zur Ätiologie der Psychopathia sexualis* (2 Bde.), Dresden. (125)

BREUER, J. und   (1893) *siehe* Freud, S. (1893 *a*)

FREUD, S.   (1895) *siehe* Freud, S. (1895 *d*)

CHARCOT, J.-M.   (1887) *Leçons sur les maladies du système nerveux,* Bd. 3, Paris. (54, 78)

DARWIN, C.   (1872) *The Expression of the Emotions in Man and Animals,* London (2. Aufl., London, 1889). (232, 274)

DARWIN, C. (Forts.) [Deutsche Übersetzung: *Der Ausdruck der Gefühle bei Mensch und Tier*, Düsseldorf, 1964.]

DEUTSCH, F. (1957) ›A Footnote to Freud's »Fragment of an Analysis of a Case of Hysteria«‹, *Psychoanal. Q.*, Bd. 26, S. 159. (93)

ELLIS, HAVELOCK (1900) *Geschlechtstrieb und Schamgefühl* (deutsche Übersetzung von Kötscher), Leipzig 1900, 2. Aufl., Würzburg 1900. (Englisch: *Studies in the Psychology of Sex*, Bd. 1, ›Leipzig‹ [London], 1899.) (189)

FERENCZI, S. (1913) ›Entwicklungsstufen des Wirklichkeitssinnes‹, *Int. Z. ärztl. Psychoanal.*, Bd. 1, S. 124. Neuausgabe in: S. Ferenczi, *Schriften zur Psychoanalyse*, Bd. 1, hrsg. von M. Balint, *Conditio humana*, Frankfurt a. M., 1970. (293)

(1925) ›Zur Psychoanalyse von Sexualgewohnheiten‹, *Int. Z. Psychoanal.*, Bd. 11, S. 6. (279)

FLIESS, W. (1892) *Neue Beiträge und Therapie der nasalen Reflexneurose*, Wien. (27, 148)

(1893) ›Die nasale Reflexneurose‹, *Verhandlungen des Kongresses für innere Medizin*, Wiesbaden, 384. (27, 148)

FREUD, S. (1893 *a*) und Breuer, J., ›Über den psychischen Mechanismus hysterischer Phänomene: Vorläufige Mitteilung‹, *G. W.*, Bd. 1, S. 81; abgedruckt in: J. Breuer und S. Freud, *Studien über Hysterie* (Fischer Bücherei), Frankfurt am Main, 1970. (11–12, 198)

(1893 *h*) Vortrag: ›Über den psychischen Mechanismus hysterischer Phänomene‹ [vom Vortr. revidiertes Stenogramm], *Wien. med. Presse*, Bd. 34, Nr. 4, Kol. 121, und Nr. 5, Kol. 165; *Studienausgabe*, Bd. 6, S. 9. (78, 104, 198, 243)

(1894 *a*) ›Die Abwehr-Neuropsychosen‹, *G. W.*, Bd. 1, S. 59. (33, 34, 71, 79, 300)

(1895 *b* [1894]) ›Über die Berechtigung, von der Neurasthenie einen bestimmten Symptomenkomplex als »Angstneurose« abzutrennen‹, *G. W.*, Bd. 1, S. 315; *Studienausgabe*, Bd. 6, S. 25. (149, 229–30, 231–2, 253−4, 273, 281)

(1895 *c* [1894]) ›Obsessions et phobies‹, *G. W.*, Bd. 1, S. 345. (28, 34)

(1895 *d* und Breuer, J., *Studien über Hysterie*, Wien; Neuausgabe (Fischer Bücherei), Frankfurt am Main, 1970. *G. W.*, Bd. 1, S. 77 (ohne die Beiträge von Breuer). (11–12, 15–16, 17–20, 54–7, 59, 61, 76, 80, 87, 91–2, 102, 148, 189, 198, 232)

FREUD, S. (Forts.)   (1896 *a*) ›L'hérédité et l'étiologie des névroses‹, *G. W.*,
Bd. 1, S. 407. (80, 99)

(1896 *b*) ›Weitere Bemerkungen über die Abwehr-Neuropsychosen‹, *G. W.*, Bd. 1, S. 379. (36)

(1896 *c*) › Zur Ätiologie der Hysterie‹, *G. W.*, Bd. 1, S.
425; *Studienausgabe*, Bd. 6, S. 51. (12, 20, 39, 87, 105,
108, 239, 283)

(1897 *b*) *Inhaltsangaben der wissenschaftlichen Arbeiten
des Privatdozenten Dr. Sigm. Freud (1877–1897)*, Wien.
G. W., Bd. 1, S. 463. (26)

(1898 *a*) ›Die Sexualität in der Ätiologie der Neurosen‹,
G. W., Bd. 1, S. 491; *Studienausgabe*, Bd. 5. (40, 44)

(1900 *a*) *Die Traumdeutung*, Wien. *G. W.*, Bd. 2–3; *Studienausgabe*, Bd. 2. (84, 85, 90, 94, 96, 130, 139, 155–6,
165, 167, 189, 192, 200, 232)

(1901 *b*) *Zur Psychopathologie des Alltagslebens*, Berlin,
1904. *G. W.*, Bd. 4. (84, 146, 185)

(1905 *d*) *Drei Abhandlungen zur Sexualtheorie*, Wien.
G. W., Bd. 5, S. 29; *Studienausgabe*, Bd. 5. (43, 52, 85,
125, 126, 130, 150, 178, 191, 193, 194, 203, 210, 230,
237)

(1905 *e* [1901]) ›Bruchstück einer Hysterie-Analyse‹,
G. W., Bd. 5, S. 163; *Studienausgabe*, Bd. 6, S. 83. (12,
34, 46, 60, 188, 201, 213, 231-2, 237, 244)

(1906 *a*) ›Meine Ansichten über die Rolle der Sexualität
in der Ätiologie der Neurosen‹, *G. W.*, Bd. 5, S. 149;
Studienausgabe, Bd. 5. (69, 188)

(1907 *a* [1906]) *Der Wahn und die Träume in W. Jen-
sens ›Gradiva‹*, Wien. *G. W.*, Bd. 7, S. 31; *Studienausgabe*, Bd. 10, S. 9. (188)

(1908 *a*) ›Hysterische Phantasien und ihre Beziehung zur
Bisexualität‹, *G. W.*, Bd. 7, S. 191; *Studienausgabe*, Bd.
6, S. 187. (34, 200)

(1908 *c*) ›Über infantile Sexualtheorien‹, *G. W.*, Bd. 7,
S. 171; *Studienausgabe*, Bd. 5. (188)

(1908 *d*) ›Die »kulturelle« Sexualmoral und die moderne
Nervosität‹, *G. W.*, Bd. 7, S. 143; *Studienausgabe*, Bd. 9.
(217)

(1908 *e* [1907]) ›Der Dichter und das Phantasieren‹,
G. W., Bd. 7, S. 213; *Studienausgabe*, Bd. 10, S. 169.
(188, 189–90)

FREUD, S. (Forts.)　(1909 *a* [1908]) ›Allgemeines über den hysterischen Anfall‹, *G. W.*, Bd. 7, S. 235; *Studienausgabe*, Bd. 6, S. 197. (119, 188, 195, 232)

(1909 *b*) ›Analyse der Phobie eines fünfjährigen Knaben‹, *G. W.*, Bd. 7, S. 243; *Studienausgabe*, Bd. 8, S. 9. (93, 127, 246–54, 267–9, 272)

(1909 c) ›Der Familienroman der Neurotiker‹, *G. W.*, Bd. 7, S. 227; *Studienausgabe*, Bd. 4, S. 222. (188)

(1909 *d*) ›Bemerkungen über einen Fall von Zwangsneurose‹, *G. W.*, Bd. 7, S. 381; *Studienausgabe*, Bd. 7. (93, 96, 260, 263)

(1910 *a* [1909]) *Über Psychoanalyse*, Wien. *G. W.*, Bd. 8, S. 3. (54–5)

(1910 *h*) ›Über einen besonderen Typus der Objektwahl beim Manne‹, *G. W.*, Bd. 8, S. 66; *Studienausgabe*, Bd. 5. (232)

(1910 *i*) ›Die psychogene Sehstörung in psychoanalytischer Auffassung‹, *G. W.*, Bd. 8, S. 94; *Studienausgabe*, Bd. 6, S. 205. (116)

(1911 *b*) ›Formulierungen über die zwei Prinzipien des psychischen Geschehens‹, *G. W.*, Bd. 8, S. 230; *Studienausgabe*, Bd. 3. (220)

(1911 c) ›Psychoanalytische Bemerkungen über einen autobiographisch beschriebenen Fall von Paranoia (Dementia Paranoides)‹, *G. W.*, Bd. 8, S. 240; *Studienausgabe*, Bd. 7. (93, 217)

(1912 c) ›Über neurotische Erkrankungstypen‹, *G. W.*, Bd. 8, S. 322; *Studienausgabe*, Bd. 6, S. 215.

(1912—13) *Totem und Tabu*, Wien, 1913. *G. W.*, Bd. 9; *Studienausgabe*, Bd. 9. (265)

(1913 *i*) ›Die Disposition zur Zwangsneurose‹, *G. W.*, Bd. 8, S. 442; *Studienausgabe*, Bd. 7. (80, 285)

(1914 c) ›Zur Einführung des Narzißmus‹, *G. W.*, Bd. 10, S. 138; *Studienausgabe*, Bd. 3. (29, 307)

(1915 *a*) ›Weitere Ratschläge zur Technik der Psychoanalyse: III. Bemerkungen über die Übertragungsliebe‹, *G. W.*, Bd. 10, S. 306. (182)

(1915 c) ›Triebe und Triebschicksale‹, *G. W.*, Bd. 10, S. 210; *Studienausgabe*, Bd. 3. (46)

(1915 *d*) ›Die Verdrängung‹, *G. W.*, Bd. 10, S. 248; *Studienausgabe*, Bd. 3. (201, 237, 239, 253, 285, 295)

FREUD, S. (Forts.) (1915 e) ›Das Unbewußte‹, *G. W.*, Bd. 10, S. 264; *Studienausgabe*, Bd. 3. (78, 201, 231, 269, 280, 285)

(1916 d) ›Einige Charaktertypen aus der psychoanalytischen Arbeit‹, *G. W.*, Bd. 10, S. 364; *Studienausgabe*, Bd. 10, S. 229. (217)

(1916–17 [1915–17]) *Vorlesungen zur Einführung in die Psychoanalyse*, Wien. *G. W.*, Bd. 11; *Studienausgabe*, Bd. 1, S. 33. (119, 217, 220, 231, 232)

1917 e [1915]) ›Trauer und Melancholie‹, *G. W.*, Bd. 10, S. 428; *Studienausgabe*, Bd. 3. (306, 308)

(1918 b [1914]) ›Aus der Geschichte einer infantilen Neurose‹, *G. W.*, Bd. 12, S. 29; *Studienausgabe*, Bd. 8, S. 125. (93, 218, 249–54, 257, 267–9, 279)

(1920 g) *Jenseits des Lustprinzips*, Wien. *G. W.*, Bd. 13, S. 3; *Studienausgabe*, Bd. 3. (238, 274, 304, 306, 307–8)

(1923 b) *Das Ich und das Es*, Wien. *G. W.*, Bd. 13, S. 237; *Studienausgabe*, Bd. 3. (121, 232, 241, 258, 272, 280, 293, 297–9)

(1924 d) ›Der Untergang des Ödipuskomplexes‹, *G. W.*, Bd. 13, S. 395; *Studienausgabe*, Bd. 5. (282)

(1924 f) ›Kurzer Abriß der Psychoanalyse‹, *G. W.*, Bd. 13, S. 405. (11)

(1925 h) ›Die Verneinung‹, *G. W.*, Bd. 14, S. 11; *Studienausgabe*, Bd. 3. (131)

(1925 j) ›Einige psychische Folgen des anatomischen Geschlechtsunterschieds‹, *G. W.*, Bd. 14, S. 19; *Studienausgabe*, Bd. 5. (282)

(1926 d [1925]) *Hemmung, Symptom und Angst*, Wien. *G. W.*, Bd. 14, S. 113; *Studienausgabe*, Bd. 6, S. 227. (26, 30, 44, 46, 80, 106, 119, 149, 201)

(1927 e) ›Fetischismus‹, *G. W.*, Bd. 14, S. 311; *Studienausgabe*, Bd. 3. (296)

(1928 b) ›Dostojewski und die Vatertötung‹, *G. W.*, Bd. 14, S. 399; *Studienausgabe*, Bd. 10, S. 267. (198, 203)

(1930 a) *Das Unbehagen in der Kultur*, Wien. *G. W.*, Bd. 14, S. 421; *Studienausgabe*, Bd. 9. (109, 270)

(1932 a) ›Zur Gewinnung des Feuers‹, *G. W.*, Bd. 16, S. 3; *Studienausgabe*, Bd. 9. (142)

(1933 a [1932]) *Neue Folge der Vorlesungen zur Einführung in die Psychoanalyse*, Wien. *G. W.*, Bd. 15; *Studienausgabe*, Bd. 1, S. 447. (210, 230, 241)

FREUD, S. (Forts.) (1936 a) Brief an Romain Rolland: ›Eine Erinnerungsstörung auf der Akropolis‹, *G. W.*, Bd. 16, S. 250; *Studienausgabe*, Bd. 4, S. 283. (217–18)

(1950 a [1887–1902]) *Aus den Anfängen der Psychoanalyse*, London; Frankfurt am Main (Fischer Paperbacks), 1962. (26, 69, 84–5, 188)

HECKER, E. (1893) ›Über larvirte und abortive Angstzustände bei Neurasthenie‹, *Zentbl. Nervenheilk.*, Bd. 16, S. 565. (28, 30–1)

JANET, PIERRE (1894) *État mental des hystériques*, Bd. 2, Paris. (179)

(1898) *Névroses et idées fixes*, Bd. 1: *Les rêveries subconscientes* (2. Aufl.), Paris. (189)

JONES, E. (1962) *Das Leben und Werk von Sigmund Freud*, Bd. 2, Bern und Stuttgart. (85, 206)

JUNG, C. G. (1909) ›Die Bedeutung des Vaters für das Schicksal des Einzelnen‹, *Jb. psychoanalyt. psychopath. Forsch.*, Bd. 1, S. 155. (221)

(1910) ›Über Konflikte der kindlichen Seele‹, *Jb. psychoanalyt. psychopath. Forsch.*, Bd. 2, S. 33. (220)

KAAN, H. (1893) *Der neurasthenische Angstaffekt bei Zwangsvorstellungen und der primordiale Grübelzwang*, Wien. (28)

KRAFFT-EBING, R. VON (1893) *Psychopathia Sexualis* (8. Aufl.), Stuttgart. (125)

LAFORGUE, R. (1926) ›Verdrängung und Skotomisation‹, *Int. Z. Psychoanal.*, Bd. 12, S. 54. (296)

MANTEGAZZA, P. (1875) *Fisiologia dell' amore* (2. Aufl.), Mailand. (103, 135)

MEDICAL CONGRESS (1900) *Thirteenth International Medical Congress*, Paris. (99)

MÖBIUS, P. J. (1894) *Neurologische Beiträge*, Bd. 2, Leipzig. (34)

PEYER, A. (1893) ›Die nervösen Affektionen des Darmes bei der Neurasthenie des männlichen Geschlechtes (Darmneurasthenie)‹, *Vorträge aus der gesamten praktischen Heilkunde*, Bd. 1, Wien. (34)

PICK, A. (1896) ›Über pathologische Träumerei und ihre Beziehung zur Hysterie‹, *Jb. Psychiat. Neurol.*, Bd. 14, S. 280. (189)

RANK, O. (1924) *Das Trauma der Geburt*, Wien. (232, 276–7, 289 bis 91)

REIK, T.   (1925) *Geständniszwang und Strafbedürfnis*, Leipzig, Wien und Zürich. (261)

SADGER, I.   (1907) ›Die Bedeutung der psychoanalytischen Methode nach Freud‹, *Zentbl. Nervenheilk.*, Bd. 18, S. 41. (194)

SCHMIDT, R.   (1902) *Beiträge zur indischen Erotik*, Leipzig. (89)

STEKEL, W.   (1895) ›Koitus im Kindesalter‹, *Wien med. Bl.*, Bd. 18, S. 247. (68)

WERNICKE, C.   (1900) *Grundriß der Psychiatrie*, Leipzig. (128)

LISTE DER ABKÜRZUNGEN

G. S.   Freud, *Gesammelte Schriften* (12 Bände), Wien, 1924–34.

G. W.   Freud, *Gesammelte Werke* (18 Bände), Bände 1–17 London, 1940–1952, Band 18 Frankfurt am Main, 1968. Die ganze Edition seit 1960 bei S. Fischer Verlag, Frankfurt am Main.

Studienausgabe   Freud, *Studienausgabe* (10 Bände), S. Fischer Verlag, Frankfurt am Main, seit 1969.

Neurosenlehre und   Freud, *Schriften zur Neurosenlehre und zur psychoana-*
Technik   *lytischen Technik (1913–1926)*, Wien, 1931.

S. K. S. N.   Freud, *Sammlung kleiner Schriften zur Neurosenlehre* (5 Bände), Wien, 1906–22.

Vier   Freud, *Vier psychoanalytische Krankengeschichten*, Wien,
Krankengeschichten   1932.

Conditio humana   Reihe *Conditio humana, Ergebnisse aus den Wissenschaften vom Menschen*, S. Fischer Verlag, Frankfurt am Main, seit 1969.

Sonstige in diesem Band verwendete Abkürzungen entsprechen der *World List of Scientific Periodicals* (4. Auflage), London, 1963–65.

NAMEN- UND SACHREGISTER

Zusammengestellt von Ingeborg Meyer-Palmedo

In dieses Register sind sämtliche Namen nicht-wissenschaftlicher Autoren aufgenommen. Es enthält auch Namen wissenschaftlicher Autoren, die angegebenen Seitenzahlen beziehen sich dann aber auf Textstellen, wo Freud nur den Namen des betreffenden Autors, nicht aber ein spezielles Werk erwähnt. Für Hinweise auf bestimmte Werke wissenschaftlicher Autoren möge der Leser die Bibliographie konsultieren.

---

* [Im übrigen wird der editorische Apparat in diesem Gesamtinhaltsplan, der lediglich zeigen soll, welche Werke Sigmund Freuds in die einzelnen Bände der *Studienausgabe* aufgenommen wurden, nicht berücksichtigt.]

Conditio humana
Ergebnisse aus den Wissenschaften
vom Menschen

Der Mensch ist von alters her das rätselhafteste und komplizierteste Forschungsthema. Der gewaltige Aufschwung von Naturwissenschaft und Technik hat den Brennpunkt des Interesses eine Zeitlang von ihm abgelenkt – ein Vorgang, der durch die extreme Spezialisierung der Einzeldisziplinen beschleunigt wurde. Seit die Menschheit im geschichtlichen Augenblick einer fast totalen Naturbeherrschung jedoch im Besitz katastrophaler, ihr Überleben als Spezies bedrohender Zerstörungsmittel ist, stellt sich die alte anthropologische Frage: Was ist der Mensch? neu und dringlicher als je zuvor. Sie wird durch die Unsicherheit herausgefordert, wessen eine Gattung fähig sei, deren eigentümliche biologische Ausstattung sie hinfällig macht, andererseits aber durch die Fähigkeit zur Schaffung kultureller Umweltbedingungen allen anderen Lebewesen überlegen sein läßt.
Die Antwort ist längst nicht mehr allein von der Philosophie zu erwarten; normative Theorien und spekulative Menschenbilder haben an Überzeugungskraft verloren. Sie muß heute in der disparaten Mannigfaltigkeit einzelwissenschaftlicher Forschung gesucht werden, in all jenen geistes- wie naturwissenschaftlichen Disziplinen, die sich mit den verschiedenen Aspekten der Conditio humana beschäftigen.

Die Reihe ›Conditio humana‹ stellt solche anthropologischen Materialien vor. Sie will die interdisziplinäre Verständigung zwischen den einzelnen Wissenschaften vom Menschen fördern helfen, gibt aber keine vereinheitlichende Interpretation.

Dies sind ihre wichtigsten Themengebiete:
– Molekularbiologie, Humangenetik, Abstammungslehre,
  Biologische Anthropologie, Ökologie, Verhaltensforschung;
– Psychosomatische Medizin, Psychoanalyse, Psychologie;
– Sozialpsychologie, Soziologie, Kulturanthropologie,
  Linguistik;
– Sprachphilosophie, Philosophische Anthropologie.

Die Reihe richtet sich vor allem an die Studenten aus den humanwissenschaftlichen Einzeldisziplinen, aber auch an den Nicht-Fachmann.

S. Fischer

Conditio humana
Ergebnisse aus den Wissenschaften
vom Menschen

S. Fischer

*Da die Psychoanalyse Sigmund Freuds unbestritten zu den
Meilensteinen auf dem Felde der Wissenschaften vom Men-
schen zählt, wurde die Freud-Studienausgabe der Reihe
›Conditio humana‹ angegliedert.*